A-Z BIRMINGHAM

C000017602

CONTENTS

REFERENCE

Motorway **M6**	District Boundary
A Road **A34**	Posttown Boundary — By arrangement with the Post Office.
Under Construction	
Proposed	Postcode Boundary — Within Posttowns
B Road **B4217**	Ambulance Station
Dual Carriageway	Car Park Selected
One Way Street — Traffic flow on 'A' Roads is indicated by a heavy line on the drivers left.	Church or Chapel
	Fire Station
Pedestrianized Roads	Hospital
Restricted Access	House Numbers — 'A' and 'B' Roads only 2 23
Railway — Level Crossing / Station	Information Centre
Map Continuation **100** Large Scale City Centre **152**	Police Station
	Post Office
Built Up Area	Toilet
County Boundary	With Facilities for the Disabled

SCALE

4 inches to 1 mile

0 ¼ ½ ¾ 1 Mile

0 250 500 750 1 Kilometre

1:15,840

Geographers' A-Z Map Co. Ltd.

Head Office:
Fairfield Road, Borough Green,
Sevenoaks, Kent. TN15 8PP
Telephone 01732-781000

Showrooms:
44, Gray's Inn Road, London WC1X 8LR
Telephone 0171-242 9246

© Crown Copyright 1995
Copyright of the Publishers

The Maps in this Atlas are based upon the Ordnance Survey 1:10,000 Maps with the permission of the Controller of Her Majesty's Stationery Office.

Edition 1 1995

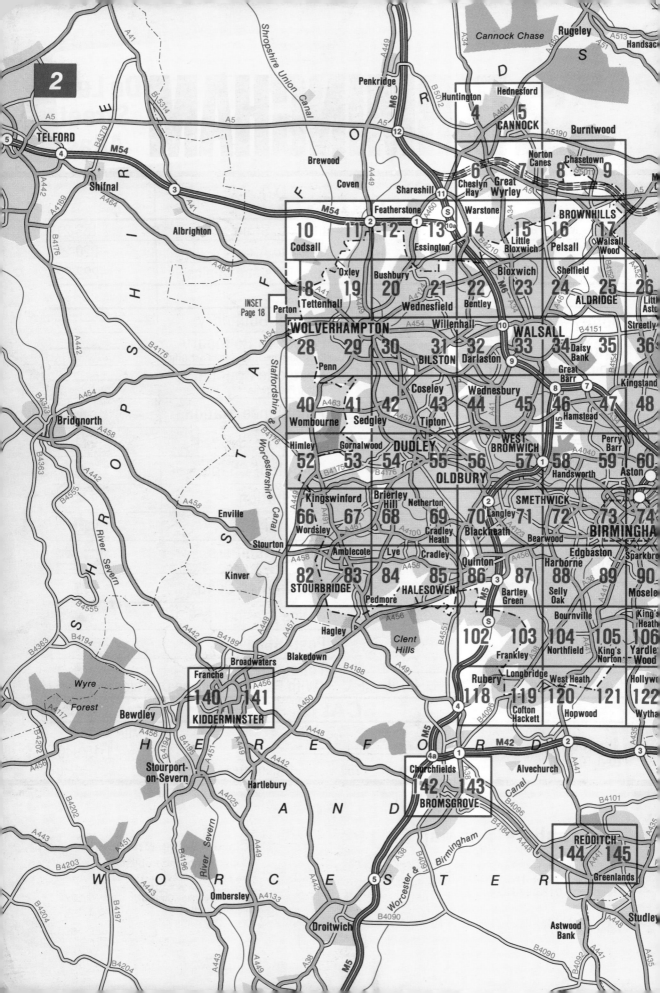

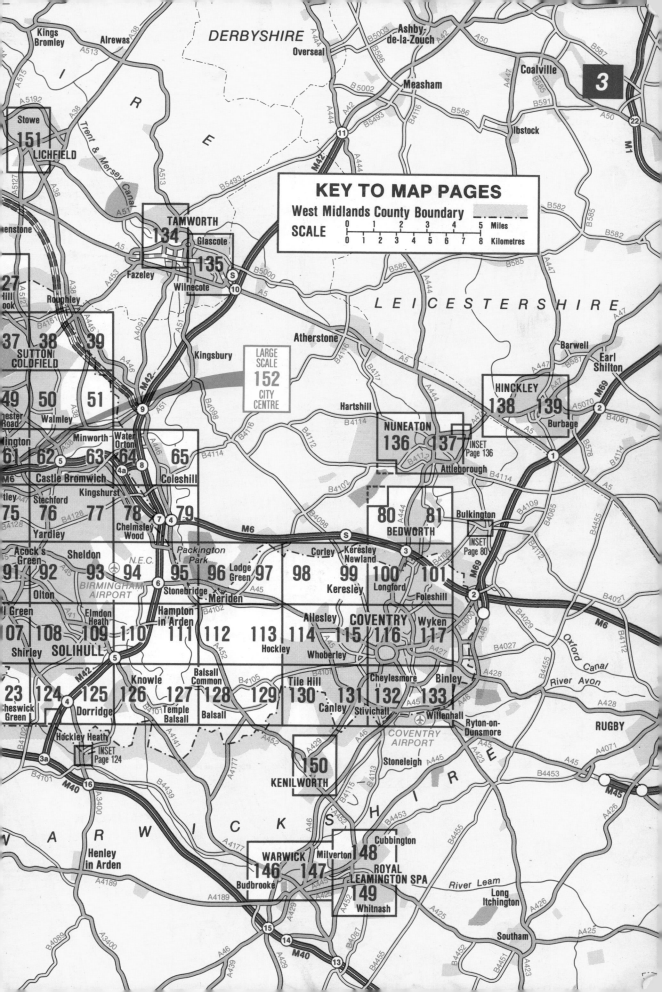

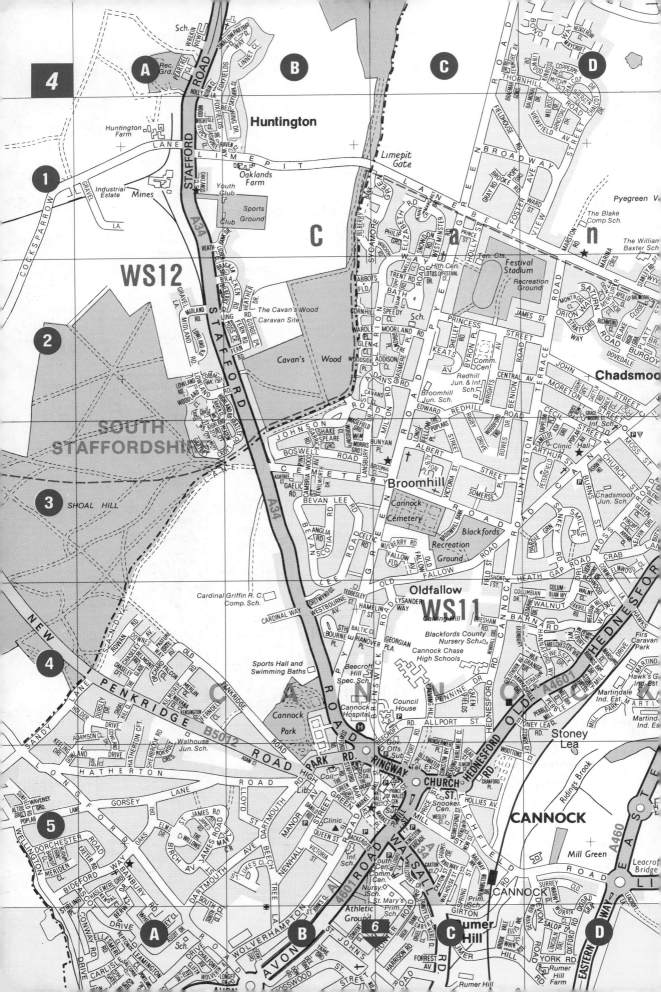

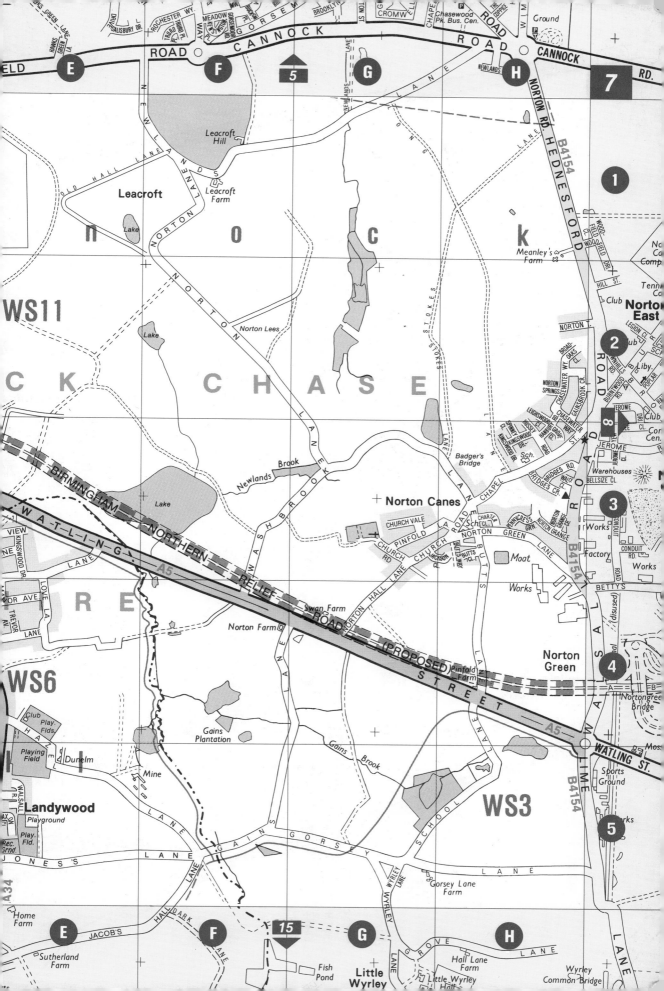

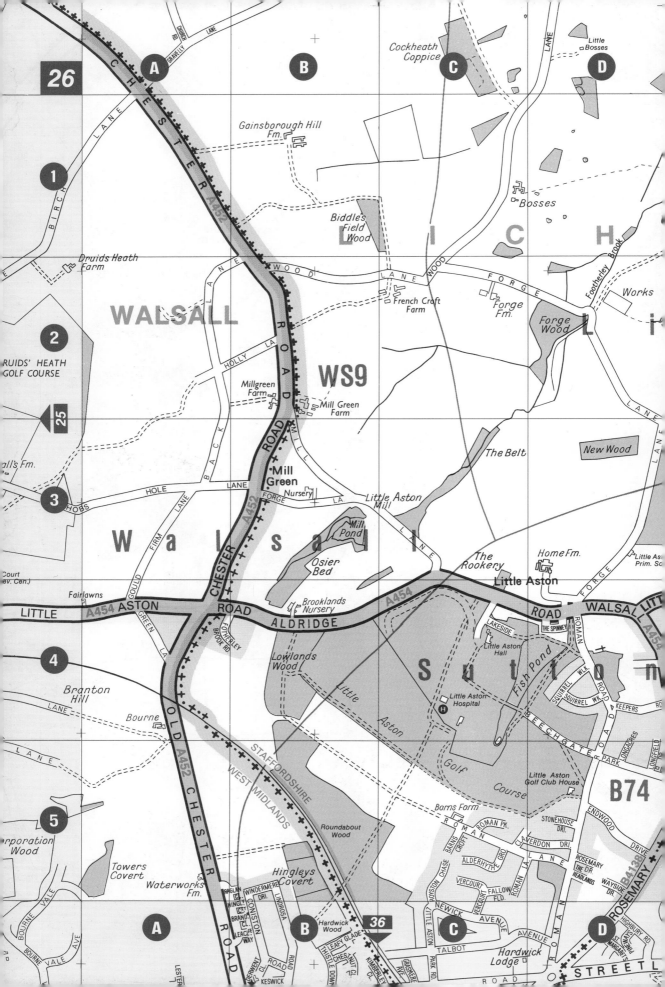

35

E — Aldridge 'Airport' — Aldridge Lodge

F

BARR COMMON

25

G — **Barr Common**

H — Shrubbery Fm. — Corporation Wood

35

Towers Covert Wa

The Dingle

a

Cuckoo's Nook

Bourne Vale
Playing Field
Pav.

1

Wead Fm.

LONGWOOD ROAD

B4154

BARR COMMON ROAD

ERDINGTON ROAD

LITTLE HARDWICK ROAD
C.E.M.
Crematorium

WEST
FOLEY
NURSERY VW.
BARLEY
ANNYBANK

Birch Wood

B4151

Potters Wood

WS9

BEACON HILL

FOLEY B4151 ROAD

2

Besom House

Blackwood Park
Blackwood Mid. Sch.

Foley

Moat

BEACON

LITTLE JOHNSONS LANE

Beacon Hill Farm

LIME TREE
WHITE THORNE
PINE TREE DR.
ELM
CHERRY
CEDAR DRI.
HAZELWOOD ROAD
BEECHCROFT

YEW TREE
PLANE TREE
PLANE TREE ROAD

36

St. A & H

Crowns special th

Wren's Nest

LANE

ROAD

Pine Hurst

Sutton Coldfield

B74

Pool House Fm.

PINFOLD LANE

Barr Beacon Reservoirs

OAKWOOD DRI.
ASHWOOD
LILAC
MARHOLT
ALDER CLO.
LAUREL WALK
BERRY
LOWLANDS
LILAC ROAD
NIC
AVE.

3

BODENS LANE

Crook Cottage Farm

Common Farm

Indu

OLD LINC

BRIDLE

A

Barr Beacon

Public Open Space

L

Blue House Fm.

LAKES LANE

CROOK LANE

Beacon Farm

BEACON HEIGHTS Mobile Home Park

B4154

Beacon Park Farm

BRIDLE

DOE

4

Barr Golf Course

Crook House

Crook House Fm.

PINFOLD LANE

LANE

PINFOLD LANE

BANK

Pheasey Playing Fields

Doe Bank Wood

Meadow View Sch.

5

Doe Bank Fm.

B43

The Old Hall

OLD HALL LANE

Barr Beacon Comprehensive School

Pheasey

Chapel Fm.
Club House

The Duckery

High Wood

47

ROAD

WIMPERIS

MORLAND

Pheasey Jun. Middle & Inf. Sch.
RAEBURN

SUTHERLAND WAY
STANFIELD
HOGARTH
FRAMPTON
STANHOPE
BROOKING

Sundridge Jun. & Inf. Sch

E — CHAPEL ROAD — SUTTON'S DRIVE

F

G — COLLINGWOOD ROAD — Library

H — CHANTREY

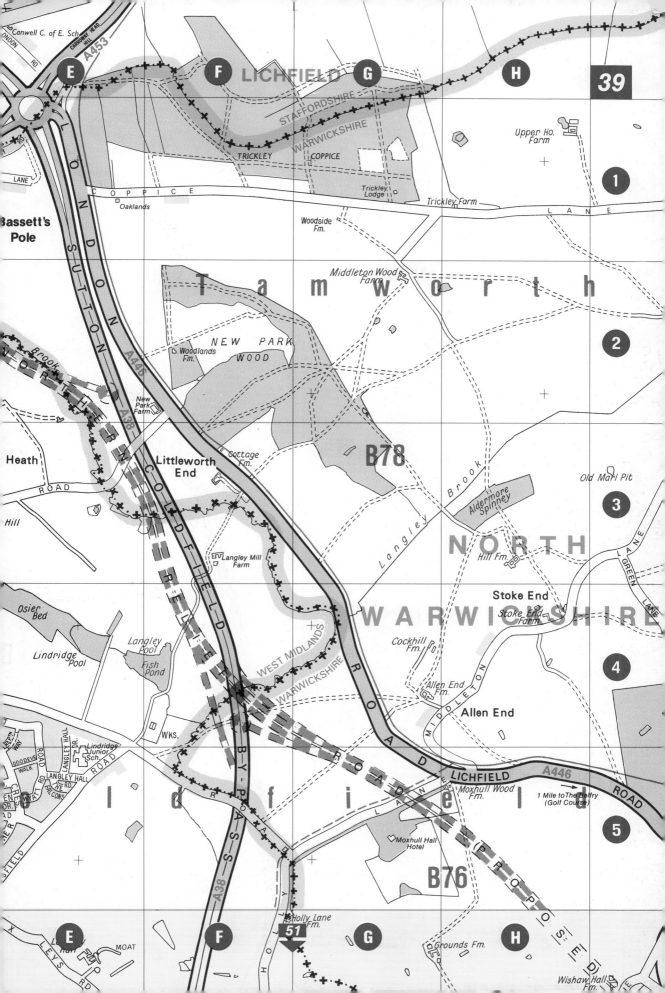

E   **F**   39   **G**   **H**

Langley Hall
·MOAT

LEYS RD

OX LEYS ROAD

BULLS LA.

B75

A38

Holly Lane Fm.

Holly Lane

NORTH WARWICKSHIRE

Moxhull Hall Hotel

RELIEF ROAD (Proposed)

Grounds Fm.

Wishaw Hall Fm.

1

Grove End

GROVE ROAD

1½ Mile to The Belfry (Golf Course)

Over Green Plantation

Ox Leys

2

G   **H**   **A**   **M**

Langley Heath Farm

Fox Covert

BY-PASS

BULL'S

Bull's Lane Fm.

LANE

Linda Vista

Yew Tree Cottage

Bricklyn Fm.

The Hermitage

GROVE

Over Green Fm.

LANE

3

Fox Hollies

Grove Fm.

LANE

Pool Hall

CHURCH

CURDWORTH

WARWICKSHIRE

WEST MIDLANDS

Pheasantry

Summer Ho. Plantation

B76

COLDFIELD

A38

Peddimore Hall

WIGGINS

HILL

ROAD

BLINDPIT LA.

LANE

4

Coldfield

PEDDIMORE LANE

SUTTON

A38

Ney Ash

PEDDIMORE LA.

WALMLEY

WALMLEY

YTHAM

COLEVILLE RD.

FORGE CROFT

HARBURY CL.

FULFORD DR.

STOCKTON

Hypermarket

P

ASH LANE

ROAD

Minworth Industrial Estate

KINGSBURY RD

DRIVE

FORGE LA.

HURST GRN. RD.

LAWRENCE DR.

SUMMER LA.

Hurst Green Farm

WISHAW

Playing Fields

Broad Balk Bridge

Sch.

Wiggins Hill Fm.

Wigginshill Rd. Bridge

5

2¼ Miles to The Belfry (Golf Course)

Birmingham & Fazeley Canal

Minworth Greaves Fm.

Kingsbury Industrial Park

ROAD

A4097

Clinic

SUTTON RD.

Dicken's Bri.

Cater's Br.

OLD KINGSBURY

ORTON WY.

ROBINS WY.

Minworth C. of E. Combined Sch.

Cadbury Warehouse

Fworth

63

Filter Beds

Sewage Works

Warehouse
Midpoint Business Park

E   **F**   **G**   **H**

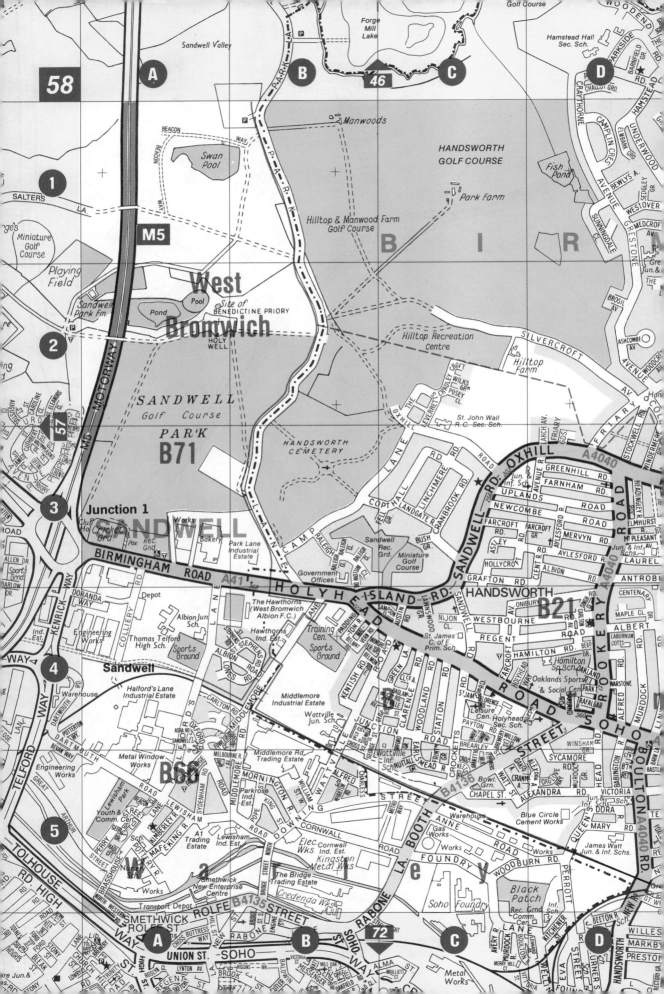

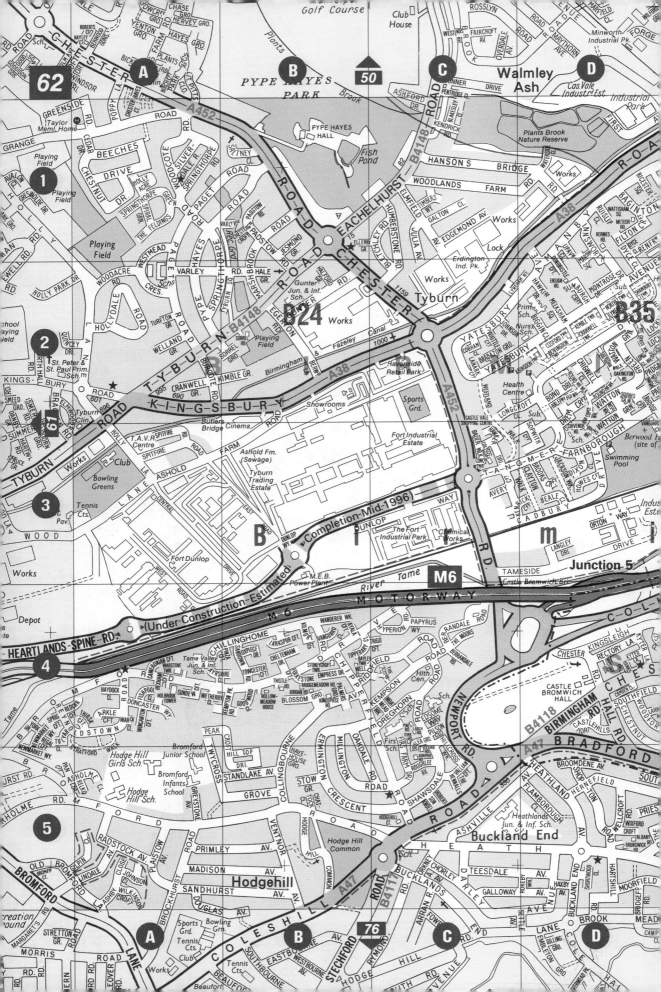

E **F** **G** **H**

d field

HAMS HALL
POWER STATION

Works

RIVER   TAME

Drain

Works

1

The Dingle

Sewage
Works

Hoggrill's
End

Croxall
Farm

Old House Farm

Malthouse
Farm

The
Croft

Whitacre Junction

2

River   Bourne

Works

R   T   H

RIVER

Beds

Drain

T   A   M   E

Drain

Drain

Reservoir

Water
Works

WATERY

WATERY   LANE

COLESHILL

ROAD

3

K   S

River Cole

River

Floodgates

Mill

Weir   Mill
Plantation

Blythe End

Cross
Heath

B4114

Shustoke Ho.

Long
Spinney

B46

Rec.
Grd.

ENNERSDALE

Ford

Swan's Barn

RIVER

The Stews
(Fish Ponds)

Weir

Keepers
Cottage

Blythe Plantation

Blythe
Hall

BLYTHE

The
Grove

Blythe
Farm

The Gorse

4

n   g   h   a   m

Cole End

B4114

Blythe
Bridge

Bridge
Plantation

Pond

HIGH

Round
Wood

Old Park
Plantation

Weir

5

Maxstoke
Castle

Stuart Ho.

ST. PHILIPS

COLESHILL

Cemetery

Council Off.

B4117

SUMNER

STREET

Pav.

Lib.

Hall

MAXSTOKE

Castle Farm

Blacksmiths
Plantation

Birch

Wood

MAXSTOKE
PARK GOLF COURSE

Lake

Keepers
Spinney

Lake

Pooltail
Plantation

E **F** **79** **G** **H**

COVENTRY   ROAD

Clinic

First
Sch.

St. Gerard's

LANE

COLESHILL

Cemetery

Council Off.

E **F** **65** **G** Castle Farm **H**

Blacksmiths
Plantation

MAXSTOKE
PARK GOLF COURSE

Birch
Wood

Maxstoke
Castle

Weir

Lake

Keepers
Spinney

Lake

Pooltail
Plantation

1

Maxstoke Mill

Mill Farm

Duke
Bridge

COLESHILL RD.   MAXSTOKE   LANE

Drain

Drain

Boat Ho.

Duke End

Duke End Farm **2**

Pond

Maxstoke
Farm

Dairy Farm
Cottages

3

Packington
Lane Farm

Hawkeswell
Farm

Junction 4

M6   M6 MOTORWAY

B46

Railway

4

The Bogs

Boat
Ho.

Coleshill

Pool

Bannerly
Pool

Bannerley
Rough

Moat House
Farm

Moat

Mulliner's
Rough

Coventry

CV7

Todd's
Rough

Burbidge's
Wood

5

Dismantled

E **F** **95** **G** **H**

River
Blythe

Nursery Farm

Reynold's
Plantation

Little Packington
Bri.

Brook
Farm

Ford
Cottages

Beam Ends

Sewage Works
(Dis.)

Foxes Den
Forest-of-o-Arden

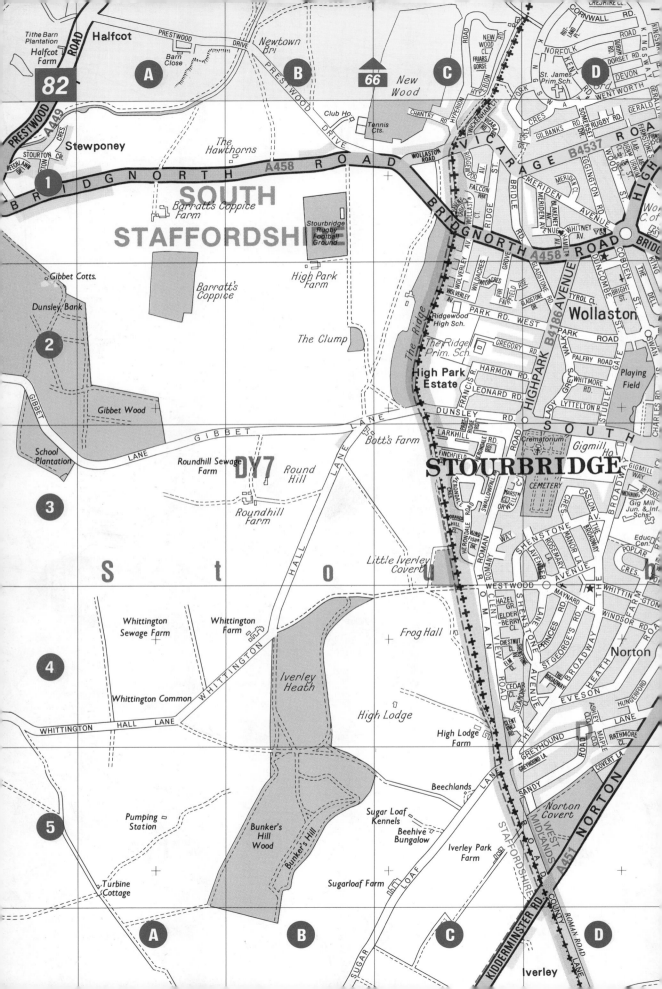

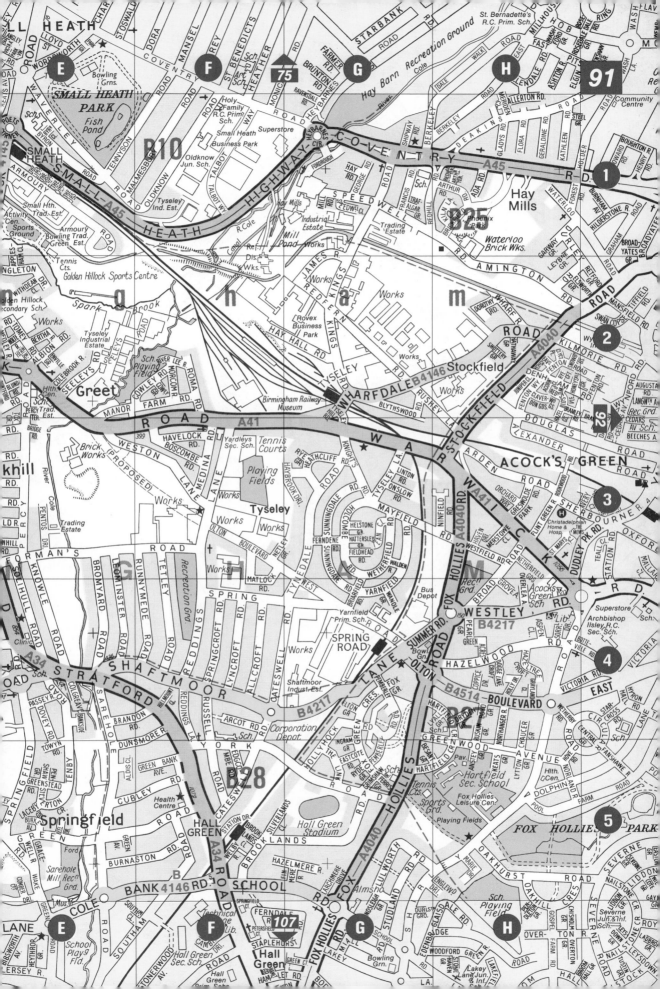

E　**F**　79　**G**　**H**　**95**

KENILWORTH — A446 — ROAD

River Blythe

Todd's Rough

Nursery Farm

Reynold's Plantation

CHESTER — A452 — ROAD

ickenhill
ommon Fm.

Beam Ends

Woodbine Cott.

Little Packington

School House

Ford

Little Packington Bri.

Brook Farm

Ford Cottages

Sewage Works (Dis.)

Foxes Den Forest-of-o-Arden

Golf

1

B46

FISHPOND

WARWICKSHIRE

Rectory Cottage
Rectory

Church Farm

Butler's Moors

North Lodge

The Ash Beds

Rookwood Cottage

WEST MIDLANDS

PACKINGTON LANE

Riding Ring

Coventry

CV7

PACKIN

2

MIDDLE

h

a

m

Park Farm

Riding Wood

Garden Spinney

NORTH

96

Warren Farm

BICKENHILL

A446

Mill Shrubbery

WARWICKSHIRE

Boat House

Packington Hall

Lio
Mo

M42

LANE
WAY

CHESTER — ROAD

Packington Mill

Hall Pool

The Wilderness

Weirs

3

Mill Shrubbery

Little Dayhouse Wood

H

U

L

L

Mill Farm

The Kennels

Dials Pool
South Lodge

Junc. 6

O — COVENTRY — A45

ROAD

BIRMINGHAM — A45 — ROAD

4

National Motorcycle
Museum

Cottage Fm.

Public Waste Reception Centre

Stonebridge

KENILWORTH

Geary's Heath

u

l

l

OLD STATION ROAD

Pasture Farm

Diddington Farm

Diddington Hill

Diddington Hill

A452

Diddington Hall

Snail's Grove

5

THE GROVE

DIDDINGTON LANE

Runneymeade Cottages

Molands Bridge

The

Shadow

Brook

Mickleton Cottage

Mouldings Green Farm

Meriden Mill

Weir

Meriden Mill Farm

ROAD

E　**F**　111　**G**　**H**

Station Fm.

IDDLERS GREEN
Griffin

MERIDEN RD. — HAMPTON LA.

Gravel Pit

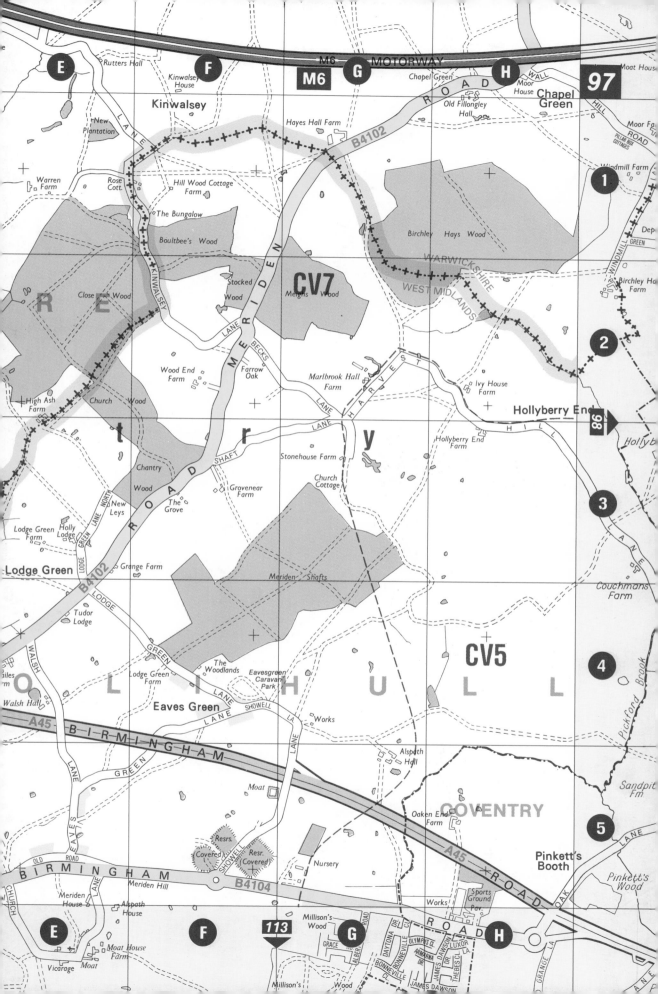

M6 MOTORWAY

Rutters Hall

Kinwalsey House

Kinwalsey

Chapel Green

Old Fillongley Hall

Moor House

Chapel Green

WALL

HILL

Moor Fa

Moor House

New Plantation

Hayes Hall Farm

B4102

PILLAR BOX COTTAGES

Windmill Farm

ROAD

De

WINDMILL GREEN

1

Warren Farm

Rose Cott.

Hill Wood Cottage Farm

R E

KINWALSEY LANE

The Bungalow

Boultbee's Wood

MERIDEN

CV7

Meigns Wood

Birchley Hays Wood

WARWICKSHIRE

WEST MIDLANDS

Birchley Ha Farm

2

Close End Wood

Stocked Wood

LANE

BECKS

Wood End Farm

Farrow Oak

Marlbrook Hall Farm

HARVEST

Ivy House Farm

Hollyberry End

98

High Ash Farm

Church Wood

t

SHAFT

r

Stonehouse Farm

y

Hollyberry End Farm

HILL

Holly

Chantry Wood

ROAD

Grovenear Farm

Church Cottage

3

Couchmans Farm

Lodge Green Farm

Holly Lodge

GREEN LANE NORTH

New Leys

The Grove

Lodge Green

B4102

Grange Farm

Meriden Shafts

CV5

4

LODGE

Tudor Lodge

S O L I H U L L

Pickford Brook

WALSH

GREEN LANE

The Woodlands

Eavesgreen Caravan Park

Walsh Hall

iles m

Lodge Green Farm

Eaves Green

SHOWELL LANE

Works

Alspath Hall

COVENTRY

Sandpit Fm

A45 BIRMINGHAM ROAD

5

EAVES LANE

GREEN LANE

Moat

Oaken End Farm

Pinkett's Booth

A45 ROAD

OAK LANE

Pinkett's Wood

CHURCH

OLD ROAD

Resrs. Covered

SHOWELL LA

Resr. (Covered)

Nursery

Works

Sports Ground Pav.

Meriden House

BIRMINGHAM

Meriden Hill

B4104

Alspath House

Moat House Farm

Vicarage

Moat

Millison's Wood

GRACE

DAYTONA DR

OLYMPUS CL

BONNEVILLE DR

ALBERT

ROAD

JAMES DAWSON DR

ARMARNA DR

THEBES CL

LUXOR

Millison's

JAMES DAWSON

GRANGE LA

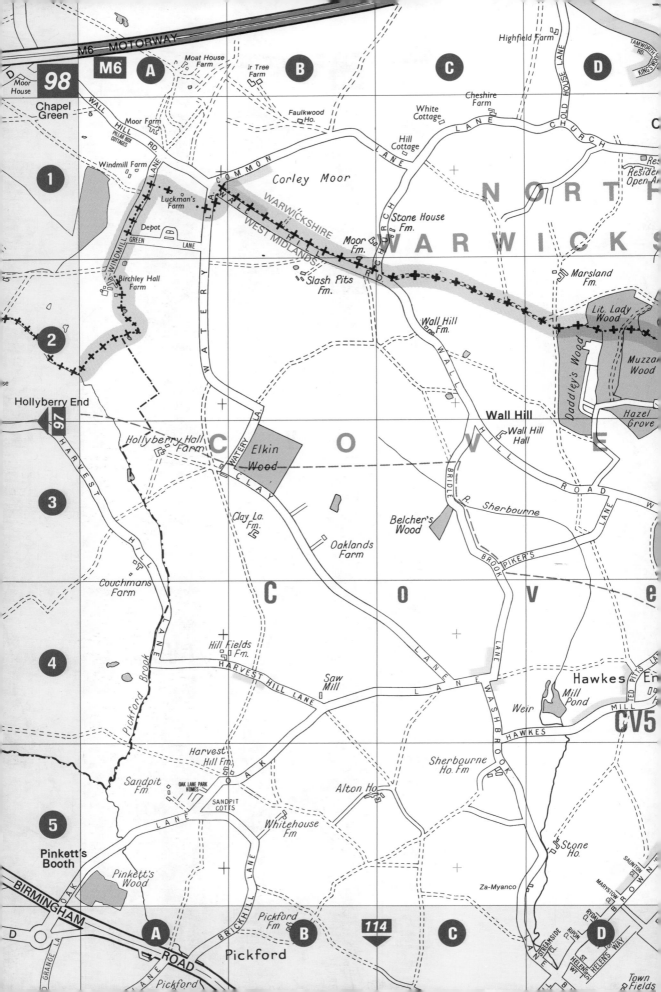

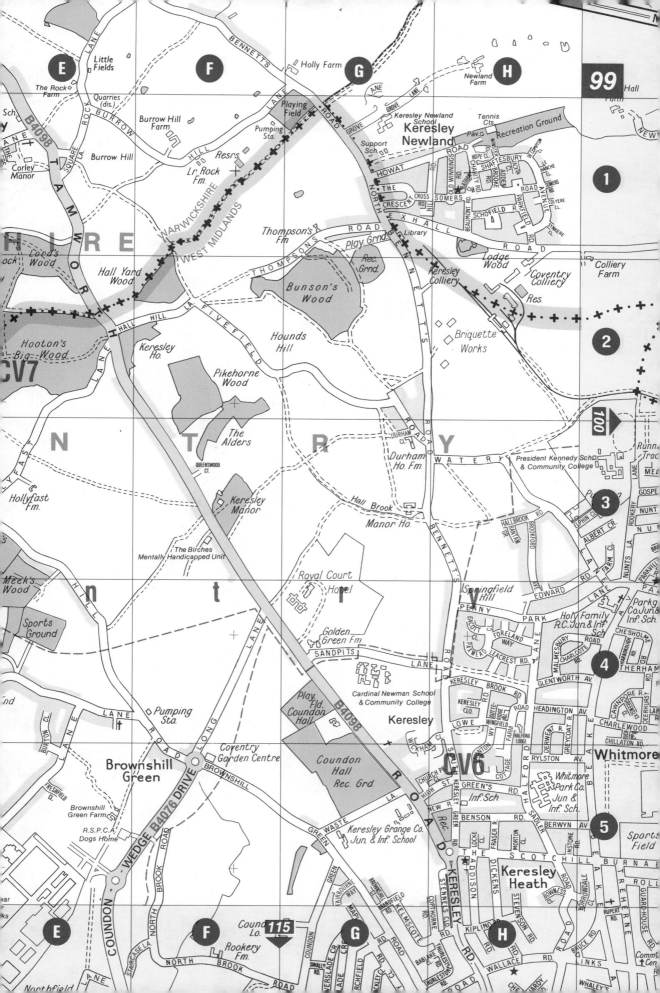

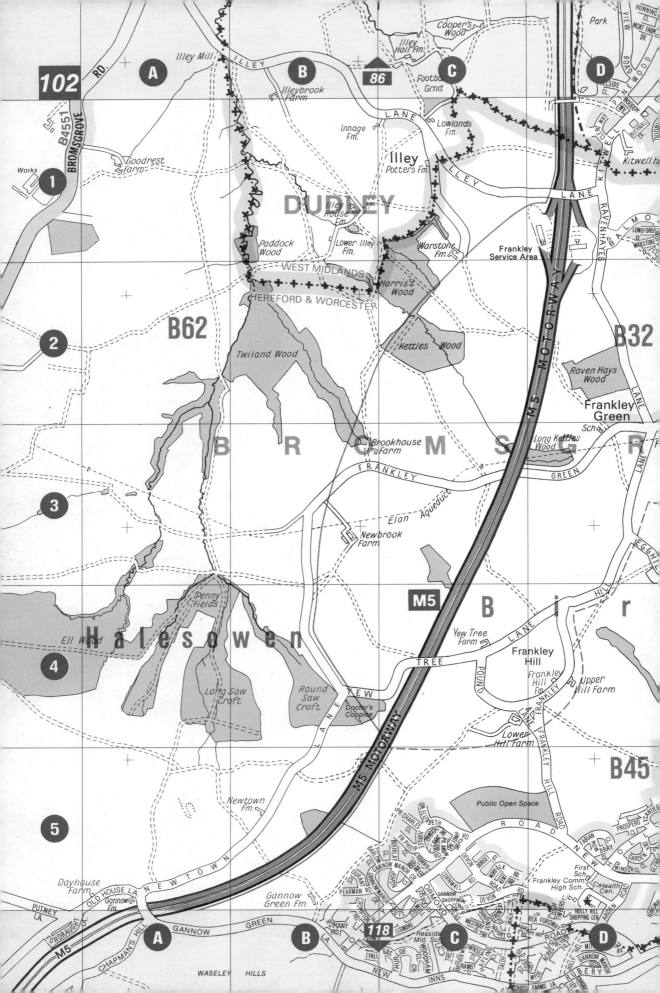

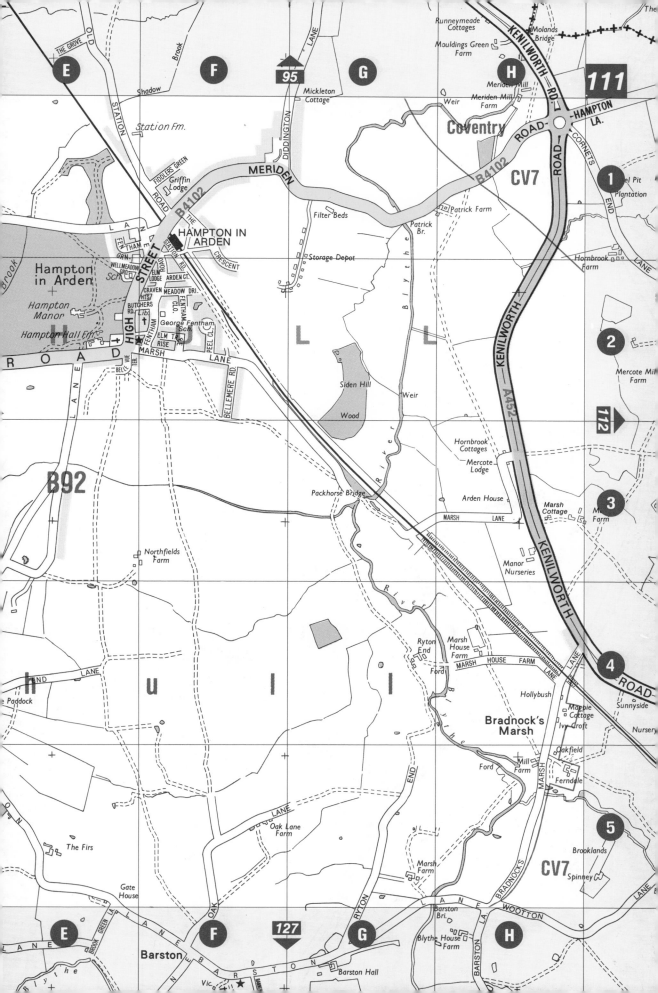

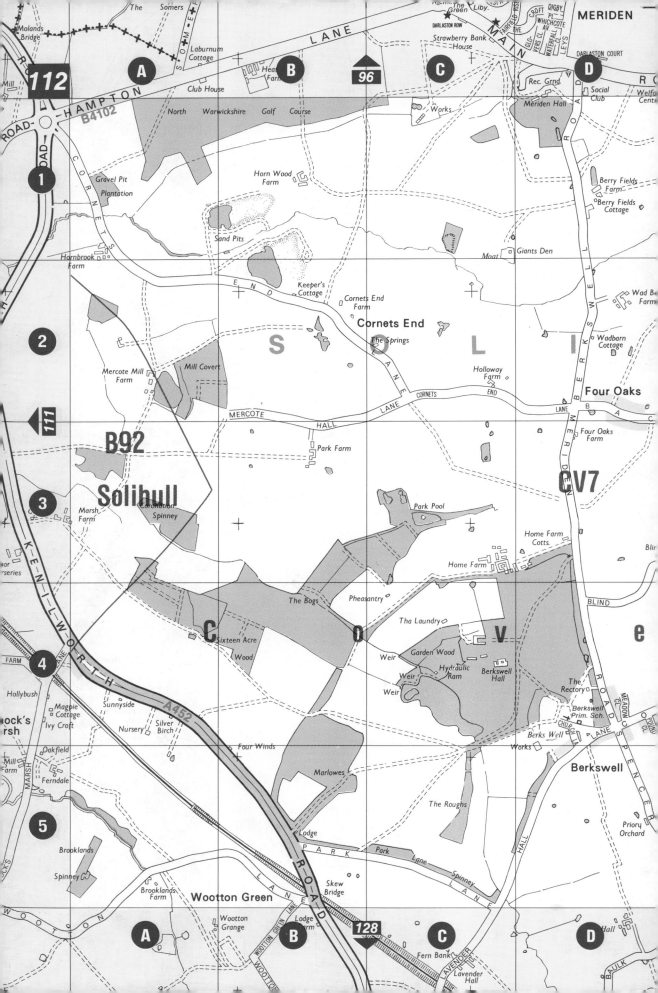

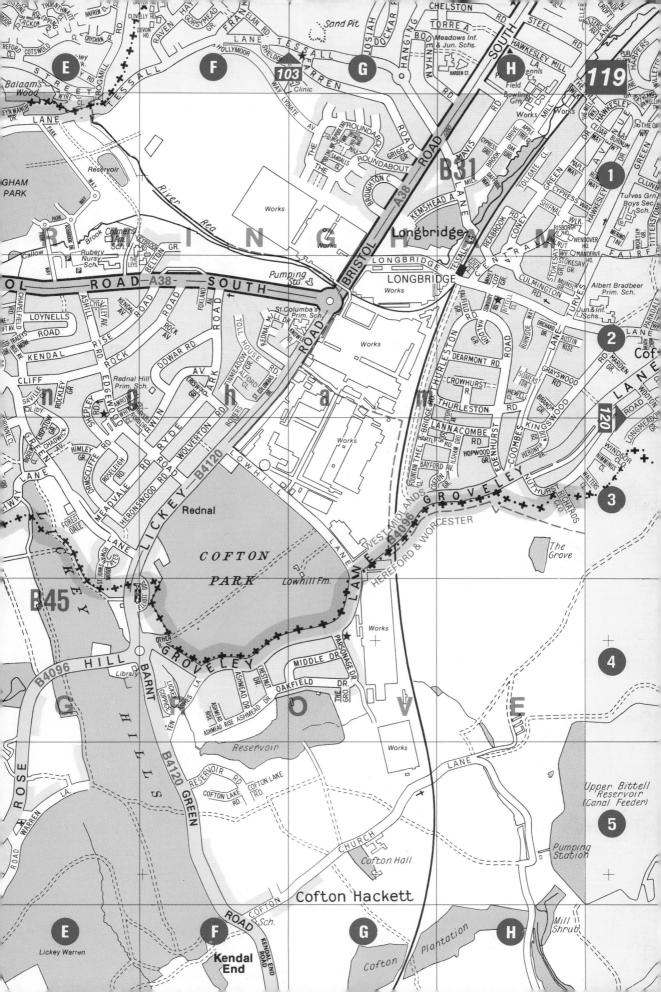

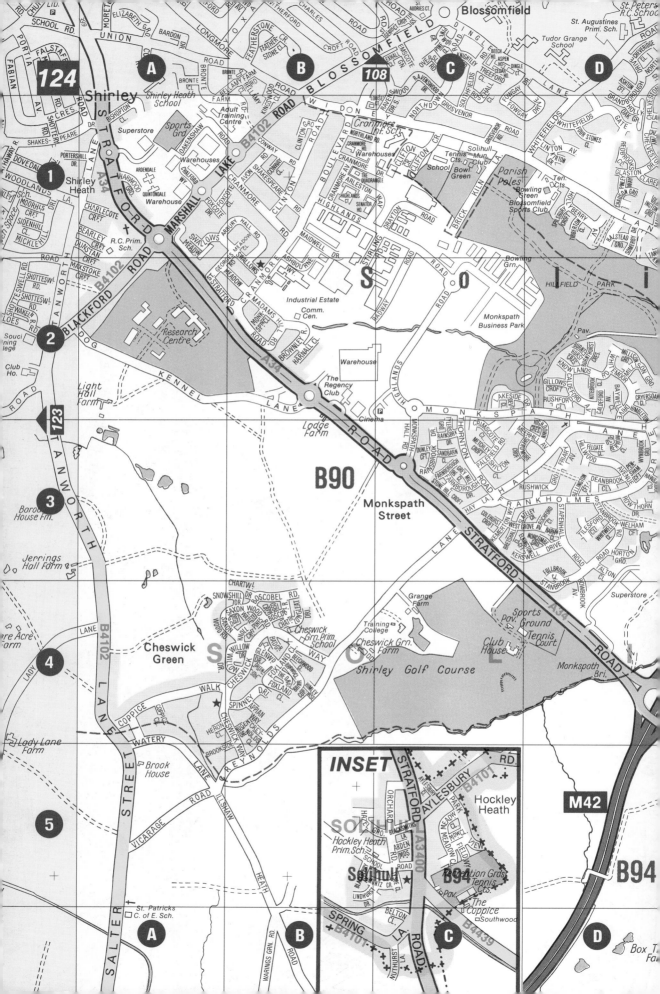

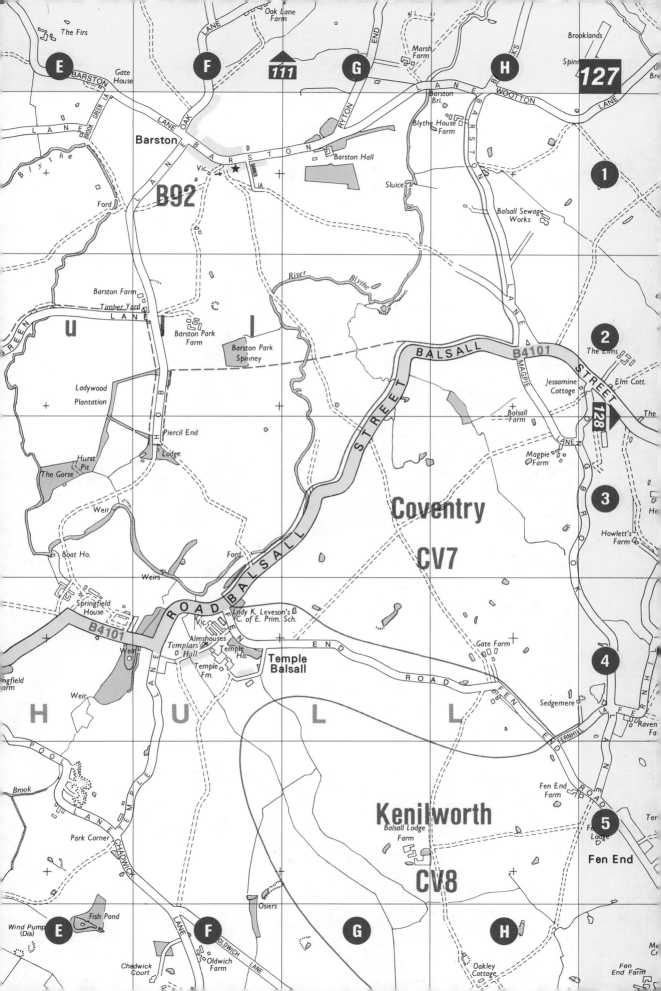

E
F
▲ 111
G
H

The Firs

Gate House

BARSTON LA

BROOK GREEN LA

LANE

Blythe

Ford

B92

Barston

Vic.

BARSTON

BANNER LA

Barston Hall

Oak Lane Farm

RYTON END

LANE

Marsh Farm

Barston Bri.

Blythe House Farm

BARSTON

WOOTTON

BROOKS LANE

LANE

Brooklands

Spinn

127

1

Sluice

Balsall Sewage Works

U

I

Barston Farm

Timber Yard

LANE

GREEN

Barston Park Farm

Barston Park Spinney

River Blythe

BALSALL

STREET

B4101

The Elms

Elm Cott.

Jessamine Cottage

128 ▶

STREET

2

Ladywood Plantation

B

Piercil End

Lodge

Balsall Farm

Magpie Farm

BROOK

LANE

The

Hurst Pit

The Gorse

Weir

Coventry

CV7

Howlett's Farm

He

3

Boat Ho.

Weirs

Ford

Springfield House

ROAD

B4101

Weir

Vic.

Almshouses

Templars' Hall

Temple Ho.

Temple Fm.

BALSALL

GREEN

Lady K. Leveson's C. of E. Prim. Sch.

Temple Balsall

END

ROAD

Gate Farm

Sedgemere

FENHILL

LANE

Gate

4

H

U

L

POOL

Springfield Farm

Weir

L

FEN

END

ROAD

FERNHILL

Raven Fa

Brook

TEMPLE

LANE

CHADWICK

Park Corner

Kenilworth

Balsall Lodge Farm

Fen End Farm

FEN END ROAD

Fen Lodge

5

Fen End

CV8

E

F

G

H

Wind Pump (Dis)

Fish Pond

Chadwick Court

LANE

OLDWICH

Oldwich Farm

LANE

Osiers

Oakley Cottage

Fen End Farm

Me Cr

Ter

E

F

113

G

H

Victoria Farm

Close

Conway

BARTON

GREEN

Floyds Field

MAUREEN
CL

MAUREEN

EDGEHILL
PL

WINCEBY
LANE

Glebe Farm

PATRICIA
CL

IRETON
CL

STOWE
CL

TANYARD

GRENDON
CL

NAILCOTE
CL

CONWAY
REX
AV

STATION
LANE

HATHWAY
AV

TILE
CON

LANE

Tree Farm

Beechcote

B4101

The Yews

Reeves Green

CV4

1

Moat House Farm

Moat

SPENCER'S LA.

LANE

TANNER'S

Beechwood House

Holly Lodge

DUGGINS

LANE DUGGINS

TILE HILL

n

t

r

y

Berkswell Grange

Carol House

SPENCER'S LA.

Nailcote House

LANT
CL

THE PINES

FALK
CL

Beech Lawn

Carol Green

Beechwood Tunnel

Beechwood

Nailcote Hall

Westwood Fm

Nurses Home

DALMENY
CL

PARK

2

Dismantled

Railway

Beechwood Farm

Nailcote Farm

COLLERY
CL

OAK
CL

WHITEFI
CL

WESTWOOD

130

CROSSFELL

LANE

NAILCOTE

LANE

B4101

Poplars Farm

Arnold Fm.

Sports Grd.

CROMWELL

LANE

WHITEFI
CL

3

Fairview

WASTE

LANE

Fair View House

Black Waste Wood

Lo

WARWICK

Camp Farm

Pool House Farm

Beanit Spinneys

Hall

Burton Green

MOAT

Bocke

4

Windmill Park

U

The Neuk

L

Beanit Farm

L

Little Poors Wood

H

O

B

U

L

L

Meadow Farm

Hob Farm

Big Poors Wood

The Firs

Image House

Lottery Cottage

K e n i l w o r t h

Burton Green Farm

Long Meadow Farm

A452
RD.

A452

ROAD

Burton Green

WEST
MIDLANDS

WARWICKSHIRE

Sch.

CV8

5

Moat Farm

Blackhales Farm

Stake's Wood

E

F

G

H

Long Meadow Wood

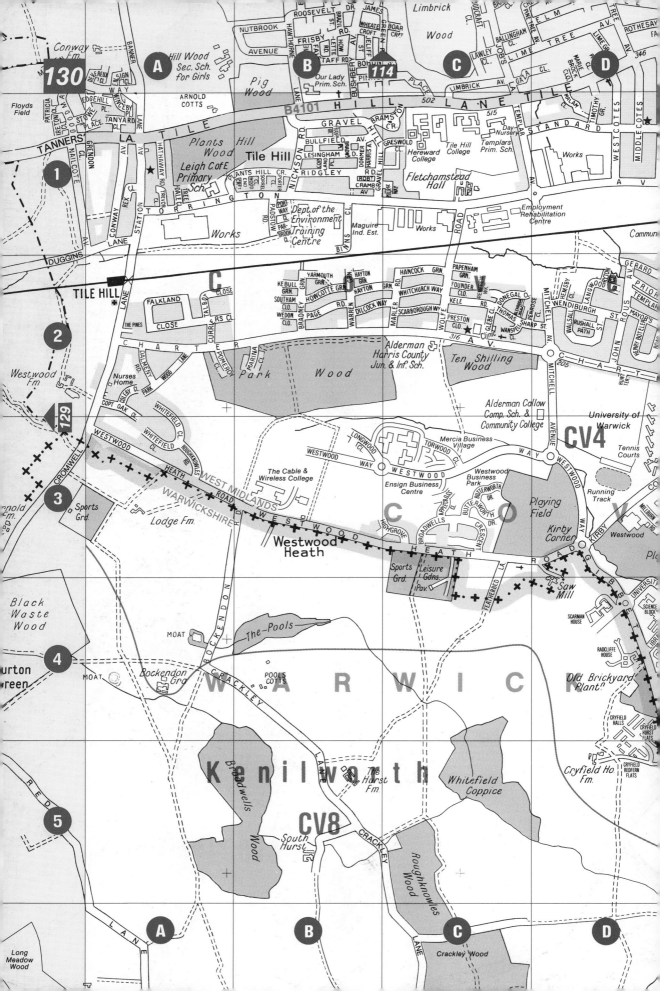

CITY CENTRE

One Way Street ⟶

Scale: 6 inches to 1 mile

0   ¼ MILE

INDEX TO STREETS

HOW TO USE THIS INDEX

1. Each street name is followed by its Postal District and then by its map reference; e.g. Aaron Manby Ct. DY4 —3G **43** is in the Birmingham 4 Postal District and is to be found in square 3G on page **43**. The page number being shown in bold type.
A strict alphabetical order is followed in which Av., Rd., St., etc. (though abbreviated) are read in full and as part of the street name; e.g. Abbotsford Av. appears after Abbots Field but before Abbotsford Dri.

2. Streets and a selection of Subsidiary names not shown on the Maps, appear in the index in *Italics* with the thoroughfare to which it is connected shown in brackets;
e.g. *Acorns Small Firm Cen., The. WS1 —2H **33** (off Ablewell St.)*

3. With the now general usage of Postcodes for addressing mail, it is not recommended that this index is used for such a purpose.

GENERAL ABBREVIATIONS

All: Alley	Cen: Centre	Dri: Drive	Ind: Industrial	N: North	St: Street
App: Approach	Chu: Church	E: East	Junct: Junction	Pal: Palace	Ter: Terrace
Arc: Arcade	Chyd: Churchyard	Embkmt: Embankment	La: Lane	Pde: Parade	Up: Upper
Av: Avenue	Circ: Circle	Est: Estate	Lit: Little	Pk: Park	Vs: Villas
Bk: Back	Cir: Circus	Gdns: Gardens	Lwr: Lower	Pas: Passage	Wlk: Walk
Boulevd: Boulevard	Clo: Close	Ga: Gate	Mnr: Manor	Pl: Place	W: West
Bri: Bridge	Comn: Common	Gt: Great	Mans: Mansions	Rd: Road	Yd: Yard
B'way: Broadway	Cotts: Cottages	Grn: Green	Mkt: Market	S: South	
Bldgs: Buildings	Ct: Court	Gro: Grove	M: Mews	Sq: Square	
Bus: Business	Cres: Crescent	Ho: House	Mt: Mount	Sta: Station	

INDEX TO STREETS

A1 Trading Est. B66 —5A **58**
Aaron Manby Ct. DY4 —3G **43**
Abberley. B77 —3A **135**
Abberley Clo. B63 —4G **85**
Abberley Clo. B98 —1F **145**
Abberley Ind. Cen. B66 —2C **72**
Abberley Rd. B68 —5E **71**
Abberley Rd. DY3 —1H **53**
Abberley St. B66 & B18 —2C **72**
Abberley St. DY2 —4D **54**
Abberton Clo. B63 —3A **86**
Abberton Gro. B90 —2E **125**
Abberton Way. CV4 —5F **131**
Abbess Gro. B25 —4B **76**
Abbey Clo. B60 —3F **143**
Abbey Clo. B91 —3F **109**
Abbey Ct. B68 —2E **71**
Abbey Ct. CV3 —3E **133**
Abbey Ct. CV8 —3B **150**
Abbey Cres. B63 —2E **85**
Abbey Cres. B68 —5F **71**
Abbeydale Clo. CV3 —5H **117**
Abbeydale Rd. B31 —5A **104**
Abbey Dri. WS3 —4A **16**
Abbey End. CV8 —3B **150**
Abbeyfield Rd. B23 —4E **49**
Abbeyfield Rd. WV10 —4B **12**
Abbey Gdns. B67 —4G **71**
Abbey Ga. Shopping Precinct. CV11 —3F **137**
Abbey Grn. CV11 —2E **137**
Abbey Hill. CV8 —3B **150**
Abbey Ho. CV3 —2E **133**
Abbey Mans. B24 —5H **49**
Abbey Rd. B17 —2C **88**
Abbey Rd. B23 —2E **61**
Abbey Rd. B63 —3E **85**
Abbey Rd. B67 —4G **71**
Abbey Rd. B77 —2E **135**
Abbey Rd. B97 —2C **144**
Abbey Rd. CV3 —3D **132**
Abbey Rd. DY2 —5E **55**
Abbey Rd. DY3 —2H **53**
Abbey Rd. DY11 —2A **140**
Abbey Sq. WS3 —1C **22**
Abbey St. B18 —1F **73**
Abbey St. CV11 —3F **137**
Abbey St. DY3 —2H **53**
Abbey St. WS12 —1E **5**
Abbey St. N. B18 —1F **73**
Abbey, The. CV8 —3B **150**
Abbey Trading Est. B97 —1C **144**
Abbey Way. CV3 —3D **132**
Abbots Clo. B93 —2A **126**
Abbots Clo. WS4 —3B **24**
Abbots Field. WS11 —2B **4**
Abbotsford Av. B43 —2E **47**
Abbotsford Dri. DY1 —5B **54**
Abbotsford Rd. B11 —1D **90**
Abbotsford Rd. CV11 —5H **137**
Abbotsford Rd. WS14 —3H **151**
Abbots M. DY5 —4H **67**
Abbots Rd. B14 —1A **106**
Abbots Way. B18 —5F **59**
Abbots Way. CV34 —4D **146**
Abbots Way. WV3 —2E **29**
Abbott Rd. B63 —5E **85**
Abbotts Grn. LE10 —4G **139**
Abbotts La. CV1 —4A **116**
Abbotts Pl. WS3 —1G **23**
Abbotts Rd. B24 —4F **61**
Abbotts St. CV31 —5B **139**
Abbotts St. WS3 —1G **23**
Abdon Av. B29 —1B **104**
Abelia. B77 —2G **135**
Abercorn Rd. CV5 —5G **115**
Aberdeen Clo. CV5 —3D **114**
Aberdeen St. B18 —2D **72**
Aberford Clo. WV12 —5B **22**
Abergavenny Wlk. CV3 —2H **133**
Abigails Clo. B26 —1E **93**
Abingdon Clo. WV1 —1D **30**
Abingdon Rd. B23 —4C **48**
Abingdon Rd. DY2 —3E **69**
Abingdon Rd. WS3 —5D **14**
Abingdon Rd. WV1 —1D **30**
Abingdon Tower. B35 —2D **62**
Abingdon Way. CV11 —1H **137**
Abingdon Way. WS3 —1D **22**
Ablewell St. WS1 —2H **33**
Ablow St. WV2 —3H **29**
Abnalls Croft. WS13 —2E **151**
Abnalls La. WS13 —2E **151** (in two parts)
Abney Dri. WV14 —3B **42**
Abney Gro. B44 —2C **48**
Aboyne Clo. B5 —1H **89**
A.B. Row. B4 —3B **74**
Acacia Av. B37 —1H **77**
Acacia Av. CV1 —5C **116**
Acacia Av. WS5 —1A **46**
Acacia Clo. B37 —1H **77**
Acacia Clo. B69 —3A **56**
Acacia Clo. DY1 —2C **54**
Acacia Cres. CV12 —2G **81**
Acacia Cres. WV8 —4B **10**
Acacia Dri. WV14 —4C **42**
Acacia Gro. WS12 —3H **5**
Acacia Rd. B30 —1D **104**
Acacia Rd. CV10 —2C **136**
Acacia Rd. CV32 —2H **137**
Acacia Ter. B12 —2C **90**
Ace Bus. Pk. B33 —3F **77**
Acfold Rd. B20 —5D **46**
Achal Clo. CV6 —4D **100**
Acheson Rd. B90 & B28 —5F **107**
Achilles Clo. WS6 —5D **6** & 1D **14**
Achilles Rd. CV6 —2E **117**
Ackleton Gdns. WV3 —3E **29**
Ackleton Gro. B29 —5H **87**
Acorn Clo. B27 —2H **91**
Acorn Clo. B30 —1D **104**
Acorn Clo. B70 —2E **57**
Acorn Clo. WS6 —5D **6**
Acorn Clo. WS11 —5F **5**
Acorn Ct. CV32 —3C **148**
Acorn Gro. B1 —3G **73**
Acorn Gro. DY8 —4E **67**
Acorn Rd. B62 —5A **70**
Acorn Rd. WV11 —1H **21**
*Acorn Small Firms Cen., The. WS1 —2H **33** (off Ablewell St.)*
Acorn St. CV3 —1F **133**
Acorn St. WV13 —1A **32**
Acre Clo. CV31 —8C **149**
Acre Rise. WV12 —4A **22**
Acres Rd. Bri. H. DY5 —5A **68** (in two parts)
Acton Clo. B98 —1G **145**
Acton Dri. DY3 —2G **53**
Acton Gro. B44 —2C **48**
Adam Ct. WS11 —5B **4**
Adam Rd. CV6 —2D **116**
Adams Brook Dri. B32 —5E **87**
Adams Clo. B66 —5G **57**
Adams Clo. DY4 —3G **43**
Adams Ct. DY10 —2F **141**
Adams Hill. B32 —5E **87**
Adams Ho. DY11 —2C **140**
Adams Ind. Est. DY10 —2G **141**
Adamson Clo. WS11 —4A **4**
Adams Rd. WS8 —3F **17**
Adams Rd. WV3 —3C **28**
Adams St. B7 —2B **74**
Adams St. B70 —2E **57**
Adams St. WS2 —1F **33**
Adam St. DY11 —3C **140**
Adare Dri. CV3 —1A **132**
Ada Rd. B9 —4C **74**
Ada Rd. B25 —1H **91**
Ada Rd. B66 —3B **72**
Ada Wrighton Clo. WV12 —2A **22**
Adcock Dri. CV8 —2C **150**
Addenbrooke Ct. B64 —5G **69**
Addenbrooke Cres. DY11 —5B **140** (in two parts)
Addenbrooke Dri. B73 —2H **49**
Addenbrooke Pl. WS10 —3B **32**
Addenbrooke Rd. B67 —3H **71**
Addenbrooke Rd. CV7 —1H **99**
Addenbrooke St. WS3 —3F **23**
Addenbrooke St. WS10 —3B **32**
Adderley Gdns. B8 —2E **75**
Adderley Pk. Clo. B8 —2E **75**
Adderley Pk. Trading Est. B8 —2D **74**
Adderley Rd. B8 —3D **74**
Adderley Rd. S. B8 —3D **74**
Adderley St. B9 —4B **74**
Adderley St. CV1 —3D **116**
Addingham Clo. CV34 —2E **147**
Addison Clo. WS10 —2H **45**
Addison Clo. WS11 —2C **4**
Addison Croft. DY3 —1G **53**
Addison Gro. WV11 —1D **20**
Addison Pl. WV14 —3G **31**
Addison Rd. B7 —4D **60**
Addison Rd. B14 —1A **106**
Addison Rd. CV6 —5H **99**
Addison Rd. WS10 —2H **45**
Addison Rd. WV3 —3E **29**
Addison Rd. Bri. H. DY5 —3G **67** & 4G **67**
Addison St. WS10 —2D **44**
Addison Ter. WS10 —2D **44**
Adelaide Av. B70 —4D **44**
Adelaide Ct. CV12 —3D **80**
Adelaide Rd. CV32 & CV31 —5A **149**
Adelaide St. B12 —5B **74** & 5D **152**
Adelaide St. B97 —2C **144**
Adelaide St. CV1 —4C **116**
Adelaide St. Bri. H. DY5 —3H **67**
Adelaide Wlk. WV2 —3A **30**
*Adelphi Ct. DY5 —3A **68** (off Promenade, The.)*
Adey Rd. WV11 —2G **21**
Adkins La. B67 —4A **72**
Admington Rd. B33 —5E **77**
Admiral Gdns. CV8 —2D **150**
Admiral Pl. B13 —3B **90**
Admirals Way. B65 —3H **69**
Adonis Clo. B79 —1D **134**
Adrian Croft. B13 —5D **90**
Adria Rd. B11 —3C **90**
Adshead Rd. DY2 —5E **55**
Adstone Gro. B31 —5A **104**
Adwalton Rd. WV6 —5A **18**
Aggborough Cres. DY10 —4E **141**
Agincourt Rd. CV3 —2C **132**
Aiken Ho. B66 —2C **72**
Aimsbury Ct. B26 —3F **93**
Ainsbury Rd. CV5 —2F **131**
Ainsdale Clo. CV6 —2F **101**
Ainsdale Clo. DY8 —4F **83**
Ainsdale Gdns. B24 —1A **62**
Ainsdale Gdns. B63 —4F **85**
Ainsworth Rd. WV10 —4A **12**
Aintree Clo. CV6 —3D **116**
Aintree Clo. CV12 —2E **81**
Aintree Clo. DY11 —1D **140**
Aintree Clo. WS12 —2H **5**
Aintree Dri. CV32 —2D **148**
Aintree Gro. B34 —5G **63**
Aintree Rd. WV10 —4A **12**
Aintree Way. DY1 —2A **54**
Aire Croft. B31 —1B **120**
Airport Way. B40 —3B **94**
Aitken Clo. B78 —5C **134**
Ajax Clo. WS6 —1D **14**
Akrill Clo. B70 —1E **57**
Alamein Av. CV3 —3B **132**
Alamein Rd. WV13 —2F **31**
Alan Bray Clo. LE10 —3A **138**
Alandale Av. CV5 —4B **114**
Albany Clo. DY10 —2G **141**
Albany Cres. WV14 —4D **30**
Albany Gdns. B91 —4G **109**
Albany Gro. DY6 —5E **53**
Albany Gro. WV11 —1A **22**
Albany Ho. B34 —5D **62**
Albany Rd. B17 —2C **88**
Albany Rd. CV5 & CV1 —1H **131**
Albany Rd. WV1 —1G **29**
Albany Ter. CV32 —4A **148**
Albemarle Rd. DY8 —4F **83**
Albermarle Rd. DY6 —1F **67**
Albert Av. B12 —1C **90**
Albert Clarke Dri. WV12 —2A **22**
Albert Cres. CV6 —3A **100**
Albert Dri. B63 —4G **85**
Albert Dri. DY3 —2A **52**
Albert Pl. B12 —2A **90**
Albert Rd. B6 —4A **60** & 5A **60**
Albert Rd. B14 —1A **106**
Albert Rd. B17 —2B **88**
Albert Rd. B21 —4D **58**
Albert Rd. B23 —2E **61**
Albert Rd. B33 —3B **76**
Albert Rd. B61 —5C **142**
Albert Rd. B63 —4G **85**
Albert Rd. B68 —5F **71**
Albert Rd. B78 —5B **134**
Albert Rd. B79 —2D **134**
Albert Rd. CV5 —1G **113**
Albert Rd. DY10 —2F **141**
Albert Rd. LE10 —2E **139**
Albert Rd. WV6 —1F **29**
Albert Smith Pl. B65 —2G **69**
Albert St. B4 & B5 —3A **74** & 3D **152**
Albert St. B69 —4D **56**
Albert St. B70 —3F **57**
Albert St. B97 —1C **144**
Albert St. CV1 —4C **116**
Albert St. CV10 —4C **136**
Albert St. CV32 —2H **147**
Albert St. CV34 —3D **146**
Albert St. DY4 —3G **43**
Albert St. DY6 —4B **52**
Albert St. DY8 —2E **83**
Albert St. DY9 —2A **84**
Albert St. WS2 & WS1 —1H **33**
Albert St. WS10 —2C **44**
Albert St. WS11 —3C **4**
Albert St. WS12 —2F **5**
Albert St. Bri. H. DY5 —5H **53**
Albert St. E. B69 —5E **57**
Albert Wlk. B17 —2B **88**
Albion Av. WV13 —1A **32**
Albion Bus. Pk. B66 —4G **57**
Albion Field Dri. B71 —1G **57**
Albion Ho. B70 —2F **57**
Albion Ind. Est. B70 —3D **56**
Albion Ind. Est. CV6 —1B **116**
Albion Ind. Est. Rd. B70 —3D **56**
Albion Motorway Ind. Pk. B66 —4F **57**
Albion Pde. DY6 —4C **52**
Albion Pl. WS11 —3C **4**
Albion Rd. B11 —2E **91**
Albion Rd. B21 —3D **58**
Albion Rd. B70 —3D **56** (in two parts)
Albion Rd. B71 —4A **58**
Albion Rd. WS8 —1D **16**
Albion Rd. WV13 —1A **132**
Albion St. B1 —3G **73** & 2A **152**
Albion St. B69 —3C **56**
Albion St. B79 —3D **134**
Albion St. CV8 —3B **150**
Albion St. DY4 —5G **43**
Albion St. DY5 —3A **68**
Albion St. DY6 —4B **52**
Albion St. WV1 —1A **30**
Albion St. WV13 —1A **32**
Albion Way. WS7 —1E **9**
Alborn Cres. B38 —1C **120**
Albrighton Ho. B20 —2E **59**
Albrighton Rd. B63 —4F **85**
Albright Rd. B68 —2F **71**
Albury Wlk. B11 —1B **90**
Albutts Rd. WS8 —4A **8**
Alcester Dri. B73 —1E **49**
Alcester Dri. WV13 —2E **31**
Alcester Gdns. B14 —1A **106**
Alcester Highway. B98 —5C **144**
Alcester Rd. B13 —4A **90** (Moseley)
Alcester Rd. B47 —2B **122** (Hollywood)
Alcester Rd. B47 —5B **122** to 3B **122** (Wythall)
Alcester Rd. B60 —4G **143** (Finstall)
Alcester Rd. B60 —1F **143** (Lickey End)
Alcester Rd. S. B14 —1A **106** to 1B **122**
Alcester St. B12 —5B **74** & 5D **152**
Alcester St. B98 —2C **144**
Alcombe Gro. B33 —4B **76**
Alcott Clo. B93 —5H **125**
Alcott Gro. B33 —3G **77**
Alcott La. B37 —5H **77**
Alcove, The. WS3 —5F **15**
Aldbourne Rd. CV1 —3B **116**
Aldbourne Way. B38 —2D **120**
Aldbury Rise. CV5 —3E **115**
Aldbury Rd. B14 —5C **106**
Aldeburgh Clo. WS3 —5D **14**
Aldeford Dri. DY5 —5H **67**
Alden Hurst. WS7 —1E **9**
Alderbrook Clo. DY3 —2G **41**
Alderbrook Rd. B91 —5C **108**
Alder Clo. B47 —3C **122**
Alder Clo. B76 —4B **50**
Alder Coppice. DY3 —2H **41**
Alder Cres. WS5 —5B **34**
Alder Dale. WV3 —2E **29**
Alderdale Av. DY3 —2H **41**
Alderdale Cres. B92 —1G **109**
Alder Dri. B37 —4B **78**
Alderflat Pl. B7 —1D **74**
Alderford Clo. WV8 —2E **19**
Aldergate. B79 —3C **134**
Alder Gro. B62 —1C **86**
Alderham Clo. B91 —4G **109**
Alderhythe Gro. B74 —5C **26**
Alder La. B30 —2C **104**
Alder La. CV7 —3C **128**
Alderlea Clo. DY8 —4F **83**
Alderley Rd. B61 —5C **142**
Alderman's Grn. Ind. Est. CV2 —4G **101**
Alderman's Grn. Rd. CV2 —4F **101** & 3F **101** (in two parts)
Aldermere Rd. DY11 —1C **140**
Alderminster Rd. B91 —1E **125**
Alderminster Rd. CV5 —3C **114**
Aldermoor Ho. CV3 —5E **117**
Aldermoor La. CV3 —1E **133**
Alderney Clo. CV6 —4A **100**
Alderney Gdns. B38 —1D **120**
Alderpark Rd. B91 —5C **108**
Alderpits. B34 —5F **63**
Alderpits Rd. B34 —5F **63**
Alder Rd. B12 —3C **90**
Alder Rd. CV6 —4E **101**
Alder Rd. DY6 —1F **67**
Alder Rd. WS10 —4D **32**
Alder's Clo. B98 —3D **144**
Alders Dri. B98 —2H **145** to 3H **145**
Aldersea Dri. B6 —5A **60**
Aldersgate. CV11 —4F **137**
Aldershaw Rd. B26 —2B **92**
Alders La. B79 —2A **134**

Aldersley Av.—Arcot Rd.

Aldersley Av. WV6 —3E **19**
Aldersley Clo. WV6 —3F **19**
Aldersley Rd. WV6 —4E **19** to 2H **19**
Aldersmead Rd. B31 —5B **104**
Alderson Rd. B8 —2F **75**
Alders Rd. CV34 —5D **146**
Alders, The. CV12 —3C **80**
Alderton Clo. B91 —1E **125**
Alderton Dri. WV3 —3E **29**
Alderton M. CV31 —6D **149**
Alder Way. B60 —3F **143**
Alder Way. B74 —3A **36**
Alderwood Pl. B91 —4E **109**
Alderwood Precinct. DY3 —2H **41**
Alderwood Rise. DY3 —1A **54**
Aldgate Dri. DY5 —1G **83**
Aldgate Gro. B19 —1H **73** & 1B **152**
Aldin Clo. B78 —5A **134**
Aldington Clo. B98 —4C **144**
Aldis Clo. B28 —5E **91**
Aldis Clo. WS2 —4E **33**
Aldis Rd. WS2 —4E **33**
Aldrich Av. CV4 —5B **114**
Aldridge By-Pass. WS9 —4F **25**
Aldridge Clo. B68 —2F **71**
Aldridge Clo. DY8 —5D **66**
Aldridge Rd. B44 & B42 —2H **47** to 2H **59**
Aldridge Rd. B68 —5E **71**
Aldridge Rd. B74 —2H **35**
Aldridge Rd. LE10 —4E **139**
Aldridge Rd. WS4 —5B **24**
Aldridge Rd. WS9 & B74 —4B **26**
Aldridge St. WS10 —3B **32**
Aldrin Way. CV4 —4F **131**
Aldwick Clo. CV32 —1B **148**
Aldwych Clo. WS9 —2G **25**
Aldwyck Dri. WV3 —3B **28**
Aldwyn Av. B13 —4A **90**
Alesworth Dri. LE10 —5G **139**
Alexander Gdns. LE10 —1E **139**
Alexander Hill. DY5 —5B **68**
Alexander Rd. B27 —3H **91**
Alexander Rd. B67 —3G **71**
Alexander Rd. CV12 —2F **81**
Alexander Rd. WS2 —1C **32**
Alexander Rd. WV8 —5C **10**
Alexandra Av. B21 —5D **58**
Alexandra Ct. CV8 —3B **150**
Alexandra Cres. B71 —4G **45**
Alexandra Ho. WS13 —3F **151**
Alexandra Ind. Est. DY4 —5G **43**
Alexandra M. B79 —3D **134**
Alexandra Pl. DY1 —1D **54**
Alexandra Pl. WV14 —4E **31**
Alexandra Rd. B5 —1A **90**
Alexandra Rd. B21 —5D **58**
Alexandra Rd. B30 —2F **105**
Alexandra Rd. B63 —3G **85**
Alexandra Rd. CV1 —4D **116**
Alexandra Rd. CV31 —6C **149**
Alexandra Rd. DY4 —5G **43** to 5A **44**
Alexandra Rd. WS1 —4G **33** (in two parts)
Alexandra Rd. WS10 —4C **32**
Alexandra Rd. WV4 —5F **29**
Alexandra St. CV11 —3F **137**
Alexandra St. DY1 —3D **54**
Alexandra St. WS3 —2G **29**
Alexandra Ter. B67 —1H **71**
Alexandra Ter. CV6 —4D **100**
Alexandra Way. B69 —3H **55**
Alexandra Way. WS9 —4G **25**
Alex Grierson Clo. CV3 —2H **133**
Alfall Rd. CV2 —3E **117**
Alford Clo. B45 —2F **119**
Alfreda Av. B47 —2B **122**
Alfred Gunn Ho. B68 —2E **71**
Alfred Rd. B11 —2C **90**
Alfred Rd. B21 —4D **58**
Alfred Rd. CV1 —4D **116**
Alfred Squire Rd. WV11 —4E **21**
Alfred St. B6 —4C **60**
Alfred St. B12 —2C **90**
Alfred St. B14 —2A **106**
Alfred St. B66 —5B **58**
Alfred St. B70 —2G **57**
Alfred St. B79 —3C **134**
Alfred St. WS3 —1E **23**
Alfred St. WS10 —4B **32**
Alfreds Well. B61 —1A **142**
Alfreton Clo. LE10 —4G **139**
Alfriston Rd. CV3 —4B **132** to 5B **132**
Algernon Rd. B16 —2C **72**
Algernon St. WS2 —1G **33**
Alice Clo. CV12 —4D **80**
Alice St. WV14 —4E **31**
Alice Wlk. WV14 —4E **31**
Alison Clo. DY4 —2H **43**
Alison Dri. DY8 —4E **83**
Alison Rd. B62 —3C **86**
Alison Sq. CV2 —3E **101**
Allan Clo. B66 —1B **72**
Allan Clo. DY8 —5E **67**
All Angels Wlk. B68 —2E **71**
Allan Rd. CV6 —3H **115**
Allard. B77 —3F **135**
Allard Way. CV3 —2E **133**
Allbut St. B64 —4E **69**
Allcock St. B9 —4B **74**
Allcock St. DY4 —3A **44**
Allcroft Rd. B11 —4F **91**
Allenby Clo. DY6 —1F **67**
Allen Clo. B43 —4D **46**
Allendale Gro. B43 —3D **46**
Allendale Rd. B25 —5H **75**
Allendale Rd. B76 —3C **50**
Allen Dri. B70 —3H **57**
Allen Dri. WS10 —4A **32**
Allen Ho. B43 —4D **46**
Allen Rd. DY4 —3G **43**
Allen Rd. WS10 —5D **32**
Allen Rd. WV6 —5F **19**
Allen's Av. B18 —5E **59**
Allens Av. B71 —4E **45**
Allen's Clo. WV12 —4H **21**
Allens Croft Rd. B14 —3G **105**
Allens Farm Rd. B31 —4G **103**
Allen's La. WS3 —5H **15**
Allensmead. B77 —5D **134**
Allensmore Clo. B98 —4H **145**
Allen's Rd. B18 —5E **59**
Allen St. B70 —2E **57**
Allen St. B77 —5D **134**
Allerton Clo. CV2 —5H **117**
Allerton Ct. B71 —3F **45**
Allerton La. B71 —3F **45**
Allerton Rd. B25 —1H **91**
Allesley By-Pass. CV5 —2D **114**
Allesley Clo. B74 —4A **38**
Allesley Ct. CV5 —2D **114**
Allesley Croft. CV5 —2D **114**
Allesley Hall Dri. CV5 —3E **115**
Allesley Old Rd. CV5 —3E **115** to 5H **115**
Allesley Rd. B92 —1B **108**
Allesley St. B6 —1A **74**
Alleston Rd. WV10 —1A **20**
Alleston Wlk. WV10 —1A **20**
Alleyne Gro. B24 —3G **61**
Alleyne Rd. B24 —3G **61**
Alley, The. DY3 —2G **53**
Alliance Way. CV2 —3E **117**
Allibone Clo. CV31 —8C **149**
Allied Clo. CV6 —4C **100**
Allingham Gro. B43 —1H **47**
Allington Clo. WS5 —3D **34**
Allison St. B5 —4A **74** & 4D **152**
Allitt Gro. CV8 —2C **150**
Allman Rd. B24 —2H **61**
Allmyn Dri. B74 —4B **36**
Allport Rd. WS11 —5C **4**
Allport St. WS11 —4C **4**
All Saints Dri. B74 —1G **37**
All Saints Ind. Est. B18 —1F **73**
All Saints La. CV1 —5C **116**
All Saint's Rd. B14 —2A **106**
All Saint's Rd. B18 —1F **73**
All Saints Rd. B61 —2E **143**
All Saints Rd. CV12 —4D **80**
All Saints Rd. CV34 —2F **147**
All Saints Rd. WS10 —4C **32**
All Saints' Rd. WV2 —3A **30**
All Saints Sq. CV12 —3F **81**
All Saint's St. B18 —1F **73**
All Saints Way. B71 —1G **57**
Allsops Clo. B65 —2G **69**
Allwell Dri. B14 —5B **106**
Allwood Gdns. B32 —5D **86**
Alma Av. DY4 —4G **43**
Alma Cres. B7 —2C **74**
Alma Pas. B17 —1D **88**
Alma Pl. B12 —2C **90**
Alma Pl. DY2 —4E **55**
Almar Ct. WV8 —1E **19**
Alma Rd. LE10 —2F **139**
Alma St. B19 —5A **60** (in two parts)
Alma St. B63 —2E **85**
Alma St. B66 —1C **72**
Alma St. CV1 —4C **116**
Alma St. WS2 —5G **23**
Alma St. WS10 —4A **32** (Darlaston)
Alma St. WS10 —1E **45** (Wednesbury)
Alma St. WV10 —1B **30**
Alma Way. B19 —5H **59**
Almond Av. CV10 —1A **136**
Almond Av. CV32 —2B **148**
Almond Av. DY11 —1B **140**
Almond Av. WS2 —5C **22**
Almond Av. WS5 —5A **34**
Almond Clo. B29 —2A **104**
Almond Clo. WS3 —5A **16**
Almond Clo. WS11 —4F **5**
Almond Croft. B42 —5E **47**
Almond Gro. CV34 —2F **147**
Almond Gro. WV6 —5H **19**
Almond Rd. DY6 —4D **52**
Almond Tree Av. CV2 —4F **101**
Almond Way. WS11 —3D **6**
Almshouses. CV12 —3F **81**
Alnwick Clo. WS12 —4G **5**
Alnwick Ho. B23 —5F **49**
Alnwick Rd. WS3 —4E **15**
Alperton Dri. Sto. DY9 —4B **84**
Alpha Clo. B12 —1A **90**
Alpha Ho. CV2 —3E **117**
Alpha Way. WS6 —1D **14**
Alpine Ct. CV8 —2B **150**
Alpine Dri. DY2 —2D **68**
Alpine Dri. WS12 —3G **5**
Alpine Rise. CV3 —3H **131**
Alpine Way. WV3 —1C **28**
Alport Croft. B9 —3C **74**
Alspath La. CV5 —3C **114**
Alspath Rd. CV7 —5C **96**
Alston Clo. B74 —1G **37**
Alston Clo. B91 —2F **109**
Alston Clo. WS12 —4G **5**
Alston Gro. B9 —3H **75**
Alston Ho. B69 —1B **70**
Alston Rd. B9 —3H **75**
Alston Rd. B69 —5C **56**
Alston Rd. B91 —2F **109**
Alston St. B16 —4E **73**
Althorpe Dri. B93 —5G **125**
Althorpe St. CV31 —6C **149**
Alton Av. WV12 —5H **21**
Alton Clo. B97 —4A **144**
Alton Clo. WV10 —5B **12**
Alton Gro. B71 —4G **45**
Alton Gro. DY2 —4F **55**
Alton Rd. B29 —4E **89**
Alum Clo. CV6 —1C **116**
Alum Dri. B9 —3G **75**
Alumhurst Av. B8 —2H **75**
Alum Rock Rd. B8 —1E **75** to 1H **75**
Alumwell Clo. WS2 —2E **33**
Alumwell Rd. WS2 —2E **33**
Alvaston Clo. WS3 —5F **15**
Alvechurch Highway. B60 —5A **118**
Alvechurch Highway. B97 & B98 —1C **144** to 4C **144**
Alvechurch La. B60 —2H **143**
Alvechurch Rd. B31 —1B **120**
Alvechurch Rd. B63 —4G **85**
Alvecote Clo. B91 —3F **109**
Alveley Clo. B98 —2G **145**
Alverley Clo. DY6 —4B **52**
Alverstoke Clo. WV9 —1F **19**
Alverstone Rd. CV2 —3E **117**
Alveston Clo. B98 —3F **145**
Alveston Gro. B9 —4H **75**
Alveston Gro. B93 —2B **126**
Alveston Pl. CV32 —4B **148**
Alveston Rd. B47 —2B **122**
Alvin Clo. B62 —4D **70**
Alvington Clo. WV12 —5B **22**
Alvis Clo. B79 —1B **134**
Alvis Retail Pk. CV5 —4H **115**
Alvis Wlk. B36 —3H **63**
Alwen St. DY8 —4E **67**
Alwin Rd. B65 —4H **69**
Alwold Rd. B29 —4H **87**
Alwyn. B77 —5F **135**
Alwyn Clo. WS6 —4D **6**
Alwynn Wlk. B23 —2D **60**
Amal Way. B42 & B6 —1A **60**
Amanda Dri. B26 —4D **76**
Ambassador Ct. CV32 —2B **148**
Ambell Clo. B65 —2G **69**
Amber Bus. Village. B77 —2H **135**
Amber Clo. B77 —2H **135**
Amber Ct. B77 —2H **135**
Amber Dri. B69 —2D **70**
Ambergate Clo. WS3 —5F **15**
Ambergate Dri. DY6 —4C **52**
Amber Grn. WS11 —4F **5**
Amberley Av. CV12 —1B **80**
Amberley Ct. B29 —5E **89**
Amberley Grn. B43 —5D **46**
Amberley Gro. B6 —2C **60**
Amberley Rd. B92 —3C **92**
Amberley Way. B74 —2A **36**
Amber Way. B62 —1A **86**
Amberwood Clo. WS2 —5B **22**
Amblecote Av. B44 —2A **48**
Amblecote Rd. DY5 —5H **67** to 5A **68**
Amblecote Rd. DY10 —3G **141**
Ambler Gro. CV2 —5G **117**
Ambleside. B32 —5F **87**
Ambleside. CV2 —4H **101**
Ambleside Clo. WV14 —1F **43**
Ambleside Dri. DY5 —5G **67**
Ambleside Rd. CV12 —3E **81**
Ambleside Way. B60 —4E **143**
Ambleside Way. CV11 —1H **137**
Ambleside Way. DY6 —1D **66**
Ambrose Clo. WV13 —1F **31**
Ambrose Cres. DY6 —4D **52**
Ambury Way. B43 —3D **46**
Amelas Clo. DY5 —4F **67**
Amersham Clo. B32 —2G **87**
Amersham Clo. CV5 —4D **114**
Amesbury Rd. B13 —4A **90**
Ames Rd. WS10 —3A **32**
Amherst Av. B20 —2F **59**
Amherst Rd. CV8 —1A **150**
Amicombe Tam B77 —3H **135**
Amington Clo. B75 —1A **38**
Amington Ind. Est. B77 —2H **135**
Amington Rd. B25 —2H **91**
Amington Rd. B77 —3D **134**
Amington Rd. B90 —1G **123**
Amiss Gdns. B10 —5D **74**
Amos Av. CV10 —4F **137**
Amos Av. WV11 —3D **20**
Amos Jacques Rd. CV12 —2E **81**
Amos La. WV11 —3D **20**
Amos Rd. DY9 —4B **84**
Amplett Croft. DY4 —2A **56**
Ampton Rd. B15 —1F **89**
Amroth Clo. B45 —2E **119**
Amroth M. CV31 —6D **149**
Amwell Gro. B14 —5B **106**
Amy Clo. CV6 —3D **100**
Anchorage Rd. B23 —2E **61**
Anchorage Rd. B74 —4H **37**
Anchor Clo. B15 —4D **72**
Anchor Clo. B77 —1F **135**
Anchorfields. DY10 —3E **141**
Anchor Hill. DY5 —4H **67**
Anchor La. WV14 —2D **42** (in two parts)
Anchor Pde. WS9 —3F **25**
Anchor Rd. WS9 —4F **25**
Anchor Rd. WV14 —2D **42**
Anchor Rd. By-Pass. WS9 —4F **25**
Anchor Sq. WS9 —3G **25**
Anchorway Rd. CV3 —4A **132**
Anders. B79 —2B **134**
Anderson Cres. B43 —2D **46**
Anderson Gdns. DY4 —1H **56**
Anderson Rd. B23 —5F **49**
Anderson Rd. B67 & B66 —4A **72**
Anderson Rd. DY4 —1G **55**
Anders Sq. WV6 —1A **18**
Anderton Clo. B74 —3G **37**
Anderton Pk. Rd. B13 —4B **90**
Anderton Rd. B11 —1D **90**
Anderton Rd. CV6 & CV2 —2F **101** & 3F **101**
Anderton Rd. CV12 —4B **80**
Anderton St. B1 —3F **73**
Andover Cres. DY6 —2F **67**
Andover Pl. WS11 —3E **5**
Andover St. B5 —3B **74**
Andressy M. B61 —1E **143**
Andrew Clo. WV12 —3B **22**
Andrew Dri. WV12 —3B **22**
Andrew Gdns. B21 —3D **58**
Andrew Rd. B63 —3H **85**
Andrew Rd. B71 —2A **46**
Andrew Rd. DY4 —3G **43**
Andrews Clo. DY5 —5A **68**
Andrews Rd. WS9 —4F **17**
Anerley Gro. B44 —1B **48**
Anerley Rd. B44 —1B **48**
Anfield Ct. CV31 —5C **149**
Angela Av. B65 —2B **70**
Angela Av. CV2 —5H **101**
Angela Pl. WV14 —4F **31**
Angelica. B77 —1G **135**
Angelica Clo. WS5 —1A **46**
Angelina St. B12 —5A **74**
Angel Pas. DY8 —2F **83**
Angel St. DY1 —4D **54**
Anglesey Av. B36 —5A **64** (in two parts)
Anglesey Bus. Pk. WS12 —3G **5**
Anglesey Clo. CV5 —2D **114**
Anglesey Clo. WS7 —3E **9**
Anglesey Cres. WS8 —5E **9**
Anglesey Rd. WS8 —5E **9**
Anglesey Rd. WS13 —1F **151**
Anglesey St. B19 —5G **59**
Anglesey St. WS12 —2E **5**
Angless Way. CV8 —4A **150**
Anglian Rd. WS9 —4D **24**
Anglia Rd. WS11 —3B **4**
Angorfa Clo. WS13 —3E **151**
Angus Clo. B71 —5F **45**
Angus Clo. CV5 —3C **114**
Angus Clo. CV8 —2K **23**
Anita Av. DY4 —3H **55**
Anita Croft. B23 —3E **61**
Ankadine Rd. DY8 —2G **83**
Ankemoor Clo. B34 —1E **77**
Anker Clo. WS7 —2H **9**
Ankerdine Ct. B63 —3H **85**
Ankerdrive. B77 & B79 —3D **134**
Ankerside Shopping Cen. B79 —3F **135**
Anker St. CV11 —3G **137**
Anker View. B77 —4D **134**
Annan Av. WV10 —2B **20**
Ann Croft. B26 —2F **93**
Anne Clo. B70 —2B **56**
Anne Ct. B76 —1D **50**
Anne Cres. CV3 —3G **133**
Anne Cres. WS11 —1C **4**
Anne Gro. DY4 —3A **44**
Anne Rd. B66 —5C **58**
Anne Rd. DY5 —4C **68**
Anne Rd. WV4 —5G **29**
Ann Rd. B47 —5B **122**
Annscroft. B38 —5D **104**
Ann St. WV13 —5H **21**
Ansbro Clo. B18 —2E **73**
Ansculf Rd. DY5 —5G **67**
Ansell Rd. B11 —2D **90**
Ansell Rd. B24 —4F **61**
Ansell Way. CV34 —3D **146**
Ansley Clo. B98 —4H **145**
Ansley Rd. CV10 —4A **136**
Ansley Way. B92 —2G **109**
Anslow Rd. B23 —1D **60**
Anson Av. WS13 —2F **151**
Anson Clo. WS6 —5D **6**
Anson Clo. WS7 —1G **9**
Anson Clo. WV6 —1A **18**
Anson Ct. B70 —4C **44**
Anson Ct. B78 —5C **134**
Anson Gro. B27 —4A **92**
Anson Rd. B70 —5C **44**
Anson Rd. WS2 —2C **32**
Anson Rd. WS6 —5D **6** & 1D **14**
Anstey Gro. B27 —5H **91**
Anstey Rd. B44 —5A **48**
Anston Way. WV11 —3E **21**
Anstree Clo. WS6 —5B **6**
Anstruther Rd. B15 —5D **72**
Ansty Dri. WS12 —4G **5**
Ansty Rd. CV2 —3G **117**
Antelope Gdns. CV34 —3C **146**
Anthony Rd. B8 —2F **75**
Anthony Way. CV2 —5F **117**
Anton Dri. B76 —5D **50**
Antony Rd. B90 —5H **107**
Antrim Clo. CV5 —2D **114**
Antringham Gdns. B15 —5C **72**
Antrobus Rd. B21 —3D **58**
Antrobus Rd. B73 —3F **49**
Anvil Wlk. B70 —1D **56**
Apex Ind. Pk. DY4 —4B **44**
Apex Rd. WS8 —2C **16**
Apley Rd. DY8 —1E **83**
Apollo. B79 —2B **134**
Apollo Clo. WS11 —2D **4**
Apollo Rd. B68 —1F **71**
Apollo Rd. DY9 —2C **84**
Apollo Row. B12 —5A **74** & 5D **152**
Apollo Way. B20 —3H **59**
Apollo Way. B66 —1C **72**
Apollo Way. CV34 —5H **147**
Apperley Way. B63 —1C **84**
Appian Clo. B14 —3A **106**
Appian Clo. B77 —4E **135**
Appian Way. B90 —4B **124**
Applebee Rd. LE10 —4E **139**
Appleby Clo. B14 —3H **105**
Appleby Gro. B90 —3E **125**
Applecross. B74 —2G **37**
Applecross Clo. CV4 —3C **130**
Appledore Clo. WS6 —4D **6**
Appledore Clo. WS12 —3H **5**
Appledore Ct. WS3 —2E **23**
Appledore Dri. CV5 —3C **114**
Appledore Rd. WS5 —3D **34**
Appledore Ter. WS5 —3D **34**
Appledorne Gdns. B34 —1E **77**
Applesham Clo. B11 —2E **91**
Appleton Av. B43 —3D **46** & 4D **46**
Appleton Av. DY8 —4F **83**
Appleton Clo. B30 —1D **104**
Appleton Cres. WV4 —5F **29**
Apple Tree Clo. B23 —1C **60**
Apple Tree Clo. B31 —1H **119**
Apple Tree Clo. DY10 —1G **141**
Appletree Gro. WS9 —4F **25**
Appletree Gro. WV6 —4H **19**
Apple Wlk. WS11 —4F **5**
Approach, The. CV31 —6B **149**
April Croft. B13 —4C **90**
Apse Clo. WV5 —4A **40**
Apsley Clo. B68 —1D **86**
Apsley Croft. B38 —5G **105**
Apsley Gro. B24 —3H **61**
Apsley Gro. B93 —5H **125**
Apsley Rd. B68 —1D **86**
Aqueduct Rd. B90 —1F **123**
Aragon Dri. B73 —4H **37**
Aragon Dri. CV34 —4H **147**
Arbor Clo. B77 —2E **135**
Arboretum Rd. WS1 —1A **34**
Arbor Way. B37 —4B **78**
Arbour Clo. CV8 —4D **150**
Arbour Ga. WS9 —4F **17**
Arbury Av. CV6 —4D **100**
Arbury Av. CV12 —3E **81**
Arbury Clo. CV32 —2B **148**
Arbury Dri. DY8 —3C **66**
Arbury Hall Rd. B90 —1B **124**
Arbury Rd. CV10 —4B **136**
Arbury Wlk. B76 —5F **51**
Arcade. B31 —3A **104**
Arcade, The. DY3 —1A **54**
Arcade, The. WS1 —2H **33**
Arcade, The. WS11 —5B **4**
Arcadia. B70 —2F 57 (off Paradise St.)
Arcadian Shopping Cen. B5 —4A **74** & 4C **152**
Arcal St. DY3 —4A **42**
Archer Clo. B68 —2E **71**
Archer Clo. WS10 —1C **44**
Archer Ct. DY9 —4B **84**
Archer Rd. B14 —3D **106**
Archer Rd. B98 —2C **144**
Archer Rd. CV8 —4A **150**
Archer Rd. WS3 —3G **23**
Archers Clo. B23 —3D **48**
Archery Fields. CV34 —4E **147**
Archery Rd. CV7 —5C **96**
Archery Rd. CV31 —5A **149**
Arches Ind. Est., The. CV1 —4H **115**
Arches, The. B10 —5C **74**
Arch Hill. DY10 —2D **140**
Arch Hill St. DY2 —1E **69**
Archibald Rd. B19 —4G **59**
Arch Rd. CV2 —3H **117**
Arcot Rd. B28 —4F **91**

Ardath Rd.—Austin Dri.

Ardath Rd. B38 —5F **105**
Ardav Rd. B70 —3D **44** & 4D **44**
Arden Bldgs. B93 —5H **125**
Arden Clo. B77 —1F **135**
Arden Clo. CV7 —5C **96** (Meriden)
Arden Clo. CV7 —2C **128** (Needlers End)
Arden Clo. CV31 —7C **149**
Arden Clo. CV34 —2F **147**
Arden Clo. DY8 —1E **83** (Wollaston)
Arden Clo. DY8 —2C **66** (Wordsley)
Ardencote Rd. B13 —2B **106**
Arden Ct. B24 —2H **61**
Arden Ct. B92 —2F **111**
Arden Croft. B46 —4D **64**
Arden Croft. B92 —3E **93**
Ardendale. B90 —1A **124**
Arden Dri. B26 —1C **92**
Arden Dri. B73 —3H **49**
Arden Dri. B75 —5D **38** & 5E **39**
Arden Dri. B93 —5H **125** (in two parts)
Arden Gro. B16 —4F **73**
Arden Gro. B19 —4H **59**
Arden Gro. B69 —2D **70**
Arden Meades. B94 —5C **124**
Arden Oak Rd. B26 —2F **93**
Arden Pl. WV14 —1H **43**
Arden Rd. B6 —4H **59**
Arden Rd. B8 —3D **74**
Arden Rd. B27 —3H **91**
Arden Rd. B45 —1D **118**
Arden Rd. B47 —3B **122**
Arden Rd. B62 —2A **72**
Arden Rd. B93 —5H **125**
Arden Rd. CV8 —4C **150**
Arden Rd. CV12 —1B **80**
Arden St. CV5 —1G **131**
Arden Vale Rd. B93 —2B **126**
Arderne Dri. B37 —4H **77**
Ardgay Dri. WS12 —1C **4**
Ardingley Wlk. DY5 —1G **83**
Ardley Clo. DY2 —4F **55**
Ardley Rd. B14 —3B **106**
Aretha Clo. DY6 —1F **67**
Argent's Mead. LE10 —3F **139**
Argent's Mead Wlk. LE10 —2F **139**
Argosy Ho. B35 —2E **63**
Argus Clo. B76 —1C **50**
Argyle Av. B77 —1E **135**
Argyle Clo. DY8 —4E **67**
Argyle Clo. WS4 —1B **34**
Argyle Rd. WS4 —1B **34**
Argyle Rd. WV2 —4G **29**
Argyle St. B7 —4D **60**
Argyle St. B77 —2F **135**
Argyll St. CV2 —4E **117**
Arian Clo. B77 —1E **135**
Ariane. B79 —1A **134**
Arkall Clo. B79 —1D **134**
Arkle Croft. B36 —4A **62**
Arkle Croft. B65 —1G **69**
Arkle Dri. CV2 —2H **117**
Arkley Gro. B28 —2H **107**
Arkley Rd. B28 —1H **107**
Arkwright Rd. B32 —2F **87**
Arkwright Rd. WS2 —4E **23**
Arlen Dri. B43 —3C **46**
Arlescote Clo. B75 —1A **38**
Arlescote Rd. B92 —4E **93**
Arless Way. B17 —3A **88**
Arleston Way. B90 —1B **124**
Arley Clo. B69 —1B **70**
Arley Clo. B98 —1G **145**
Arley Clo. DY11 —5B **140**
Arley Clo. WV14 —3D **42**
Arley Ct. DY2 —1E **69**
Arley Dri. DY8 —4E **83**
Arley Gro. WV4 —5D **28**
Arley Ho. B26 —4D **76**
Arley M. CV32 —4A **148**
Arley Rd. B8 —1E **75**
Arley Rd. B29 —4E **89**
Arley Rd. B91 —4D **108**
Arlidge Clo. WV14 —1F **43**
Arlidge Cres. CV8 —3D **150**
Arlington Av. CV32 —3B **148**
Arlington Clo. DY6 —2D **66**
Arlington Ct. CV32 —3B **148**
Arlington Ct. DY8 —3G **83**
Arlington Gro. B14 —5C **106**
Arlington M. CV32 —3B **148**
Arlington Rd. B14 —5C **106**
Arlington Rd. B71 —5G **45**
Arlington Way. CV11 —4H **137**
Arlon Av. CV10 —1B **136**
Armada Clo. B23 —3E **61**
Armada Ct. LE10 —3D **138**
Armadale Clo. LE10 —2C **138**
Armarna Dri. CV5 —1H **113**
Armfield St. CV6 —5E **101**
Armorial Rd. CV3 —3A **132**
Armour Clo. LE10 —5F **139**
Armoury Clo. B9 —4E **75**
Armoury Rd. B11 —1E **91**
Armoury Trading Est. B11 —1E **91**
Armscott Rd. CV2 —2F **117** (in two parts)
Armside Clo. WS3 —4A **16**
Armson Rd. CV7 —5E **81**
Armstead Rd. WV9 —5F **11**
Armstrong. B79 —2B **134**
Armstrong Av. CV3 —1E **133**
Armstrong Clo. DY8 —1G **83**
Armstrong Dri. B36 —3H **63**
Armstrong Dri. WS2 —5D **22**
Armstrong Way. WS10 —3A **32**
Arncliffe Way. CV34 —2E **147**
Arnhem Clo. WV11 —2D **20**
Arnhem Corner. CV3 —3G **133**
Arnhem Rd. WV13 —2F **31**
Arnold Av. CV3 —3B **132**
Arnold Clo. B79 —2B **134**
Arnold Clo. WS2 —5D **22**
Arnold Cotts. CV4 —1A **130**
Arnold Gro. B30 —4D **104**
Arnold Gro. B90 —3H **107**
Arnold Rd. B90 —3H **107**
Arnolds La. B46 —2H **79**
Arnotdale Dri. WS12 —1D **4**
Arnside Clo. CV1 —3C **116**
Arnwood Clo. WS2 —2D **32**
Arosa Dri. B17 —4B **88**
Arps Rd. WV8 —5A **10**
Arran Clo. B43 —2D **46**
Arran Clo. CV10 —4D **136**
Arran Clo. WS11 —3D **4**
Arran Rd. B34 —1C **76**
Arran Way. B36 —5A **64**
Arran Way. LE10 —2D **138**
Arras Boulevd. CV35 —4A **146**
Arras Rd. DY2 —3F **55**
Arrow Clo. B93 —3A **126**
Arrowdale Rd. B98 —3E **145**
Arrowfield Grn. B38 —2D **120**
Arrow Rd. WS3 —3G **23**
Arrow Rd. N. B98 —2D **144**
Arrow Rd. S. B98 —2D **144**
Arrow Wlk. B38 —1F **121**
Arsenal St. B9 —4D **74**
Arter St. B12 —1B **90**
Arthingworth Clo. CV3 —1H **133**
Arthur Dri. DY11 —5E **141**
Arthur Gunby Clo. B75 —3C **38**
Arthur Pl. B1 —3G **73** & 2A **152**
Arthur Rd. B15 —1F **89**
Arthur Rd. B21 —4E **59**
Arthur Rd. B24 —1H **61**
Arthur Rd. B25 —1H **91**
Arthur Rd. DY4 —5H **43**
Arthur Russell Ct. CV10 —3C **136**
Arthur St. B10 —4D **74**
Arthur St. B70 —3G **57**
Arthur St. B98 —3D **144**
Arthur St. CV1 —3C **116**
Arthur St. CV8 —3C **150** & 2C **150**
Arthur St. WS2 —3E **33**
Arthur St. WS11 —3D **4**
Arthur St. WS12 —3H **5**
Arthur St. WV2 —4A **30**
Arthur St. WV14 —4E **31**
Arthur St. Central. B98 —3E **145**
Arthur Ter. B25 —1H **91**
Artillery St. B9 —3D **74**
Arton Croft. B24 —2G **61**
Arundel Av. WS10 —1D **44**
Arundel Clo. CV34 —2E **147**
Arundel Cres. B92 —5D **92**
Arundel Dri. B69 —4G **55**
Arundel Gro. WV6 —5A **18**
Arundel Ho. B23 —5F **49**
Arundel Pl. B11 —1C **90**
Arundel Rd. B14 —1B **122**
Arundel Rd. B60 —4E **143**
Arundel Rd. CV3 —3C **132**
Arundel Rd. CV12 —1B **80**
Arundel Rd. DY8 —3C **66**
Arundel Rd. WV10 —1G **19**
Arundel Rd. WV12 —3A **22**
Arundel St. WS1 —3H **33**
Arun Way. B76 —3D **50**
Asbury Rd. CV7 —3C **128**
Asbury Rd. WS10 —2G **45**
Ascot Clo. B16 —4E **73**
Ascot Clo. B69 —5C **56**
Ascot Clo. CV3 —3G **133**
Ascot Clo. CV12 —2F **81**
Ascot Clo. WS14 —3H **151**
Ascot Dri. DY1 —3B **54**
Ascot Dri. WS11 —5A **4**
Ascot Dri. WV4 —5G **29**
Ascot Gdns. DY8 —4D **66**
Ascot Ride. CV32 —2D **148**
Ascot Rd. B13 —4B **90**
Ascot Wlk. B69 —5C **56**
Ash Av. B12 —2B **90**
Ashborough Dri. B91 —2E **125**
Ashbourne Clo. WS11 —3D **4**
Ashbourne Gro. B6 —4A **60**
Ashbourne Rd. B16 —3C **72**
Ashbourne Rd. WS3 —5F **15**
Ashbourne Rd. WV1 —1C **30**
Ashbourne Rd. WV4 —1A **42**
Ashbourne Way. B90 —2B **124**
Ashbridge Rd. CV5 —4E **115**
Ashbrook Cres. B91 —2F **125**
Ashbrook Dri. B45 —1E **119**
Ashbrook Gro. B30 —1G **105**
Ashbrook Rd. B30 —1G **105**
Ashburn Gro. WV13 —1A **32**
Ashburton Clo. LE10 —4H **139**
Ashburton Rd. B14 —3H **105**
Ashburton Rd. CV2 —1H **117**
Ashbury Covert. B30 —5G **105**
Ashby Clo. B8 —5A **62**
Ashby Clo. CV3 —2H **133**
Ashby Ct. B91 —1E **125**
Ashby Ct. CV11 —4G **137**
Ashby Ct. LE10 —1F **139**
Ashby Rd. B79 —1D **134**
Ashby Rd. LE10 —1F **139**
Ash Clo. CV7 —1B **100**
Ash Clo. WV8 —5B **10**
Ashcombe Av. B20 —2D **58**
Ashcombe Dri. CV4 —4C **114**
Ashcott Clo. B38 —5D **104**
Ash Ct. B66 —4F **57**
Ash Ct. DY8 —3F **83**
Ash Cres. B37 —1H **77**
Ash Cres. DY6 —5E **53**
Ashcroft. B66 —1C **72**
Ashcroft Gro. B20 —3H **59**
Ashdale Clo. DY6 —4D **52**
Ashdale Clo. WS12 —1A **4**
Ashdale Dri. B14 —5C **106**
Ashdale Gro. B26 —5D **76**
Ashdale Rd. B77 —1E **135**
Ashdene Clo. B73 —1H **49**
Ashdene Clo. DY10 —3H **141**
Ashdene Gdns. CV8 —3C **150**
Ashdene Gdns. DY8 —4C **66**
Ashdown Clo. B13 —5B **90**
Ashdown Clo. B45 —5E **103**
Ashdown Clo. CV3 —1G **133**
Ashdown Dri. CV10 —4D **136**
Ashdown Dri. DY8 —3D **66**
Ash Dri. B71 —5F **45**
Ash Dri. CV8 —4C **150**
Ashen Clo. DY3 —1H **41**
Ashenden Rise. WV3 —2A **28**
Ashenhurst Rd. DY1 —4B **55**
Ashenhurst Wlk. DY1 —4C **54**
Ashe Rd. CV10 —4A **136**
Ashes Rd. B69 —2C **70**
Ashfern Dri. B76 —4C **50**
Ashfield Av. B14 —5A **90**
Ashfield Clo. WS3 —5H **23**
Ashfield Cres. DY2 —3D **68**
Ashfield Cres. DY9 —4B **84**
Ashfield Gdns. B14 —5A **90**
Ashfield Gro. B63 —4F **85**
Ashfield Gro. WV10 —5H **11**
Ashfield Rd. B14 —5A **90**
Ashfield Rd. CV8 —4C **150**
Ashfield Rd. WV3 —1D **28**
Ashfield Rd. WV10 —5H **11**
Ashfield Rd. WV14 —2G **43**
Ashford Dri. B76 —5C **50**
Ashford Dri. CV12 —3E **81**
Ashford Dri. DY3 —4A **42**
Ashford Gdns. CV31 —8B **149**
Ashford Rd. LE10 —3D **138**
Ashford St. B6 —1A **74**
Ash Furlong Clo. CV7 —3C **128**
Ashfurlong Cres. B75 —3B **38**
Ash Grn. DY1 —1C **54**
Ash Grn La. CV7 —1B **100**
Ash Gro. B9 —3C **74**
Ash Gro. B31 —4A **104**
Ash Gro. CV7 —1B **100**
Ash Gro. DY3 —3H **53**
Ash Gro. DY9 —3A **84**
Ash Gro. DY11 —1B **140**
Ashgrove. WS7 —2E **9**
Ash Gro. WS11 —3D **4**
Ash Gro. WS13 —2H **151**
Ashgrove Clo. B60 —5B **118**
Ashgrove Pl. CV31 —6C **149**
Ashgrove Rd. B44 —2H **47**
Ash Hill. WV3 —2D **28**
Ashill Rd. B45 —2E **119**
Ashington Gro. CV3 —3E **133**
Ashington Rd. CV12 —4A **80**
Ashlands Clo. B79 —1D **134**
Ashland St. WV3 —2G **29**
Ash La. B48 —5C **120**
Ash La. WS6 —4D **6**
Ashlawn Cres. B91 —3B **108**
Ashleigh Dri. B20 —3G **59**
Ashleigh Dri. B77 —4F **135**
Ashleigh Dri. CV11 —5H **137**
Ashleigh Gro. B13 —5D **90**
Ashleigh Rd. B69 —4A **56**
Ashleigh Rd. B91 —3D **108**
Ashley Clo. B15 —1G **89**
Ashley Clo. DY6 —2C **66**
Ashley Clo. DY8 —4D **82**
Ashley Cres. CV34 —4G **147**
Ashley Gdns. WV8 —4A **10**
Ashley Mt. WV6 —4D **18**
Ashley Rd. B23 —2E **61**
Ashley Rd. B66 —2C **72**
Ashley Rd. DY10 —1G **141**
Ashley Rd. WS3 —2D **22**
Ashley Rd. WS7 —1D **8**
Ashley Rd. WV4 —5E **29**
Ashley St. B65 —4B **70**
Ashley St. WV14 —4F **31**
Ashley Ter. B29 —5D **88**
Ashmead Dri. B45 —4F **119**
Ashmead Gro. B24 —3G **61**
Ashmead Rise. B45 —4F **119**
Ashmead Rd. WS7 —1F **9**
Ashmole Ho. WS13 —1F **151**
Ashmole Rd. B70 —4C **44**
Ashmore Av. WV11 —2H **21**
Ashmore Lake Ind. Est. WV12 —5H **21**
Ashmore Lake Rd. WV12 —5H **21**
Ashmore Lake Way. WV12 —5H **21**
Ashmore Rd. B30 —3E **105**
Ashmore Rd. CV6 —3A **116**
Ashmores Ind. Est. DY4 —2F **55**
Ashold Farm Rd. B24 —3A **62**
Asholme Clo. B36 —5A **62**
Ashorne Clo. B28 —1H **107**
Ashorne Clo. B98 —5G **145**
Ashorne Clo. CV2 —4G **101** (in two parts)
*Ashover Gro. B18 —2D **72** (off Heath Grn. Rd.)*
Ashover Rd. B44 —1H **47**
Ashow Clo. CV8 —4D **150**
Ashperton Clo. B98 —4C **144**
Ash Priors Clo. CV4 —5D **114**
Ash Rd. B8 —2D **74**
Ash Rd. DY1 —2C **54**
Ash Rd. DY4 —1F **55**
Ash Rd. WS10 —5D **32**
Ash St. B64 —4F **69**
Ash St. WS3 —1F **23**
Ash St. WV3 —2F **29**
Ash St. WV14 —1F **43**
Ashtead Clo. B76 —5D **50**
Ashted Circle. B7 —2B **74**
Ashted Lock Way. B7 —2B **74**
Ashted Wlk. B7 —2C **74**
Ash Ter. B8 —1F **75**
Ash Ter. B69 —4A **56**
Ashton Clo. B97 —4A **144**
Ashton Ct. CV32 —2D **148**
Ashton Croft. B91 —5D **108**
Ashton Dri. WS4 —5C **16**
Ashton Pk. Dri. DY5 —5H **67**
Ashton Rd. B25 —5H **75**
Ashton St. B16 —4F **73**
Ash Tree Av. CV4 —5D **114**
Ashtree Ct. WS11 —3B **4**
Ash Tree Dri. B26 —1B **92**
Ashtree Dri. DY8 —4F **83**
Ashtree Gro. WV14 —1H **43**
Ashtree Rd. B30 —2F **105**
Ashtree Rd. B64 —3F **69**
Ashtree Rd. B69 —4B **56**
Ash Tree Rd. B97 —2A **144**
Ashtree Rd. WS3 —5A **16**
Ashurst Rd. B76 —5C **50**
Ashville Av. B34 —5C **62**
Ashville Dri. B63 —2G **85** (in two parts)
Ashwater Dri. B14 —5H **105**
Ash Way. B23 —4D **48**
Ashwell Dri. B90 —4B **108**
Ashwells Gro. WV9 —1F **19**
Ashwin Rd. B21 —5E **59**
Ashwood Av. CV6 —3H **115**
Ashwood Av. DY8 —4C **66**
Ashwood Clo. B74 —3A **36**
Ashwood Ct. B34 —1B **76**
Ashwood Dri. B37 —3C **78**
Ashwood Gro. WV4 —5F **29**
Ashwood Rd. CV10 —2C **136**
Ashworth Ho. WS11 —3D **4**
Ashworth Rd. B42 —3G **47**
Askew Bri. Rd. DY3 —2G **53**
Askew Clo. DY3 —1A **54**
Aspbury Croft. B36 —3F **63**
Aspen Clo. B27 —4H **91**
*Aspen Ct. B66 —5G **57** (off Forest Clo.)*
Aspen Dri. B37 —5B **78**
Aspen Gdns. B20 —3G **59**
Aspen Gro. WS7 —1E **9**
Aspen Gro. WV12 —3C **22**
Aspen Ho. B91 —5C **108**
Aspen Way. WV3 —2F **29**
Asplen Ct. CV8 —3D **150**
Asquith Dri. B69 —3B **56**
Asquith Dri. WS11 —4F **5**
Asquith Rd. B8 —1H **75**
Asra Clo. B66 —4A **58**
Asra Ho. B66 —4A **58**
Astbury Av. B67 —3H **71**
Astbury Clo. WV1 —2C **30**
Astbury Ct. B68 —5E **71**
Aster Av. DY11 —1D **140**
Aster Clo. LE10 —4F **139**
Aster Wlk. WV9 —5F **11**
Aster Way. LE10 —4F **139**
Asthill Croft. CV3 —1B **132**
Asthill Gro. CV3 —1A **132**
Astley Av. B62 —2C **86**
Astley Av. CV6 —4D **100**
Astley Clo. B98 —5E **145**
Astley Clo. CV32 —3A **148**
Astley Cres. B62 —2C **86**
Astley La. CV10 —4A **136**
Astley La. CV12 —2A **80** to 4B **80**
Astley Pl. WV2 —4A **30**
Astley Rd. B21 —3C **58**
Astley Wlk. B90 —3H **107**
Aston Bri. B6 —1B **74**
Aston Brook Grn. B6 —1B **74**
Aston Brook St. B6 —1A **74**
Aston Brook St. E. B6 —1B **74**
Aston Bury. B15 —5D **72**
Aston Church Rd. B7 & B8 —5D **60**
Aston Church Trading Est. B7 —5E **61**
Aston Clo. WV14 —1H **43**
Aston Cross. B6 —5B **60**
Aston Expressway. B6 —1B **74** to 4C **60**
Aston Fields Trading Est. B60 —5D **142**
Aston Goss Ind. Est. B6 —5B **60**
Aston Hall Rd. B6 —4C **60**
Aston Ind. Est. CV12 —3G **81**
Aston La. B20 & B6 —3A **60**
Aston La. LE10 —4H **139**
Aston Rd. B6 —2A **74** & 2B **74**
Aston Rd. B60 —5D **142**
Aston Rd. B69 —4H **55**
Aston Rd. CV5 —1G **131**
Aston Rd. CV11 —2E **137**
Aston Rd. DY2 —4D **54**
Aston Rd. WV13 —1F **31**
Aston Rd. N. B6 —1B **74** (in two parts)
Aston's Clo. DY5 —1H **83**
Aston's Fold. DY5 —1H **83**
Aston St. B4 —2A **74** & 2D **152**
Aston St. DY4 —4A **44**
Aston St. WV3 —3F **29**
Astor Dri. B13 —5D **90**
Astoria Clo. WV12 —1B **22**
Astoria Gdns. WV12 —1B **22**
Astor Rd. B74 —2B **36**
Astor Rd. DY6 —1E **67**
Atcham Clo. B98 —3H **145**
Athelney Ct. WS3 —5A **16**
Athelstan Gro. WV6 —4A **18**
Athelstan Way. B79 —1B **134**
Athena Dri. CV34 —7A **149**
Atherstone Clo. B90 —5F **107**
Atherstone Clo. B98 —4H **145**
Atherstone Rd. WV1 —1D **30**
Atherston Pl. CV4 —3F **131**
Athlone Rd. WS5 —3B **34**
Athol Clo. B32 —1G **103**
Athole St. B12 —1B **90**
Atholl Cres. CV10 —4C **136**
Atkins Way. LE10 —3F **139**
Atlantic Rd. B44 —3B **48**
Atlas Croft. WV10 —3H **19**
Atlas Est. B6 —3B **60**
Atlas Gro. B70 —2C **56**
Atlas Trading Est. WV14 —2G **43**
Attenborough Clo. B19 —1A **74**
Attingham Dri. B43 —2C **46**
Attingham Dri. WS11 —4E **5**
Attleboro' La. B46 —3A **64**
Attleborough By-Pass. CV11 —4G **137**
Attleborough Fields. Ind. Est. CV11 —4H **137**
Attleborough Rd. CV11 —4G **137**
Attlee Clo. B69 —3B **56**
Attlee Cres. WV14 —2F **43**
Attlee Gro. WS11 —4F **5**
Attlee Rd. WS2 —5C **22**
Attoxhall Rd. CV2 —4H **117**
Attwell Pk. WV3 —4D **28**
Attwell Rd. DY4 —3G **43**
Attwood Cres. CV2 —2G **117**
Attwood St. B63 —2G **85**
Attwood St. DY9 —2B **84**
Aubrey Rd. B10 —5F **75**
Aubrey Rd. B32 —1G **87**
Auchinleck Dri. WS13 —2G **151**
*Auchinleck Ho. B15 —4G **73** (off Broad St.)*
Auckland Dri. B36 —4H **63** to 1B **78**
Auckland Ho. B32 —3H **87**
Auckland Rd. B11 —1C **90**
Auckland Rd. B67 —1H **71**
Auckland Rd. DY6 —2D **66**
Auden Ct. WV6 —5A **18**
Audlem Wlk. WV10 —4C **20**
Audley Dri. DY11 —1H **140**
Audley Rd. B33 —2C **76**
Audnam. DY8 —4E **67**
Augusta Pl. CV32 —4B **148** & 5B **149**
Augusta Rd. B13 —3A **90**
Augusta Rd. B27 —2A **92**
Augusta Rd. E. B13 —3A **90**
Augusta St. B18 —2G **73** & 1A **152**
Augustine Gro. B18 —1E **73**
Augustine Gro. B74 —4F **27**
Augustus Clo. B46 —3D **64**
Augustus Ct. B15 —5E **73**
Augustus Rd. B15 —5C **72**
Augustus Rd. CV1 —4D **116**
Augustus St. WS2 —2G **33**
Aulton Cres. LE10 —2D **138**
Aulton Rd. B75 —1B **138**
Aulton Way. LE10 —2D **138**
Ault St. B70 —4F **57**
Austcliff Dri. B91 —1F **125**
Austen Ct. CV32 —1E **148**
Austen Pl. B15 —5F **73**
Austen Wlk. B71 —5F **45**
Auster Ho. B35 —2E **63**
Austin Clo. B27 —3B **92**
Austin Clo. DY1 —3B **54**
Austin Croft. B36 —4G **63**
Austin Dri. CV6 —1E **117**

Austin Edwards Dri.—Barrows Rd.

Austin Edwards Dri. CV34 —3G **147**
Austin Rise. B31 —2H **119**
Austin Rd. B21 —4C **58**
Austin Rd. B60 —5C **142**
Austin St. WV6 —5G **19**
Austin Way. B42 —1E **59**
Austrey Clo. B93 —3A **126**
Austrey Gro. B29 —1A **104**
Austrey Rd. DY6 —1F **67**
Austwick Clo. CV34 —2E **147**
Autumn Berry Gro. DY3 —5A **42**
Autumn Clo. WS4 —1B **24**
Autumn Dri. DY3 —2H **53**
Autumn Dri. WS4 —1B **24**
Autumn Dri. WS13 —1H **151**
Auxerre Av. B98 —5E **145**
Avalon Clo. B24 —1H **61**
Avebury Clo. CV11 —5H **137**
Avebury Gro. B30 —1G **105**
Avebury Rd. B30 —1G **105**
Ave Maria Clo. B64 —4F **69**
Avenbury Clo. B98 —4H **145**
Avenue Clo. B7 —1C **74**
Avenue Clo. B93 —5H **125**
Avenue Rd. B6 & B7 —1B **74**
Avenue Rd. B14 —1H **105**
Avenue Rd. B21 —3D **58**
Avenue Rd. B23 —1F **61**
Avenue Rd. B65 —4B **70**
Avenue Rd. B93 —5H **125**
Avenue Rd. CV8 —2A **150**
Avenue Rd. CV11 —4F **137**
Avenue Rd. CV31 —5A **149**
Avenue Rd. DY2 —1B **68**
Avenue Rd. WS10 —4B **32**
Avenue Rd. WS12 —4G **5**
Avenue Rd. WV3 —1E **29**
Avenue Rd. WV14 —3D **42**
Avenue, The. B27 —4B **92** (in two parts)
Avenue, The. B45 —2C **118**
Avenue, The. B65 —2H **69**
Avenue, The. CV3 —3E **133**
Avenue, The. WV3 —3C **28**
Avenue, The. WV4 —1E **41**
Avenue, The. WV10 —4C **20** (Fallings Park)
Avenue, The. WV10 —2D **12** (Featherstone)
Averill Rd. B26 —4D **76**
Avern Clo. DY4 —5A **44**
Aversley Rd. B38 —1D **120**
Avery Ct. B68 —1E **87**
Avery Ct. CV34 —4E **147**
Avery Croft. B35 —3C **62**
Avery Dell Ind. Est. B30 (in two parts) —2F **105**
Avery Dri. B27 —3A **92**
Avery Ind. Pk. B9 —3D **74**
Avery Rd. B66 —1C **72**
Avery Rd. B73 —2D **48**
Aviemore Clo. CV10 —4E **137**
Aviemore Cres. B43 —1F **47**
Avill Gro. DY11 —1C **140**
Avington Clo. DY3 —4H **41**
Avion Clo. WS1 —3H **33**
Avocet Clo. B33 —2C **76**
Avocet Dri. DY10 —5F **141**
Avon Bus. Pk. WS11 —1A **6**
Avon Clo. B60 —5D **142**
Avon Clo. DY5 —5G **53**
Avon Clo. WV6 —5A **18**
Avon Ct. B66 —4G **57**
Avon Ct. CV32 —2B **148**
Avon Cres. WS3 —1A **24**
Avoncroft Ho. B37 —4A **78**
Avondale Clo. DY6 —4E **53**
Avondale Rd. B11 —3D **90**
Avondale Rd. CV5 —1H **131**
Avondale Rd. CV32 —1D **148**
Avondale Rd. WV6 —5F **19**
Avon Dri. B13 —4C **90**
Avon Dri. B36 —4H **63**
Avon Dri. WV13 —1A **32**
Avon Gro. WS5 —1A **46**
Avonlea Rise. CV32 —1H **147**
Avon M. DY8 —3C **66**
Avon Rd. B63 —2D **84**
Avon Rd. B90 —1B **124**
Avon Rd. CV8 —4A **150**
Avon Rd. CV31 —8C **149**
Avon Rd. DY8 —4E **83**
Avon Rd. DY11 —5B **140**
Avon Rd. WS3 —2H **23**
Avon Rd. WS7 —3E **9**
Avon Rd. WS11 —1A **6** to 5C **4**
Avon St. B11 —2D **90**
Avon St. CV2 —3E **117**
Avon St. CV34 —3F **147**
Avon Wlk. LE10 —3C **138**
Avro Ho. B35 —2E **63**
Awbridge Rd. DY2 —3D **68**
Awefields Cres. B67 —2G **71**
Awson St. CV6 —2D **116**
Axeltree Way. WS10 —4D **32**
Axholme Rd. CV2 —3H **117**
Axminster Clo. CV11 —2H **137**
Ayala Croft. B36 —4B **62**
Aylesbury Av. B94 —5C **124**
Aylesbury Cres. B44 —3B **48**
Aylesbury Rd. B94 —5C **124**
Aylesford Clo. DY3 —2G **41**
Aylesford Dri. B37 —1A **94**
Aylesford Dri. B74 —4F **27**
Aylesford Rd. B21 —3D **58**
Aylesford St. CV1 —3C **116**
Aylesford St. CV31 —6C **149**
Aylesmore Clo. B32 —5F **87**
Aylesmore Clo. B92 —1B **108**
Aynho Clo. CV5 —4D **114**
Ayre Rd. B24 —1H **61**
Ayrshire Clo. B36 —4A **62**
Ayrton Clo. WV6 —5A **18**
Azalea Clo. LE10 —5F **139**
Azalea Clo. WV8 —5B **10**
Azalea Dri. LE10 —4F **139**
Azalea Wlk. LE10 —5F **139**

Babbacombe Rd. CV3 —3B **132**
Babington Rd. B21 —5D **58**
Bablake Clo. CV6 —1G **115**
Bablake Croft. B92 —5D **92**
Babors Field. WV14 —1C **42**
Babworth Clo. WV9 —5F **11**
Baccabox La. B47 —2A **122**
Bacchus Rd. B18 —1E **73**
Bache St. B70 —3F **57**
Bach Mill Dri. B28 —4E **107**
Backcester La. WS13 —3G **151**
Backcrofts. WS11 —5B **4**
Backhouse La. WV11 —5D **20**
Back La. B64 —4D **68**
Back La. CV7 & CV5 —2D **112** to 3H **113**
Back La. CV34 —4D **146**
Back La. WS9 —3A **26**
Back La. WS14 —1E **27**
Back Rd. B38 —5E **105**
Back Rd. DY6 —5D **52**
Back St. CV11 —2F **137**
Bacons End. B37 —2B **78**
Bacon's Yd. CV6 —4D **100**
Baddesley Clo. CV31 —7D **149**
Baddesley Rd. B92 —4C **92**
Bader Rd. WS2 —1C **32**
Bader Rd. WV6 —2A **18**
Bader Wlk. B35 —3C **62**
Badger Clo. B90 —4B **124**
Badger Clo. B98 —2G **145**
Badger Dri. WV10 —5A **20**
Badger Rd. CV3 —1G **133**
Badgers Bank Rd. B74 —4G **27**
Badgers Clo. WS3 —3A **16**
Badgers Croft. B62 —1H **85**
Badger St. DY3 —1B **54**
Badger St. DY9 —1A **84**
Badgers Way. B34 —1D **76**
Badgers Way. WS12 —4F **5**
Badland Av. DY10 —1E **141**
Badminton Clo. DY1 —2B **54**
Badon Covert. B14 —5H **105**
Badsey Clo. B31 —3C **104**
Badsey Rd. B69 —1E **70**
Baggeridge Clo. DY3 —4F **41**
Baggott St. WV2 —3H **29**
Baginton Clo. B91 —3E **109**
Baginton Rd. B35 —1D **62**
Baginton Rd. CV3 —3A **132**
Bagleys Rd. DY5 —1H **83**
Bagley St. DY9 —2H **83**
Bagnall Clo. B25 —1A **92**
Bagnall Rd. WV14 —5D **30**
Bagnall St. B70 —3H **57**
Bagnall St. DY4 —3A **44**
Bagnall St. WS3 —3F **23**
Bagnall Wlk. DY5 —4A **68**
Bagnell Rd. B13 —1B **106**
Bagot St. B4 —2A **74** & 1D **152**
Bagridge Clo. WV3 —3B **28**
Bagridge Rd. WV3 —3B **28**
Bagshawe Croft. B23 —4E **49**
Bagshaw Rd. B33 —3C **76**
Bailey Clo. WS11 —2D **4**
Bailey Rd. WV14 —4D **30** (in two parts)
Baileys Ct. B65 —3A **70**
Bailey St. B70 —2D **56**
Bailey St. WV10 —1A **30**
Baines La. LE10 —2E **139**
Baker Av. CV31 —6B **149**
Baker Av. WV14 —2B **42**
Baker Ho. Gro. B43 —4C **46**
Baker Rd. WV14 —2F **43**
Bakers Gdns. WV8 —4A **10**
Bakers La. B74 & B73 —5B **36**
Bakers La. WS9 —3G **25**
Baker's La. WS13 —3G **151**
Baker St. B10 —4E **75**
Baker St. B11 —2D **90**
Baker St. B21 —4E **59**
Baker St. B70 —2E **57**
Baker St. CV6 —2F **101**
Baker St. DY4 —1F **55** (in two parts)
Baker St. WS7 —2E **9**
Bakers Wlk. B77 —5G **135**
Bakers Way. WV8 —4A **10**
Bakewell Clo. CV3 —1H **33**
Bakewell Clo. WS3 —5F **15**
Balaclava Rd. B14 —1A **106**
Balcaskie Clo. B15 —1D **88**
Balden Rd. B32 —1H **87**
Baldmoor Lake Rd. B23 (in two parts) —4F **49**
Bald's La. DY9 —2B **84**
Baldwin Clo. B69 —3B **56**
Baldwin Croft. CV6 —5E **101**
Baldwin Rd. B30 —5F **105**
Baldwin Rd. DY10 —1G **141**
*Baldwins Ho. DY5 —5B **68** (off Maughan St.)*
Baldwins La. B28 —4F **107** to 3G **107**
Baldwin St. B66 —1B **72**
Baldwin St. WV14 —1F **43**
Balfour Clo. LE10 —3F **139**
Balfour Cres. WV6 —5E **19**
Balfour Dri. B69 —3B **56**
Balfour New St. B79 —3C **134**
Balfour Rd. DY6 —4D **52**
Balfour St. B12 —2A **90**
Balham Gro. B44 —2B **48**
Balking Clo. WV14 —1C **42**
Ballantine Rd. CV6 —2A **116**
Ballarat Wlk. DY8 —2E **83**
Ballard Cres. DY2 —2E **69**
Ballard Rd. DY2 —2E **69**
Ballard Wlk. B37 —1A **78**
Ballfields. DY4 —5B **44**
Ballingham Clo. CV4 —5C **114**
Balliol Ho. B37 —3H **77**
Balliol Rd. CV2 —3F **117**
Balliol Rd. LE10 —4G **139**
Ball La. WV9 & WV10 —2G **11**
Ballot St. B66 —2B **72**
Balls Hill. WS1 —2H **33**
Balls St. WS1 —2H **33**
Balmain Cres. WV11 —2D **20**
Balmoral Clo. B62 —1H **85**
Balmoral Clo. CV2 —2H **117**
Balmoral Clo. WS4 —3D **24**
Balmoral Clo. WS14 —4H **151**
Balmoral Ct. DY10 —3F **141**
Balmoral Ct. WS11 —2D **4**
Balmoral Dri. WS12 —1D **4**
Balmoral Dri. WV5 —3A **40**
Balmoral Dri. WV12 —3A **22**
Balmoral Rd. B23 —1F **61**
Balmoral Rd. B32 —1E **103**
Balmoral Rd. B36 —5H **63**
Balmoral Rd. B74 —4F **27**
Balmoral Rd. DY8 —3C **66**
Balmoral Rd. WV4 —5G **29**
Balmoral View. DY1 —3A **54**
Balmoral Way. B65 —2B **70**
Balsall Heath Rd. B5 & B12 —1A **90**
Balsall St. CV7 —4F **127** to 3B **128**
Balsall St. E. CV7 —3B **128**
Baltic Clo. WS11 —4B **4**
Baltimore Rd. B42 —5F **47**
Bamber Clo. WV3 —3E **29**
Bamburgh Gro. CV32 —2A **148**
Bamford Clo. WS3 —5F **15**
Bamford Ho. WS3 —5F **15**
Bamford Rd. WS3 —5F **15**
Bamford Rd. WV3 —3F **29**
Bamford St. B77 —2E **135**
Bampton Av. WS7 —1F **9**
Bamville Rd. B8 —1H **75**
Banberry Dri. WV5 —1A **52**
Banbrook Clo. B92 —1F **109**
Banbury Clo. DY3 —5A **42**
Banbury Croft. B37 —3H **77**
Banbury Ho. B33 —3G **77**
Banbury Rd. CV34 —4E **147**
Banbury Rd. WS11 —5A **4**
Banbury Rd. Hill. CV34 —5F **147**
Banbury St. B5 —3B **74**
Bancroft. B77 —2F **135**
Bancroft Clo. DY1 —4D **42**
Bandywood Cres. B44 —1A **48**
Bandywood Rd. B44 —1A **48**
Baneberry Dri. WV10 —2D **12**
Banfield Av. WS10 —3A **32**
Banfield Rd. WS10 —1A **44**
Banford Av. B8 —2G **75**
Banford Rd. B8 —2G **75**
Bangham Pit Rd. B31 —2G **103**
Bangor Ho. B37 —2A **78**
Bangor Rd. B9 —4E **75**
Bank Cres. WS7 —2E **9**
Bankcroft. CV31 —7D **149**
Bankdale Rd. B8 —2H **75**
Bankes Rd. B10 —4F **75**
Bank Farm Clo. DY9 —5H **83**
Bankfield Dri. CV32 —2H **147**
Bankfield Ho. WV1 —1G **29**
Bankfield Rd. DY4 —4B **44**
Bankfield Rd. WV14 —5F **31**
Banklands Rd. DY2 —1F **69**
Bank Rd. DY2 —1E **69**
Bank Rd. DY3 —2H **53** & 3H **53** (in three parts)
Bankside. B13 —4E **91**
Bankside. B43 —4D **46**
Bankside. WV5 —4A **40**
Bankside Clo. CV3 —3D **132**
Bankside Cres. B74 —3A **36**
Bankside Way. WS9 —1G **25**
Banks Rd. CV6 —3H **115**
Banks St. WV13 —1G **31**
Bank St. B14 —5A **90**
Bank St. B64 —4E **69**
Bank St. B71 —5F **45**
Bank St. DY5 —2H **67**
Bank St. DY9 —2B **84**
Bank St. WS1 —2A **34**
Bank St. WS12 —5H **5**
Bank St. WV10 —4B **20**
Bank St. WV14 —1F **43** (Bradley)
Bank St. WV14 —3D **42** (Coseley)
Bankwell St. DY5 —2H **67**
Banky Meadow. LE10 —3H **139**
Banner La. B92 —1F **127**
Banner La. CV4 —4A **114**
Bannerlea Rd. B37 —1H **77**
Bannerley Rd. B33 —4E **77**
Banners Ct. B73 —1D **48**
Banner's Ga. Rd. B73 —1C **48**
Banners Gro. B23 —5G **49**
Banner's La. B63 —1F **85**
Banner's St. B63 —1E **85**
Banners Wlk. B44 —2C **48**
Bannister Rd. WS10 —2B **44**
Bannister St. B64 —4E **69**
Banstead Clo. WV2 —3A **30**
Bantam Gro. CV6 —3H **99**
Bantams Clo. B33 —3F **77**
Bant Mill Rd. B60 —4E **143**
Bantock Av. WV3 —3E **29**
Bantock Gdns. WV3 —2E **29**
Bantock Rd. CV4 —5B **114**
Bantocks, The. B71 —5E **45**
Bantock Way. B17 —2C **88** (in three parts)
Banton Clo. B23 —3E **49**
Bantry Clo. B26 —3F **93**
Baptist End Rd. DY2 —1E **69**
Baptist Wlk. LE10 —2F **139**
Barbara Rd. B28 —4F **107**
Barbara St. B79 —2C **134**
Barber Clo. WS12 —4G **5**
Barberry Ct. B66 —5G **57**
Barbican Rise. CV2 —5H **117**
Barbourne Clo. B91 —2E **125**
Barbridge Rd. CV12 —1A **80**
Barbrook Dri. DY5 —1G **83**
Barcheston Rd. B29 —5A **88**
Barcheston Rd. B93 —4A **126**
Barclay Ct. WV3 —1F **29**
Barclay Rd. B67 —4H **71**
Barcliffe Av. B77 —2F **135**
Barcroft. WV13 —1A **32**
Bardfield Clo. B42 —4E **47**
Bardon Dri. B90 —5A **108**
Bardsey Clo. LE10 —2D **138**
Bard St. B11 —2D **90**
Bardwell Clo. WV8 —2E **19**
Barford Clo. B76 —1C **50**
Barford Clo. B98 —4H **145**
Barford Clo. CV3 —2G **133**
Barford Clo. WS10 —3B **32**
Barford Cres. B38 —5G **105**
Barford Ho. B5 —5A **74**
Barford M. CV8 —4D **150**
Barford Rd. B16 —2E **73**
Barford Rd. B90 —5A **108**
Barford Rd. CV8 —4D **150**
Barford St. B5 —5A **74** & 5D **152**
Bargate Dri. WV6 —5F **19**
Bargehouse Wlk. B38 —2D **120**
Bargery Rd. WV11 —1H **21**
Barham Clo. B90 —3D **124**
Barker Butts La. CV6 —3G **115** to 4A **116**
Barker Ho. B69 —4C **56**
Barker Rd. B74 —3H **37**
Barker St. B19 —5G **59**
Barker St. B68 —1F **71**
Bark Piece. B32 —4F **87**
Barlands Croft. B34 —1E **77**
Barle Gro. B36 —5H **63**
Barlestone Dri. LE10 —2C **138**
Barley Clo. DY3 —4B **52**
Barley Clo. WS9 —1A **36**
Barley Clo. WV8 —1E **19**
Barley Ct. CV32 —3B **148**
Barley Croft. B60 —5C **142**
Barley Croft. WV6 —2A **18**
Barleyfield. LE10 —1E **139**
Barleyfield Rise. DY6 —4B **52**
Barleyfield Row. WS1 —2H **33**
Barley Lea, The. CV3 —1F **133** & 2F **133**
Barlich Way. B98 —3D **144**
Barlow Clo. B45 —5B **102**
Barlow Clo. B68 —3D **70**
Barlow Clo. B77 —1F **135**
Barlow Dri. B70 —3H **57**
Barlow Rd. CV2 —4G **101**
Barlow Rd. WS10 —5D **32**
Barlow's Rd. B15 —2D **88**
Barmouth Clo. WV12 —3A **22**
Barnabas Rd. B23 —1G **61**
Barnaby Sq. WV10 —4B **12**
Barnack Av. CV3 —3A **132**
Barnack Dri. CV34 —2D **146**
Barnacle La. CV12 —2B **80**
Barnard Clo. B37 —4C **78**
Barnard Clo. CV32 —2D **148**
Barnard Pl. WV2 —4A **30**
Barnard Rd. B75 —4B **38**
Barnard Rd. WV11 —2G **21**
Barnard Way. WS11 —4D **4**
Barn Av. DY3 —4H **41**
Barnbridge. B77 —5D **134**
Barnbrook Rd. B93 —2A **126**
Barn Clo. B30 —2G **105**
Barn Clo. B63 —4F **85**
Barn Clo. B64 —1F **85**
Barn Clo. CV5 —3E **115**
Barn Clo. CV31 —8C **149**
Barn Clo. DY9 —3H **83**
Barn Clo. WS13 —1G **151**
Barn Croft. B32 —5H **87**
Barncroft. WS7 —3F **9**
Barncroft Rd. B69 —4G **55**
Barncroft St. B70 —3D **44**
Barnes Clo. B37 —4G **77**
Barnes Hill. B29 —4H **87**
Barnet Rd. B23 —1E **61**
Barnet St. DY4 —1H **55**
Barnett Clo. DY6 —2D **66**
Barnett Clo. WV14 —1F **43**
Barnett Grn. DY6 —2D **66**
Barnett La. DY6 & DY8 —1C **66**
Barnett Rd. WV13 —2F **31**
Barnetts Clo. DY10 —4G **141**
Barnetts Gro. DY10 —4F **141**
Barnett's La. DY10 —4F **141**
Barnetts La. WS8 —1E **17**
Barnett St. B69 —3G **55**
Barnett St. DY8 —3D **66**
Barney Clo. DY4 —2G **55**
Barnfield Av. CV5 —2D **114**
Barnfield Clo. WS14 —4G **151**
Barnfield Clo. WV14 —3B **42**
Barnfield Dri. B92 —2G **109**
Barnfield Gro. B20 —5D **46**
Barnfield Rd. B61 —4C **142**
Barnfield Rd. B62 —1B **86**
Barnfield Rd. DY4 —4F **43**
Barnfield Rd. WV1 —1C **30**
Barnfield Trading Est. DY4 —5F **43**
Barnford Clo. B10 —4D **74**
Barnford Cres. B68 —3E **71**
Barnfordhill Clo. B68 —2E **71**
Barn Grn. WV3 —3F **29**
Barnhurst La. WV8 —5D **10**
Barn La. B13 —1B **106**
Barn La. B21 —5D **58**
Barn La. B92 —3B **92**
Barn Meadow. B25 —4B **76**
Barnmoor Rise. B91 —1F **109**
Barn Owl Clo. DY10 —5F **141**
Barn Owl Wlk. DY5 —1H **83**
Barnpark Covert. B14 —5H **105**
Barn Piece. B32 —3E **87**
Barnsbury Av. B72 —5A **50**
Barns Clo. WS9 —4E **17**
Barns Croft. B74 —5C **26**
Barnsdale Cres. B31 —4G **103**
Barns La. WS4 & WS9 —2B **24** to 2D **24**
Barnsley Rd. B17 —4A **72**
Barnsley Rd. B61 —2E **143**
Barnsley Rd. WV14 —2F **43**
Barnstaple Clo. CV5 —3C **114**
Barnstaple Rd. B66 —1B **72**
Barn St. B5 —4B **74**
Barnswood Clo. WS11 —5A **4**
Barnt Grn. Rd. B45 —4F **119**
Barnwood Clo. B98 —1G **145**
Barnwood Rd. B32 —3H **87**
Barnwood Rd. WV8 —1E **19**
Barons Clo. B17 —2A **88**
Barons Ct. Trading Est. WS9 —5D **16**
Baron's Croft. CV3 —2C **132**
Barons Croft. CV10 —3A **136**
Baron's Field Rd. CV3 —2C **132**
Barpool Rd. CV10 —3D **136**
Barrack La. B63 —1D **84**
Barracks Clo. WS3 —2G **23**
Barracks La. WS3 —2G **23**
Barracks La. WS8 & WS9 —5G **9** to 2H **17**
Barracks Pl. WS3 —2G **23**
Barrack St. B7 —2C **74**
Barrack St. B70 —4D **44**
Barrack St. CV34 —4D **146**
Barracks Way. CV1 —5B **116**
Barra Croft. B35 —1E **63**
Barrar Clo. DY8 —5E **67**
Barras Grn. CV2 —3E **117**
*Barras Heath Wholesale Mkt. CV2 —3E **11** (off Powell Rd.)*
Barras La. CV1 —4A **116**
Barratts Croft. DY5 —3H **53**
Barratt's La. CV7 —2C **100**
Barratts Rd. B38 —1F **121**
Barr Comn. Clo. WS9 —1G **35**
Barr Comn. Rd. WS9 —5F **22**
Barrett Clo. DY10 —2G **141**
Barretts La. CV7 —2D **128**
Barrhill Clo. B43 —2D **46**
Barrie Av. DY10 —2G **141**
Barrie Rd. LE10 —1E **139**
Barrington Clo. WS5 —1A **46**
Barrington Clo. WV10 —1H **19**
Barrington Rd. B45 —2B **118**
Barrington Rd. B92 —4C **92**
Barr Lakes La. WS9 —3E **35**
Bar Rd. CV3 —1D **132**
Barron Rd. B31 —4B **104**
Barrow Clo. B98 —3H **145**
Barrowfield Ct. CV8 —3B **150**
Barrowfield La. CV8 —3A **150**
Barrow Hill Rd. DY5 —3H **53**
Barrow Rd. CV8 —4A **150**
Barrows La. B26 —5C **76** to 2D **92**
Barrows Rd. B11 —1D **90**

Barrows St.—Belgrave Ter.

Barrows St. B70 —2G 57
Barrow Wlk. B5 —5A 74
Barrs Cres. B64 —5G 69
Barrs Rd. B64 —5F 69
Barrs St. B68 —2E 71
Barr St. B19 —1G 73 & 1A 152
Barr St. DY3 —2G 53
Barry Jackson Tower. B6 —5B 60
Barry Rd. WS5 —4C 34
Barsham Clo. B5 —2H 89
Barsham Dri. DY5 —5H 67
Barston Clo. CV6 —4E 101
Barston La. B91 —5H 109
Barston La. B92 & B91 —5A 110 & 5B 110
Barston La. B93 & B92 —4D 110 to 2H 127
Barston Rd. B68 —1E 87
Bartestree Clo. B98 —4H 145
Bartholomew Row. B5 —3B 74
Bartholomew's La. B61 —1D 142
Bartholomew St. B5 —3B 74 & 3D 152
Bartic Av. DY6 —2E 67
Bartleet Rd. B98 —5G 145
Bartlett Clo. CV6 —4C 100
Bartlett Clo. CV34 —4E 147
Bartlett Clo. DY4 —2H 43
Bartley Clo. B92 —4C 92
Bartley Dri. B31 —1G 103
Bartley Woods. B32 —4E 87
Barton Cres. CV31 —6D 149 (in two parts)
Barton Croft. B28 —4F 107
Barton La. DY6 —4C 52 & 5C 52
Barton Lodge Rd. B28 —3F 107
Barton Rd. CV6 —4D 100
Barton Rd. CV10 —5F 137
Barton Rd. CV12 —2E 81
Barton Rd. WV4 —5B 30
Bartons Bank. B6 —5A 60
Barton's Meadow. CV2 —2E 117
Barton St. B70 —3E 57
Bar Wlk. WS9 —1G 25
Barwell Clo. B93 —5G 125
Barwell Clo. CV32 —2B 148
Barwell Ct. B9 —3C 74
Barwell La. LE10 —1F 139
Barwell Path. LE10 —1F 139
Barwell Rd. B9 —3C 74
Barwick St. B3 —3H 73 & 3B 152
Bascote Clo. B97 —4A 144
Basford Brook Dri. CV6 —2D 100
Basil Gro. B31 —4G 103
Basil Rd. B31 —4G 103
Basin Bri. La. LE10 —1A 138
Basin La. B77 —2E 135
Baskerville Rd. DY10 —1F 141
Baskeyfield Clo. WS14 —3H 151
Baslow Clo. B33 —2C 76
Baslow Clo. WS3 —5E 15
Baslow Rd. WS3 —5E 15
Bason's La. B68 —2F 71
Bassano Rd. B65 —4A 70
Bassenthwaite Ct. DY6 —1D 66
Bassett Clo. B76 —1B 50
Bassett Clo. WV4 —4C 28
Bassett Clo. WV12 —5B 22
Bassett Croft. B10 —5D 74
Bassett Rd. B63 —1C 84
Bassett Rd. CV6 —3H 115
Bassett Rd. WS10 —2F 45
Bassetts Gro. B37 —1G 77
Bassett St. WS2 —2E 33
Bassnage Rd. B63 —4F 85
Batchcroft. WS10 —3B 32
Batch Croft. WV14 —5E 31
Batchley Rd. B97 —2A 144
Bateman Dri. B73 —2H 49
Bateman Rd. B46 —4E 65
Batemans Acre S. CV6 —3H 115
Batemans La. B47 —4A 122
Bates Clo. B76 —4D 50
Bates Gro. WV10 —4C 20
Bates Hill. B97 —2B 144
Bates Rd. CV5 —2G 131
Bate St. WS2 —1G 33
Bate St. WV4 —2C 42
Batham Rd. DY10 —1F 141
Bath Av. WV1 —1G 29 (in two parts)
Bath Ct. B29 —1B 104
Batheaston Clo. B38 —2D 120
Bath Meadow. B63 —2F 85
Bath Pas. B5 —4A 74 & 4C 152
Bath Pl. CV31 —5B 149
Bath Rd. CV11 —2F 137
Bath Rd. DY4 —1H 55
Bath Rd. DY5 —4C 68
Bath Rd. DY8 —2F 83
Bath Rd. WS1 —3H 33
Bath Rd. WS11 —2C 4
Bath Rd. WV1 —1G 29
Bath Row. B15 —4G 73 & 5A 152 (in two parts)
Bath Row. B69 —4B 56
Bath St. B4 —2A 74 & 1C 152
Bath St. CV1 —4C 116
Bath St. CV31 —5B 149
Bath St. DY2 —4E 55
Bath St. DY3 —3B 42
Bath St. WS1 —2H 33
Bath St. WV1 —2A 30
Bath St. WV13 —2H 31
Bath St. WV14 —5F 31
Bathurst Rd. CV6 —2H 115
Bath Wlk. B12 —2A 90
Bathway Rd. CV3 —4H 131
Batmanshill Rd. WV14 & DY4 —2F 43
Batsford Rd. CV6 —3H 115
Batson Rise. DY5 —5F 67
Battenhall Rd. B17 —2A 88
Battens Clo. B98 —3D 144
Batten's Dri. B98 —2G 145
Battery Ind. Pk. B29 —4D 88
Battledown Clo. LE10 —1D 138
Battlefield La. WV5 —5C 40
Baulk La. CV7 —1D 128
Bavaro Gdns. DY5 —4C 68
Baverstock Rd. B14 —5A 106
Baxter Av. DY10 —2E 141
Baxter Clo. CV4 —5C 114
Baxter Ct. CV31 —5C 149
Baxter Gdns. DY10 —2E 141
Baxterley Grn. B76 —3C 50
Baxterley Grn. B91 —3B 108
Baxter Rd. DY5 —3H 67
Baxters Grn. B90 —1G 123 & 2G 123
Baxters Rd. B90 —2H 123
Bayer St. WV14 —3D 42
Bayford Av. B26 —2E 93
Bayford Av. B31 —3G 119
Bayley Cres. WS10 —3A 32
Bayley La. CV1 —5B 116
Bayleys La. DY4 —4B 44
Bayley Tower. B36 —4B 62
Baylie St. DY8 —3F 83
Baylis Av. WV11 —2G 21
Bayliss Av. WV4 —2C 42
Bayliss Clo. B31 —3B 104
Bayliss Clo. WV14 —3E 31
Baynton Rd. WV12 —2A 22
Bayston Av. WV3 —3E 29
Bayston Rd. B14 —4A 106
Bayswater Rd. B20 —3H 59
Bayswater Rd. DY3 —2A 54
Bayton Ind. Est. CV7 —1E 101
Bayton Rd. CV7 —4F 81 to 1F 10
Bayton Way. CV7 —5F 81
Bay Tree Clo. B38 —2D 120
Baytree Clo. CV2 —5G 101
Baytree Clo. WS3 —5D 14
Baytree Rd. WS3 —1D 22
Baywell Clo. B90 —2D 124
Beach Av. B11 —2C 90
Beach Av. WV14 —2B 42
Beachburn Way. B20 —2F 59
Beachcroft Rd. DY6 —3C 52
Beach Dri. B63 —2G 85
Beach Rd. B11 —2C 90
Beach Rd. WV14 —3E 31
Beach St. B63 —2G 85
Beachwood Av. DY6 —4C 52
Beacon Clo. B43 —3E 47
Beacon Clo. B45 —3D 118
Beacon Clo. B66 —5A 58
Beacon Ct. B43 —3E 47
Beacon Ct. B74 —3B 36
Beacon Dri. WS1 —3A 34
Beaconfields. WS13 —2F 151
Beacon Gdns. WS13 —2E 151
Beacon Heights. WS9 —4G 35
Beacon Hill. B6 —4A 60
Beacon Hill. B45 —3C 118
Beacon Hill. WS9 —2G 35
Beacon La. B60 & B45 —5B 118
Beacon La. DY3 —3A 42
Beacon M. B43 —3E 47
Beacon Pas. DY3 —3A 42
Beacon Pas. DY3 —3A 42 (off Crown Clo.)
Beacon Rise. DY3 —3A 42
Beacon Rise. DY9 —3A 84
Beacon Rise. WS9 —5G 25
Beacon Rd. B44 —1B 48
Beacon Rd. B73 —3G 49
Beacon Rd. CV6 —4B 100
Beacon Rd. WS5 —5D 34
Beacon Rd. WS9 & B43 —2G 35 to 2G 47
Beacon Rd. WV12 —2A 22
Beaconsfield Av. WV4 —4A 30
Beaconsfield Ct. CV10 —2G 137
Beaconsfield Ct. WS1 —2B 34
Beaconsfield Cres. B12 —2A 90
Beaconsfield Dri. WV4 —4A 30
Beaconsfield Rd. B12 —2A 90
Beaconsfield Rd. B74 —3H 37
Beaconsfield Rd. CV2 —5F 117
Beaconsfield St. B71 —5F 45
Beaconsfield St. CV31 —5C 149
Beaconsfield St. W. CV31 —5C 149
Beacon St. WS1 —2A 34
Beacon St. WS13 —2E 151
Beacon St. WV14 —2B 42
Beacon View. B45 —3D 118
Beacon View. WS2 —1C 32
Beacon View Dri. B74 —5A 36
Beaconview Ho. B71 —2A 46
Beacon View Rd. B71 —2H 45 to 3H 45
Beacon Way. B71 —1A 58
Beacon Way. WS9 —5F 17
Beacon Way. WS12 —3H 5
Beake Av. CV6 —2A 116 to 4A 100
Beakes Rd. B67 —3H 71
Beaks Farm Gdns. B16 —3C 72
Beaks Hill Rd. B38 —5D 104
Beak St. B1 —4H 73 & 4B 152
Beale Clo. B35 —3D 62
Beales St. B6 —4C 60
Beale St. DY8 —2E 83
Bealeys Av. WV11 —2D 20
Bealeys Fold. WV11 —4E 21
Bealeys La. WS3 —4D 14
Beamans Clo. B92 —3D 92
Beaminster Rd. B91 —4C 108
Bean Ct. WS11 —5C 4
Bean Croft. B32 —4F 87
Beanfield Av. CV3 —4G 131
Bean Rd. DY2 —4F 55
Bean Rd. DY4 —5E 43
Beardmore Rd. B72 —3H 49
Bearley Croft. B90 —1A 124
Bearmore Rd. B64 —4F 69
Bearnett Dri. WV4 —2C 40
Bearnett La. WV4 —3B 40 & 2B 40
Bearsdon Cres. LE10 —1D 138
Bearwood Ho. B67 —2A 72
Bearwood Rd. B66 —4A 72
Beasley Gro. B43 —2G 47
Beaton Clo. WV13 —1F 31
Beaton Rd. B74 —5G 27
Beatrice St. WS3 —3F 23
Beatrice Wlk. B69 —3H 55
Beatty Clo. LE10 —1F 139
Beatty Ho. DY4 —4H 43
Beaubrook Gdns. DY8 —2D 66
Beauchamp Av. B20 —5E 47
Beauchamp Av. CV32 —4B 148
Beauchamp Av. DY11 —5C 140
Beauchamp Clo. B37 —3A 78
Beauchamp Clo. B76 —4D 50
Beauchamp Ct. CV32 —4B 148
Beauchamp Ct. DY11 —5D 140
Beauchamp Hill. CV32 —4A 148
Beauchamp Ind. Pk. B77 —4E 135
Beauchamp Ind. Pk. B77 —4E 135
Beauchamp Rd. B13 —3D 106
Beauchamp Rd. B91 —3D 108
Beauchamp Rd. CV8 —4A 150
Beauchamp Rd. CV32 —3B 148
Beauchamp Rd. CV34 —3G 147
Beaudesert Clo. B47 —3C 122
Beaudesert Rd. B20 —4F 59
Beaudesert Rd. B47 —3B 122
Beaudesert Rd. CV5 —5H 115
Beaudesert View. WS12 —2H 5
Beaufell Clo. CV34 —2E 147
Beaufort Av. B34 —1B 76
Beaufort Av. CV32 —1D 148
Beaufort Av. DY11 —1A 140
Beaufort Clo. LE10 —5F 139
Beaufort Dri. CV3 —2H 133
Beaufort Pk. B8 —1A 76
Beaufort Rd. B16 —4E 73
Beaufort Rd. B23 —2F 61
Beaufort St. B98 —3C 144
Beaufort Way. WS9 —5F 25
Beaulieu Av. DY6 —2E 67
Beaulieu Clo. DY11 —1C 140
Beaulieu Pk. CV31 —6D 149
Beaumaris Clo. CV5 —3C 114
Beaumont Av. LE10 —3C 138
Beaumont Clo. WS6 —5D 6
Beaumont Cres. CV6 —4H 115
Beaumont Dri. B17 —3B 88
Beaumont Dri. DY5 —1G 83
Beaumont Gdns. B18 —1E 73
Beaumont Gro. B91 —3C 109
Beaumont Pk. B30 —4E 105
Beaumont Pl. CV11 —3D 136
Beaumont Rd. B30 —2D 104
Beaumont Rd. B62 —5C 70
Beaumont Rd. CV7 —1H 99
Beaumont Rd. CV11 —3D 136
Beaumont Rd. WS6 —5D 6
Beaumont Rd. WS10 —1D 44
Beausale Croft. CV5 —4D 114
Beausale Dri. B93 —2B 126
Beauty Bank Cres. DY8 —2E 83
Beauty Bank War B64 —5G 69
Beaver Clo. WV11 —4G 21
Bebington Clo. WV8 —2E 19
Beccles Dri. WV13 —3G 31
Beche Way. CV5 —3E 115
Beckbury Av. WV4 —5C 28
Beckbury Rd. B29 —5A 88
Beck Clo. B67 —2A 72
Beckenham Av. B44 —3C 48
Becket Clo. B74 —4G 27
Beckett St. WV14 —4F 31
Beckfield Clo. B14 —5A 106
Beckfield Clo. WS4 —2C 24
Beckford Croft. B93 —5H 125
Beckman Rd. DY9 —4H 83
Beckminster Rd. WV3 —4F 29
Becks La. CV7 —2F 97
Beconsfield Clo. B93 —5H 125
Becton Gro. B42 —4H 47
Bedale Av. LE10 —1G 139
Bedcote Pl. DY8 —2G 83
Beddoe Clo. DY4 —1B 56
Beddow Av. WV14 —4D 42
Beddows Rd. WS3 —4G 23
Bede Rd. CV6 —2A 116
Bede Rd. CV10 —3B 136
Bede Rd. CV12 —2E 81
Bede Shopping Arc. CV12 —3F 81
Bedford Clo. LE10 —1F 139
Bedford Dri. B75 —4B 38
Bedford Ho. B36 —1A 78
Bedford Pl. CV32 —5B 149
Bedford Pl. WS12 —2E 5
Bedford Rd. B11 —5C 74
Bedford Rd. B71 —4E 45
Bedford Rd. B75 —4B 38
Bedford St. CV1 —5H 115
Bedford St. CV32 —4B 148
Bedford St. DY4 —1A 56
Bedford St. WV1 —3C 30
Bedlam La. CV6 —4C 100
Bedworth Clo. CV12 —1A 80
Bedworth Croft. DY4 —1A 56
Bedworth Gro. B9 —4H 75
Bedworth La. CV12 —2B 80
Bedworth Rd. CV6 —2E 101
Bedworth Rd. CV12 —1A 80
Beebee Rd. WS10 —4D 32
Beecham Clo. WS9 —2E 25
Beech Av. B12 —2B 90
Beech Av. B32 —1G 87
Beech Av. B37 —4A 78
Beech Av. B62 —5A 70
Beech Av. B77 —2E 135
Beech Cliffe. CV34 —3E 147
Beech Clo. B79 —1C 134
Beech Clo. DY3 —3A 42
Beech Clo. WV10 —2G 19
Beech Ct. B91 —3F 109
Beech Ct. DY8 —3G 83
Beech Ct. WS1 —3A 34
Beech Cres. DY4 —4A 44
Beech Cres. WS7 —2E 9
Beech Cres. WS10 —5D 32
Beechcroft Av. B28 —2G 107
Beechcroft Ct. B74 —2G 37
Beechcroft Cres. B74 —2H 35
Beechcroft Dri. B60 —2F 143
Beechcroft Est. B63 —1E 85
Beechcroft Pl. WV10 —3H 19
Beechcroft Rd. B36 —4E 63
Beechcroft Rd. B64 —4F 69
Beechcroft Rd. DY11 —1A 140
Beechdale. B68 —5E 71
Beechdale Av. B44 —2A 48
Beechdene Gro. B23 —1F 61
Beech Dri. CV8 —2C 150
Beechen Clo. LE10 —3D 138
Beechen Gro. WS7 —1E 9 (of Lebanon Gro.)
Beecher Pl. B63 —2E 85
Beecher Rd. B63 —2E 85
Beecher Rd. E. B63 —2E 85
Beecher St. B63 —2E 85
Beeches Av. B27 —3A 92
Beeches Clo. B45 —2B 118
Beeches Clo. DY6 —1D 66
Beeches Dri. B24 —1A 62
Beeches Farm Dri. B31 —2A 120
Beeches Pl. WS3 —3G 23
Beeches Rd. B42 —4G 47 (in two parts)
Beeches Rd. B65 —4A 70
Beeches Rd. B68 —3F 71
Beeches Rd. B70 —2G 57
Beeches Rd. DY11 —1C 140
Beeches Rd. WS3 —3G 23
Beeches, The. B70 —3H 57
Beeches, The. CV12 —4D 80
Beeches View Av. B63 —3D 84
Beeches Wlk. B73 —1H 49
Beeches Way. B31 —2A 120
Beechey Clo. B43 —5H 35
Beech Farm Croft. B31 —4A 104
Beechfield Av. B12 —1C 90
Beechfield Clo. B62 —5A 70
Beechfield Dri. DY11 —1C 140
Beechfield Gro. WV14 —4C 42
Beechfield Rise. WS13 —3H 151
Beechfield Rd. B11 —1C 90
Beechfield Rd. B67 —2H 71
Beech Gdns. WS14 —4G 151
Beech Gdns. WV8 —5A 10
Beechgate. B74 —4D 26
Beechglade. B20 —2E 59
Beech Grn. DY1 —1C 54
Beech Gro. B14 —3B 106
Beech Gro. CV34 —2G 147
Beech Hill Rd. B72 —4A 50
Beech Ho. B91 —5C 108
Beech Hurst. B38 —1D 120
Beechlawn Dri. DY7 —1A 82
Beechmore Rd. B26 —2D 92
Beechmount Dri. B23 —5G 49
Beechnut Clo. B91 —3G 109
Beechnut La. B91 —3G 109 (in two parts)
Beech Rd. B23 —4F 49
Beech Rd. B30 —2D 104
Beech Rd. B47 —3C 122
Beech Rd. B61 —2D 142
Beech Rd. B69 —4H 55
Beech Rd. B79 —1C 134
Beech Rd. CV6 —2A 116
Beech Rd. DY1 —2E 55
Beech Rd. DY6 —1D 66
Beech Rd. DY8 —4E 83
Beech Rd. WS10 —5C 32
Beech Rd. WV10 —2G 19
Beech Rd. WV13 —1F 31
Beech St. WV14 —3D 42
Beech Tree Av. CV4 —5D 114
Beech Tree Av. WV11 —2D 20
Beech Tree Clo. DY6 —4E 53
Beech Tree La. WS11 —5B 4
Beechtree Rd. WS9 —5E 17
Beech Wlk. B38 —1E 121
Beech Way. B66 —1B 72
Beechwood Av. CV5 —1G 131
Beechwood Av. LE10 —5F 139
Beechwood Av. WV11 —2C 20
Beechwood Clo. B90 —4B 124
Beechwood Clo. WS3 —5E 15
Beechwood Ct. B30 —4G 105
Beechwood Ct. WV6 —5C 18
Beechwood Cres. B77 —1F 135
Beechwood Croft. B74 —4E 27
Beechwood Croft. CV8 —5A 150
Beechwood Dri. WV6 —1B 28
Beechwood Pk. Rd. B91 —2B 108
Beechwood Rd. B14 —3B 106
Beechwood Rd. B43 —2E 47
Beechwood Rd. B67 —5H 71
Beechwood Rd. B70 —2E 57
Beechwood Rd. CV10 —2B 136
Beechwood Rd. CV12 —2G 81
Beechwood Rd. DY2 —3F 55
Beecroft Av. WS13 —2F 151
Beecroft Rd. WS11 —5B 4
Beehive Hill. CV8 —1A 150
Beehive Wlk. DY4 —1F 55
Bee La. WV10 —5H 11
Beeston Clo. B6 —5C 60
Beeston Clo. CV3 —2H 133
Beeston Clo. DY5 —5H 67
Beeton Rd. B18 —1D 72
Beet St. B65 —4A 70
Beever Rd. DY4 —4B 44
Beggars Bush La. WV5 —5B 40
Begonia Clo. LE10 —4F 139
Begonia Dri. LE10 —4F 139
Beighton Clo. B74 —3F 27
Beilby Rd. B30 —2F 105
Belbroughton Clo. B98 —4D 144
Belbroughton Rd. B63 —4G 85
Belbroughton Rd. DY8 —3E 83
Belchers La. B9 & B8 —4G 75
Beldray Rd. WV14 —4F 31
Belfry Clo. WS3 —5D 14
Belfry Dri. DY8 —1E 83
Belfry, The. WV6 —1A 18
Belgrade Rd. WV10 —1G 19
Belgrave Ct. DY6 —2F 67
Belgrave Middleway. B5 & B12 —1A 90
Belgrave Rd. B62 —5B 70
Belgrave Rd. B77 —4E 135
Belgrave Rd. CV2 —4H 117
Belgrave Sq. CV2 —4H 117
Belgrave Ter. B21 —5E 59

Belgrave Wlk.—Birchfields Dri.

Belgrave Wlk. WS2 —1E **33**
Belgravia Clo. B5 —1H **89**
Belgravia Clo. Walkway. B5 —1A **90**
Belgrove Clo. B15 —1E **89**
Belinda Clo. WV13 —1G **31**
Bellairs Av. CV12 —4C **80**
Bell All. WV13 —2H **31**
Bellam Rd. CV35 —4A **146**
Bellamy Clo. B90 —5B **108**
Bellamy Farm Rd. B90 —5B **108**
Bellamy La. WV11 —3D **20**
Bell Barn Clo. B15 —5G **73**
Bell Barn Rd. B15 —5H **73** & 5B **152**
Bell Barn Shopping Cen. B15 —5G **73**
Bell Clo. B36 —5A **64**
Bell Clo. WS10 —3B **32**
Bell Ct. CV32 —3B **148**
Bellcroft. B16 —4F **73**
Bell Dri. CV7 —1C **100**
Bell Dri. WS5 —5A **34**
Bell Dri. WS12 —1F **5**
Bellefield Rd. B18 —2D **72**
Belle Isle. DY5 —3H **67**
Bellemere Rd. B92 —2F **111**
Bellencroft Gdns. WV3 —3C **28**
Bell End. B65 —3A **70**
Belle Orchard. DY11 —3B **140**
Bellevale. B63 —2F **85**
Bellevue. B5 —1H **89**
Bellevue. B16 —2C **72**
Belle Vue. CV10 —4C **136**
Belle Vue. DY8 —3C **66**
Belle Vue Dri. B62 —1B **86**
Belle Vue Gdns. B65 —3A **70**
Bellevue Rd. B26 —1D **92**
Bellevue Rd. B65 —3A **70**
Bellevue Rd. DY5 —4C **68**
Bellevue Rd. WV14 —2G **43**
Bellevue St. WV14 —2B **42**
Belle Vue Ter. B92 —2E **111**
Belle Wlk. B13 —4C **90**
Bellfield Av. B18 —2D **72**
Bellfield Row. WS3 —1E **23**
Bellflower Clo. WV10 —2C **12**
Bell Fold. B68 —1F **71**
Bell Grn. La. B38 —4F **121**
Bell Grn. Rd. CV6 —1E **117**
Bell Heath Way. B32 —4E **87**
Bell Hill. B31 —3A **104**
Bell Holloway. B31 —3H **103**
Bellington Croft. B90 —3D **124**
Bell Inn Shopping Cen., The. B31 —3A **104**
Bellis St. B16 —4E **73**
Bell La. B31 —3A **104**
Bell La. B33 —4G **77**
Bell La. WS3 —1E **23**
Bell La. WS5 —5A **34**
Bellman Clo. WS10 —4B **32**
Bell Meadow. DY9 —5G **83**
Bell Meadow Way. B14 —5A **106**
Bell Pl. WV2 —3H **29** (in two parts)
Bell Rd. DY2 —2D **68**
Bell Rd. WS5 —4C **34**
Bells Farm Clo. B14 —5H **105**
Bellsize Clo. WS11 —3A **8**
Bell's La. B14 —5G **105**
Bells La. DY8 —4D **66** & 3D **66**
Bells Moor Rd. B70 —5D **44**
Bell St. B70 —3F **57**
Bell St. DY4 —1F **55**
Bell St. DY5 —3H **67** (Brierley Hill)
Bell St. DY5 —5H **53** (Pensnett)
Bell St. DY8 —2F **83**
Bell St. WS10 —4B **32**
Bell St. WV1 —2H **29**
Bell St. WV14 —4D **30** (Bilston)
Bell St. WV14 —2E **43** (Coseley)
Bell St. S. DY5 —3H **67**
Bell Wlk. B37 —4H **77**
Bell Wharf Pl. WS5 —4C **34**
Bellwood Rd. B31 —4H **103**
Belmont Av. WS11 —4A **4**
Belmont Clo. B97 —4A **144**
Belmont Clo. DY4 —5G **43**
Belmont Clo. WS9 —3F **25**
Belmont Ct. WS11 —3D **6**
Belmont Dri. CV32 —2B **148**
Belmont Gdns. WV14 —1H **43**
Belmont M. CV8 —3B **150**
Belmont Pas. B4 —3C **74**
Belmont Rd. B21 —4B **58**
Belmont Rd. B45 —3D **118**
Belmont Rd. B66 —3A **72**
Belmont Rd. B77 —5F **135**
Belmont Rd. CV6 —1D **116**
Belmont Rd. DY5 —5H **53**
Belmont Rd. DY9 —2B **84**
Belmont Rd. WV4 —5F **29**
Belmont Rd. E. B21 —4B **58**
Belmont Row. B4 —3B **74**
Belmont St. WV14 —1H **43**
Belper Rd. B70 —2D **56**
Belper Rd. WS3 —5F **15**
Belper Row. DY2 —2F **69**
Belper, The. DY1 —3D **54**
Belsize. B77 —3F **135**
Belstone Clo. B14 —2H **105**
Belton Av. WV11 —1D **20**
Belton Clo. B94 —5C **124**
Belton Gro. B45 —2F **119**
Belt Rd. WS12 —1C **4**
Belvedere Av. WV4 —5G **29**
Belvedere Clo. B79 —1D **134**
Belvedere Clo. DY6 —2F **67**
Belvedere Clo. DY10 —3G **141**
Belvedere Clo. WS7 —3E **9**
Belvedere Dri. B61 —2E **143**
Belvedere Gdns. WV6 —2D **18**
Belvedere Rd. B24 —3G **61**
Belvedere Rd. CV5 —1H **131**
Belvide Gdns. WV8 —4A **10**
Belvide Gro. B29 —5B **88**
Belvidere Gdns. B11 —3D **90**
Belvidere Rd. WS1 —3H **33**
Belvoir Clo. DY1 —3A **54**
Belwell Dri. B74 —1G **37**
Belwell La. B74 —1G **37**
Bembridge Clo. WV12 —2H **21**
Bembridge Rd. B33 —3D **76**
Benacre Dri. B5 —3B **74**
Benbeck Gro. DY4 —5E **43**
Benbow Clo. LE10 —1E **139**
Bendall Rd. B44 —2C **48**
Benedictine Rd. CV3 —2B **132**
Benedict Sq. CV2 —5F **101**
Benedon Rd. B26 —1D **92**
Bengrove Clo. B98 —5D **144**
Benion Rd. WS11 —2C **4**
Benmore Av. B5 —1H **89**
Bennett Av. DY1 —5D **42**
Bennett Dri. CV34 —4G **147**
Bennett Rd. B74 —1E **37**
Bennett's Hill. B2 —3H **73** & 3B **152**
Bennett's Hill. DY2 —4F **55**
Bennett's Rd. B8 —1E **75**
Bennett's Rd. CV7 & CV6 —2G **99**
Bennett's Rd. N. CV7 —1F **99**
Bennett's Rd. S. CV7 & CV6 —3H **99**
Bennett St. B19 —4H **59**
Bennett St. DY11 —2C **140**
Ben Nevis Way. DY8 —2F **83**
Bennitt Clo. B70 —3F **57**
Benn Rd. CV12 —1A **80**
Benn Willetts Wlk. B65 —4A **70**
Benson Av. WV4 —5H **29**
Benson Clo. WS13 —2H **151**
Benson Clo. WV6 —1A **18**
Benson Ind. Est. B18 —5E **59**
Benson Rd. B14 —5C **106**
Benson Rd. B18 —1E **73**
Benson Rd. CV6 —5H **99**
Benson View. B79 —1D **134**
Bent Av. B32 —2G **87**
Benthall Rd. CV6 —4D **100**
Bentham Ct. B31 —3H **103**
Bentley Clo. B97 —3B **144**
Bentley Clo. CV32 —2C **148**
Bentley Dri. WS2 —1E **33**
Bentley Dri. WV8 —4A **10**
Bentley Farm Clo. B93 —4G **125**
Bentley Gro. B29 —5A **88**
Bentley La. WS2 —5D **22** to 5F **23**
Bentley La. WV12 —4B **22**
Bentley Mill Clo. WS2 —2D **32**
Bentley Mill La. WS2 —2D **32**
Bentley Mill Way. WS2 —2C **32** to 3D **32**
Bentley New Dri. WS2 —1E **33**
Bentley Pl. WS2 —1E **33**
Bentley Rd. B36 —5F **63**
Bentley Rd. CV7 —4E **81**
Bentley Rd. CV11 —3E **137**
Bentley Rd. WV10 —5A **12**
Bentley Rd. N. WS2 —2C **32**
Bentley Rd. S. WS10 —3B **32**
Bentley Way. B79 —1A **134**
Bentmead Gro. B38 —1E **121**
Benton Av. B11 —2D **90**
Benton Clo. WV12 —5B **22**
Benton Cres. WS3 —1F **23**
Benton Grn. La. CV7 —4F **133**
Benton Rd. B11 —2D **90**
Bentons Ct. DY11 —2C **140**
Bentons La. WS6 —5D **6**
Bentons Mill Croft. B7 —4D **60**
Bentree, The. CV3 —1F **133**
Bent St. DY5 —2H **67**
Ben Willetts Wlk. B65 —4A **70**
Beoley Clo. B72 —3A **50**
Beoley Gro. B45 —2D **118**
Beoley Rd. E. B98 —2D **144**
Beoley Rd. W. B98 —2D **144**
Berberry Clo. B30 —2C **104**
Berberry Ct. DY4 —4H **43**
Berenska Dri. CV32 —3C **148**
Beresford Av. CV6 —5C **100**
Beresford Cres. B70 —2E **57**
Beresford Dri. B73 —3G **49**
Beresford Rd. B69 —5F **57**
Beresford Rd. WS3 —2H **23**
Bericote Croft. B27 —4A **92**
Berkeley Clo. B60 —4F **143**
Berkeley Clo. CV11 —4E **137**
Berkeley Clo. WV6 —1A **28**
Berkeley Dri. DY6 —5C **52**
Berkeley Precinct. B14 —5B **106**
Berkeley Rd. B25 —1G **91**
Berkeley Rd. B90 —5F **107**
Berkeley Rd. CV8 —2A **150**
Berkeley Rd. E. B25 —1H **91**
Berkeley Rd. N. CV5 —1H **131**
Berkeley Rd. S. CV5 —1H **131**
Berkeley St. WS2 —3E **33**
Berkett Rd. CV6 —4A **100**
Berkley Clo. WS2 —5C **22**
Berkley Cres. B13 —5D **90**
Berkley Ho. B23 —5F **49**
Berkley St. B1 —4G **73** & 4A **152**
Berkshire Clo. B71 —4E **45**
Berkshire Clo. CV10 —3C **136**
Berkshire Cres. WS10 —1F **45**
Berkshire, The. WS3 —4D **14**
Berkswell Clo. B74 —5E **27**
Berkswell Clo. B91 —1D **108**
Berkswell Rd. B24 —2H **61**
Berkswell Rd. CV6 —4E **101**
Berkswell Rd. CV7 —2D **112**
Bermuda Clo. DY1 —5D **42**
Bermuda Ind. Est. CV10 —5E **137**
Bermuda Mans. WS5 —1B **46**
Bermuda Rd. CV10 —5D **136** (Bermuda)
Bermuda Rd. CV10 —1E **81** (Griff)
Bermuda Village. CV10 —5E **137**
Bernard Pl. B18 —1E **73**
Bernard Rd. B17 —4B **72**
Bernard Rd. B68 —4F **71**
Bernard Rd. DY4 —4H **43**
Bernard St. B71 —1F **57**
Bernard St. WS1 —2A **34**
Berners Clo. CV4 —5B **114** (in two parts)
Berners St. B19 —5H **59** & 1H **73**
Bernhard Dri. B21 —4D **58**
Bernwall Clo. DY8 —3E **83**
Berrandale Rd. B36 —4C **62** (in two parts)
Berrington Clo. B98 —3F **145**
Berrington Dri. WV14 —3C **42**
Berrington Rd. CV10 —1B **136**
Berrington Rd. CV31 —6C **149**
Berrington Wlk. B5 —5A **74**
Berrow Cottage Homes. B93 —3B **126**
Berrow Dri. B15 —5D **72**
Berrow Hill Rd. DY11 —1B **140**
Berrowside Rd. B34 —5G **63**
Berrow View. B60 —5C **142**
Berry Av. WS10 —5A **32**
Berrybush Gdns. DY3 —4A **42**
Berry Cres. WS5 —5B **34**
Berry Dri. WS9 —4D **24**
Berryfield Rd. B26 —2F **93**
Berryfields. WS9 —4D **24** (Aldridge)
Berryfields. WS9 —4H **17** (Upper Stonnall)
Berryfields Rd. B76 —1C **50**
Berry Hall La. B91 —3A **110**
Berryhill. WS12 —3F **5**
Berrymound View. B47 —2D **122**
Berry Rd. B8 —1E **75**
Berry Rd. DY1 —1D **54**
Berry St. B18 —5E **59**
Berry St. CV1 —4D **116**
Berry St. WV1 —1H **29**
Bertha Rd. B11 —2E **91**
Bertie Ct. CV8 —3B **150**
Bertie Rd. CV8 —3B **150**
Bertie Ter. CV32 —4A **148**
Bertram Clo. DY4 —3A **44**
Bertram Rd. B10 —4E **75**
Bertram Rd. B67 —5H **57**
Berwick Clo. CV5 —4D **114**
Berwick Clo. CV34 —2E **147**
Berwick Dri. WS11 —1A **6**
Berwick Gro. B31 —4F **103**
Berwick Gro. B43 —1G **47**
Berwicks La. B37 —4A **78**
Berwood Farm Rd. B72 —5A **50**
Berwood Gdns. B24 —5A **50**
Berwood Gro. B92 —5D **92**
Berwood La. B24 —2B **62**
Berwood Rd. B72 —5A **50**
Berwyn Av. CV6 —5H **99**
Berwyn Gro. WS6 —4C **6**
Berwyn Way. CV10 —3A **136**
Beryl Av. LE10 —1C **138**
Besant Gro. B27 —5G **91**
Besbury Clo. B93 —5G **125**
Bescot Cres. WS1 —4F **33** & 5F **33**
Bescot Croft. B42 —5F **47**
Bescot Dri. WS2 —4E **33**
Bescot Ind. Est. WS10 —1B **44**
Bescot Rd. WS2 —4E **33**
Bescot St. WS1 —3G **33**
Besford Gro. B31 —4G **103**
Besford Gro. B90 —3E **125**
Bessborough Rd. B25 —5A **76**
Best Av. CV8 —2D **150**
Best Rd. WV14 —3E **31**
Best St. B64 —3G **69**
Beswick Gro. B33 —2D **76**
Beta Gro. B14 —3D **106**
Betley Gro. B33 —2D **76**
Betony Clo. WS5 —1A **46**
Betsham Clo. B44 —3C **48**
Bettany Glade. WV10 —4B **12**
Betteridge Dri. B76 —1B **50**
Bettina Clo. CV10 —2A **136**
Bettman Clo. CV3 —3C **132**
Betton Rd. B14 —3A **106**
Bett Rd. B20 —2E **59**
Betty's La. WS11 —4A **8**
Beulah Ct. B63 —3H **85**
Bevan Av. WV4 —5A **30**
Bevan Clo. WS4 —1C **24**
Bevan Clo. WV14 —4F **31**
Bevan Ind. Est. DY5 —3F **67**
Bevan Lee Rd. WS11 —3B **4**
Bevan Rd. DY4 —1A **56**
Bevan Rd. DY5 —3F **67**
Bevan Way. B66 —4H **57**
Beverley Av. CV10 —3A **136** (in two parts)
Beverley Clo. B72 —4A **50**
Beverley Clo. CV7 —2D **128**
Beverley Clo. DY11 —2A **140**
Beverley Ct. Rd. B32 —1F **87**
Beverley Cres. WV4 —1B **42**
Beverley Croft. B23 —3E **61**
Beverley Dri. CV4 —5F **131**
Beverley Dri. DY6 —5C **52**
Beverley Gro. B26 —2E **93**
Beverley Hill. WS12 —1F **5**
Beverley Rd. B45 —2D **118**
Beverley Rd. B71 —3F **45**
Beverley Rd. CV32 —2H **147**
Beverston Rd. DY4 —2H **43**
Beverston Rd. WV6 —5A **18**
Bevington Cres. CV6 —3F **115**
Bevington Rd. B6 —4A **60**
Bevin Rd. WS2 —5C **22**
Bevis Gro. B44 —1A **48**
Bewdley Av. B12 —2C **90**
Bewdley Dri. WV1 —1D **30**
Bewdley Hill. DY11 —3A **140**
Bewdley Ho. B26 —4D **76**
Bewdley Rd. B30 —1F **105**
Bewdley Rd. DY11 —3C **140**
Bewell Ct. B61 —2D **142**
Bewell Head. B61 —2D **142**
Bewlay Clo. DY5 —5G **67**
Bewley Rd. WV12 —5B **22**
Bewlys Av. B20 —1D **58**
Bexfield Clo. CV5 —2D **114**
Bexhill Gro. B15 —4G **73** & 5A **152**
Bexley Gro. B71 —4G **45**
Bexley Rd. B44 —3C **48**
Beyer Clo. B77 —2G **135**
Bhylls Cres. WV3 —3C **28**
Bhylls La. WV3 —3B **28**
Bibby's Grn. WV10 —4B **12**
Bibsworth Av. B13 —3E **107**
Bibury Rd. B28 —2F **107**
Bicester Sq. B35 —1D **62**
Bickenhall Trading Est. B40 —2C **94**
Bickenhill La. B37 & B92 —1B **94** to 3C **94**
Bickenhill Pk. Rd. B92 —5B **92**
Bickenhill Rd. B37 —1A **94**
Bickford Rd. B6 —3C **60**
Bickford Rd. WV10 —4B **20**
Bickington Rd. B32 —5G **87**
Bickley Av. B11 —1D **90**
Bickley Av. B74 —4E **27**
Bickley Gro. B26 —2E **93**
Bickley Rd. WS4 —3C **24**
Bickley Rd. WV14 —4H **31**
Bicknell Croft. B14 —5A **106**
Bickton Clo. B24 —5A **50**
Biddings La. WV14 —2D **42**
Biddlestone Gro. WS5 —1C **46**
Biddlestone Pl. WS10 —3A **32**
Biddulph Mobile Homes Pk. WS7 —1D **8**
Bideford Dri. B29 —5C **88**
Bideford Rd. B66 —1B **72**
Bideford Rd. CV2 —1F **117**
Bideford Way. WS11 —5A **4**
Bidford Clo. B90 —5A **108**
Bidford Rd. B31 —4G **103**
Bierton Rd. B25 —5A **76**
Bigbury Clo. CV3 —4C **132**
Biggin Clo. B35 —2D **62**
Biggin Clo. WV6 —1A **18**
Biggin Hall Cres. CV3 —5F **117**
Big Peg, The. B18 —2G **73** & 1A **152**
Bigwood Dri. B32 —5F **87**
Bigwood Dri. B75 —4D **38**
Bilberry Bank. WS11 —1B **4**
Bilberry Cres. WS12 —2B **4**
Bilberry Dri. B45 —3D **118**
Bilberry Rd. B14 —2G **105**
Bilberry Rd. CV2 —4G **101**
Bilboe Rd. WV14 —1G **43**
Bilbrook Ct. WV8 —5B **10**
Bilbrook Gro. B29 —4A **88**
Bilbrook Gro. WV8 —5B **10**
Bilbrook Rd. WV8 —4B **10**
Bilhay La. B70 —1E **57**
Bilhay St. B70 —1E **57**
Billau Rd. WV14 —2E **43**
Billesden Clo. CV3 —1H **133**
Billesley La. B13 —5B **90**
Billingham Clo. B91 —2E **125**
Billing Rd. CV5 —5F **115**
Billingsley Rd. B26 —5D **76**
Billinton Clo. CV2 —5H **117**
Bills La. B90 —1F **123** to 5H **107**
Billsmore Grn. B92 —1F **109**
Bills St. WS10 —4C **32**
Billy Buns La. WV5 —4B **40**
Billy La. B60 —1H **43**
Bilport La. WS10 —3D **44**
Bilston Ind. Est. WV14 —5G **31**
Bilston Key Ind. Est. WV14 —5G **31**
Bilston La. WV13 —3H **31**
Bilston Rd. DY4 —2H **43**
Bilston Rd. WS10 —1B **44**
Bilston Rd. WV2 —2A **30** to 3C **30**
Bilston Rd. WV13 —3G **31**
Bilston St. DY3 —3A **42**
Bilston St. WS10 —4B **32**
Bilston St. WV1 —2H **29** (in two parts)
Bilston St. WV13 —2H **31**
Bilton Grange Rd. B26 —5C **76**
Bilton Ind. Est. B38 —2D **120**
Bilton Trading Est. CV3 —5D **116**
Binbrook Rd. WV12 —5B **22**
Bincomb Av. B26 —2E **93**
Binfield St. DY4 —1G **55**
Bingley Av. B8 —2H **75**
Bingley St. WV3 —3F **29**
Binley Clo. B25 —1B **92**
Binley Clo. B90 —1G **123**
Binley Rd. CV1 & CV3 —5D **116** to 5H **117**
Binns Clo. CV4 —1B **130**
Binstead Rd. B44 —2B **48**
Binswood Av. CV32 —3B **148**
Binswood Clo. CV2 —4G **101**
Binswood Cres. CV32 —3B **148**
Binswood Mans. CV32 —3B **148**
Binswood Rd. B62 —1D **86**
Binswood St. CV32 —3A **148**
Binton Clo. B98 —4H **145**
Binton Croft. B13 —5B **90**
Binton Rd. B90 —5G **107**
Binton Rd. CV2 —5G **101**
Birbeck Pl. DY5 —1G **67**
Birchall St. B12 —4B **74**
Birch Av. DY5 —4C **68**
Birch Av. WS7 —2E **9**
Birch Av. WS8 —1D **16**
Birch Av. WS11 —5A **4**
Birch Clo. B30 —2D **104**
Birch Clo. CV5 —2C **114**
Birch Clo. CV12 —2G **81**
Birch Coppice. DY5 —4C **68** (in two parts)
Birchcoppice Gdns. WV12 —5C **22**
Birch Ct. B66 —4F **57**
Birch Cres. B69 —4H **55**
Birch Croft. B24 —5A **50**
Birch Croft. B37 —4B **78**
Birchcroft. B66 —1B **72**
Birch Croft. WS9 —2G **25**
Birch Croft Rd. B75 —3B **38**
Birchdale. WV14 —3F **31**
Birchdale Av. B23 —2F **61**
Birchdale Rd. B23 —1E **61**
Birch Dri. B62 —4C **70**
Birch Dri. B74 —4E **27**
Birch Dri. B75 —3C **38**
Birch Dri. DY8 —2E **83**
Birchensale Rd. B97 —1A **144**
Birches Av. WV8 —1C **18**
Birches Barn Av. WV3 —3E **29**
Birches Barn Rd. WV3 —3E **29**
Birches Clo. B13 —5B **90**
Birches Grn. Rd. B24 —2H **61**
Birches La. CV8 —4C **150**
Birches Pk. Rd. WV8 —1B **18**
Birches Rise. WV13 —2G **31**
Birches Rd. WV8 —5B **10**
Birches, The. B97 —4A **144**
Birchfield. WS12 —5G **5**
Birchfield Av. WV6 —4B **18**
Birchfield Clo. B63 —4F **85**
Birchfield Ct. B97 —4A **144**
Birchfield Cres. DY9 —4B **84**
Birchfield Gdns. B6 —4A **60**
Birchfield Gdns. WS5 —1B **46**
Birchfield La. B69 —2C **70** & 1C **70**
Birchfield Rd. B19 & B20 —4H **59** & 3H **59**
Birchfield Rd. B97 —4A **144** to 4B **144**
Birchfield Rd. CV6 —1G **115**
Birchfield Rd. DY9 —4B **84**
Birchfield Rd. DY11 —3B **140**
Birchfields Dri. WS12 —5G **5**

Birchfields Rd.—Bonner Gro.

Birchfields Rd. WV12 —4G 21
Birchfield Way. WS5 —5B 34 to 1C 46
Birch Ga. DY9 —3B 84
Birch Glade. WV3 —2D 28
Birchgrave Clo. CV6 —1E 117
Birch Gro. B68 —5F 71
Birch Gro. WS13 —3H 151
Birch Hill Av. WV5 —5A 40
Birch Hollow. B15 —2E 89
Birch Hollow. B68 —5G 71
Birchills. WS2 —5F 23
Birchills St. WS2 —1F 33
Birch La. B68 —5G 71
Birch La. WS4 —1C 24
Birch La. WS9 —1H 25
Birchley Ho. B69 —1B 70
Birchley Rise. B92 —2C 92
Birchmoor Clo. B28 —2H 107
Birchover Rd. WS2 —5E 23
Birch Rd. B6 —3C 60
Birch Rd. B45 —3C 118
Birch Rd. B68 —5F 71
Birch Rd. DY3 —3B 42
Birch Rd. WV11 —2G 21
Birch Rd. E. B6 —2C 60
Birch St. B68 —1F 71
Birch St. DY4 —1G 55
Birch St. WS2 —1G 33
Birch St. WV1 —1G 29
Birch Ter. DY2 —2E 69
Birchtree Gdns. DY5 —4C 68
Birch Tree Gro. B91 —3C 108
Birchtree Hollow. WV12 —4B 22
Birch Tree Rd. CV10 —1A 136
Birch Wlk. B68 —5F 71
Birchway Clo. CV32 —2H 147
Birchwood Clo. DY11 —1A 140
Birchwood Clo. WV11 —5H 13
Birchwood Cres. B12 —3C 90
Birchwood Rd. B12 —3C 90
Birchwood Rd. WV4 —5F 29
Birch Woods. B32 —4E 87
Birchwood Wlk. DY6 —4D 52
Birchy Clo. B90 —3F 123
Birchy Leasowes La. B90 —3F 123
Birdbrook Rd. B44 —3A 48 to 4A 48
Birdcage Wlk. B38 —5E 105
Birdcage Wlk. DY2 —3E 55
Bird End. B71 —3H 45
Bird Gro. Ct. CV1 —3C 116
Birdie Clo. B38 —1C 120
Birdlip Gro. B32 —1F 87
Bird Rd. CV34 —5H 147
Birds Bush Rd. B77 —4F 135
Birds Meadow. DY5 —5G 53
Bird St. CV1 —4B 116
Bird St. DY3 —2H 53
Bird St. WS13 —3F 151
Birdwell Croft. B13 —2A 106
Birkdale Av. B29 —5E 89
Birkdale Clo. DY8 —5F 83
Birkdale Clo. WV1 —1C 30
Birkdale Dri. B69 —5H 55
Birkdale Gro. B29 —1F 105
Birkdale Rd. WS3 —5D 14
Birkenshaw Rd. B44 —3A 48
Birley Gro. B63 —5E 85
Birmingham-Alcester Rd. B80 —5H 145
Birmingham Bus. Pk. B37 —5D 78
Birmingham International Airport. B26 —3H 93
Birmingham New Rd. DY1, DY4, DY2 & B69 —1E 55 to 4B 56
Birmingham New Rd. WV4, WV14 & DY1 —5A 30 to 5E 43
Birmingham Rd. B36 —4D 62
Birmingham Rd. B46 (Coleshill) —1B 78 to 5E 65
Birmingham Rd. B46 (Water Orton) —2H 63
Birmingham Rd. B48 —3B 120
Birmingham Rd. B61 (Bromsgrove) —3E 143
Birmingham Rd. B61 & B45 —5A 118 to 3C 118 (Lydiate Ash)
Birmingham Rd. B63 —3H 85
Birmingham Rd. B65 —3A 79
Birmingham Rd. B69 —5E 57
Birmingham Rd. B70 —3H 57
Birmingham Rd. B71 —3A 58
Birmingham Rd. B72 —4H 49
Birmingham Rd. B97 —1B 144 & 2C 144
Birmingham Rd. CV7 & CV5 —4B 96 to 2C 114
Birmingham Rd. CV8 —1A 150
Birmingham Rd. CV35 & CV34 —2A 146
Birmingham Rd. DY1 —3F 55
Birmingham Rd. DY10 —2F 141
Birmingham Rd. WS1, WS5 & B43 —2H 33 to 3E 47
Birmingham Rd. WS9 —4F 25
Birmingham Rd. WS13 & WS14 —5F 151 to 3G 151
Birmingham Rd. WS14 —3G 27 to 1G 27
Birmingham Rd. WV2 —3H 29
Birmingham St. B63 —3H 85
Birmingham St. B69 —5D 56
Birmingham St. DY2 —3E 55
Birmingham St. DY8 & DY9 —2F 83
Birmingham St. WS1 —2H 33
Birmingham St. WS10 —4B 32
Birmingham St. WV13 —2A 32
Birstall Way. B38 —1B 120
Biset Av. DY10 —3G 141
Bishbury Clo. B15 —5D 72
Bishop Asbury Cres. B43 —3B 46
Bishop Clo. B45 —5C 102
Bishop Hall Cres. B60 —5C 142
Bishop Rd. WS10 —2F 45
Bishops Clo. B66 —2C 72
Bishops Clo. DY2 —4F 55
Bishops Ga. B31 —5A 104
Bishopsgate Ind. Est. CV1 —2B 116
Bishopsgate St. B15 —4G 73 & 4A 152
Bishops Rd. B73 —1H 49
Bishopstone Clo. B98 —4H 145
Bishop St. B5 —5A 74 & 5C 152
Bishop St. CV1 —4B 116
Bishop's Wlk. CV5 —1A 132
Bishops Way. B74 —4F 27
Bishopton Clo. B90 —1A 124
Bishopton Clo. CV5 —4D 114
Bishopton Rd. B67 —4H 71
Bishton Gro. DY2 —2E 69
Bisley Gro. B24 —3H 61
Bissell Clo. B28 —2F 107
Bissell Dri. WS10 —1E 45
Bissell St. B5 —5A 74 & 5D 152
Bissell St. B32 —1D 86
Bissell St. WV14 —5G 31
Bissell Way. DY5 —1H 83
Bisset Cres. CV31 —6D 149
Biton Clo. B17 —2B 88
Bittell Clo. B31 —2H 119
Bittell Clo. WV10 —4A 12
Bitterne Dri. WV6 —5F 19
Bittern Wlk. CV2 —5G 101
Bittern Wlk. DY5 —1H 83
Bittern Wood Rd. DY10 —5G 141
Bitterscote Dri. B78 —4B 134
Bitterscote La. B78 —4B 134
Blackacre Rd. DY2 —4E 55
Blackall Clo. WS10 —4B 32
Black-a-Tree Ct. CV10 —2C 136
Black-a-Tree Pl. CV10 —3C 136
Black-a-Tree Rd. CV10 —3C 136
Black Bank. CV7 —4E 81
Blackberry Clo. DY1 —4A 54
Blackberry La. B63 —4H 85
Blackberry La. B65 —1G 69
Blackberry La. B74 —4E 27
Blackberry La. CV2 —2E 117
Blackberry La. CV7 —2A 100
Blackberry La. WS9 —4F 17
Blackbird Croft. B36 —5A 64
Blackbrook Clo. DY2 —3C 68
Blackbrook Rd. DY2 —1C 68
Blackbrook Way. WV10 —4A 12
Blackburn Av. WV6 —3E 19
Blackburne Rd. B28 —2F 107
Blackburn Rd. CV6 —3D 100
Blackbushe Clo. B17 —1H 87
Blackcat Clo. B37 —3A 78
Black Country Ho. B69 —5C 56
Black Country Route. WV14 & WS10 —2C 42 & 5E 31
Blackdown. B77 —3H 135
Blackdown Clo. B45 —5E 103
Blackdown Rd. B93 —2A 126
Blackfirs La. B37 —1C 94
Blackford Clo. B63 —4E 85
Blackford Rd. B11 —2D 90
Blackford Rd. B90 —2A 124
Blackford St. B18 —2D 72
Blackhalve La. WV11 —2D 20
Blackham Dri. B73 —4G 49
Blackham Rd. WV11 —2G 21
Black Haynes Rd. B29 —2A 104
Blackheath By-Pass. B65 —4A 70
Blackhorse La. DY5 —4A 68
Black Horse La. DY10 —3D 140
Black Horse La. DY11 —3D 140
Black Horse Rd. CV6 —1E 101 to 2F 101
Black Horse Yd. LE10 —2E 139
Black Lake. B70 —5E 45
Black Lake Ind. Est. B70 —5E 45
Black La. CV32 —3D 148
Blacklea Clo. B25 —4B 76
Blacklow Rd. CV34 —2F 147
Blackmoor Croft. B33 —4F 77
Blackmore La. B60 —2E 143
Black Pad. CV6 —1B 116
Black Prince Av. CV3 —2C 132
Blackrock Rd. B23 —5C 48
Blackroot Rd. B74 —3G 37
Blacksmith La. B94 —5C 124
Blackthorn Clo. B30 —2C 104
Blackthorn Clo. CV4 —3F 131
Blackthorn Ct. B98 —4G 145
Blackthorne Av. WS7 —3E 9
Blackthorne Clo. B91 —4B 108
Blackthorne Clo. DY1 —1B 54
Blackthorne Rd. B67 —2G 71
Blackthorne Rd. DY1 —1B 54
Blackthorne Rd. WS5 —5G 34
Blackthorne Rd. WS14 —3H 151
Blackthorn Gro. CV11 —4H 137
Blackthorn Rd. B30 —2C 104
Blackthorn Rd. B36 —4F 63
Blackthorn Rd. CV8 —4C 150
Blackthorn Rd. DY8 —4F 67
Blackwatch Rd. CV6 —1B 116
Blackwater Clo. DY5 —1F 67
Blackwell Rd. B72 —3A 50
Blackwell Rd. CV6 —1C 116
Blackwell St. DY10 —2E 141 (in two parts)
Blackwood Av. WV11 —2D 20
Blackwood Dri. B74 —3A 36
Blackwood Rd. B60 —3E 143
Blackwood Rd. B74 —2A 36
Blackwood Rd. B77 —5E 135
Blades Rd. B70 —1B 56
Bladon Clo. CV11 —1H 137
Bladon Wlk. CV31 —6D 149
Blaenwern Dri. B63 —5C 68
Blagdon Rd. B63 —1H 85
Blair Dri. CV12 —4B 80
Blair Gro. B37 —4C 78
Blakebrook. DY11 —2C 140 & 3C 140
Blakebrook Clo. DY11 —2C 140
Blakebrook Gdns. DY11 —3C 140
Blake Clo. WS11 —2D 4
Blakedon Rd. WS10 —1C 44
Blakedown Rd. B63 —5F 85 to 4G 85
Blakedown Way. B69 —2C 70
Blake Hall Clo. DY5 —5G 67
Blakeland Rd. B44 —5A 48
Blakelands Av. CV31 —6D 149
Blakeland St. B9 —4G 75
Blake La. B9 —4F 75
Blakeley Av. WV6 —2E 19
Blakeley Hall Rd. B69 —5E 57
Blakeley Heath Dri. WV5 —5A 40
Blakeley Rise. WV6 —2E 19
Blakeley Wlk. DY2 —2E 69
Blakely Wood Rd. DY4 —3B 44
Blakemere Av. B25 —5B 76
Blakemere Clo. B98 —3H 145
Blakemore Clo. B32 —4A 88
Blakemore Dri. B75 —4C 38
Blakemore Rd. B70 —3D 56
Blakemore Rd. WS9 —5F 17
Blakenall Clo. WS3 —2G 33
Blakenall Heath. WS3 —2G 23
Blakenall La. WS3 —2F 23
Blakenall Row. WS3 —2G 23
Blakeney Av. B17 —5A 72
Blakeney Av. DY8 —1D 82
Blakeney Clo. DY3 —4H 41
Blakenhale Rd. B33 —4E 77
Blakenhall Gdns. WV2 —4H 29
Blakenhall Ind. Est. WV2 —4H 29
Blake Pl. B9 —4G 75
Blakesley Clo. B76 —1C 62
Blakesley Gro. B25 —4A 76
Blakesley M. B25 —5A 76
Blakesley Rd. B25 —4A 76
Blake St. B74 —4E 27
Blakewood Clo. B34 —1E 77
Blandford Av. B36 —4G 63
Blandford Dri. DY8 —3D 66
Blandford Gdns. WS7 —2H 9
Blandford Rd. B32 —2H 87
Blandford Rd. CV32 —2H 147
Blandford Way. CV35 —3A 146
Blanefield. WV8 —1E 19
Blay Av. WS2 —1E 33
Blaydon Av. B75 —1B 38
Blaydon Rd. WV9 & WV10 —5F 11
Blaythorn Av. B92 —4D 92
Blaze Hill Rd. DY6 —4B 52
Blaze Pk. DY6 —4B 52
Bleak Hill Rd. B23 —1D 60
Bleakhouse Rd. B68 —4F 71 & 5F 71
Bleak St. B67 —1H 71
Blenheim Av. CV6 —4B 100
Blenheim Clo. B77 —4D 134
Blenheim Clo. CV11 —4H 137
Blenheim Clo. LE10 —1G 139
Blenheim Clo. WS4 —3D 24
Blenheim Ct. B91 —4E 109
Blenheim Cres. B60 —5E 143
Blenheim Cres. CV31 —7D 149
Blenheim Dri. B43 —4C 46
Blenheim Rd. B13 —5B 90
Blenheim Rd. B90 —5A 108
Blenheim Rd. DY6 —1F 67
Blenheim Rd. WS7 —1F 9
Blenheim Rd. WS11 —3B 8
Blenheim Rd. WV12 —3A 22
Blenheim Way. B44 —3B 48
Blenheim Way. DY1 —3B 54
Bletchley Dri. CV5 —3D 114
Bletchley Rd. B24 —1C 62
Blewitt Clo. B36 —3F 63
Blewitt St. DY5 —1H 67
Blewitt St. WS12 —1E 5
Blews St. B6 —2A 74 & 1D 152
Blick Rd. CV34 —5H 147
Blind La. CV7 —4D 112
Blindpit La. B76 —3H 51
Bliss Clo. CV4 —4B 114
Blithe Clo. DY8 —5F 67
Blithfield Dri. DY5 —1G 83
Blithfield Gro. B24 —5A 50
Blithfield Pl. WS11 —4E 5
Blithfield Rd. WS8 —4B 8
Blockall. WS10 —4B 32
Blockley Rd. CV12 —2F 81
Blockleys Yd. LE10 —2E 139
Blondvil St. CV3 —2B 132
Bloomfield Cres. WS13 —1F 151
Bloomfield Dri. WV12 —1B 22
Bloomfield Rd. B13 —3C 90
Bloomfield Rd. DY4 —5F 43
Bloomfield St. N. B63 —2G 85
Bloomfield St. W. B63 —2G 85
Bloomfield Ter. DY4 —5F 43
Bloomfield Way. B79 —1B 134
Bloomsbury Gro. B14 —1G 105
Bloomsbury St. B7 —1C 74
Bloomsbury St. WV2 —2H 29
Bloomsbury Wlk. B7 —1C 74
Blossom Av. B29 —4E 89
Blossomfield Clo. B38 —1C 120
Blossomfield Clo. DY6 —4E 53
Blossomfield Ct. B38 —1C 120
Blossomfield Rd. B91 —5B 108
Blossom Gro. B36 —4B 62
Blossom Gro. B64 —4G 69
Blossom Hill. B24 —2H 61
Blossoms Fold. WV1 —1H 29
Blossom Ville. B27 —2H 91
Blount Ho. DY11 —1B 140
Blounts Rd. B23 —1D 60
Blount Ter. DY11 —5D 140
Blower's Grn. Cres. DY2 —5D 54
Blower's Grn. Pl. DY2 —5D 54
Blower's Grn. Rd. DY2 —5D 54
Bloxcidge St. B68 —2E 71
Bloxwich La. WS2 —4D 22 & 5D 22
Bloxwich Rd. WS3 & WS2 —3F 23
Bloxwich Rd. N. WV12 —4B 22
Bloxwich Rd. S. WV13 —1H 31
Blucher St. B1 —4H 73 & 4B 152
Blue Ball La. B63 —1D 84
Bluebell Clo. DY8 —3C 66
Bluebell Clo. WS12 —1F 5
Bluebell Dri. B37 —4C 78 (in two parts)
Bluebell La. WS6 —1D 14
Bluebell Rd. B64 —3F 69
Bluebell Rd. DY1 —2D 54
Bluebell Rd. WS9 —5G 17
Bluebellwood Clo. B76 —1D 50
Blue Bird Cen. Ind. Est. WV10 —4B 20
Bluebird Clo. WS14 —3H 151
Blue Boar Yd. LE10 —3E 139
Blue Lake Rd. B93 —5A 126
Blue La. E. WS2 —1G 33
Blue La. W. WS2 —1G 33
Blue Rock Pl. B69 —5A 56
Blue Stone Wlk. B65 —1A 70
Blundell Rd. B11 —2E 91
Blundells, The. CV8 —3B 150
Blyth Clo. CV12 —4A 80
Blythe Av. CV7 —3D 128
Blythe Clo. B97 —5B 144
Blythe Clo. WS7 —2H 9
Blythe Ct. B46 —5E 65
Blythefield Av. B43 —2C 46
Blythe Gdns. WV8 —4A 10
Blythe Gro. B44 —1A 48
Blythe Rd. B46 —5E 65
Blythe Rd. CV1 —3D 116
Blythe St. B77 —4D 134
Blythe Way. B91 —4G 109
Blythewood Clo. B91 —5H 109
Blythsford Rd. B28 —4G 107
Blythswood Rd. B11 —2G 91
Blyton Clo. B16 —2E 73
Boar Croft. CV4 —5C 114
Boar Hound Clo. B18 —2F 73
Boatmans La. WS9 —5D 16
Bobbington Way. DY2 —2F 69
Bob's Coppice Wlk. DY5 —1B 84
Bockendon Rd. CV4 —4A 130
Boddington Clo. CV32 —1E 148
Bodenham Clo. B98 —3G 145
Bodenham Rd. B31 —5G 103
Bodenham Rd. B68 —5E 71
Boden Rd. B28 —1G 107
Bodens La. WS9 —3F 35
Bodiam Ct. WV6 —1A 28
Bodicote Gro. B75 —1B 38
Bodington Rd. B75 —1H 37
Bodmin Clo. WS5 —4C 34
Bodmin Ct. DY5 —4H 67
Bodmin Gro. B7 —1C 74
Bodmin Rise. WS5 —3C 34
Bodmin Rd. CV2 —3H 117
Bodmin Rd. DY2 —3E 69
Bodnant Way. CV8 —2D 150
Bognop Rd. WV11 —4D 12 to 4G 13
Bohun St. CV4 —5B 114
Boldmere Clo. B73 —4G 49
Boldmere Ct. B43 —4D 46 (off South View)
Boldmere Dri. B73 —4G 49
Boldmere Gdns. B73 —3G 49
Boldmere Rd. B73 —2G 49
Boldmere Ter. B29 —5D 88
Bolebridge St. B79 —3D 134
Boley Clo. WS14 —3H 151
Boley Cottage La. WS14 —3H 151
Boley La. WS14 —3H 151
Boleyn Clo. CV34 —4H 147
Boleyn Clo. WS6 —5B 6
Boleyn Manor Dri. B45 —1E 119
Boleyn Rd. B45 —1B 118
Bolingbroke Rd. CV3 —5E 117
Bolney Rd. B32 —2G 87
Bolton Clo. CV3 —3C 132
Bolton Ct. DY4 —3A 44
Bolton Ind. Cen. B19 —1G 73
Bolton Rd. B10 —5C 74 to 1E 91
Bolton Rd. WV11 —4E 21
Bolton St. B9 —4C 74
Bolton Way. WS3 —5C 14
Bomers Field. B45 —2F 119
Bond Dri. B35 —2D 62
Bondfield Rd. B13 —2C 106
Bond Ga. CV11 —3F 137
Bond Sq. B18 —2F 73
Bond St. B19 —2H 73 & 1B 152
Bond St. B30 —1F 105
Bond St. B65 —3B 70
Bond St. B70 —3F 57
Bond St. CV1 —4A 116
Bond St. CV11 —3F 137
Bond St. WV2 —2H 29
Bond St. WV14 —4C 42
Bond Way. WS12 —1D 4
Bonehill Rd. B78 —4A 134
Bone Mill La. WV1 —5H 19
Boney Hay Rd. WS7 —1F 9
Bonham Gro. B25 —4A 76
Bonington Dri. CV12 —2E 81
Bonner Dri. B76 —5C 50
Bonner Gro. WS9 —4E 25

Bonneville Clo.—Brewings Way

Bonneville Clo. CV5 —1G 113
Bonniksen Clo. CV31 —7B 149
Bonningale Way. B93 —5G 125
Bonnington Way. B43 —5H 35
Bonny Stile La. WV11 —3D 20
Bonsall Rd. B23 —5G 49
Bonville Gdns. WV10 —4B 12
Booth Clo. DY6 —1F 67
Booth Clo. WS3 —2G 23
Booth Ct. DY5 —4H 67
Booth Rd. WS10 —2F 45
Booth's Farm Rd. B42 —4F 47
Booths Fields. CV6 —4D 100
Booth's La. B42 —3G 47
Booth St. B21 & B66 —5C 58
Booth St. WS3 —2F 23
Booth St. WS10 —3B 32
Booth St. WS12 —1E 5
Bordeaux Clo. DY1 —2B 54
Borden Clo. WV8 —2E 19
Bordesley Clo. B9 —3G 75
Bordesley Ct. CV32 —2C 148
Bordesley Grn. B9 —4E 75
Bordesley Grn. E. B9 —3H 75
Bordesley Grn. E. B33 —3A 76 to 4C 76
Bordesley Grn. Rd. B9 & B8 —4E 75
Bordesley Grn. Trading Est. B8 —3E 75
Bordesley La. Rd. B97 —1C 144
Bordesley Pk. Rd. B10 —4C 74
Bordesley St. B5 —3A 74 & 3D 152
Bore St. WS13 —3G 151
Borman. B79 —2B 134
Borneo St. WS4 —5H 23
Borough Cres. B69 —2C 70
Borough Cres. DY8 —2E 83
Borough Rd. B79 —1D 134
Borough, The. LE10 —2E 139
Borrington Rd. DY10 —4G 141
Borrowcop La. WS14 —4G 151
Borrowdale Clo. CV6 —5A 100
Borrowdale Clo. DY5 —5G 67
Borrowdale Dri. CV32 —1H 147
Borrowdale Gro. B31 —4F 103
Borrowdale Rd. B31 —4F 103
Borrowell La. CV8 —3A 150
Borrow St. WV13 —5H 21
Borwick Av. B70 —2D 56
Bosbury Ter. B30 —2F 105
Boscastle Ho. CV12 —4B 80
Boscobel Av. DY4 —1G 55
Boscobel Cres. WV1 —5H 19
Boscobel Rd. B43 —2C 46
Boscobel Rd. B90 —4B 124
Boscobel Rd. WS1 —2B 34
Boscobel St. DY4 —1G 55
Boscombe Av. B11 —1D 90
Boscombe Rd. B11 —3F 91
Bossgate Clo. WV5 —1A 52
Boston Clo. WS12 —5G 5
Boston Gro. B44 —4C 48
Boston Pl. CV6 —1C 116
Bosty La. WS9 —4C 24 to 5F 25
Boswell Clo. WS10 —5B 32 (Darlaston)
Boswell Clo. WS10 —3A 44 (Wednesbury)
Boswell Gro. CV34 —2D 146
Boswell Ho. WS13 —1F 151
Boswell Rd. B44 —5B 48
Boswell Rd. B74 —4A 38
Boswell Rd. WS11 —3B 4
Boswell Rd. WV14 —4G 31
Bosworth Clo. DY3 —5B 42
Bosworth Clo. LE10 —2C 138
Bosworth Ct. B26 —2D 92
Bosworth Dri. B37 —4G 77
Bosworth Rd. B26 —3B 92
Botany Dri. DY3 —5A 42
Botany Rd. WS5 —5H 33
Botany Wlk. B16 —3F 73
Botha Rd. B9 —3F 75
Botley Clo. WV2 —4C 30
Botoner Rd. CV1 —5D 116
Botteley Rd. B70 —5D 44
Botterham La. DY3 —1A 52
Bottetourt Rd. B29 —4A 88
Botteville Rd. B27 —4A 92
Bott La. DY9 —1A 84
Bott La. WS1 —2H 33
Bottrill St. CV11 —2E 137
Bott Rd. CV5 —1F 131
Boughton Rd. B25 —1A 92
Boulevard, The. B73 —3H 49
Boulevard, The. DY5 —3A 68
Boultbee Rd. B72 —4H 49
Boulton Clo. WS7 —1G 9
Boulton Ho. B70 —3G 57
Boulton Ind. Cen. B18 —1G 73
Boulton Pl. B66 —2B 72
Boulton Point. B6 —4C 60
Boulton Retreat. B21 —5D 58
Boulton Rd. B21 —5D 58
Boulton Rd. B66 —1C 72
Boulton Rd. B70 —3G 57
Boulton Rd. B91 —2F 109
Boulton Sq. B70 —3G 57
Boulton Ter. B21 —5D 58
Boulton Wlk. B23 —1C 60
Boundary Av. B65 —3B 70
Boundary Clo. WV13 —2E 31
Boundary Ct. B37 —3G 77
Boundary Cres. DY3 —2H 53
Boundary H. B5 —2H 89
Boundary Hill. DY3 —2H 53
Boundary Rd. B74 —4B 36
Boundary Way. WV4 —5C 28
Boundary Way. WV6 —1A 28
Bourlay Clo. B45 —5C 102
Bournbrook Rd. B29 —4E 89
Bourne Av. B62 —3D 86
Bourne Av. B78 —5A 134
Bourne Av. DY4 —4A 44
Bournebrook. B30 —1D 104
Bournebrook Clo. DY2 —1D 68
Bournebrook Cres. B62 —3D 86
Bourne Clo. B13 —2D 106
Bourne Clo. B91 —2G 109
Bourne Clo. WS12 —4G 5
Bourne Grn. B32 —2G 87
Bourne Hill Clo. DY2 —2F 69
Bourne Rd. B6 —5C 60
Bourne Rd. CV3 —5G 117
Bournes Clo. B63 —3G 85
Bournes Cres. B63 —3F 85
Bournes Hill. B63 —2F 85
Bourne St. DY2 —3E 55
Bourne St. DY3 & WV14 —4C 42
Bourne Vale. WS9 —1H 35
Bourne Wlk. B65 —1G 69
Bourne Way. Gdns. B29 —1F 105
Bourn Mill Dri. B6 —5A 60
Bournvale Wlk. B32 —3H 87
Bournville La. B30 —1C 104 to 1F 105
Bourton Clo. WS5 —1A 46
Bourton Croft. B92 —1C 108
Bourton Dri. CV31 —7C 149
Bourton Rd. B92 —1C 108
Bovey Croft. B76 —4D 50
Bovingdon Tower. B35 —2D 62
Bowater Av. B33 —4B 76
Bowater Ho. B70 —2F 57
Bowater St. B70 —2F 57
Bowbrook Av. B90 —4D 124
Bow Ct. CV5 —1E 131
Bowcroft Gro. B24 —5A 50
Bowden Rd. B67 —1H 71
Bowden Way. CV3 —1H 133
Bowdler Rd. WV2 —3A 30
Bowen Av. WV4 —1C 42
Bowen St. WV4 —5B 30 (in two parts)
Bower Clo. WS13 —1H 151
Bowercourt Clo. B91 —5E 109
Bower La. DY5 —5B 68 & 5C 68
Bowers Croft. CV32 —1B 148
Bowes Dri. WS11 —3C 4
Bowes Rd. B45 —2B 118
Bowfell Clo. CV5 —4D 114
Bowker St. WV13 —2E 31
Bowlas Av. B74 —3H 37
Bowling Grn. Av. B77 —5F 135
Bowling Grn. Clo. B23 —4F 49
Bowling Grn. Clo. WS10 —3B 32
Bowling Grn. La. B20 —3F 59
Bowling Grn. La. CV12 —5C 80
Bowling Grn. Rd. B10 —4D 74
Bowling Grn. Rd. DY2 —3F 69
Bowling Grn. Rd. DY8 —2E 83
Bowling Grn. Rd. LE10 —2F 139
Bowling Grn. St. CV34 —4D 146
Bowls Ct. CV5 —4H 115
Bowman Grn. LE10 —4G 139
Bowman Rd. B42 —3G 47
Bowmans Rise. WV1 —1C 30
Bowmore Rd. B60 —4F 143
Bowness Clo. CV6 —5H 99
Bowood Cres. B31 —5A 104
Bowood Dri. WV6 —4D 18
Bowood End. B76 —1B 50
Bowshot Clo. B36 —3F 63
Bowstoke Rd. B43 —4B 46
Bow St. B1 —4H 73 & 4B 152
Bow St. WV13 —2H 31
Bow St. WV14 —4F 31
Bowyer Rd. B8 —2E 75
Bowyer St. B10 —4C 74
Box Clo. CV31 —8D 149
Boxhill Clo. B6 —1A 74
Boxhill, The. CV3 —1F 133
Box Rd. B37 —5B 78
Box St. WS1 —2A 34
Box Trees Rd. B94 & B93 —5F 125
Boyd Gro. B27 —4H 91
Boydon Clo. WS11 —5A 4
Boydon Clo. WV2 —4C 30
Boyleston Rd. B28 —2G 107
Boyne Rd. B26 —5D 76 to 1E 93
Boyslade Rd. LE10 —5G 139
Boyslade Rd. E. LE10 —5G 139
Boyton Gro. B44 —1A 148
Brabazon Gro. B35 —2C 62
Brabham Clo. DY11 —1D 140
Brabham Cres. B74 —4B 36
Bracadale Av. B24 —1G 61
Bracebridge Clo. CV7 —3C 128
Bracebridge Rd. B24 —3G 61
Bracebridge Rd. B74 —3G 37
Bracebridge St. B6 —1A 74
Bracebridge St. CV11 —3E 137
Braceby Av. B13 —2D 106
Brace St. WS1 —3G 33 (in two parts)
Brackenbury Rd. B44 —3C 48
Bracken Clo. WS7 —1G 9
Bracken Clo. WS14 —4H 151
Bracken Clo. WV8 —1E 19
Bracken Croft. B37 —3C 78 (in two parts)
Brackendale Dri. CV10 —4D 136
Brackendale Dri. WS5 —1B 46
Brackendale Way. DY9 —3H 83
Bracken Dri. B75 —5D 38
Brackenfield Rd. B44 —2H 47
Brackenfield Rd. B63 —4F 85
Brackenfield Way. DY1 —4A 54
Brackenhill Rd. WS7 —1F 9
Brackenhurst Rd. CV6 —1H 115
Bracken Pk. Gdns. DY8 —4E 67
Bracken Rd. B24 —2H 61
Bracken Rd. WS12 —2B 4
Bracken Way. B38 —2D 120
Bracken Way. B74 —2A 36
Brackenwood. WS5 —5D 34
Brackenwood Dri. WV11 —4G 21
Brackley Av. B20 —3G 59
Brackley Clo. CV6 —1G 115
Brackleys Way. B92 —4C 92 & 4D 92
Bradburne Way. B7 —1C 74
Bradburn Rd. WV11 —2D 20
Bradbury Clo. WS8 —3E 17
Bradbury La. WS12 —1E 5
Bradbury Rd. B92 —5C 92
Braden Rd. WV4 —1D 40
Brades Clo. B63 —1D 84
Brades Rise. B69 —4B 56
Brades Rd. B69 —4C 56
Bradestone Rd. CV11 —5G 137
Bradewell Rd. B36 —3F 63
Bradfield Clo. CV5 —3E 115
Bradfield Rd. B42 —4H 47
Bradford Clo. B43 —4E 47
Bradford Cotts. DY4 —2H 55
Bradford La. WS1 —2G 33
Bradford Mall. WS1 —2G 33
Bradford Pl. B11 —1C 90
Bradford Pl. B66 —4H 57
Bradford Pl. WS1 —2G 33
Bradford Rd. B36 —4D 62
Bradford Rd. DY2 —1B 68
Bradford Rd. WS8 —1D 16
Bradford St. B5 & B12 —4B 74 & 4D 152
Bradford St. B42 —5E 47
Bradford St. B79 —3B 134
Bradford St. WS1 —2G 33
Bradford St. WS11 —2D 4
Bradgate Clo. WV12 —3B 22
Bradgate Dri. B74 —4F 27
Bradgate Rd. LE10 —1G 139
Brading Rd. CV10 —1G 137
Bradley Croft. CV7 —3C 128
Bradley La. WV14 —2G 43
Bradleymore Rd. DY5 —2H 67
Bradley Rd. B34 —5F 63
Bradley Rd. DY8 —1E 83
Bradley Rd. WV2 —3A 30
Bradleys Clo. B64 —5F 69
Bradley's La. WV14 & DY4 —3F 43
Bradley St. DY4 —3G 55
Bradley St. DY5 —5G 53
Bradley St. WV14 —5G 31
Bradmore Gro. B29 —1A 104
Bradmore Rd. WV3 —3E 29
Bradney Grn. CV4 —2B 130
Bradnick Pl. CV4 —1B 130
Bradnock Clo. B13 —1D 106
Bradnock's Marsh La. B92 —5H 111
Bradshaw Av. B38 —1C 120
Bradshaw Av. WS10 —5A 32
Bradshaw Clo. DY4 —2H 55
Bradshawe Clo. B28 —4E 107
Bradshaw St. WV1 —1A 30
Bradstock Rd. B30 —4G 105
Bradwell Croft. B75 —1B 38
Braemar Av. DY8 —4C 66
Braemar Clo. CV2 —2H 117
Braemar Clo. DY3 —2H 41
Braemar Clo. WV12 —4H 21
Braemar Dri. B23 —1D 60
Braemar Gdns. WS12 —1C 4
Braemar Rd. B73 —2G 49
Braemar Rd. B92 —5C 92
Braemar Rd. CV32 —1C 148
Braemar Rd. WS11 —3A 8
Braemar Way. CV10 —4E 137
Braeside Croft. B37 —4C 78
Braeside Way. WS3 —5H 15
Bragg Rd. B20 —3H 59
Braggs Farm La. B90 —4G 123
Braid Clo. B38 —1C 120
Brailes Clo. B92 —1G 109
Brailes Dri. B76 —1C 50
Brailes Gro. B9 —4H 75
Brailsford Clo. WV11 —2F 21
Brailsford Dri. B66 —1A 72
Brain St. B77 —3G 135
Braithwaite Dri. DY6 —1D 66
Braithwaite Rd. B11 —1C 90
Brakesmead. CV31 —7B 149
Bramber. B77 —3E 135
Bramber Dri. WV5 —5A 40
Bramber Way. DY8 —4F 83
Bramble Clo. B6 —5A 60
Bramble Clo. B31 —2H 103
Bramble Clo. B46 —5E 65
Bramble Clo. B64 —2G 69
Bramble Clo. WS8 —3D 16
Bramble Clo. WV12 —2A 22
Bramble Dri. WS12 —1F 5
Bramble Grn. DY1 —1B 54
Bramble La. WS7 —1G 9
Brambleside. DY8 —4F 67
Brambles, The. B76 —3D 50
Brambles, The. DY9 —3A 84
Brambles, The. WS14 —4H 151
Bramble St. CV1 —5D 116
Bramblewood Dri. WV3 —3D 28
Bramblewoods. B34 —2E 77
Brambling. B77 —5G 135
Brambling Rise. DY10 —5G 141
Brambling Wlk. B15 —5H 73
Brambling Wlk. DY5 —1H 83
Bramcote Clo. LE10 —1G 139
Bramcote Dri. B91 —1E 109
Bramcote Rise. B75 —4A 38
Bramcote Rd. B32 —2F 87
Bramdean Wlk. WV4 —4C 28
Bramdene Av. CV10 —1F 137
Brame Rd. LE10 —1E 139
Bramerton Clo. WV11 —4C 20
Bramford Dri. DY1 —5D 42
Bramley Clo. B43 —1H 47
Bramley Clo. WS5 —3D 34
Bramley Croft. B90 —5A 108
Bramley Dri. B20 —2F 59
Bramley Dri. B47 —3C 122
Bramley Rd. B27 —2H 91
Bramley Rd. WS5 —5B 34
Brampton Av. B28 —2G 107
Brampton Cres. B90 —2H 107
Brampton Dri. WS12 —4G 5
Brampton Way. CV12 —1A 80
Bramshaw Clo. B14 —5A 106
Bramstead Av. WV6 —1B 28
Bramston Cres. CV4 —1C 130
Bramwell Gdns. CV6 —2D 100
Branchal Rd. WS9 —1G 25
Branch Rd. B38 —1D 120
Brancote Clo. CV12 —1C 80
Brandfield Rd. CV6 —5G 99
Brandhall Ct. B68 —4E 71
Brandhall La. B68 —4E 71
Brandhall Rd. B68 —4E 71
Brandon Clo. B70 —3D 56
Brandon Clo. DY3 —4A 42
Brandon Clo. WS9 —1B 36
Brandon Gro. B31 —2H 119
Brandon La. CV3 —4G 133
Brandon Pde. CV32 —4B 148
Brandon Pk. WV3 —3D 28
Brandon Pas. B16 —2E 73
Brandon Pl. B34 —5F 63
Brandon Rd. B28 —4E 91
Brandon Rd. B62 —4C 70
Brandon Rd. B91 —1E 109
Brandon Rd. LE10 —3D 138
Brandon Thomas Ct. B6 —4C 60
Brandon Way. B70 —2D 56
Brandon Way. DY5 —5A 68
Brandwood Gro. B14 —3H 105
Brandwood Pk. Rd. B14 (in two parts) —3G 105
Brandwood Rd. B14 —4H 105
Branfield Clo. WV14 —3C 42
Branksome Av. B21 —4E 59
Branksome Rd. CV6 —2F 115
Branscombe Clo. B14 —3H 105
Bransdale Av. CV6 —3C 100
Bransdale Clo. WV6 —4F 19
Bransford Av. CV4 —3F 131
Bransford Rise. B91 —3B 110
Branston St. B18 —2G 73 & 1A 152
Branstree Dri. CV6 —4C 100
Brantford Rd. B25 —5A 76
Branthill Croft. B91 —1E 125
Brantley Av. WV3 —2C 28
Brantley Rd. B6 —3C 60
Branton Hill La. WS9 —4H 25
Brantwood Av. WS7 —3F 9
Brascote Rd. LE10 —2B 138
Brasshouse La. B66 —5A 58
Brassie Clo. B38 —1C 120
Brassington Av. B73 —5H 37
Bratch Clo. DY2 —3D 68
Bratch Comn. Rd. WV5 —4A 40
Bratch Hollow. WV5 —3A 40
Bratch La. WV5 —3A 40
Bratch Pk. WV5 —4A 40
Brathay Clo. CV3 —3C 132
Bratt St. B70 —1F 57
Brawnes Hurst. B26 —4D 76
Brayford Av. CV3 —3B 132
Brayford Av. DY5 —1G 83
Braymoor Rd. B33 —4G 77
Bray's La. CV2 —4E 117
Brays Rd. B26 —2D 92
Bray St. WV13 —1A 32
Braytoft Clo. CV6 —4A 100
Brazil St. CV4 —5B 114
Breaches La. B98 —5G 145
Breadmarket St. WS13 —3G 151
Breakback Rd. B61 —5C 142
Bream. B77 —5E 135
Brean Av. B26 —2C 92
Brearley Clo. B19 —1A 74 & 1C 152
Brearley St. B19 —1H 73 & 1B 152
Brearley St. B21 —5C 58 (in two parts)
Breaside Wlk. B37 —3B 78
Brechin Clo. LE10 —2C 138
Brecknell Rise. DY10 —1F 141
Brecknock Rd. B71 —5E 45
Brecon Av. B61 —1E 143
Brecon Dri. DY8 —1G 83
Brecon Rd. B20 —4G 59
Brecon Tower. B16 —3F 73
Bredon Av. CV3 —2H 133
Bredon Av. DY9 —2H 83
Bredon Ct. B63 —3H 85
Bredon Croft. B18 —1F 73
Bredon Rd. B60 —5C 142
Bredon Rd. B69 —1B 70
Bredon Rd. DY8 —1F 83
Bredon View. B97 —5B 144
Bredon Way. WS4 —1C 24
Breech Clo. B74 —4A 36
Bree Clo. CV5 —1D 114
Breedon Rd. B30 —3F 105
Breedon Ter. B18 —2E 73
Breen Rydding Dri. WV14 —3D 42
Breeze Av. WS11 —3B 8
Brelades Clo. DY1 —2B 54
Brendan Clo. B46 —2E 79
Brendon. B77 —3H 135
Brenfield Dri. LE10 —2C 138
Brennand Clo. B68 —5F 71
Brennand Rd. B68 —4E 71
Brent. B77 —5E 135
Brentford Rd. B14 —3B 106
Brentford Rd. B91 —4B 108
Brentmill Clo. WV10 —4B 12
Brentnall Dri. B75 —1H 37
Brenton Rd. WV4 —1E 41
Brent Rd. B30 —1H 105
Brentwood Av. CV3 —5B 132
Brentwood Clo. B91 —4B 108
Brentwood Gro. B44 —3A 48
Brenwood Clo. DY6 —5B 52
Brereton Clo. DY2 —4F 55
Brereton Rd. WV12 —3A 22
Brese Av. CV34 —2E 147
Bretby Gro. B23 —5G 49
Bretford Rd. CV2 —5G 101
Bretshall Clo. B90 —3C 124
Brett Dri. B32 —1F 103
Brettell La. DY8 & DY5 —5E 67
Brettell St. DY2 —4D 54
Bretton Gdns. WV10 —4B 20
Bretton Rd. B27 —4A 92
Bretts Clo. CV1 —3C 116
Brett St. B71 —5E 45
Brett Young Clo. DY10 —3G 141
Brevitt Rd. WV2 —4H 29
Brewer Rd. CV12 —2B 80
Brewer's Dri. WS3 —1A 24
Brewers Ter. WS3 —1A 24
Brewer St. WS2 —5H 23
Brewery St. B6 —2A 74 & 1D 152
Brewery St. B21 —4C 58
Brewery St. B67 —1A 72
Brewery St. DY2 —4F 55
Brewery St. DY4 —1G 55
Brewings Way. DY5 —2C 68

Brewood Rd.—Brooklands Clo.

Brewood Rd. WV9 & WV10 —1H 11
Brewster Clo. B78 —5A 134
Brewster Clo. CV2 —5H 117
Brewster St. DY2 —1D 68
Breydon Gro. WV13 —3G 31
Brian Rd. B67 —1G 71
Brians Way. CV6 —4C 100
Briar. B77 —2G 135
Briar Av. B74 —2B 36
Briarbeck. WS4 —2B 24
Briar Clo. B24 —2G 61
Briar Clo. CV32 —3D 148
Briar Clo. LE10 —4G 139
Briar Coppice. B90 —4B 124
Briar Ct. DY5 —4A 68 (off Hill St.)
Briardene Av. CV12 —4E 81
Briarfield Rd. B11 —4G 91
Briarley. B71 —3H 45
Briarmead. LE10 —5F 139
Briar Rd. DY1 —1B 54
Briars Clo. CV2 —5G 117
Briars Clo. CV11 —2H 137
Briars Clo. DY5 —2H 67
Briars, The. B23 —5E 49
Briarwood Clo. B90 —4B 124
Briarwood Clo. WV2 —3C 30
Brickbridge La. WV5 —1A 52
Brickfield Rd. B25 —1H 91
Brickheath Rd. WV1 —1C 30
Brickhill Dri. B37 —3H 77
Brickhill La. CV5 —1B 114
Brickhouse La. DY4 & B70 (in two parts) —5B 44
Brickhouse Rd. B65 —2H 69
Brickiln St. WS8 —2E 17
Brick Kiln La. B44 —5A 48
Brick Kiln La. B47 —5A 122 & 4B 122
Brick Kiln La. B91 —1C 124
Brick Kiln La. DY3 —2G 53
Brick Kiln St. DY4 —5F 43
Brick Kiln St. DY5 —1B 68 (Hart's Hill)
Brick Kiln St. DY5 —5C 68 (Quarry Bank)
Brick Kiln St. LE10 —3E 139
Brickkiln St. WV13 —2G 31
Bricklin Ct. DY5 —3A 68
Brick St. DY2 —3A 42
Brickyard Rd. DY4 —3G 43
Brickyard Rd. WS9 —1E 25 to 3E 25
Bridal Rd. B61 —1B 142
Briddsland Rd. B33 —3G 77
Brides Row. WV14 —4F 31
Bridgeacre Gdns. CV3 —5H 117
Bridge Av. DY4 —4A 44
Bridge Av. WS6 —3C 6
Bridgeburn Rd. B31 —1G 103
Bridge Clo. B11 —3D 90
Bridge Clo. WS8 —3D 16
Bridgecote. CV3 —3H 133
Bridge Ct. B64 —5G 69
Bridge Croft. B12 —1A 90
Bridge Cross Rd. WS7 —1E 9
Bridge End. CV34 —4E 147
Bridgefield Wlk. B65 —2G 69
Bridgefoot Wlk. WV8 —1E 19
Bridgeford Rd. B34 —5D 62
Bridgehead Wlk. B76 —4C 50
Bridgelands Way. B20 —3H 59
Bridgeman Croft. B36 —4F 63
Bridgeman Rd. CV6 (in two parts) —3A 116
Bridgeman St. WS2 —2F 33
Bridgemary Clo. WV10 —4B 12
Bridge Meadow Dri. B93 —3H 125
Bridgemeadow Ho. B36 —4B 62
Bridge Piece. B31 —5B 104
Bridge Rd. B8 —2E 75
Bridge Rd. B11 —3E 91
Bridge Rd. DY4 —5A 44
Bridge Rd. LE10 —3F 139
Bridge Rd. WS4 —1B 24
Bridges Cres. WS11 —3H 7
Bridgeside. B77 —4D 134
Bridges Rd. WS11 —3H 7
Bridge St. B1 —4G 73 & 3A 152
Bridge St. B63 —5D 68
Bridge St. B69 —5E 57
Bridge St. B70 —1E 57
Bridge St. B77 —1F 135
Bridge St. B97 —2B 144
Bridge St. CV6 —1D 116
Bridge St. CV8 —2B 150
Bridge St. CV11 —4F 137 (Chilvers Coton)
Bridge St. CV11 —3F 137 (Nuneaton)
Bridge St. CV34 —3G 147
Bridge St. DY8 —4E 67
Bridge St. DY10 —3E 141
Bridge St. WS1 —2H 33 (in two parts)
Bridge St. WS8 —3D 16
Bridge St. WS10 —2D 44
Bridge St. WS11 —2C 6
Bridge St. WV10 —4B 20
Bridge St. WV14 —5F 31 (Bilston)
Bridge St. WV14 —4E 43 (Wallbrook)
Bridge St. N. B66 —5B 58
Bridge St. S. B66 —5B 58
Bridge St. W. B19 —1H 73 (in two parts)
Bridges Wlk. B38 —2D 120
Bridge, The. WS1 —2H 33
Bridgetown Bus. Cen. WS11 —2B 6
Bridge Trading Est., The. B66 —5B 58
Bridge Wlk. B27 —3B 92
Bridgewater Av. B69 —2D 70
Bridgewater Clo. WS9 —5E 17
Bridgewater Dri. WV14 —2D 42
Bridgewater St. B77 —1E 135
Bridge Way. WS8 —3D 16
Bridgnorth Av. WV5 —1A 52
Bridgnorth Gro. WV12 —3H 21
Bridgnorth Rd. DY7 & DY8 —1A 82 to 2E 83
Bridgnorth Rd. DY11 —1B 140
Bridgnorth Rd. WV5 & DY3 —1A 52
Bridgnorth Rd. WV6 —2A 28
Bridgwater Cres. DY2 —4F 55
Bridle Brook La. CV7 & CV5 —3C 98
Bridle Gro. B71 —4H 45
Bridle La. WS9 & B74 —4G 35 to 3B 36
Bridle Mead. B38 —2D 120
Bridle Path, The. B90 —3H 107
Bridlepath, The. CV5 —2D 114
Bridle Rd. DY8 —1C 82
Bridle Ter. B21 —4D 58
Bridlewood. B74 —3B 36
Bridley Moor Rd. B97 —2B 144
Bridport Ho. B31 —1G 103
Brierley Hill Rd. DY8 & DY5 —3E 67
Brierley La. WV14 —2F 43
Brierley Rd. CV2 —1G 117
Brierley Trading Est. DY5 —3H 67
Brier Mill Rd. B63 —4A 86
Briery Clo. B64 —1G 85
Briery Rd. B63 —3F 85
Brigfield Cres. B13 —3C 106
Brigfield Rd. B13 —3C 106
Bright Cres. B77 —5D 134
Brightmere Rd. CV6 —3A 116
Brighton Pl. WV3 —2F 29
Brighton Rd. B12 —2B 90
Brighton St. CV2 —4D 116
Bright Rd. B68 —1E 71
Brightstone Clo. WV10 —4B 12
Brightstone Rd. B45 —5E 103
Bright St. CV6 —2D 116
Bright St. DY8 —2D 82
Bright St. WS10 —5B 32
Bright St. WV1 —5G 19
Bright Ter. B21 —5E 59
Brightwalton Rd. CV3 —2B 132
Brightwell Cres. B93 —5G 125
Brill Clo. CV4 —3E 131
Brindle Av. CV3 —5G 117
Brindlefields Way. DY4 —2H 55
Brindle Rd. WS5 —1B 46
Brindley Av. WV11 —1H 21
Brindley Clo. DY8 —4D 66
Brindley Clo. WS2 —1D 22
Brindley Ct. B30 —5F 105
Brindley Ct. B68 —5E 71
Brindley Ct. DY4 —1F 55
Brindley Cres. WS12 —1F 5
Brindley Dri. B1 —3G 73 & 3A 152
Brindley Heath Rd. WS12 —1F 5
Brindley Rd. B71 —3D 44
Brindley Rd. CV7 —5F 81
Brindley Rd. LE10 —3B 138
Brindley Way. B66 —2B 72
Brineton Gro. B29 —5A 88
Brineton St. WS2 —2F 33
Bringewood Gro. B32 —1E 103
Brinklow Clo. B98 —5G 145
Brinklow Croft. B34 —5F 63
Brinklow Rd. B29 —4A 88
Brinley Way. DY6 —5C 52
Brinsford La. WV10 —2H 11 & 2A 12
Brinsford Rd. WV10 —5G 11
Brinsley Rd. B26 —5E 77
Brinton Clo. DY11 —4C 140
Brinton Cres. DY11 —4C 140
Brisbane Clo. CV3 —3C 132
Brisbane Ct. CV12 —3D 80
Brisbane Ho. B34 —5G 63
Brisbane Rd. B67 —1H 71
Briscoe Rd. CV6 —3B 100
Briseley Clo. DY5 —5H 67
Bristnall Hall Cres. B68 —3F 71
Bristnall Hall La. B68 —3F 71
Bristnall Hall Rd. B68 —3E 71
Bristnall Ho. B67 —2G 71
Bristol Clo. WS11 —5E 5
Bristol Pas. B5 —5H 73 & 5B 152
Bristol Rd. B23 —2F 61
Bristol Rd. B29 & B5 —1C 104 to 1H 89
Bristol Rd. CV5 —5G 115
Bristol Rd. DY2 —4E 69
Bristol Rd. S. B45 & B31 —2D 118 to 1C 104
Bristol St. B5 —5H 73 & 5B 152
Bristol St. WV3 —3G 29
Bristol St. WV14 —5F 31
Briston Clo. DY5 —5H 67
Britannia Gdns. B65 —3A 70
Britannia Rd. B65 —3A 70
Britannia Rd. LE10 —5H 139
Britannia Rd. WS1 —5G 33
Britannia Rd. WV14 —1G 43
Britannia Shopping Cen. LE10 —2E 139
Britannia St. B69 —3A 56
Britannia St. CV2 —4D 116
Britford Clo. B14 —4B 106
Briton Rd. CV2 —4E 117
Brittan Clo. B34 —1G 77
Britten St. B97 —2B 144
Britton Dri. B72 —3A 50
Britwell Rd. B73 —2G 49
Brixham Clo. CV11 —2H 137
Brixham Dri. CV2 —2F 117
Brixham Rd. B16 —2C 72
Brixworth Clo. CV3 —1H 133
Broad Acres. B31 —2G 103
Broadfern Rd. B93 —2A 126
Broadfield Clo. B71 —3H 45
Broadfield Clo. DY6 —1D 66
Broadfields Rd. B23 —4H 49
Broadfield Wlk. B16 —4G 73
Broadgate. CV1 —5B 116
Broad Ground Rd. B98 —3E 145
Broadhaven Clo. CV31 —6D 149
Broadheath Dri. WS4 —2C 24
Broadhidley Dri. B32 —5E 87
Broadlands Clo. CV5 —5E 115
Broadlands Dri. DY5 —1A 68
Broadlands Rise. WS14 —3H 151
Broad La. B14 —4H 105
Broad La. CV7 & CV5 —3G 113 to 5F 115
Broad La. WS4 —1C 24
Broad La. WS14 —4H 151
Broad La. WV3 —2D 28
Broad La. WV11 & WS3 —3A 14 to 5D 14
Broad La. Gdns. WS3 —5D 14
Broad La. N. WV12 —3H 21
Broad Lanes. WV14 —1E 43
Broad La. S. WV11 —4G 21
Broadmeadow. DY6 —4D 52
Broadmeadow. WS9 —2F 25
Broadmeadow Clo. B30 —4G 105
Broad Meadow Grn. WV14 —3D 30
Broad Meadow La. B30 —4F 105
Broadmeadow La. WS6 —5D 6
Broadmeadows Clo. WV12 —2C 22
Broadmeadows Rd. WV12 —2C 22
Broadmere Rise. CV5 —5D 114
Broadmoor Av. B68 & B67 —4F 71
Broadmoor Clo. WV14 —1E 43
Broadmoor Rd. WV14 —1E 43
Broad Oak Ct. CV32 —3B 148
Broadoaks. B76 —3D 50
Broadoaks Clo. WS11 —2H 7
Broad Oaks Ho. B91 —3D 108
Broad Oaks Rd. B91 —2C 108
Broad Pk. Rd. CV2 —1H 117
Broad Rd. B27 —4H 91
Broadsmeath. B77 —5D 134
Broadstone Av. B63 —2D 84
Broadstone Av. WS3 —3G 23
Broadstone Clo. WV4 —5A 30
Broadstone Rd. B26 —4C 76
Broad St. B15 & B1 —4G 73 & 4A 152
Broad St. B61 —2D 142
Broad St. B69 —1D 70
Broad St. CV6 —2C 116
Broad St. CV34 —3F 147
Broad St. DY5 —5G 53
Broad St. DY6 —1C 66
Broad St. DY10 —2D 140
Broad St. WS11 —2C 6
Broad St. WV1 —1H 29
Broad St. WV14 —4E 31 (Bilston)
Broad St. WV14 —3E 43 (Wallbrook)
Broad St. Jetty. CV6 —2C 116
Broadsword Way. LE10 —5F 139
Broadwas Clo. B98 —1F 145
Broadwater. CV5 —2H 131
Broadwaters Av. WS10 —5A 32
Broadwaters Dri. DY10 —1F 141
Broadwaters Rd. WS10 —5A 32
Broadway. B68 —4F 71
Broadway. B90 —3H 107
Broadway. CV5 —1H 131
Broadway. CV32 —1E 148
Broadway. WS1 —4H 33
Broad Way. WS4 —5C 16
Broadway. WS12 —1C 4
Broadway. WV3 —2C 28
Broadway. WV8 —5A 10
Broadway. WV10 —5A 12
Broadway Av. B9 —3G 75
Broadway Av. B63 —4G 85
Broadway Croft. B26 —1D 92
Broadway Croft. B68 —4F 71
Broadway Ho. B31 —5C 104
Broadway N. WS1 —1A 34 to 3B 34
Broadway, The. B20 —3A 60
Broadway, The. B71 —4E 45
Broadway, The. DY1 —2C 54 to 3E 55
Broadway, The. DY8 —4D 82 to 3D 82
Broadway, The. WV5 —5B 40
Broadway W. WS1 —4F 33
Broadwell Ind. Pk. B69 —4D 56
Broadwell Rd. B69 —4D 56
Broadwell Rd. B92 —4D 92
Broadwells Cres. CV4 —3C 130
Broadwyn Trading Est. B64 —4G 69
Broadyates Gro. B25 —1A 92
Broadyates Rd. B25 —1A 92
Brockfield Ho. WV10 —5B 20
Brockhall Gro. B37 —1H 77
Brockhill La. B48 —5F 121
Brockhill La. B97 —1A 144
Brockhurst Av. LE10 —5F 139
Brockhurst Clo. WS5 —5H 33
Brockhurst Cres. WS5 —5G 33
Brockhurst Dri. B28 —3G 107
Brockhurst Dri. WV6 —5G 19
Brockhurst Rd. B36 —1A 76
Brockhurst Rd. B75 —2B 38
Brockhurst St. WS1 —4H 33
Brockley Clo. DY5 —3H 67
Brockley Gro. B13 —5G 89
Brockley Pl. B7 —5D 60
Brockmoor Clo. DY9 —4H 83
Brockridge Clo. WV12 —1A 22
Brock Rd. DY4 —1A 56
Brockton Rd. B29 —5A 88
Brockwell Gro. B44 —5A 36
Brockwell Rd. B44 —1A 48
Brockworth Rd. B14 —5G 105
Brocton Clo. WS3 —2D 22
Brocton Clo. WV14 —2C 42
Brodick Clo. LE10 —2C 138
Brodick Rd. LE10 —3C 138
Brodick Way. CV10 —4D 136
Brogden Clo. B71 —3A 46
Bromfield Clo. B6 —5A 60
Bromfield Ct. WV6 —1B 28
Bromfield Cres. WS10 —1F 45
Bromfield Rd. B97 —4B 144 & 3B 144
Bromfield Rd. WS10 —1F 45
Bromford Clo. B20 —3F 59
Bromford Clo. B23 —5F 49
Bromford Ct. B8 —5H 61
Bromford Ct. B31 —5B 104
Bromford Ct. B69 —5D 56
Bromford Cres. B24 —3G 61
Bromford Dale. WV1 —1F 29
Bromford Dri. B36 —4H 61
Bromford Hill. B20 —2G 59
Bromford La. B24 & B8 —3G 61 to 1A 76
Bromford La. B70 —3E 57
Bromford Mills Ind. Est. B24 —4H 61
Bromford Pk. Ind. Est. B70 —3D 56
Bromford Rise. WV3 —3G 29
Bromford Rd. B36 —5H 61
Bromford Rd. B69 & B70 —4D 56
Bromford Rd. DY2 —5C 54
Bromford Wlk. B43 —3E 47
Bromleigh Dri. CV2 —5G 117
Bromley. DY5 —1G 67
Bromley Clo. CV8 —2A 150
Bromley Gdns. WV8—4A 10
Bromley Ho. WS5 —1B 46
Bromley La. DY6 —2E 67 & 2F 67
Bromley St. B9 —4B 74
Bromley St. DY9 —1B 84
Bromley St. WV2 —3H 29
Brompton Dri. DY5 —5G 67 & 1G 83
Brompton Lawns. WV6 —5B 18
Brompton Pool Rd. B28 —4E 107
Brompton Rd. B44 —1A 48
Bromsgrove Eastern By-Pass. B60 —5E 143 to 1F 143
Bromsgrove Highway. B60 —3G 143
Bromsgrove Highway. B97 & B98 —3A 144
Bromsgrove Rd. B61 —1C 142
Bromsgrove Rd. B62 —1A 102
Bromsgrove Rd. B63 —3A 86
Bromsgrove Rd. B97 —3A 144
Bromsgrove St. B5 —4A 74 & 5C 152
Bromsgrove St. B63 —3A 86
Bromsgrove St. DY10 —2E 141
Bromwall Rd. B13 —2C 106
Bromwich Clo. CV3 —2H 133
Bromwich Dri. B75 —3A 38
Bromwich La. DY9 —5G 83
Bromwich Wlk. B9 —3G 75
Bromwynd Clo. WV2 —4G 29
Bromyard Av. B76 —3D 50
Bromyard Rd. B11 —4E 91
Bronte Clo. B90 —5A 108
Bronte Clo. B79 —2B 134
Bronte Ct. B90 —5B 108
Bronte Dri. DY10 —2G 141
Bronte Dri. WS11 —4F 5
Bronte Farm Rd. B90 —5A 108
Bronte Rd. WV2 —4B 30
Bronwen Rd. WV14 —4D 42
Bronze Clo. CV11 —5H 137
Brook Av. B77 —5G 135
Brookbank Av. B34 —5F 63
Brookbank Gdns. DY3 —3G 53
Brookbank Rd. DY3 —3G 53
Brook Clo. B90 —5F 107
Brook Clo. CV1 —4D 116
Brook Clo. WS9 —4F 17
Brook Clo. WS13 —2F 151
Brook Cres. DY6 —5C 52
Brook Cres. DY9 —3B 84
Brook Croft. B26 —1E 93
Brook Croft. B37 —5A 78
Brookdale. DY3 —2H 53
Brookdale. DY10 —1E 141
Brookdale. LE10 —3D 138
Brookdale Dri. WV4 —4D 28
Brookdale Rd. CV10 —1G 137
Brooke Clo. CV34 —5E 147
Brook End. WS7 —3F 9
Brookend Dri. B45 —2D 118
Brooke Rd. CV8 —3C 150
Brooke Rd. WS12 —1C 4
Brooke St. DY2 —4D 54
Brooke's Yd. LE10 —2E 13 (off King St.)
Brook Farm Wlk. B37 (in two parts) —3C 78
Brookfield Clo. WS9 —1F 25
Brookfield Dri. WS11 —1C 6
Brookfield Precinct. B18 —2F 73
Brookfield Rd. B18 —1E 73
Brookfield Rd. CV32 —1E 148
Brookfield Rd. LE10 —4E 139
Brookfield Rd. WS9 —1F 25
Brookfield Rd. WV8 —5B 10
Brookfields Rd. B68 —2F 71
Brookfield Way. B92 —1A 108
Brookfield Way. DY4 —5H 43
Brookford Av. CV6 —3H 99
Brook Grn. La. B93 —1E 127
Brook Gro. WV8 —5B 10
Brookhill Clo. WV12 —1B 22
Brook Hill Rd. B8 —2G 75
Brookhill Way. WV12 —2B 22
Brook Holloway. DY9 —3B 84
Brook Ho. Clo. WV10 —2C 12
Brook Ho. La. WV10 —2C 12
Brookhouse La. WV10 —3B 12
Brookhouse Rd. WS5 —3B 34
Brookhus Farm Rd. B76 —4D 50
Brooking Clo. B43 —5H 35
Brookland Gro. WS9 —5E 17
Brookland Rd. WS9 —5E 17
Brooklands. DY8 —4E 67 (in two parts)
Brooklands. WS5 —1B 46
Brooklands Av. WS6 —3C 6 (in two parts)
Brooklands Clo. B28 —5F 91

Brooklands Dri.—Bushell Dri.

Brooklands Dri. B14 —3A 106
Brooklands Dri. DY11 —1D 140
Brooklands La. B98 —1E 145
Brooklands Pde. WV1 —2C 30
Brooklands Rd. B28 —5F 91
Brooklands Rd. WS11 —3E 5
Brook La. B13 —1B 106 to 1E 107
Brook La. B64 —4F 69
Brook La. B92 —1A 108
Brook La. CV10 —1F 137
Brook La. WS6 —4D 6
Brook La. WS9 —5E 17
Brooklea. CV12 —3D 80
Brooklea Gro. B38 —5F 105
Brooklyn Av. B6 —5A 60
Brooklyn Gro. DY6 —4B 52
Brooklyn Gro. WV14 —3E 43
Brooklyn Rd. CV1 —2B 116
Brooklyn Rd. WS7 —3F 9
Brooklyn Rd. WS12 —5G 5
Brookmans Av. B32 —2G 87
Brook Meadow Rd. B34 —1D 76
Brook Meadow Rd. WS4 —2C 24
Brook Piece Wlk. B35 —2D 62
Brook Rd. B15 —1E 89
Brook Rd. B45 —2C 118
Brook Rd. B61 —4C 142
Brook Rd. B68 —3D 70
Brook Rd. DY8 —3G 83
Brook Rd. WS6 —3C 6
Brook Rd. WV5 —5A 40
Brook Rd. WV13 —2F 31
Brooksbank Dri. B64 —2G 69
Brooksby Gro. B93 —5H 125
Brooks Croft. B35 —3D 62
Brookside. B31 —3H 103
Brookside. B43 —4D 46
Brookside. B90 —5A 124
Brookside. DY3 —3H 53
Brookside. LE10 —4E 139 to 3G 139
Brookside. WS10 —1E 45
Brookside Av. B13 —1C 106
Brookside Av. CV5 —4E 115
Brookside Av. CV8 —3A 150
Brookside Clo. B23 —4D 48
Brookside Clo. B63 —3E 85
Brookside Ind. Est. WS10 —1E 45
Brookside Rd. B78 —5A 134
Brookside Way. B77 —5G 135
Brookside Way. DY6 —5C 52
Brooks Rd. B72 —3A 50
Brook St. B3 —2H 73 & 2A 152
Brook St. B66 —1A 72
Brook St. B70 —2E 57
Brook St. B98 —2D 144
Brook St. CV12 —1E 81
Brook St. CV34 —4D 146
Brook St. DY3 —2H 53 (Gornalwood)
Brook St. DY3 —4C 42 (Woodsetton)
Brook St. DY4 —5F 43
Brook St. DY5 —5C 68
Brook St. DY6 —4B 52
Brook St. DY8 —4E 67 (Audnam)
Brook St. DY8 —2E 83 (Stourbridge)
Brook St. DY9 —2B 84
Brook St. DY11 —3C 140
Brook St. WS2 —2G 33
Brook St. WV14 —5F 31
Brook Ter. WV14 —5F 31
Brookthorpe Dri. WV12 —5B 22
Brook Vale. WS11 —1C 6
Brookvale Av. CV3 —5H 117
Brookvale Clo. B60 —2F 143
Brookvale Gro. B92 —5B 92
Brookvale Pk. Rd. B23 —1C 60
Brookvale Rd. B6 & B23 —3B 60
Brookvale Rd. B92 —5B 92
Brookvale Trading Est. B6 —2B 60
Brook View. B67 —3H 71
Brook Wlk. B32 —4F 87
Brookweed. B77 —2G 135
Brookwillow Rd. B63 —5F 85
Brookwood Av. B28 —3E 107
Broom Clo. B60 —3E 143
Broom Cres. DY10 —3F 141
Broomcroft Rd. B37 —1H 77
Broomdene Av. B34 —5D 62
Broom Dri. B14 —4A 106
Broome Av. B43 —4C 46
Broome Clo. B63 —4H 85
Broome Ct. B36 —4E 63
Broome Croft. CV6 —3A 100
Broomehill Clo. DY5 —1H 83
Broome Rd. WV10 —3A 20
Broomfield. B67 —1H 71
Broomfield Av. B78 —5B 134
Broomfield Clo. DY11 —2C 140
Broomfield Grn. DY11 —2C 140
Broomfield Pl. CV5 & CV1 —5H 115
Broomfield Rise. CV10 —4D 136
Broomfield Rd. B23 —3E 61
Broomfield Rd. CV5 —5H 115
Broomfield Rd. DY11 —2C 140
Broomfields Av. B91 —3F 109
Broomfields Clo. B91 —3F 109
Broomfields Farm Rd. B91 —3F 109
Broomhall Av. WV11 —3E 21
Broom Hall Cres. B27 —1H 107
Broom Hall Gro. B27 —1H 107
Broomhill Bank. WS11 —3C 4
Broomhill Clo. B43 —3C 46
Broomhill Clo. WS10 —3C 4
Broomhill La. B43 —3C 46
Broomhill Rd. B23 —4C 48
Broom Ho. B71 —2A 46
Broomhurst. B15 —5D 72
Broomie Clo. B75 —5B 38
Broomlea Clo. B74 —3A 36
Broom Rd. DY1 —1C 54
Broom Rd. WS5 —1B 46
Broom St. B12 —5B 74
Broomy Bank. CV8 —2C 150
Broomy Clo. B34 —1D 76
Brosdale Dri. LE10 —2C 138
Broseley Av. B31 —1B 120
Broseley Brook Clo. B9 —4D 74
Brosil Av. B20 —2D 58
Brougham St. B19 —5G 59 (in two parts)
Brough Clo. B7 —1C 74
Brough Clo. WV4 —1B 42
Broughton Ct. WV6 —1A 28
Broughton Cres. B31 —1G 119
Broughton Rd. B20 —4F 59
Broughton Rd. DY9 —4A 84
Broughton Rd. WV3 —2C 28
Browett Rd. CV6 —3H 115
Brownfield Rd. B34 —5E 63
Brownhills Rd. WS8 —4E 17
Brownhills Rd. WS11 & WS8 —2A 8
Browning Av. CV34 —5C 146
Browning Clo. B79 —1A 134
Browning Clo. DY10 —3G 141
Browning Clo. WV12 —2C 22
Browning Cres. WV10 —1H 19
Browning Dri. LE10 —2E 139
Browning Gro. WV6 —1A 18
Browning Rd. CV2 —4F 117
Browning Rd. DY3 —1F 53
Browning Rd. WS7 —1G 9
Browning St. B16 —4F 73
Browning Tower. B31 —4B 104
Brownley Rd. B90 —2B 124
Brown Lion St. DY4 —4F 43
Brownlow St. CV32 —3C 148
Brown Rd. WS10 —3A 32
Brown's Coppice Av. B91 —3B 108
Brown's Dri. B73 —3F 49
Brownsea Clo. B45 —1C 118
Brownsea Dri. B1 —4H 73 & 4B 152
Brownsfield Rd. WS13 —1H 151 & 2H 151
Browns Grn. B20 —2E 59
Brownshill Ct. CV6 —5G 99
Brownshill Grn. Rd. CV6 —5F 99
Brownshoe La. WV11 —4G 13 to 5H 13
Browns La. B79 —1D 134
Browns La. B93 —3G 125
Brown's La. CV5 —1D 114
Brownsover Clo. B36 —4E 63
Brown St. DY4 —1G 55
Brown St. WV2 —3A 30
Brownswall Est. DY3 —4G 41
Brownswall Rd. DY3 —4G 41
Browsholme. B79 —2A 134
Broxell Clo. CV34 —2C 146
Broxwood Pk. WV6 —1C 28
Bruce Rd. CV6 —1H 115
Bruce Rd. CV7 —5D 80
Bruce Rd. DY10 —1G 141
Brueton Av. B60 —5E 143
Brueton Av. B91 —4G 109
Brueton Dri. B24 —2G 61
Brueton Dri. B98 —3D 144
Brueton Rd. WV14 —3G 31
Bruford Rd. WV3 —3F 29
Brunel Clo. B12 —2B 90
Brunel Clo. B79 —2C 134
Brunel Clo. CV2 —4D 116
Brunel Clo. CV31 —8D 149
Brunel Clo. WS7 —1F 9
Brunel Ct. WS10 —4C 32
Brunel Ct. WV14 —4F 43
Brunel Rd. B69 —1B 70
Brunel Rd. LE10 —3E 139
Brunel St. B2 —4H 73 & 3B 152
Brunel Wlk. WS10 —4C 32
Brunslow Clo. WV10 —1G 19
Brunslow Clo. WV13 —2A 32
Brunswick Ct. WS10 —1F 45
Brunswick Gdns. B19 —5H 59
Brunswick Gdns. B21 —4E 59
Brunswick Ho. B34 —5D 62
Brunswick Pk. Rd. WS10 —1D 44
Brunswick Rd. B12 —2B 90
Brunswick Rd. B21 —4E 59
Brunswick Rd. CV1 —5A 116
Brunswick Rd. WS11 —4C 4
Brunswick St. CV31 —6B 149
Brunswick St. WS2 —3F 33
Brunswick Ter. WS10 —1D 44
Bruntingthorpe Way. CV3 —1H 133
Brunton Rd. B10 —5G 75
Brushfield Rd. B42 —4H 47
Brutus Dri. B46 —3D 64
Bryan Av. WV4 —1D 40
Bryan Rd. WS2 —4F 33
Bryanston Ct. B91 —2C 108
Bryanston Rd. B91 —2C 108 & 3C 108
Bryans Way. WS12 —2H 5
Bryant Rd. CV7 —1E 101
Bryant St. B18 —2D 72
Bryce Rd. DY5 —1F 67 & 2G 67
Bryher Wlk. B45 —1C 118
Brylan Croft. B44 —5B 48
Brymer Pl. B7 —1C 74
Brymill Ind. Est. DY4 —4F 43
Brympton Rd. CV3 —5F 117
Bryn Arden Rd. B26 —2B 92
Bryndale Av. B14 —3G 105
Bryn Jones Clo. CV3 —2H 133
Brynmawr Rd. WV14 —1C 42
Bryn Rd. CV6 —1D 116
Brynside Clo. B14 —5H 105
Bryony Gdns. WS10 —4B 32
Bryony Rd. B29 —1B 104
Buchanan Av. WS4 —5A 24
Buchanan Clo. WS4 —5A 24
Buchanan Rd. WS4 —1A 34
Buckbury Clo. DY9 —5H 83
Buckbury Croft. B90 —2E 125
Buckden. B77 —3H 135
Buckden Clo. CV34 —2E 147
Buckfast Clo. B61 —4C 142
Buckfast Clo. CV3 —4C 132
Buckhold Dri. CV5 —3D 114
Buckingham Clo. LE10 —1G 139
Buckingham Clo. WS10 —5F 33
Buckingham Ct. B29 —5D 88
Buckingham Dri. WV12 —3A 22
Buckingham Gdns. WS14 —4G 151
Buckingham Gro. DY6 —5C 52
Buckingham M. B73 —2G 49
Buckingham Pl. WS12 —5F 5
Buckingham Rise. CV5 —4D 114
Buckingham Rise. DY1 —3A 54
Buckingham Rd. B36 —5H 63
Buckingham Rd. B65 —2B 70
Buckingham Rd. B79 —1A 134
Buckingham Rd. WV4 —5F 29
Buckingham St. B19 —2H 73 & 1B 152
Buckland Clo. WS12 —5G 5
Buckland End. B34 —5D 62
Buckland Rd. CV6 —4A 100
Bucklands End La. B34 —5C 62
Buckley Rd. CV32 —3C 148
Buckley Rd. WV4 —5D 28
Bucklow Wlk. B33 —2C 76
Buckmister Dri. B93 —4G 125
Bucknall Cres. B32 —1D 102
Bucknall Rd. WV11 —1H 21
Buckridge Clo. B38 —2C 120
Bucks Hill. CV10 —1A 136
Buckton Clo. B75 —1B 38
Budbroke Clo. CV2 —4G 101
Budbrooke Ind. Est. CV34 —3C 146
Budbrooke Rd. CV34 —3B 146
Budbrook Gro. B34 —1G 77
Budden Rd. WV14 —4E 43
Bude Rd. WS5 —3D 34
Buffery Rd. DY2 —5E 55
Bufferys Clo. B91 —1E 125
Buildwas Clo. WS3 —1D 22
Bulford Clo. B14 —5B 106
Bulger Rd. WV14 —4D 30
Bulkington Rd. CV12 —3G 81
Bullace Croft. B15 —3D 88
Bulldog La. WS13 —2G 151
Buller St. WV4 —5A 30
Bullfield Av. CV4 —1B 130
Bullfields Clo. B65 —1G 69
Bullfinch Clo. DY1 —4A 54
Bullfurlong La. LE10 —5G 139
Bullimore Gro. CV8 —5C 150
Bullivents Clo. B93 —3H 125
Bull La. B70 —2D 56
Bull La. WV5 —4B 40
Bull La. WV14 & WS10 —1H 43
Bull Meadow La. WV5 —4B 40
Bullock Row. WS1 —2H 33
Bullock St. B7 —2B 74
Bullock St. B70 —4F 57
Bullows Rd. WS8 —2C 16
Bull Ring. B5 —4A 74 & 3D 152
Bull Ring. B63 —3H 85
Bull Ring. CV10 —4E 137
Bull Ring. DY3 —4A 42
Bull Ring. DY10 —2D 140
Bull Ring Cen. B5 —4A 74 & 4C 152
Bull Ring Shopping Cen. B5 —4A 74
Bull Ring Trading Est. B12 —4B 74
Bull's Head La. CV3 (in two parts) —5E 117
Bull's La. B76 —2E 51 & 2F 51
Bull St. B4 —3A 74 & 2C 152
Bull St. B17 —2C 88
Bull St. B70 —2G 57
Bull St. CV11 —4G 137
Bull St. DY1 —4C 54
Bull St. DY3 —3H 53
Bull St. DY5 —4F 67 & 4G 67
Bull St. WS10 —4C 32
Bull Yd. CV1 —5B 116
Bulwell Clo. B6 —5C 60
Bulwer Rd. CV6 —2H 115
Bulwer St. WV10 —5A 20
Bumble Hole La. B61 —1C 142
Bumblehole Meadows. WV5 —4A 40
Bunbury Gdns. B30 —4C 104
Bunbury Rd. B31 —4B 104
Bundle Hill. B63 —3H 85
Bungalow Est. CV6 —3D 100
Bungalow, The. B70 —1C 56
Bunkers Hill La. WV14 —3F 31
Bunn's La. DY2 —3G 55
Buntsford Pk. Rd. B60 —5D 142
Bunyan Pl. WS11 —3C 4
Burbage Clo. WV10 —4B 20
Burbage Comn. Rd. LE10 —1H 139
Burbage Rd. LE10 —3G 139
Burbages La. CV6 —2C 100
Burberry Gro. CV7 —3B 128
Burberville Rd. WV2 —4B 30
Burbidge Rd. B9 —3E 75
Burbury Clo. CV12 —2F 81
Burbury Clo. CV32 —3D 148
Burbury St. B19 —5G 59
Burbury St. S. B19 —1H 73
Burcher Grn. DY10 —3G 141
Burcombe Tower. B23 —5H 49
Burcot Av. B60 —1E 143
Burcot Av. WV1 —1C 30
Burcote Rd. B24 —2A 62
Burcot La. B60 —2E 143 (in two parts)
Burcot Wlk. WV1 —1C 30
Burdock Clo. WS5 —2A 46
Burdock Clo. WS11 —3E 5
Burdock Rd. B29 —2A 104
Burdons Clo. B34 —1D 76
Burfield Rd. B63 —1D 84
Burford Clo. B92 —4D 92
Burford Clo. WS5 —1A 46
Burford M. CV31 —6D 149
Burford Pk. Rd. B38 —1D 120
Burford Rd. B44 —4B 48
Burford Rd. B47 —3B 122
Burgage Pl. CV11 —3F 137
Burgage Wlk. CV11 —2F 137 & 3F 137
Burges Gro. CV34 —2E 147
Burgess Croft. B92 —1G 109
Burges, The. CV1 —4B 116
Burghley Clo. CV11 —5H 137
Burghley Dri. B71 —2H 45
Burghley Dri. DY11 —3C 140
Burghley Wlk. DY5 —5G 67
Burgoyne St. WS11 —2D 4
Burhill Way. B37 —2A 78
Burke Av. B13 —5E 91
Burland Av. WV6 —3E 19
Burleigh Clo. CV7 —2C 128
Burleigh Clo. WV12 —3A 22
Burleigh Croft. WS7 —3F 9
Burleigh Rd. LE10 —1D 138
Burleigh Rd. WV3 —3F 29
Burleigh St. WS1 —2A 34
Burleton Rd. B33 —4G 77
Burley Clo. B90 —5G 107
Burley Way. B38 —2B 120
Burlington Arc. B2 —3H 73 (off New St.)
Burlington Av. B70 —3G 57
Burlington Clo. DY10 —4G 141
Burlington Ct. B78 —5C 134
Burlington Pas. B2 —3H 73 (off Stephenson St.)
Burlington Rd. B10 —4F 75
Burlington Rd. B70 —3G 57
Burlington Rd. CV2 —3D 116
Burlington Rd. CV10 —5E 137
Burlington St. B6 —5A 60
Burman Clo. B90 —5G 107
Burman Dri. B46 —1E 79
Burman Rd. B90 —5G 107
Burmarsh Wlk. WV8 —2E 19
Burmese Way. B65 —1G 69
Burnaby Clo. CV10 —2A 136
Burnaby Rd. CV6 —5A 100
Burnaston Cres. B90 —2E 125
Burnaston Rd. B28 —5E 91
Burnbank Gro. B24 —1H 61
Burn Clo. B67 —2A 72
Burncross Way. WV10 —4B 20
Burnell Gdns. WV3 —3E 29
Burnel Rd. B29 —4A 88
Burnet Gro. WV10 —2D 12
Burnett Ho. B69 —2B 70
Burnett Rd. B74 —1C 36
Burney La. B8 —2A 76
Burnfields Clo. WS9 —3F 25
Burnham Av. B25 —1A 92
Burnham Av. WV10 —2G 19
Burnham Clo. DY4 —1E 55
Burnham Clo. DY6 —2E 67
Burnham Ct. DY5 —4H 67 (off Hill St.)
Burnham Grn. WS11 —5A 4
Burnham Meadow. B28 —2G 107
Burnham Rise. CV11 —5B 136
Burnham Rd. B44 —4A 48
Burnham Rd. CV3 —3E 133
Burnhill Gro. B29 —1A 104
Burnlea Gro. B31 —1B 120
Burnsall Clo. B37 —4H 77
Burnsall Clo. WV9 —5F 11
Burnsall Gro. CV5 —2F 131
Burnsall Rd. CV5 —2E 131
Burns Av. CV34 —5C 146
Burns Av. DY4 —4H 43
Burns Av. WV10 —1H 19
Burns Clo. B97 —5A 144
Burns Clo. DY8 —5F 67
Burns Clo. DY10 —3G 141
Burns Clo. WS14 —4F 151
Burns Dri. WS7 —1G 9
Burns Gro. DY3 —1F 53
Burnside Gdns. WS5 —4D 34
Burnside Way. B31 —2H 119
Burns Pl. WS10 —5H 31
Burns Rd. B79 —2C 134
Burns Rd. CV2 —4F 117
Burns Rd. CV32 —1C 148
Burns Rd. WS10 —5H 31
Burns St. WS11 —3D 4
Burns Wlk. CV12 —4G 81
Burnsway. LE10 —2D 138
Burnthurst Cres. B90 —2D 124
Burnt Meadow Rd. B98 —1H 145
Burnt Oak Dri. DY8 —2G 83
Burnt Tree Ho. DY4 —3G 55
Burnt Tree Tip DY4 —3G 55
Burntwood Rd. WS7 —3H 9
Burntwood Rd. WS11 —2A 8 to 1B 8
Burrelton Way. B43 —3D 46
Burrington Rd. B32 —1E 103
Burrowes St. WS2 —1G 33
Burrow Hill Clo. B36 —4E 63
Burrow Hill La. CV7 —1E 99 to 1G 99
Burrows Clo. CV31 —8C 149
Burrows Rd. DY6 —2E 67
Bursledon Wlk. WV1 —3D 30
Bursnips Rd. WV11 —5A 14
Burton Av. WS4 —2B 24
Burton Clo. B79 —1D 134
Burton Clo. CV5 —5E 99
Burton Cres. WV10 —5A 20
Burton Farm Rd. WS4 —5B 24
Burton Ind. Est. B64 —5F 69
Burton La. B98 —3D 144
Burton Old Rd. W. WS13 —3H 151
Burton Rd. DY1 —1B 54
Burton Rd. WV10 —5A 20
Burton Rd. E. DY1 —1B 54
Burton Wood Dri. B20 —3H 59
Buryfield Rd. B91 —2D 108 & 2E 109
Bury Hill Rd. B69 —5B 56
Bury Mound Ct. B90 —5D 106
Bury Rd. CV31 —6A 149
Busby Clo. CV3 —2H 133
Bush Av. B66 —1B 72
Bushbery Av. CV4 —5B 114
Bushbury Ct. WV10 —5A 12
Bushbury Croft. B37 —3B 78
Bushbury La. WV10 —3H 19 to 5B 12
Bushbury Rd. B33 —2D 76
Bushbury Rd. WV10 —4C 20
Bush Clo. CV4 —4C 114
Bushell Dri. B91 —3F 109

Bushey Clo.—Cartbridge La.

Bushey Clo. B74 —1B 36
Bushey Fields Rd. DY1 —4A 54
Bush Gro. B21 —3C 58
Bush Gro. WS3 —1A 24
Bushley Clo. B98 —5E 145
Bushley Croft. B91 —1E 125
Bushman Way. B34 —1G 77
Bushmore Rd. B28 —2G 107
Bush Rd. DY2 —3D 68
Bush Rd. DY4 —1F 55
Bush St. WS10 —3B 32
Bushway Clo. DY5 —3F 67
Bushwood Dri. B93 —5A 126
Bushwood Rd. B29 —5B 88
Bustleholme Av. B71 —3H 45
Bustleholme Cres. B71 —3H 45
Bustleholme La. B71 —3H 45 to 2H 45
Butchers La. B63 —1E 85
Butchers La. CV5 —2E 115
Butchers Rd. B92 —2E 111
Butcroft Gdns. WS10 —4B 32
Butcroft Ho. WS10 —4C 32
Bute Clo. B45 —1C 118
Bute Clo. LE10 —2D 138
Bute Clo. WV12 —4H 21
Butler Clo. CV8 —2D 150
Butler Rd. B92 —3C 92
Butlers Clo. B20 —2F 59
Butlers Clo. B23 —3E 49
Butler's Cres. CV7 —4E 81
Butlers La. B74 & B75 —5G 27
Butlers Precinct. WS1 —1G 33
Butler's Rd. B20 —2F 59
Butler St. B10 —5D 74
Butler St. B70 —1E 57
Butlin Rd. CV6 —3B 100
Butlin St. B7 —5D 60
Buttercup Clo. WS5 —1A 46
Butterfield Clo. WV6 —2A 18
Butterfield Ct. DY1 —3C 54
Butterfield Rd. DY5 —5G 53
Butterfly Way. B64 —4G 69
Buttermere. B77 —5H 135
Buttermere Av. CV11 —5B 136
Buttermere Clo. CV3 —2H 133
Buttermere Clo. DY5 —5G 67
Buttermere Clo. WS11 —3D 4
Buttermere Clo. WV6 —2D 18
Buttermere Ct. WV6 —5A 18
Buttermere Dri. B32 —4H 87
Buttermere Dri. WV11 —5H 13
Buttermere Gro. WV12 —1H 21
Butter Wlk. B38 —1B 120
Butterworth Clo. WV14 —3C 42
Butterworth Dri. CV4 —3C 130
Buttery Rd. B67 —1G 71
Butt La. CV5 —1D 114
Butt La. LE10 —2F 139
Butt La. Clo. LE10 —2G 139
Buttons Farm Rd. WV4 —1D 40
Buttress Way. B66 —1A 72
Butts. CV1 —5H 115 & 5A 116
Butts Clo. WS11 —3H 7
Butts La. WS11 —3H 7
Butts Rd. CV1 —5A 116
Butts Rd. WS4 —5H 23
Butts Rd. WV4 —1E 41
Butts St. WS4 —5H 23
Butts, The. CV34 —4E 147
Butts, The. WS4 —5H 23
Butts Way. WS11 —3H 7
Buxton Clo. WS3 —5F 15
Buxton Rd. B23 —5D 48
Buxton Rd. B73 —3G 49
Buxton Rd. DY2 —1B 68
Buxton Rd. WS3 —5F 15
Byeways. WS3 —5F 15
Byfield Clo. B33 —5G 77
Byfield Pas. B9 —4E 75
Byfield Rd. CV6 —3F 115
Byfield View. DY3 —4A 52
Byfleet Clo. WV14 —1C 42
Byford Clo. B98 —4C 144
Byford Ct. CV10 —3D 136
Byford St. CV10 —3D 136
Byland. B77 —2E 135
Bylands Clo. B61 —4C 142
Byland Way. WS3 —5D 14
By-Pass Link. B91 —4G 109
Byrchen Moor Gdns. DY5 —5G 53
Byrne Rd. WV2 —4H 29
Byron Av. B23 —2C 60
Byron Av. CV12 —4G 81
Byron Av. CV34 —5C 146
Byron Av. WS14 —4G 151
Byron Clo. B10 —1E 91
Byron Clo. DY10 —3G 141
Byron Ct. B93 —3H 125
Byron Cres. DY1 —5D 42
Byron Croft. B74 —3F 27
Byron Croft. DY3 —1F 53
Byron Gdns. B71 —5E 45
Byron Ho. B63 —2D 84
Byron Pl. WS11 —2C 4
Byron Rd. B10 —1E 91
Byron Rd. B79 —1B 134
Byron Rd. B97 —5B 144
Byron Rd. WV10 —2C 20
Byron Rd. WV12 —2B 22
Byron St. B71 —5E 45
Byron St. CV1 —4B 116
Byron St. DY5 —5A 54
Bywater Clo. CV3 —4A 132

Caban Clo. B31 —3G 103
Cable Dri. WS2 —4F 23
Cable St. WV2 —3B 30
Cabot Gro. WV6 —1A 18
Cadbury Dri. B35 —3D 62
Cadbury Rd. B13 —3C 90
Cadbury Way. B17 —2B 88
Cadden Dri. CV4 —5D 114
Caddick Cres. B71 —4F 45
Caddick Rd. B42 —3G 47
Caddick St. WV14 —3C 42 & 4C 42
Cadec Trading Est. B67 —3H 71
Cadine Gdns. B13 —5H 89
Cadleigh Gdns. B17 —3B 88
Cadle Rd. WV10 —3A 20
Cadman Clo. CV12 —3F 81
Cadman Cres. WV10 —3C 20
Cadman's La. WS6 & WS3 —1F 15
Cadnam Clo. B17 —3B 88
Cadnam Clo. WV13 —3H 31
Caen Clo. CV35 —4A 146
Caernarfon Dri. CV11 —3G 137
Caernarvon Clo. WV12 —3A 22
Caernarvon Way. DY1 —3A 54
Caesar Rd. CV8 —4A 150
Caesar Way. B46 —3D 64
Cahill Av. WV10 —5C 20
Cairndhu Dri. DY10 —2G 141
Cairn Dri. WS2 —1C 32
Cairns St. WS2 —1F 33
Caister Dri. WV13 —3G 31
Caithness Clo. CV5 —3C 114
Cakemore La. B65 —4C 70
Cakemore Rd. B65 —4C 70
Cala Dri. B15 —1F 89
Calcot Dri. WV6 —2E 19
Caldecote Clo. CV10 —1F 137
Caldecote Gro. B9 —4H 75
Caldecote Rd. CV6 —3B 116
Caldeford Av. B90 —2D 124
Calder. B77 —3H 135
Calder Av. WS1 —1A 34
Calder Clo. CV3 —2C 132
Calder Clo. CV12 —1A 80
Calder Dri. B76 —4C 50
Calderfields Clo. WS4 —5A 24
Calder Gro. B20 —3E 59
Calder Rise. DY3 —5B 42
Calder Wlk. CV31 —6D 149
Caldmore Grn. WS1 —3H 33
Caldmore Rd. WS1 —2G 33 to 3H 33
Caldon Clo. LE10 —3D 138
Caldwell Ct. B91 —3F 109
Caldwell Ct. CV11 —5G 137
Caldwell Cres. DY11 —3D 140
Caldwell Gro. B91 —3F 109
Caldwell Ho. B70 —3F 57
Caldwell Rd. B9 —3H 75
Caldwell Rd. CV11 —4G 137
Caldwell St. B71 —3G 45
Caldy Wlk. B45 —1C 118
Cale Clo. B77 —3E 135
Caledonia. DY5 —1A 84
Caledonian. B77 —3G 135
Caledonia Rd. WV2 —3A 30
Caledonia St. WV14 —4F 31
Caledon Pl. WS2 —3F 33
Caledon St. WS2 —3F 33 (in two parts)
Calewood Rd. DY5 —5A 68
Californian Gro. WS7 —1E 9
California Rd. B69 —4H 55
California Way. B32 —4H 87
Callaghan Gro. WS11 —4F 5
Callcott Dri. DY5 —1A 84
Callear Rd. WS10 —2B 44
Calley Clo. DY4 —2G 55
Callis Wlk. B77 —5G 135
Callow Bri. Rd. B45 —2D 118
Callowbrook La. B45 —2C 118 to 1C 118
Callows La. DY10 —2D 140
Calshot Rd. B42 —3E 47
Calstock Rd. WV12 —5B 22
Calthorpe Clo. WS5 —4D 34
Calthorpe Mans. B15 —5F 73
Calthorpe Rd. B15 —5F 73
Calthorpe Rd. B20 —3G 59
Calthorpe Rd. WS5 —4D 34
Caludon Pk. Av. CV2 —3H 117
Caludon Rd. CV2 —4D 116
Calver Cres. WV11 —4F 21
Calver Gro. B44 —2H 47
Calverley Dri. WV4 —5D 28
Calverley Rd. B38 —1D 120
Calvert Clo. CV3 —3B 132
Calverton Gro. B43 —3D 46
Calverton Wlk. WV6 —4G 19
Calves Croft. WV13 —1H 31
Calvin Clo. WV5 —1A 52
Calvin Clo. WV10 —5A 12
Calving Hill. WS11 —4C 4
Camberley. B71 —3H 45
Camberley Cres. WV4 —2A 42
Camberley Dri. WV4 —1F 41
Camberley Gro. B23 —5E 49
Camberley Rd. DY6 —2F 67
Camberton Ct. DY10 —4G 141
Camberwell Ter. CV31 —5C 149
Camborne Clo. B6 —5A 60
Camborne Ct. WS5 —4C 34
Camborne Dri. CV11 —2H 137
Camborne Rd. WS5 —4C 34
Cambourne Rd. B65 —3A 70
Cambourne Rd. LE10 —4H 139
Cambrai Dri. B28 —1F 107
Cambria Clo. B90 —2F 123
Cambrian. B77 —3G 135
Cambria St. WS11 —3B 4
Cambridge Av. B73 —4H 49
Cambridge Av. B91 —4C 108
Cambridge Clo. WS9 —2F 25
Cambridge Cres. B15 —1H 89
Cambridge Dri. B37 —5H 77
Cambridge Dri. CV10 —4C 136
Cambridge Gdns. CV32 —4C 148
Cambridge Rd. B13 —5B 90
Cambridge Rd. B66 —5A 58
Cambridge Rd. DY2 —5C 54
Cambridge St. B1 —3G 73 & 3A 152
Cambridge St. B70 —3E 57
Cambridge St. CV1 —3C 116
Cambridge St. WS1 —3H 33
Cambridge St. WV10 —5A 20
Cambridge Tower. B1 —3G 73 & 3A 152
Cambridge Way. B27 —3B 92
Camden Clo. B36 —4D 62
Camden Clo. WS5 —1A 46
Camden Dri. B1 —3G 73 & 2A 152
Camden Gro. B1 —3G 73
Camden St. B18 & B1 —2F 73 & 1A 152
Camden St. CV2 —3E 117
Camden St. WS1 —3G 33
Camden St. WS9 —4E 17
Camden Way. DY6 —3D 52
Camelia Rd. CV2 —4F 101
Camelot Clo. WS11 —3D 4
Camelot Gro. CV8 —3D 150
Camelot Way. B10 —5D 74
Cameron Clo. CV5 —1C 114
Cameron Clo. CV32 —1C 148
Cameronian Croft. B36 —4A 62
Cameron Rd. WS4 —1A 34
Camford Gro. B14 —4B 106
Cam Gdns. DY5 —5G 53
Camhouses. B77 —3H 135
Camino Rd. B32 —4H 87
Camomile Clo. WS5 —1A 46
Campbell Clo. B79 —1B 134
Campbell Clo. WS4 —5A 24
Campbell Pl. WS10 —4B 32
Campbells Grn. B26 —2E 93
Campbell St. DY2 —4E 55
Campbell St. DY5 —2H 67
Campden Grn. B92 —3D 92
Camp Hill. B12 —5C 74
Camp Hill. DY8 —4E 67
Camp Hill Dri. CV10 —1B 136
Camp Hill Ind. Est. B12 —5B 74
Camphill Ind. Est. CV10 —2D 136
Camp Hill La. WS10 —2C 44
Camp Hill Middleway. B12 —5B 74
Camphill Precinct. WS10 —2C 44
Camp Hill Rd. CV10 —1A 136
Campion Clo. B34 —1D 76
Campion Clo. B38 —1E 121
Campion Clo. CV3 —3C 132
Campion Clo. WS5 —1A 46
Campion Ct. CV32 —3C 148
Campion Ct. DY4 —1F 55
Campion Dri. WV10 —2C 12
Campion Grn. CV32 —3C 148
Campion Gro. B63 —4E 85
Campion Ho. WV10 —5B 20
Campion Rd. CV32 —3B 148
Campions Av. WS6 —5B 6
Campion Ter. CV32 —4C 148
Camp La. B21 —3B 58
Camp La. B38 —4E 105
Camplea Croft. B37 —3A 78
Camplin Cres. B20 —1D 58
Campling Clo. CV12 —1A 80
Camp Rd. WS14 & B75 —3H 27
Camp St. B9 —4D 74
Camp St. WS10 —2C 44 (in two parts)
Camp St. WV1 —5H 19
Campton Clo. LE10 —3G 139
Campville Cres. B71 —3G 45
Campville Gro. B37 —1H 77
Campwood Clo. B30 —1E 105
Camrose Croft. B12 —2A 90
Camrose Croft. B34 —1E 77
Camrose Gdns. WV9 —5F 11
Camrose Tower. B7 —1C 74
Canal Cotts. DY2 —3D 68
Canal La. B24 —3G 61
Canal Rd. CV6 —1D 116
Canal Side. B30 —5F 105
Canal Side. B69 —4D 56 & 5D 56
Canal Side. DY2 —2F 69
Canalside Clo. WS3 —1H 32
Canalside Clo. WS10 —2G 45
Canal St. B69 —5D 56
Canal St. DY5 —1A 68
Canal St. DY8 —1E 83
Canal St. WS2 —1F 33
Canal St. WV14 —4D 42
Canberra Ct. CV12 —3D 80
Canberra Ho. B34 —5G 63
Canberra Rd. CV2 —3F 101
Canberra Rd. WS5 —5C 34
Canberra Way. B12 —5B 74
Canford Clo. B12 —5B 74
Canford Clo. CV3 —5B 132
Canley Ford. CV5 —2G 131
Canley Rd. CV5 —2F 131
Cannel Rd. WS7 —2D 8
Canning Clo. WS5 —4C 34
Canning Gdns. B18 —2D 72
Canning Rd. B77 —1F 135
Canning Rd. WS5 —4C 34
Canning St. LE10 —2E 139
Cannock Ind. Cen. WS11 —3B 6
Cannock Rd. WS7 & WS12 —1F 9 & 1D 8 (Chase Terrace)
Cannock Rd. WS11 & WS12 (Cannock) —4C 4 to 2E 5
Cannock Rd. WS12 —5F 5 (Heath Hayes)
Cannock Rd. WV1 & WV10 —5A 20 to 1F 13
Cannock Rd. WV12 —3A 22
Cannocks La. CV4 —3F 131
Cannon Clo. CV4 —3G 131
Cannon Hill Gro. B12 —2A 90
Cannon Hill Pl. B12 —2A 90
Cannon Hill Rd. B12 —2A 90
Cannon Hill Rd. CV4 —3F 131
Cannon Pk. Rd. CV4 —3G 131
Cannon Pas. B2 —3A 74 & 3C 152
Cannon Rd. WV5 —5A 40
Cannon St. B2 —3A 74 & 3C 152
Cannon St. WS2 —5H 23
Cannon St. WV13 —1H 31
Cannon St. N. WS2 —5G 23
Canon Dri. CV7 —1B 100
Canon Hudson Clo. CV3 —3F 133
Canon Young Rd. CV31 —8D 149
Canterbury Av. WV13 —1B 32
Canterbury Clo. B65 —2C 70
Canterbury Clo. B71 —3G 45
Canterbury Clo. CV8 —4D 150
Canterbury Clo. WS3 —4A 16
Canterbury Clo. WS13 —1H 151
Canterbury Dri. B37 —1H 93
Canterbury Dri. WS7 —2H 9
Canterbury Dri. WV6 —2A 18
Canterbury Rd. B20 —3H 59
Canterbury Rd. B71 —3F 45
Canterbury Rd. DY11 —2A 140
Canterbury Rd. WV4 —5D 28
Canterbury St. CV1 —4C 116
Canterbury Way. WS12 —5E 5
Cantilow Clo. CV5 —4D 114
Cantlow Rd. B13 —2B 106
Canute Clo. WS1 —3H 33
Canvey Clo. B45 —5C 102
Canwell Av. B37 —1H 77
Capcroft Rd. B13 —2D 106
Cape Clo. WS8 —3E 17
Cape Hill. B66 —2B 72
Cape Ind. Est. CV34 —3D 146
Capener Rd. B43 —2E 47
Capern Gro. B32 —2A 88
Cape Rd. CV34 —3D 146
Cape St. B18 —2D 72
Cape St. B70 —2C 56
Capethorn Rd. B66 —3A 72
Capilano Rd. B23 —4D 48
Capmartin Rd. CV6 —1A 116
Capponfield Clo. WV14 —1D 42
Capstone Av. B18 —2F 73
Capstone Av. WV10 —2G 19
Captain's Clo. WV3 —1D 28
Captain's Pool Rd. DY10 —5F 141
Capulet Clo. CV3 —3F 133
Caradoc. B77 —3H 135
Caradoc Clo. CV2 —1H 117
Carberry Ter. B7 —1C 74
Carcroft Rd. B25 —5A 76
Cardale St. B65 —4B 70
Carden Clo. B70 —1D 56
Carder Cres. WV14 —1E 43
Carder Dri. DY5 —3H 67
Cardiff Clo. CV3 —3G 133
Cardiff St. WV3 —3G 29
Cardigan Clo. B71 —4F 45
Cardigan Dri. WV12 —3A 22
Cardigan Pl. WS12 —2F 5
Cardigan Rd. CV12 —4A 80
Cardigan St. B4 —3B 74
Cardinal Cres. B61 —4C 142
Cardinal Dri. DY10 —5G 141
Cardinal Way. WS11 —4B 4
Carding Clo. CV5 —4C 114
Cardington Av. B42 —3F 47
Cardington Clo. B98 —3H 145
Cardy Clo. B97 —2A 144
Careless Grn. DY9 —3B 84
Carey St. CV6 —5F 101
Carfax. WS11 —1C 6
Cargill Clo. CV6 —2D 100
Carhampton Rd. B75 —4D 38
Carisbrooke. B77 —3G 135
Carisbrooke Av. B37 —4B 78
Carisbrooke Clo. WS10 —2G 45
Carisbrooke Cres. WS10 —2G 45
Carisbrooke Dri. B62 —3B 86
Carisbrooke Gdns. WV10 —5A 12
Carisbrooke Rd. B17 —4B 72
Carisbrooke Rd. WS10 —2G 45
Carisbrooke Rd. WV6 —1A 28
Carisbrooke Rd. WV10 —5A 12
Carisbrook Rd. CV10 —1G 137
Carlcroft. B77 —3H 135
Carless Av. B17 —1B 88
Carless St. WS1 —3H 33
Carlisle Rd. WS11 —1A 6
Carlisle St. B18 —2E 73
Carl St. WS2 —4G 23
Carlton Av. B21 —4D 58
Carlton Av. B74 —1B 36
Carlton Av. DY9 —4A 84
Carlton Av. WV10 —3C 20
Carlton Av. WV14 —3G 31
Carlton Clo. B75 —3B 38
Carlton Clo. B97 —4A 144
Carlton Clo. CV12 —1A 80
Carlton Clo. DY1 —5D 42
Carlton Clo. DY11 —1A 140
Carlton Clo. WS12 —4G 5
Carlton Cres. B79 —1B 134
Carlton Cres. WS7 —1F 9
Carlton Croft. B74 —1B 36
Carlton Gdns. CV5 —1B 20
Carlton Gro. B11 —2D 90
Carlton M. B36 —4F 63
Carlton M. Flats. B36 —5F 63
Carlton Rd. B9 —4E 75
Carlton Rd. B66 —4A 58
Carlton Rd. CV6 —5D 100
Carlton Rd. WV3 —3F 29
Carlyle Av. DY10 —2G 141
Carlyle Gro. WV10 —2C 20
Carlyle Rd. B16 —4E 73
Carlyle Rd. B19 —4H 59
Carlyle Rd. B60 —5E 143
Carlyle Rd. B65 —3B 70
Carlyle Rd. WV10 —2C 20
Carmel Clo. WS12 —2F 5
Carmel Gro. B32 —5E 87
Carmelite Rd. CV1 —5D 116
Carmichael Clo. WS14 —3H 151
Carmodale Av. B42 —5F 47
Carnarvon Rd. B9 —4E 75
Carnbroe Av. CV3 —2H 133
Carnegie Av. DY4 —1H 55
Carnegie Clo. CV3 —4F 133
Carnegie Rd. B65 —4H 69
Carnford Rd. B26 —1E 93
Carnforth Clo. DY6 —5B 52
Carnforth Rd. B60 —4F 143
Carnoustie. B77 —1H 135
Carnoustie Clo. B75 —3A 38
Carnoustie Clo. WS3 —5D 14
Carnwath Rd. B73 —2F 49
Carol Av. B61 —3C 142
Carol Cres. B63 —2G 85
Carol Cres. WV11 —3F 21
Carol Gdns. DY8 —5E 67
Caroline Rd. B13 —2A 90
Caroline St. B3 —2G 73 & 1A 152
Caroline St. B70 —3E 57
Caroline St. DY2 —4F 55
Carpenter Rd. B15 —1F 89
Carpenters Clo. LE10 —4G 139
Carpenter's Rd. B19 —5G 59
Carrick Clo. WS3 —3A 16
Carrington Rd. WS10 —2G 45
Carroll Wlk. DY10 —3G 141
Carroway Head Hill. B75 & B78 —1E 39
Carrs La. B4 —3A 74 & 3D 152
Carsal Clo. CV7 —2B 100
Carshalton Gro. WV2 —3A 30
Carshalton Rd. B44 —2B 48
Cartbridge Cres. WS3 —4A 24
Cartbridge La. WS4 —4A 24

Cartbridge La. S.—Charlecott Clo.

Cartbridge La. S. WS4 —4A **24**
Cartbridge Wlk. WS3 —4A **24**
Carter Av. DY11 —4C **140**
Carter Av. WV8 —5B **10**
Carter Ct. DY11 —4C **140**
Carter Rd. B43 —2E **47**
Carter Rd. CV3 —1E **133**
Carter Rd. WV6 —4G **19**
Carters Clo. B76 —1C **50**
Cartersfield La. WS9 —2H **17**
Carters Grn. B70 —1E **57**
Carters Grn. Pas. B70 —1A **57**
Carters Grn. Rd. B70 —1E **57**
Carter's Hurst. B33 —5E **77**
Carter's La. B62 —2C **86**
Carthusian Rd. CV3 —2B **132**
Cartland Rd. B11 —1D **90**
Cartland Rd. B30 & B14 —1F **105**
Cartmel Clo. CV5 —4D **114**
Cartway, The. WV6 —2A **18**
Cartwright Gdns. B69 —3A **56**
Cartwright Rd. B75 —1A **38**
Cartwright St. WV2 —3H **29**
Carver Clo. CV2 —5H **117**
Carver Gdns. DY8 —4E **83**
Carver St. B1 —2G **73**
Cascade Clo. CV3 —3C **132**
Casewell Rd. DY6 —4C **52**
Casey Av. B23 —3E **49**
Cash Jonson Av. WS10 —3A **32**
Cashmore Av. CV31 —7B **149**
Cashmore Rd. CV8 —3D **150**
Cashmore Rd. CV12 —4C **80**
Cash's La. CV1 —2B **116**
Casita Gro. CV8 —3D **150**
Caslon Cres. DY8 —3D **82**
Caslon Rd. B63 —1E **85**
Cassandra Clo. CV4 —5F **131**
Cassandra Clo. DY5 —4H **53**
Cassino Dri. CV3 —3C **132**
Cassowary Rd. B20 —2E **59**
Castello Dri. B36 —3F **63**
Castlebridge Gdns. WV11 —3G **21**
Castlebridge Rd. WV11 —3G **21**
Castle Clo. B64 —4H **69**
Castle Clo. B77 —1E **135**
Castle Clo. B92 —5D **92**
Castle Clo. CV3 —3C **132**
Castle Clo. CV34 —4D **146**
Castle Clo. WS8 —5E **9**
Castle Ct. B34 —5G **63**
Castle Ct. CV34 —4D **146**
Castle Ct. LE10 —4F **139**
Castle Cres. B36 —4E **63**
Castle Croft. B68 —5G **71**
Castlecroft Av. WV3 —3A **28**
Castlecroft Gdns. WV3 —3C **28**
Castlecroft La. WV3 —2A **28**
Castlecroft Rd. WV3 —3A **28**
Castle Croft Rd. WV14 —3F **31**
Castleditch La. B98 —5C **144**
Castle Dri. B46 —1E **79**
Castle Dri. WV12 —4H **21**
Castle Dyke. WS13 —3G **151**
Castleford Gro. B11 —2D **90**
Castleford Rd. B11 —3D **90**
Castlefort Rd. WS9 —5F **17**
Castle Ga. M. CV34 —4E **147**
Castle Gro. CV8 —3A **150**
Castle Gro. DY8 —3G **83**
Castlehall. B77 —3G **135**
Castle Hill. CV8 —2A **150**
Castle Hill. CV34 —4E **147**
Castle Hill. DY1 —3E **55**
Castlehill Rd. WS9 —5G **17**
Castlehills Dri. B36 —4D **62**
Castle La. B92 —5C **92** to 5E **93**
Castle La. CV34 —4D **146**
Castlemaine Dri. LE10 —1F **139**
Castle Mill Rd. DY1 —1D **54**
Castle Pl. Ind. Est. CV1 —4C **116**
Castle Rd. B29 —4A **88**
Castle Rd. CV8 —3A **150**
Castle Rd. CV10 —1F **137**
Castle Rd. DY4 —1E **55**
Castle Rd. DY11 & DY10 —3D **140**
Castle Rd. WS9 —5F **17**
Castle Rd. E. B68 —5G **71**
Castle Rd. W. B68 —5F **71**
Castle Sq. B29 —5A **88**
Castle St. B4 —3A **74** & 3C **152**
Castle St. B70 —4D **44**
Castle St. CV34 —4E **147**
Castle St. DY1 —3E **55**
Castle St. DY3 —3A **42**
Castle St. DY4 —1F **55**
Castle St. LE10 —2E **139** & 2F **139**
Castle St. WS8 —5E **9**
Castle St. WS10 —3B **32**
Castle St. WV1 —1H **29**
Castle St. WV14 —4D **42**
Castleton Rd. B42 —4H **47**
Castleton Rd. WS3 —5F **15**
Castleton St. DY2 —2E **69**
Castle Vale Ind. Est. B76 —5D **50**
Castle Vale Shopping Cen. B35 —3C **62**
Castle View. B77 —4D **134**
Castle View. DY1 —3D **54**
Castle View Clo. WS10 —5H **31**
Castle View Ind. Est. DY4 —2G **55**
Castle View Rd. WV14 —1H **43**
Castle View Ter. WV14 —4D **42**
Castle Yd. CV1 —5B **116**
Castle Yd. WV1 —2H **29**
Castner Dri. B69 —5E **57**
Caswell Rd. CV31 —6C **149**
Caswell Rd. DY3 —4H **41**
Cater Dri. B76 —2C **50**
Caterham Dri. DY6 —3E **67**
Catesby Dri. DY6 —4D **52**
Catesby Ho. B37 —2H 77 (off Kingshurst Way)
Catesby Rd. B90 —1H **123**
Catesby Rd. CV6 —1A **116**
Cateswell Rd. B28 & B11 —5F **91** to 4G **91**
Cathcart Rd. DY8 —2E **83**
Cathedral Av. DY11 —3A **140**
Cathedral Clo. WS13 —2F **151** & 3F **151**
Cathedral Lanes Shopping Cen. CV1 —5B **116**
Cathedral Rise. WS13 —2F **151**
Cathel Dri. B42 —4F **47**
Catherine Clo. B60 —5D **142**
Catherine de Barnes La. B92 —2B **110**
Catherine Dri. B73 —4G **37**
Catherine Rd. WV14 —3C **42**
Catherine's Clo. B91 —4B **110**
Catherine's Cross. WS10 —4A **32**
Catherine St. B6 —5B **60**
Catherine St. CV2 —4D **116**
Catherton Clo. DY4 —2A **44**
Catholic La. DY3 —4H **41**
Catisfield Cres. WV8 —1E **19**
Cat & Kittens La. WV10 —2A **12**
Cat La. B34 —5D **62**
Caton Gro. B28 —1G **107**
Cato St. B7 —2D **74**
Cato St. N. B7 —1D **74**
Catshill Rd. WS8 —2F **17**
Cattell Dri. B75 —5D **38**
Cattell Rd. B9 —4D **74**
Cattell Rd. CV34 —3D **146**
Cattells Gro. B7 —5D **60**
Cattermole Gro. B43 —1H **47**
Cattock Hurst Dri. B72 —4A **50**
Causeway. B65 —4A **70**
Causeway Grn. Rd. B68 —3D **70**
Causeway Rd. WV14 —3E **43**
Causeway, The. B25 —1A **92**
Causey Farm Rd. B63 —5E **85**
Cavalier Cir. WV10 —4A **12**
Cavalier Clo. CV11 —5H **137**
Cavandale Av. B44 —3A **48**
Cavans Clo. WS11 —2C **4**
Cavan's Wood Caravan Pk. WS12 —2B **4**
Cavell Rd. DY2 —3G **55**
Cavendish. B79 —1A **134**
Cavendish Clo. DY6 —2D **66**
Cavendish Dri. DY10 —1G **144**
Cavendish Gdns. WS2 —5D **22**
Cavendish Gdns. WV1 —2D **30**
Cavendish Ho. DY2 —3E **55**
Cavendish Rd. B16 —2C **72**
Cavendish Rd. B62 —3C **86**
Cavendish Rd. CV4 —5B **114**
Cavendish Rd. WS2 —4D **22**
Cavendish Rd. WV1 —2D **30**
Cavendish Way. WS9 —4G **25**
Caversham Rd. B44 —2B **48**
Cawdon Gro. B93 —5H **125**
Cawdor Cres. B16 —4E **73**
Cawney Hill. DY2 —4F **55**
Cawnpore Rd. CV6 —4A **100**
Cawthorne Clo. CV1 —3C **116**
Caxton Ct. WS11 —5C **4**
Caxton Gro. B44 —3D **48**
Caxton St. WS11 —5C **4**
Caynham Clo. B98 —2G **145**
Caynham Rd. B32 —1E **103**
Cayton Gro. B23 —4F **49**
Cecil Dri. B69 —3B **56**
Cecil Rd. B24 —2F **61**
Cecil Rd. B29 —5G **89**
Cecil St. B19 —2A **74** & 1C **152**
Cecil St. DY8 —2E **83**
Cecil St. WS4 —5H **23**
Cecil St. WS11 —2D **4**
Cecily Rd. CV3 —2C **132**
Cedar Av. B36 —5E **63**
Cedar Av. WS8 —1F **17**
Cedar Av. WV14 —4C **42**
Cedar Bri. Croft. B74 —3H **37**
Cedar Clo. B30 —2D **104**
Cedar Clo. B68 —5F **71**
Cedar Clo. CV32 —1C **148**
Cedar Clo. DY8 —4C **82**
Cedar Clo. WS5 —5B **34**
Cedar Clo. WS7 —2F **9**
Cedar Ct. B66 —5H **57**
Cedar Ct. B77 —5F **135**
Cedar Ct. CV5 —2D **114**
Cedar Ct. LE10 —4H **139**
Cedar Cres. DY11 —2C **140**
Cedar Dri. B24 —1A **62**
Cedar Dri. B60 —4E **143**
Cedar Dri. B74 —2A **36**
Cedar Dri. B79 —1C **134**
Cedar Dri. DY11 —2C **140**
Cedar Gro. CV34 —2F **147**
Cedar Gro. WV3 —4E **29**
Cedar Gro. WV8 —5B **10**
Cedar Gro. WV14 —3G **31**
Cedarhill Dri. WS11 —4D **4**
Cedar Ho. B36 —5C **62**
Cedar Ho. B91 —5C **108**
Cedarhurst. B32 —2A **88**
Cedarhurst. B91 —4F **109**
Cedar Pk. Rd. B97 —2B **144**
Cedar Pk. Rd. WV12 —1A **22**
Cedar Rd. B30 —2D **104**
Cedar Rd. B97 —2B **144**
Cedar Rd. CV10 —1B **136**
Cedar Rd. DY1 —2D **54** (in two parts)
Cedar Rd. DY4 —1E **55**
Cedar Rd. WS7 —2F **9**
Cedar Rd. WS10 —2D **44**
Cedar Rd. WV13 —1F **31**
Cedars Av. B27 —3A **92**
Cedars Av. CV6 —3G **115**
Cedars Av. DY6 —2D **66**
Cedars Av. WV5 —1A **52**
Cedars Rd. CV7 —4E **81**
Cedars, The. B26 —4B **76**
Cedars, The. CV7 —5E **81**
Cedars, The. CV32 —4A **148**
Cedars, The. WV6 —4D **18**
Cedar Ter. B60 —4E **143**
Cedar View. B97 —2B **144**
Cedar Wlk. B37 —3A **78**
Cedar Way. B31 —1A **120**
Cedar Way. WV11 —3D **20**
Cedarwood. B74 —2H **37**
Cedarwood Croft. B42 —4E **47**
Cedarwood Dri. CV7 —3C **128**
Cedarwood Rd. DY3 —1H **53**
Cedric Clo. CV3 —3G **133**
Celandine Clo. DY6 —2C **66**
Celandine Rd. CV2 —4G **101**
Celandine Rd. DY1 —2C **54**
Celbury Way. B43 —3D **46**
Celtic Rd. WS11 —3B **4**
Celts Clo. B65 —2A **70**
Cemetery La. B18 —1G **73** & 1A **152**
Cemetery La. B97 —3B **144**
Cemetery Rd. B67 —2H **71**
Cemetery Rd. B68 —5F **57**
Cemetery Rd. B75 —4A **38**
Cemetery Rd. DY9 —2A **84** (in two parts)
Cemetery Rd. WS6 —5A **6**
Cemetery Rd. WS10 —3D **32**
Cemetery Rd. WS11 —3B **4**
Cemetery Rd. WV13 —1H **31**
Cemetery St. WS6 —5A **6**
Cemetery St. WV14 —4E **31**
Cemetery Way. WS3 —1E **23**
Centaur Rd. CV5 —5H **115**
Centenary Bus. Cen. CV11 —3H **137**
Centenary Clo. B31 —5A **104**
Centenary Dri. B21 —4D **58**
Centenary Rd. CV4 —2E **131**
Centenary Sq. B1 —3G **73**
Central Arc. WV1 —2H **29**
Central Av. B31 —2H **119**
Central Av. B64 —5E **69**
Central Av. B65 —4A **70**
Central Av. CV2 —5E **117**
Central Av. CV11 —2F **137**
Central Av. CV31 —6B **149**
Central Av. DY4 —4G **43**
Central Av. DY9 —3B **84**
Central Av. WS11 —2C **4**
Central Av. WV14 —3F **31**
Central City Ind. Est. CV6 —3D **116**
Central Clo. WS3 —1D **22**
Central Dri. B24 —3A **62**
Central Dri. DY3 —3H **53**
Central Dri. WS3 —2D **22**
Central Dri. WV14 —4E **43**
Central Gro. B27 —4A **92**
Central Pk. Ind. Est. DY2 —3F **69**
Central Rd. B60 —4E **143**
Central Sq. B23 —2F **61**
Central Sq. B24 —1G **61**
Central Trading Est. WV2 —3B **30**
Central Way. DY5 —3B **68**
Centre La. B63 —3A **86**
Centre Link Ind. Est. B7 —1C **74**
Centreway, The. B14 —4E **107**
Centrovell Ind. Est. CV11 —5F **137**
Centurian Way. B77 —5H **135**
Centurion Clo. B46 —3D **64**
Century Ho. B69 —1B **70**
Century Rd. B69 —4D **56**
Century Tower. B5 —2H **89**
Ceolmund Cres. B37 —3A **78**
Chace Av. CV3 —3F **133**
Chaceley Gro. B23 —4E **49**
Chadbrook Crest. B15 —1E **89**
Chadbury Croft. B91 —1E **125**
Chadbury Rd. B63 —4A **86**
Chaddersley Clo. B45 —1D **118**
Chaddesley Clo. B69 —1B **70**
Chaddesley Clo. B98 —4D **144**
Chaddesley Dri. DY9 —5G **83**
Chaddesley Gdns. DY10 —3F **141**
Chaddesley Rd. B31 —5C **104**
Chaddesley Rd. B63 —4G **85**
Chaddesley Rd. DY10 —3F **141**
Chadley Clo. B91 —2D **108**
Chad Rd. B15 —5E **73**
Chad Rd. WV14 —4C **42**
Chadshunt Clo. B36 —3F **63**
Chadsmoor Ter. B7 —1C **74**
Chad Sq. B15 —5E **73**
Chadstone Clo. B90 —3E **125**
Chadswell Heights. WS13 —1H **151**
Chad Valley Clo. B17 —1C **88**
Chadwell Dri. B90 —2H **107**
Chadwell Gdns. WV8 —4A **10**
Chadwick Av. B45 —3E **119**
Chadwick Clo. CV5 —4E **115**
Chadwick Clo. WV4 —4C **28**
Chadwick La. B93 —5E **127**
Chadwick Rd. B75 —4C **38** & 5C **38**
Chadworth Av. B93 —5G **125**
Chaffcombe Rd. B26 —1F **93**
Chaffinch Clo. DY3 —2H **41**
Chaffinch Clo. WS12 —3E **5**
Chaffinch Dri. B36 —5A **64**
Chaffinch Dri. DY10 —5F **141**
Chaffinch Rd. DY9 —3H **83**
Chain Wlk. B19 —5H **59**
Chalcot Dri. WS12 —1D **4** (in two parts)
Chalcot Gro. B20 —5D **46**
Chaldon Clo. WV9 —1F **19**
Chale Gro. B14 —4C **106**
Chalfield. B79 —2A **134**
Chalfont Av. WS11 —1A **6**
Chalfont Clo. CV5 —4D **114**
Chalfont Clo. CV12 —2E **81**
Chalfont Pl. DY9 —4B **84**
Chalfont Rd. B20 —3G **59**
Chalford Rd. B23 —4D **48**
Chalford Way. B90 —1A **124**
Chalgrove Av. B38 —5D **104**
Challenge Clo. CV1 —3B **116**
Challenor Av. WV13 —2E **31**
Chalybeate Clo. B45 —1D **118**
Chamberlain Clo. B69 —3B **56**
Chamberlain Clo. CV32 —1E **148**
Chamberlain Ct. B14 —5A **90**
Chamberlain Cres. B90 —5G **107**
Chamberlaine St. CV12 —3F **81**
Chamberlain Rd. B13 —2B **106**
Chamberlains Grn. CV6 —2H **115**
Chamberlains La. WV4 —1E **41**
Chamberlain Sq. B3 —3H **73** & 3B **152**
Chamberlain Wlk. B66 —1A **72**
Chance Croft. B68 —5E **71**
Chance Fields. CV31 —6E **149**
Chancel Ind. Est. WV1 —2C **30**
Chancel Ind. Est. WV13 —1H **31**
Chancellors Clo. B15 —5D **72**
Chancellors Clo. CV4 —4F **131**
Chancel Way. B23 —1B **60**
Chancel Way. B62 —1A **86**
Chancery Dri. WS12 —1F **5**
Chancery La. CV10 —1A **136**
Chancery Way. DY5 —4B **68**
Chanders Rd. CV34 —2D **146**
Chandler Ct. CV5 —1A **132**
Chandler Dri. WV4 —1D **40**
Chandler Ho. B69 —2B **70**
Chandlers Clo. B97 —5B **144**
Chandlers Clo. WV9 —1F **19**
Chandlers Dri. B77 —1H **135**
Chandlers Rd. CV31 —8C **149**
Chandos Av. B13 —4B **90**
Chandos Rd. B12 —5B **74**
Chandos St. CV2 —4E **117**
Chandos St. CV11 —3E **137**
Chandos St. CV32 —4B **148**
Channon Dri. DY5 —5H **67**
Chanston Av. B14 —4A **106**
Chanterelle Gdns. WV4 —1G **41**
Chantrey Cres. B43 —1H **47**
Chantries, The. CV1 —3D **116**
Chantry Av. WS3 —2F **23**
Chantry Clo. B47 —2B **122**
Chantry Cres. WV14 —4G **31**
Chantry Dri. B62 —1D **86**
Chantry Heath Cres. B93 —2B **126**
Chantry Rd. B13 —3A **90**
Chantry Rd. B21 —4E **59**
Chantry Rd. DY7 —1C **82**
Chantry, The. CV34 —2F **147**
Chapel Ash. WV3 —1G **29**
Chapel Av. WS8 —5D **8** & 5E **9**
Chapel Clo. B64 —5H **69**
Chapel Clo. WV5 —1A **52**
Chapel Ct. CV32 —4B **148**
Chapel Ct. DY5 —3A 68 (off Chapel St.)
Chapel Ct. DY10 —1F **141**
Chapel Dri. B47 —5B **122**
Chapel Dri. CV7 —2C **128**
Chapel Dri. WS8 —5D **8**
Chapelfield Rd. B45 —2E **119**
Chapel Fields Rd. B92 —4C **92**
Chapel Grn. WV13 —1A **32**
Chapel Hill. DY10 —1F **141**
Chapel Ho. La. B63 —2D **84**
Chapelhouse Rd. B37 —4H **77**
Chapel Ho. St. B12 —4B **74**
Chapel La. B29 —4D **88**
Chapel La. B43 —1E **47**
Chapel La. B47 —5A **122**
Chapel La. CV1 —4H **115**
Chapel La. WS14 —4G **151**
Chapel La. WV8 —5A **10**
Chapelon. B77 —3G **135**
Chapel Pas. B69 —2E **71**
Chapel Row. CV34 —4E **147**
Chapel Sq. CV6 —5D **100**
Chapel Sq. WS6 —4B **6**
Chapel St. B4 —3A **74** & 2D **152**
Chapel St. B21 —5C **58**
Chapel St. B60 —3E **143**
Chapel St. B63 —4G **85**
Chapel St. B69 —5C **56**
Chapel St. B70 —1E **57**
Chapel St. B97 —4B **144**
Chapel St. CV1 —4B **116**
Chapel St. CV11 —3F **137**
Chapel St. CV12 —3F **81**
Chapel St. CV31 —5B **149**
Chapel St. CV34 —4E **147**
Chapel St. DY2 —2E **69**
Chapel St. DY4 —1F **55** (in two parts)
Chapel St. DY5 —3A **68** (Brierley Hill)
Chapel St. DY5 —5H **53** (Pensnett)
Chapel St. DY5 —5C **68** (Quarry Bank)
Chapel St. DY6 —4B **52**
Chapel St. DY8 —2F **83** (Stourbridge)
Chapel St. DY8 —3D **66** (Wordsley)
Chapel St. DY9 —2A **84**
Chapel St. DY11 —3D **140**
Chapel St. WS3 —2G **23** (Bloxwich)
Chapel St. WS3 —5A **16** (Pelsall)
Chapel St. WS7 —1D **8**
Chapel St. WS8 —5D **8**
Chapel St. WS10 —2C **44**
Chapel St. WS11 —3H **7**
Chapel St. WS12 —5G **5**
Chapel St. WV2 —4H **29**
Chapel St. WV5 —1A **52**
Chapel St. WV14 —5G **31**
Chapel View. B67 —2A **72**
Chapel Wlk. B30 —5F **105**
Chapel Wlk. B60 —3E **143**
Chapel Wlk. DY3 —3G **53**
Chapelwood Gro. B42 —1H **59**
Chapel Yd. CV1 —4A **116**
Chapel Yd. LE10 —2F **139**
Chaplain Rd. WS12 —4G **5**
Chapman Clo. CV31 —7E **149**
Chapman Rd. B10 —5D **74**
Chapman's Hill. B62 —1A **118**
Chapmans Pas. B1 —4H **73** & 4B **152**
Chapman St. B70 —2E **57**
Chard Rd. CV3 —2G **133**
Charfield Clo. B30 —2C **104**
Charford Rd. B60 —5D **142**
Charingworth Rd. B92 —4E **93**
Charity Rd. CV7 —1H **99**
Charlbury Av. B37 —3G **77**
Charlbury Cres. B26 —5C **76**
Charlbury M. CV31 —6D **149**
Charlcote Rd. CV6 —4H **99**
Charlecote Clo. B98 —3G **145**
Charlecote Croft. B90 —1A **124**
Charlecote Dri. B23 —4F **49**
Charlecote Gdns. B73 —4G **49**
Charlecote Gdns. CV31 —7D **149**
Charlecote Rise. WV13 —2G **31**
Charlecott Clo. B13 —1E **107**

Charlemont Av.—Chilworth Av.

Charlemont Av. B71 —3H 45
Charlemont Clo. WS5 —4B 34
Charlemont Clo. WS12 —3F 5
Charlemont Cres. B71 —3H 45
Charlemont Gdns. WS5 —4B 34
Charlemont Rd. B71 —3H 45
Charlemont Rd. WS5 —4B 34
Charles Av. B65 —2A 70
Charles Av. DY10 —1F 141
Charles Av. WV4 —5G 29
Charles Av. WV11 —4G 13
Charles Clo. B8 —2E 75
Charles Clo. WS6 —5B 6
Charles Ct. B76 —1C 50
Charles Cres. WS3 —4A 16
Charlesdale Dri. WS9 —5G 25
Charles Dri. B7 —1C 74
Charles Eaton Rd. CV12 —3D 80
Charles Edward Rd. B26 —1A 92
Charles Foster St. WS10 —4A 32
Charles Gardner Rd. CV31 —6B 149
Charles Hayward Flats. WV6 —4G 19
Charles Henry St. B12 —5A 74 & 5D 152
Charles Holland St. WV13 —1A 32
Charles Moor Shopping Pde. CV3 —2B 132
Charles Pearson Ct. B66 (off Mill Dri.) —2B 72
Charles Rd. B6 —4B 60
Charles Rd. B9 & B10 —4E 75 to 5E 75
Charles Rd. B20 —4G 59
Charles Rd. B63 —3G 85
Charles Rd. B91 —5B 108
Charles Rd. DY4 —4H 43
Charles Rd. DY5 —4C 68
Charles Rd. DY8 —2D 82
Charles St. B66 —5B 58
Charles St. B70 —1C 56
Charles St. B97 —4A 144
Charles St. CV1 —4C 116
Charles St. CV11 —2E 137
Charles St. CV34 —3F 147
Charles St. DY10 —3E 141
Charles St. LE10 —2F 139
Charles St. WS2 —2G 33
Charles St. WV13 —5A 22
Charles Wlk. B65 —2A 70
Charles Watson Ct. CV32 —3C 148
Charlesworth Av. B90 —3E 125
Charleville Rd. B19 —5F 59
Charlewood Rd. CV6 —4A 100
Charlock Gro. WS11 —3F 5
Charlotte Clo. B69 —3H 55
Charlotte Gdns. B66 —1B 72
Charlotte Rd. B15 —5G 73
Charlotte Rd. B30 —2F 105
Charlotte Rd. WS10 —2A 44
Charlotte St. B3 —3G 73 & 2A 152
Charlotte St. CV31 —6B 149
Charlotte St. DY1 —4D 54
Charlotte St. WS1 —1A 34
Charlton Dri. B64 —5E 69
Charlton Pl. B8 —2E 75
Charlton Rd. B44 —4B 48
Charlton St. DY1 —3D 54
Charlton St. DY5 —3F 67
Charminster Av. B25 —5B 76
Charminster Dri. CV3 —4C 132
Charnley Dri. B75 —1B 38
Charnwood Av. CV10 —4C 136
Charnwood Av. DY3 —2H 41
Charnwood Clo. B45 —4E 103
Charnwood Clo. DY5 —5G 67
Charnwood Clo. LE10 —1F 139
Charnwood Clo. WS12 —3F 5
Charnwood Clo. WS13 —2H 151
Charnwood Clo. WV14 —1H 43
Charnwood Ct. DY9 —4A 84
Charnwood Ho. WS13 —1F 151
Charnwood Rd. B42 —4E 47
Charnwood Rd. LE10 —1F 139
Charnwood Rd. WS5 —1A 46
Charnwood Way. CV32 —2D 148
Charter Av. CV4 —2A 130 to 2F 131
Charter Clo. WS11 —3H 7
Charter Cres. B64 —5H 69
Charter Dri. B64 —3D 50
Charterfield Cen. DY4 —4D 52
Charterfield Clo. WS12 —4F 5
Charterfield Dri. DY6 —4D 52
Charterhouse Dri. B91 —1E 125
Charterhouse Dri. B91 —5E 109
Charterhouse Rd. CV1 —5D 116
Charters Av. WV8 —1B 18
Charters, The. WS13 —2G 151
Charter St. DY5 —1B 68
Chartist Rd. B8 —1E 75
Chartley Clo. B93 —5G 125
Chartley Clo. WV6 —5A 18
Chartley Rd. B23 —3D 60
Chartley Rd. B71 —5G 45
Chartway, The. WS3 —4A 16
Chartwell. B79 —1A 134
Chartwell Clo. CV11 —5H 137
Chartwell Clo. DY1 —5D 42
Chartwell Dri. B74 —5E 27
Chartwell Dri. B90 —4B 124
Chartwell Dri. WV5 —1A 52
Chartwell Dri. WV10 —1A 20
Chase Av. WS6 —4C 6
Chase Clo. CV11 —2G 137
Chase Gro. B24 —5A 50
Chase La. CV8 —1A 150
Chaseley Av. WS11 —4A 4
Chaseley Croft. WS11 —4A 4
Chaseley Gdns. WS7 —1G 9
Chase Pk. Ind. Est. WS7 —1D 8
Chase Rd. DY3 & DY5 —3G 53
Chase Rd. WS3 —2D 22
Chase Rd. WS7 —2F 9
Chase Rd. WS8 —1F 17 (in two parts)
Chaseside Dri. WS12 —3E 5
Chaseside Ind. Est. WS12 —3E 5
Chase, The. B76 —4B 50
Chasetown Ind. Est. WS7 —1D 8
Chase Vale. WS7 —2D 8
Chase View. WV4 —2A 42
Chase Wlk. WS12 —2A 4
Chasewater Way. WS11 —2H 7
Chasewood Pk. Bus. Cen. WS12 —5H 5
Chatham Clo. CV3 —1F 133
Chatham Rd. B31 —4A 104
Chatsworth Av. B43 —2C 46
Chatsworth Clo. B72 —4A 50
Chatsworth Clo. B90 —4B 124
Chatsworth Clo. LE10 —4G 139
Chatsworth Clo. WV12 —4H 21
Chatsworth Cres. WS4 —3C 24
Chatsworth Dri. CV11 —5H 137
Chatsworth Dri. WS11 —2E 5
Chatsworth Gdns. CV31 —6D 149
Chatsworth Gro. CV8 —2D 150
Chatsworth M. DY8 —3C 66
Chatsworth Rise. CV3 —3C 132
Chatsworth Rd. B62 —5H 69 & 1H 85
Chatsworth Tower. B15 —5G 73
Chattaway Dri. CV7 —3C 128
Chattaway St. B7 —5D 60
Chatterton Wlk. DY10 —3G 141
Chattle Hill. B46 —3D 64
Chattock Clo. B36 —5B 62
Chatwell Gro. B29 —4B 88
Chatwin Pl. WV14 —1F 43
Chatwin St. B66 —5H 57
Chatwins Wharf. DY4 —5G 43
Chaucer Av. DY3 —1F 53
Chaucer Av. DY4 —4H 43
Chaucer Av. WV12 —2B 22
Chaucer Clo. B23 —2C 60
Chaucer Clo. B79 —2C 134
Chaucer Clo. DY8 —5F 67
Chaucer Clo. WS14 —4G 151
Chaucer Clo. WV14 —3E 43
Chaucer Cres. DY10 —3H 141
Chaucer Dri. WS7 —1F 9
Chaucer Gro. B27 —4H 91
Chaucer Ho. B63 —2D 84
Chaucer Rd. B60 —5F 143
Chaucer Rd. WS3 —2G 23
Chauntry Pl. CV1 —4B 116
Chauson Gro. B91 —1D 124
Chavasse Rd. B72 —1A 50
Chawn Hill. DY9 —3H 83
Chawn Hill Clo. DY9 —3H 83
Chawn Pk. Dri. DY9 —3H 83
Chaynes Gro. B33 —3F 77
Cheadle Clo. CV2 —3E 101
Cheadle Dri. B23 —4E 49
Cheam Clo. CV6 —5E 101
Cheam Gdns. WV6 —2E 19
Cheapside. B5 & B12 —4B 74
Cheapside. WV1 —1H 29
Cheapside. WV13 —2H 31
Cheatham St. B7 —5D 60
Checketts St. WS2 —1F 33
Checkley Croft. B76 —4C 50
Cheddar Rd. B12 —2A 90
Chedworth Clo. B29 —2A 104
Chedworth Clo. B98 —1F 145
Chedworth Ct. B29 —5D 88
Cheedon Clo. B93 —5G 125
Chelford Cres. DY6 —3F 67
Chells Gro. B13 —3C 106
Chelmar Clo. B36 —4H 63
Chelmar Dri. DY5 —1F 67
Chelmarsh Av. WV3 —2B 28
Chelmorton Rd. B42 —4H 47
Chelmscote Rd. B92 —5C 92
Chelmsley Av. B46 —1E 79
Chelmsley Circle. B37 —3A 78
Chelmsley Gro. B33 —3G 77
Chelmsley La. B37 —5H 77
Chelmsley Rd. B37 —3H 77 to 4C 78
Chelsea Clo. B32 —3H 87
Chelsea Clo. CV11 —1H 137
Chelsea Dri. B74 —5F 27
Chelsea Trading Est. B7 —1B 74
Chelsea Way. DY6 —5C 52
Chelsey Rd. CV2 —1H 117
Chelston Dri. WV6 —5D 18
Chelston Rd. B31 —5H 103
Cheltenham Clo. CV12 —2E 81
Cheltenham Dri. B36 —4B 62
Cheltenham Dri. DY6 —1B 66
Chelthorn Way. B91 —5E 109
Cheltondale Rd. B91 (in two parts) —2C 108
Chelveston Cres. B91 —1D 124
Chelveston Rd. CV6 —3F 115
Chelworth Rd. B38 —5G 105
Chem Rd. WV14 —5D 30
Chenies Clo. CV5 —4D 114
Cheniston Rd. WV12 —3B 22
Chepstow Clo. CV3 —3F 133
Chepstow Clo. WV6 —5A 18
Chepstow Gro. B45 —3E 119
Chepstow Rd. WS3 —1C 22
Chepstow Rd. WV10 —4A 12
Chepstow Way. WS3 —2D 22
Chequerfield Dri. WV3 —4F 29
Chequers Av. WV5 —3A 40
Chequers, The. WS13 —2G 151
Chequer St. CV12 —1B 80
Chequer St. WV3 —4F 29
Cherhill Covert. B14 —5H 105
Cherington Clo. B98 —4H 145
Cherington Rd. B29 —5F 89
Cheriton Clo. CV5 —4F 115
Cheriton Gro. WV6 —2A 18
Cheriton Wlk. B23 —2D 60
Cherrington Clo. B29 —1H 103
Cherrington Dri. WS6 —3C 6
Cherrington Gdns. DY9 —5H 83
Cherrington Gdns. WV6 —1B 28
Cherrington Way. B91 —1D 124
Cherrybrook Way. CV2 —5F 101
Cherry Clo. CV6 —4B 100
Cherry Clo. WS7 —2E 9
Cherry Cres. B61 —3C 142
Cherry Dri. B9 —4C 74
Cherry Dri. B64 —4G 69
Cherry Grn. DY1 —1B 54
Cherry Gro. B66 —1C 72 (off Rosedale Av.)
Cherry Gro. DY8 —3D 82
Cherry Gro. WV11 —3E 21
Cherry Hill Wlk. DY1 —4C 54
Cherry La. CV35 —4A 146
Cherry La. DY3 —2C 52
Cherry La. WS10 —2E 45
Cherry Lea. B34 —1E 77
Cherry Orchard. B64 —4G 69
Cherry Orchard. CV8 —3C 150
Cherry Orchard. DY10 —3E 141
Cherry Orchard. WS14 —4G 151
Cherry Orchard Av. B63 —2G 85
Cherry Orchard Cres. B63 —2G 85
Cherry Orchard Dri. B61 —3C 142
Cherry Orchard Rd. B20 —1E 59
Cherry Rd. DY4 —4G 43
Cherry St. B2 —3A 74 & 3C 152
Cherry St. B63 —2G 85
Cherry St. B79 —2C 134
Cherry St. CV34 —3E 147
Cherry St. DY8 —3D 82
Cherry St. WV3 —2G 29
Cherry Tree Av. CV10 —2C 136
Cherry Tree Av. WS5 —5A 34
Cherry Tree Ct. B30 —3E 105
Cherry Tree Ct. DY9 —4A 84
Cherry Tree Gdns. WV8 —5B 10
Cherry Tree La. B63 —5E 85
Cherry Tree La. WV8 —5B 10
Cherry Tree Rd. DY6 —4E 53
Cherry Tree Rd. WS11 —3B 8
Cherry Tree Wlk. B79 —1C 134
Cherry Tree Wlk. B97 —2A 144
Cherry Wlk. B47 —3C 122
Cherry Way. CV8 —3B 150
Cherrywood Cres. B91 —1E 125
Cherrywood Grn. WV14 —3E 31
Cherrywood Gro. CV5 —3C 114
Cherrywood Ind. Est. B9 —3E 75
Cherrywood Rd. B9 —4E 75
Cherry Wood Rd. B74 —2H 35
Cherry Wood Way. B74 —4E 27
Chervil Clo. B42 —4H 47
Chervil Rise. WV10 —5B 20
Cherwell. B77 —3E 135
Cherwell Clo. LE10 —3C 138
Cherwell Dri. B36 —4H 63
Cherwell Dri. WS8 —5B 8
Cherwell Gdns. B6 —4H 59
Chesford Cres. CV6 —4E 101
Chesford Cres. CV34 —2F 147
Chesham St. CV31 —5C 149
Cheshire Av. B90 —5G 107
Cheshire Clo. DY8 —5D 66
Cheshire Gro. DY11 —2B 140
Cheshire Gro. WV6 —2A 18
Cheshire Rd. B6 —3C 60
Cheshire Rd. B67 —2A 72
Cheshire Rd. WS2 —1C 32
Chesholme Rd. CV6 —4A 100
Cheshunt Pl. B14 —5A 90
Chesils, The. CV3 —3B 132
Cheslyn Dri. WS6 —4B 6
Cheslyn Gro. B14 —4C 106
Chessetts Gro. B13 —2C 106
Chessher St. LE10 —2E 139
Chester Av. WV6 —3E 19
Chester Clo. B37 —4A 78
Chester Clo. WS11 —5E 5
Chester Clo. WS13 —1H 151
Chester Clo. WV13 —1B 32
Chesterfield Clo. B31 —5B 104
Chesterfield Ct. WS9 —4E 17
Chesterfield Rd. WS14 & WS13 —5F 151
Chestergate Croft. B24 —1B 62
Chester Hayes Ct. B24 —5A 50
Chester Pl. WS2 —2E 33
Chester Rise. B68 —5E 71
Chester Rd. B64 —5D 68
Chester Rd. B71 —3E 45
Chester Rd. B73, B23, B24, B36, B37 & CV7 —3E 49 to 3G 95
Chester Rd. B74 —2B 36
Chester Rd. DY2 —3E 69
Chester Rd. WS8 & WS9 —3F 17 to 4A 26
Chester Rd. N. B73 —5C 36 to 2E 49
Chester Rd. N. DY10 —1F 141 to 3F 141
Chester Rd. N. WS8 —5C 8
Chester St. B6 —1B 74
Chester St. CV1 —4A 116
Chester St. WV6 —5G 19
Chesterton Av. B12 —2C 90
Chesterton Av. B18 —2D 72
Chesterton Clo. B91 —3C 108
Chesterton Dri. CV31 —7D 149 to 6D 149
Chesterton Rd. B12 —2C 90
Chesterton Rd. CV6 —1H 116
Chesterton Rd. WV10 —2C 20
Chesterton Way. B79 —2C 134
Chesterwood. B47 —3B 122
Chesterwood Gdns. B20 —3A 60
Chesterwood Rd. B13 —2B 106
Chestnut Av. B79 —1C 134
Chestnut Av. CV8 —4A 150
Chestnut Av. DY1 —2D 54
Chestnut Av. DY4 —4G 43
Chestnut Clo. B74 —1B 36
Chestnut Clo. B92 —1B 108
Chestnut Clo. DY8 —4C 82
Chestnut Clo. WS11 —5F 5
Chestnut Clo. WV8 —5A 10
Chestnut Ct. B66 —5H 57
Chestnut Ct. B77 —4D 134
Chestnut Cres. CV10 —2C 136
Chestnut Dri. B24 —1A 62
Chestnut Dri. B36 —4D 62
Chestnut Dri. B45 —4F 119
Chestnut Dri. WS4 —2B 24
Chestnut Dri. WS6 —4B 6 (Cheslyn Hay)
Chestnut Dri. WS6 —4D 6 (Great Wyrley)
Chestnut Dri. WV5 —1B 52
Chestnut Gro. B17 —2C 88
Chestnut Gro. B46 —5E 65
Chestnut Gro. CV4 —5D 114
Chestnut Gro. DY6 —5E 53
Chestnut Gro. DY11 —1B 140
Chestnut Gro. WV11 —3E 21
Chestnut Pl. B12 —1B 90
Chestnut Pl. WS3 —3G 23
Chestnut Rd. B13 —3B 90
Chestnut Rd. B61 —2D 142
Chestnut Rd. B68 —5F 71
Chestnut Rd. CV12 —2G 81
Chestnut Rd. WS3 —3G 23
Chestnut Rd. WS10 —2D 44
Chestnuts Av. B26 —5E 77
Chestnut Sq. CV32 —3C 148
Chestnuts, The. B11 —1E 91
Chestnuts, The. CV3 —1E 133
Chestnuts, The. CV12 —4D 80
Chestnut Tree Av. CV4 —5D 114
Chestnut Wlk. B37 —3A 78
Chestnut Way. WV3 —3D 28
Chestom Rd. WV14 —5D 30
Chestom Rd. Ind. Est. WV14 —5D 30
Cheston Ind. Est. B7 —5C 60
Cheston Rd. B7 —5C 60
Cheswell Clo. WV6 —1C 28
Cheswick Clo. CV6 —2E 117
Cheswick Clo. WV13 —3G 31
Cheswick Way. B90 —4B 124
Cheswood Dri. B76 —5D 50
Chesworth Rd. B60 —4F 143
Chetland Croft. B92 —1H 109
Chettle Rd. WV14 —1G 43
Chetton Grn. WV10 —5G 11
Chetwode Clo. CV5 —3D 114
Chetwood Clo. WV6 —4F 19
Chetwynd Clo. WS2 —1B 32
Chetwynd Gdns. WS11 —4B 4
Chetwynd Rd. B8 —1H 75
Chetwynd Rd. WV2 —4G 29
Cheveley Av. B45 —2E 119
Chevening Clo. DY3 —4A 42
Cheveral Av. CV6 —2A 116
Cheveral Rd. CV12 —2E 81
Cheverel Pl. CV11 —4F 137
Cheverel St. CV11 —4F 137
Cheveridge Clo. B91 —5D 108
Cheverton Rd. B31 —4H 103
Cheviot. B77 —3H 135
Cheviot Clo. CV10 —4A 136
Cheviot Rise. CV32 —2D 148
Cheviot Rise. WS12 —2F 5
Cheviot Rd. DY8 —1F 83
Cheviot Rd. WV2 —4B 30
Cheviot Way. B63 —4E 85
Cheylesmore. CV1 —5B 116
Cheylesmore Clo. B73 —1H 49
Cheyne Gdns. B28 —4F 107
Cheyne Wlk. B17 —2C 88
Cheyne Wlk. DY5 —5H 67
Cheyney Clo. WV6 —4G 19
Chichester Av. DY2 —2F 69
Chichester Av. DY11 —1C 140
Chichester Ct. B73 —5H 37
Chichester Dri. B32 —2D 86
Chichester Dri. WS12 —5F 5
Chichester Gro. B37 —4A 78
Chichester La. CV35 —4A 146
Chideock Hill. CV3 —3H 131
Chiel Clo. CV5 —3C 114
Chigwell Clo. B35 —2D 62
Chilcote Clo. B28 —3F 107
Childs Av. WV14 —2C 42 & 3C 42
Childs Oak Clo. CV7 —3B 128
Chilgrove Gdns. WV6 —4C 18
Chilham Dri. B37 —3B 78
Chillaton Rd. CV6 —4A 100
Chillinghome Rd. B36 —4B 62
Chillinghome Rd. B36 —4A 62
Chillington Clo. WS6 —1C 14
Chillington Dri. WV8 —4A 10
Chillington Fields. WV1 —2C 30
Chillington Pl. WV14 —5D 30
Chillington Rd. DY4 —3A 44
Chillington St. WV1 —2B 30
Chillington Wlk. B65 —3B 70
Chiltern Clo. B63 —5E 85
Chiltern Croft. B61 —1E 143
Chiltern Dri. WV13 —2E 31
Chiltern Leys. CV6 —3H 115
Chiltern Rd. B77 —3H 135
Chiltern Rd. DY8 —2G 83
Chilterns, The. CV5 —3D 114
Chilton Rd. B14 —3E 107
Chilvers Ct. CV11 —3F 137
Chilvers Gro. B37 —1H 77
Chilwell Clo. B91 —1D 124
Chilwell Croft. B19 —1A 74
Chilworth Av. WV11 —2G 21

Chilworth Clo.—Clifton Rd.

Chilworth Clo. B6 —5B 60
Chilworth Clo. CV11 —5H 137
Chimes Clo. B33 —4G 77
Chimney Rd. DY4 —4B 44
Chines, The. CV11 —4G 13 (off Fifield Clo.)
Chingford Clo. DY8 —2C 66
Chingford Rd. B44 —4B 48
Chingford Rd. CV6 —3E 101
Chinley Gro. B44 —3D 48
Chinn Brook Rd. B13 —3C 106
Chip Clo. B38 —5C 104
Chipperfield Rd. B36 —4B 62
Chipstead Rd. B23 —4E 49
Chipstone Clo. B91 —1E 125
Chirbury Gro. B31 —1A 120
Chirk Clo. DY11 —5E 141
Chirton Gro. B14 —2H 105
Chiseldon Croft. B14 —5B 106
Chisholm Gro. B27 —1H 107
Chiswell Rd. B18 —2D 72
Chiswick Wlk. B37 —3C 78
Chitern Clo. DY3 —2A 54
Chivenor Ho. B35 —3D 62
Chivington Clo. B90 —3E 125
Chorley Av. B34 —5C 62
Christchurch Clo. B15 —5D 72
Christchurch Gdns. WS13 —3E 151
Christchurch La. WS13 —4E 151
Christchurch Rd. CV6 —2H 115
Christine Clo. DY4 —2A 44
Christine Ledger Sq. CV31 —6B 149
Christopher Rd. B29 —5C 88
Christopher Rd. B62 —3C 86
Christopher Rd. WV2 —3A 30
Christopher's Wlk. WS13 —1F 151
Christopher Taylor Ct. B30 —3D 104
Chub. B77 —5E 135
Chubb St. WV1 —1A 30
Chuckery Rd. WS1 —2A 34
Chudleigh Av. B23 —1E 61
Chudleigh Gro. B43 —4C 46
Chudleigh Rd. B23 —1E 61
Chudleigh Rd. CV2 —1H 117
Churchacre. B23 —4D 48
Church Av. B13 —4B 90
Church Av. B20 —4G 59
Church Av. B46 —2A 64
Church Av. DY8 —1F 83
Churchbridge. B69 —5D 56 (in two parts)
Church Clo. B37 —1H 77
Church Clo. CV31 —8C 149
Church Clo. LE10 —5H 139
Church Ct. B64 —4F 69
Church Cres. WV11 —5G 13
Churchcroft. B17 —2B 88
Church Croft. B63 —3H 85
Church Cross View. DY1 —4A 54
Churchdale Clo. CV10 —3B 136
Church Dale Rd. B44 —2H 47
Church Dri. CV8 —3B 150
Church End L Spa CV31 —6E 149
Churchfield Av. DY4 —3G 43
Churchfield Clo. B7 —5D 60
Churchfield Rd. WV10 —2G 19
Churchfields. B61 —3D 142
Churchfields. DY10 —2D 140
Churchfields Clo. B61 —2D 142
Churchfields Gdns. B61 —3D 142
Churchfields Rd. B61 —2D 142
Churchfields Rd. WS10 —1D 44
Churchfield St. DY2 —4D 54
Church Gdns. B67 —2A 72
Church Grn. B20 —3E 59
Church Grn. WV14 —3E 31
Church Grn. E. B98 —2C 144
Church Grn. W. B97 —2C 144
Church Gro. B13 —3D 106
Church Gro. B20 —3G 59
Church Hill. B31 —4A 104
Church Hill. B32 —2E 103
Church Hill. B46 —5E 65
Church Hill. B72 —5A 38
Church Hill. CV32 —1E 148 (Cubbington)
Church Hill. CV32 —4A 148 (Leamington Spa)
Church Hill. DY5 —3H 67
Church Hill. WS1 —2H 33
Church Hill. WS10 —1D 44 (in two parts)
Church Hill. WS12 —2F 5
Church Hill. WV4 —1E 41
Church Hill. WV8 —4A 10
Church Hill Clo. B91 —5E 109
Church Hill Ct. WS10 —1D 44
Church Hill Dri. WV6 —4D 18
Church Hill Rd. B20 —3F 59
Church Hill Rd. B91 —5E 109 & 4E 109
Church Hill Rd. WV6 —4D 18
Church Hill St. B67 —1A 72
Church Hill Way. B98 —1F 145
Church Ho. Dri. B72 —5A 38
Churchill Av. CV6 —5C 100
Churchill Av. CV8 —2C 150
Churchill Clo. B69 —3A 56
Churchill Dri. B65 —3A 70
Churchill Dri. DY8 —1F 83 & 1G 83
Churchill Gdns. DY3 —4H 41
Churchill Ho. WS5 —1B 46
Churchill Pde. B75 —5D 38
Churchill Pl. B33 —4D 76
Churchill Precinct, The. DY2 —3E 55
Churchill Rd. B9 —3F 75
Churchill Rd. B63 —4G 85
Churchill Rd. B75 —5D 38
Churchill Rd. WS2 —1B 32
Churchill Wlk. DY4 —4H 43
Church La. B6 —4C 60 & 5C 60
Church La. B20 —3E 59
Church La. B33 —3C 76
Church La. B61 —3D 142
Church La. B63 —3H 85
Church La. B71 —5E 45
Church La. B76 —2H 51
Church La. B79 —3C 134
Church La. B92 —5C 94
Church La. CV2 —4F 117
Church La. CV5 —3H 113
Church La. CV7 —4D 112 (Berkswell)
Church La. CV7 —1C 98 (Corley)
Church La. CV7 —1C 100 (Exhall)
Church La. CV7 —5E 97 (Meriden)
Church La. CV10 —1F 137
Church La. CV31 —8C 149
Church La. CV32 —1E 148 (Cubbington)
Church La. CV32 —2C 148 (Lillington)
Church La. WS7 —4H 9
Church La. WV2 —2H 29
Church La. WV8 —4A 10
Church La. WV9 —1H 11
Church M. DY4 —4F 43
Church Moat Way. WS3 —2E 23
Churchover Clo. B76 —5A 50
Church Pk. Clo. CV6 —5G 99
Church Path. CV35 —4A 146
Church Pl. WS3 —2G 23
Church Rd. B6 —5C 60
Church Rd. B13 —3B 90
Church Rd. B15 —1F 89
Church Rd. B24 —2G 61
Church Rd. B25 & B33 —1A 92 to 3C 76
Church Rd. B26 —2E 93
Church Rd. B31 —4A 104 (in two parts)
Church Rd. B42 —1H 59
Church Rd. B61 —3D 142
Church Rd. B63 —1D 84
Church Rd. B65 —2A 70
Church Rd. B67 —2H 71
Church Rd. B73 —4F 49 (Boldmere)
Church Rd. B73 —1H 49 (Maney)
Church Rd. B90 —5H 107
Church Rd. B97 —2C 144
Church Rd. CV8 —5C 132
Church Rd. CV10 —1A 136 (Hartshill)
Church Rd. CV10 —4B 136 (Stockingford)
Church Rd. DY2 —2D 68
Church Rd. DY8 —3G 83 (Stourbridge)
Church Rd. DY8 —4D 66 (Wordsley)
Church Rd. DY9 —2A 84
Church Rd. WS3 —5A 16
Church Rd. WS7 —1H 9
Church Rd. WS9 —1A 26
Church Rd. WS11 —3G 7
Church Rd. WV3 —3E 29
Church Rd. WV5 —4B 40
Church Rd. WV6 —1B 28 (Tettenhall Wood)
Church Rd. WV6 —4D 18 (Tettenhall)
Church Rd. WV8 —4A 10
Church Rd. WV10 —1H 19 (Oxley)
Church Rd. WV10 —1E 13 (Shareshill)
Church Rd. WV12 —3B 22
Church Rd. WV14 —3E 43
Churchside Way. WS9 —1F 25
Church Sq. B69 —5D 56
Church St. B3 —3H 73 & 2B 152
Church St. B19 —5G 59
Church St. B61 —3D 142
Church St. B62 —4B 70
Church St. B64 —4F 69
Church St. B69 —4D 56
Church St. B70 —2F 57
Church St. B79 —3C 134
Church St. CV1 —3C 116
Church St. CV11 —3F 137
Church St. CV12 —1B 80
Church St. CV31 —5B 149
Church St. CV34 —4D 146
Church St. DY2 —4E 55
Church St. DY3 —2H 53
Church St. DY4 —3H 55
Church St. DY5 —4H 67 (Brierley Hill)
Church St. DY5 —5H 53 (Pensnett)
Church St. DY5 —4C 68 (Quarry Bank)
Church St. DY8 —2F 83
Church St. DY10 —2D 140
Church St. LE10 —4H 139
Church St. WS1 —2H 33
Church St. WS3 —2E 23
Church St. WS7 —3D 8
Church St. WS8 —3D 16
Church St. WS10 —4B 32 (Darlaston)
Church St. WS10 —5A 32 (Moxley)
Church St. WS11 —2B 6 (Bridgtown)
Church St. WS11 —5C 4 (Cannock in two parts)
Church St. WS11 —3D 4 (Chadsmoor)
Church St. WS13 —3G 151 (in two parts)
Church St. WV2 —2H 29
Church St. WV10 —5C 20
Church St. WV11 —4E 21
Church St. WV13 —1H 31
Church St. WV14 —5E 31
Church Ter. B33 —4C 76
Church Ter. CV31 —5B 149
Church Ter. CV32 —1E 148
Church Vale. B20 —3G 59
Church Vale. B71 —5G 45
Church Vale. WS11 —3G 7
Church View. B77 —5F 135
Church View Dri. B64 —4G 69
Church Wlk. B8 —1G 75
Church Wlk. B65 —2A 70
Church Wlk. CV5 —2E 115
Church Wlk. CV11 —4G 137
Church Wlk. CV12 —3F 81
Church Wlk. CV31 —5B 149
Church Wlk. DY11 —2C 140
Church Wlk. LE10 —2E 139
Church Wlk. WS8 —2E 17
Church Wlk. WV3 —3E 29
Church Wlk. WV6 —4E 19
Church Wlk. WV13 —2H 31
Churchward Clo. DY8 —1G 83
Churchward Gro. WV5 —4A 40
Church Way. CV12 —3F 81
Church Way. WS4 —1B 24
Churchwell Ct. B63 —4H 85
Churchwell Ct. WV5 —5B 40
Churchwell Gdns. B71 —5G 45
Churchyard Rd. DY4 —1H 55
Churnet Gro. WV6 —5A 18
Churn Hill Rd. WS9 —5F 25
Churston Clo. WS3 —5D 14
Chylds Ct. CV5 —3D 114
Cider Av. DY5 —5A 68
Cinder Bank. DY2 —5D 54
Cinder Rd. DY3 —3G 53
Cinder Rd. WS7 —1D 8
Cinder Way. WS10 —1C 44
Circle, The. B17 —1B 88
Circle, The. CV10 —3C 136
Circuit Clo. WV13 —1H 31
Circular Rd. B27 —4A 92
Circus Av. B37 —3B 78
Cirencester Clo. B60 —3F 143
City Arc. B2 —3A 74 (off Corporation St.)
City Arc. CV1 —5B 116
City Est. B64 —5E 69
City Plaza. B2 —3H 73 (off Temple St.)
City Rd. B17 & B16 —4B 72
City Rd. B69 —5H 55
City, The. DY4 —2G 55
City Trading Est. B16 —3F 73
City View. B8 —2E 75
City Wlk. B2 —4A 74 & 4C 152
Civic Clo. B1 —3G 73 & 3A 152
Claerwen Gro. B31 —3G 103
Claines Cres. DY10 —3G 141
Claines Rd. B31 —3C 104
Claines Rd. B63 —2F 85
Claire Ct. B26 —1F 93
Clandon Clo. B4 —5G 105
Clanfield Av. WV11 —2G 21
Clapgate Gdns. WV14 —1C 42
Clapgate La. B32 —4E 87
Clapham Sq. CV31 —6C 149
Clapham St. CV31 —6C 149
Clapham Ter. CV31 —5C 149
Clapton Gro. B44 —3C 48
Clara St. CV2 —5E 117
Clare Av. WV11 —1G 21
Clare Clo. CV32 —3D 148
Clare Ct. B90 —5E 107
Clare Cres. WV14 —2B 42
Clare Dri. B15 —5E 73
Clarel Av. B8 —3D 74
Claremont Ct. B64 —4F 69
Claremont M. WV3 —3G 29
Claremont Pl. B18 —2E 73
Claremont Rd. B11 —1C 90
Claremont Rd. B18 —1F 73
Claremont Rd. B66 —2B 72
Claremont Rd. B79 —1B 134
Claremont Rd. CV31 —6B 149
Claremont Rd. DY3 —3A 42
Claremont Rd. WV3 —3G 29
Claremont St. B64 —4F 69
Claremont St. WV14 —4E 31
Claremont Wlk. CV5 —2E 115
Claremont Way. B63 —4H 85
Clarence Av. B21 —4C 58
Clarence Gdns. B74 —1G 37
Clarence Rd. B11 —3D 90
Clarence Rd. B13 —5B 90
Clarence Rd. B17 —1C 88
Clarence Rd. B21 —4C 58
Clarence Rd. B23 —2E 61
Clarence Rd. B74 —4F 27
Clarence Rd. DY2 —5E 55
Clarence Rd. LE10 —3F 139
Clarence Rd. WV1 —1G 29
Clarence Rd. WV14 —3F 31
Clarence St. CV1 —4C 116
Clarence St. CV11 —3E 137
Clarence St. CV31 —6B 149
Clarence St. DY3 —5A 42
Clarence St. DY10 —2F 141
Clarence St. WV1 —1G 29
Clarence Ter. CV32 —4B 148
Clarendon Av. CV32 —4B 148
Clarendon Cres. CV32 —4A 148
Clarendon Pl. B62 —1D 86
Clarendon Pl. CV32 —4A 148
Clarendon Pl. WS3 —4H 15
Clarendon Rd. B16 —4D 72
Clarendon Rd. B67 —2H 71
Clarendon Rd. B75 —1A 38
Clarendon Rd. CV8 —4B 150
Clarendon Rd. LE10 —3E 139
Clarendon Rd. WS4 —1C 24
Clarendon Sq. CV32 —4B 148
Clarendon St. CV5 —1G 131
Clarendon St. CV32 —4B 148
Clarendon St. WS3 —1E 23
Clarendon St. WV3 —1F 29
Clarendon Way. B91 —4E 109
Clare Rd. WS3 —3A 24
Clare Rd. WV10 —3A 20
Clare's Ct. DY11 —2C 140
Clarewell Av. B91 —1D 124
Clare Witnell Clo. DY11 —1B 140
Clarion Way. WS11 —2C 4
Clarke Ho. WS3 —1E 23
Clarke's Av. CV8 —4B 150
Clarkes Gro. DY4 —5A 44
Clarke's La. B71 —4F 45
Clarke's La. WV13 —5A 22
Clarke St. B97 —2C 144
Clarkes Yd. LE10 —2E 139
Clark Rd. WV3 —1E 29
Clarkson Dri. CV31 —8B 149
Clarkson Rd. WS10 —1D 44
Clark St. B16 —4E 73
Clark St. CV6 —5E 101
Clark St. DY8 —2E 83
Clarry Dri. B74 —3F 37
Clary Gro. WS5 —1A 46
Claughton Rd. DY2 —3F 55
Claughton St. DY11 —3C 140
Clausen Clo. B43 —5A 36
Clavedon Clo. B31 —1H 103
Claverdon Clo. B91 —4B 108
Claverdon Dri. B43 —4D 46
Claverdon Dri. B74 —5D 26
Claverdon Gdns. B27 —2H 91
Claverdon Rd. CV5 —5D 114
Claverley Ct. DY1 —4C 54
Claverley Dri. WV4 —5D 28
Clay Av. CV11 —1H 137
Claybrook Dri. B98 —5H 145
Claybrook St. B5 —4A 74 & 5C 152
Claycroft Pl. DY9 —2B 84
Claycroft Ter. DY1 —5D 42
Claydon Gro. B14 —4C 106
Claydon Rd. DY6 —4C 52
Clay Dri. B32 —2D 86
Claygate Rd. WS12 —3H 5
Clayhanger La. WS8 —2C 16
Clayhanger Rd. WS8 —3E 17
Clay La. B26 —2B 92 & 3B 92
Clay La. B69 —2D 70
Clay La. CV2 —4E 117
Clay La. CV5 —3B 98
Claymore. B77 —5E 135
Claypit Clo. B70 —2D 56
Claypit La. B70 —2D 56
Claypit La. WS14 —5E 151
Clayton Clo. WV2 —3G 29
Clayton Dri. B36 —4E 63
Clayton Dri. B60 —5F 143
Clayton Rd. B8 —1E 75
Clayton Rd. CV6 —3G 115
Clayton Rd. WV14 —4C 42
Clayton Wlk. B35 —3D 62
Clear View. DY6 —1C 66
Cleaver Gdns. CV10 —1F 137
Clee Av. DY11 —5C 140
Clee Hill Dri. WV3 —2A 28
Clee Hill Rd. DY3 —1H 53
Clee Rd. B31 —2A 120
Clee Rd. B68 —2F 71
Clee Rd. DY2 —5C 54
Clee Rd. DY8 —1F 83
Cleeton St. WS12 —5G 5
Cleeve. B77 —2E 135
Cleeve Clo. B98 —1G 145
Cleeve Dri. B74 —4F 27
Cleeve Ho. B24 —3G 61
Cleeve Rd. B14 —3D 106 (in two parts)
Cleeve Rd. WS3 —5D 14
Cleeves Av. CV34 —4H 147
Cleeve Way. WS3 —5C 14
Clee View Meadow. DY3 —2H 41
Clee View Rd. WV5 —1A 52
Clematis. B77 —2G 135
Clemens St. CV31 —5B 149
Clement Pl. WV14 —3E 31
Clement Rd. B62 —4B 70
Clement Rd. WV14 —3E 31
Clements Clo. B69 —2D 70
Clements Rd. B25 —5A 76
Clements St. CV2 —4E 117
Clement St. B1 —3G 73 & 3A 152
Clement St. CV11 —4E 137
Clement St. WS2 —2G 33
Clements Way. B38 —2D 120
Clemson St. WV13 —2H 31
Clennon Rise. CV2 —1G 117
Clensmore St. DY10 —2D 140
Clent Av. B97 —5B 144
Clent Av. DY11 —5B 140
Clent Ct. DY1 —4C 54
Clent Dri. CV10 —3A 136
Clent Rd. B21 —3D 58
Clent Rd. B45 —1C 118
Clent Rd. B68 —5F 71
Clent Rd. DY8 —1F 83
Clent View. B66 —3B 72
Clent View Rd. B32 —5D 86
Clent View Rd. B63 —2D 84
Clent View Rd. DY8 —4C 82
Clent Vs. B12 —2C 90
Clent Way. B32 —1D 102
Cleobury La. B90 —4F 123
Cleton St. DY4 —2H 55
Cleton St. Bus. Pk. DY4 —2H 55
Clevedon Av. B36 —4G 63
Clevedon Rd. B12 —1A 90
Cleveland Clo. WV11 —1G 21
Cleveland Clo. WV13 —2E 31
Cleveland Ct. CV32 —3B 148
Cleveland Dri. B45 —5D 118
Cleveland Dri. WS11 —2E 5
Cleveland Pas. WV1 —2H 29
Cleveland Rd. CV2 —3E 117
Cleveland Rd. CV12 —1A 80
Cleveland Rd. LE10 —2E 139
Cleveland Rd. WV2 —2A 30
Cleveland St. DY1 —4D 54
Cleveland St. DY8 —2E 83
Cleveland St. WV2 —2H 29
Cleveland Tower. B1 —4H 73 (off Holloway Head)
Cleveley Dri. CV10 —1B 136
Cleves Cres. WS6 —5B 6
Cleves Dri. B45 —2C 118
Cleves Rd. B45 —2C 118
Clewley Dri. WV9 —5F 11
Clewley Gro. B32 —2E 87
Clews Clo. WS1 —3G 33
Clewshaw La. B38 —4G 121
Cley Clo. B5 —1H 89
Client Hill Dri. B65 —1H 69
Clifden Gro. CV8 —2D 150
Cliffe Ct. CV32 —4A 148
Cliffe Dri. B33 —3E 77
Cliffe Rd. CV32 —4A 148
Cliffe Way. CV34 —3F 147
Clifford Bri. Rd. CV2 —3H 117
Clifford Clo. B77 —2F 135
Clifford Rd. B67 —4H 71
Clifford Rd. B70 —3E 57
Clifford Rd. B93 —4H 125
Clifford St. B19 —5H 59
Clifford St. B77 —2F 135
Clifford St. DY1 —4D 54
Clifford St. WV6 —5F 19
Clifford Wlk. B19 —5H 59
Cliff Rock Rd. B45 —2E 119
Cliff, The. DY8 —2F 83
Clift Clo. WV12 —3A 22
Clifton Av. B79 —1B 134
Clifton Av. WS8 —2C 16
Clifton Av. WS9 —2G 25
Clifton Av. WS11 —1A 6
Clifton Clo. B6 —5B 60
Clifton Clo. B69 —2D 70
Clifton Clo. B98 —4G 145
Clifton Ct. LE10 —2D 138
Clifton Cres. B91 —1C 124
Clifton Dri. B73 —4H 37
Clifton Gdns. WV8 —5C 10
Clifton Grn. B28 —3G 107
Clifton Ho. B12 —2C 90
Clifton La. B71 —3H 45
Clifton Rd. B6 —5B 60
Clifton Rd. B12 —2B 90
Clifton Rd. B36 —4G 63
Clifton Rd. B62 —5B 70
Clifton Rd. B67 —2H 71
Clifton Rd. B73 —5H 37
Clifton Rd. CV10 —3D 136
Clifton Rd. WV6 —4D 18

Clifton St.—Cooke Clo.

Clifton St. B64 —4G 69
Clifton St. B73 —5H 37
Clifton St. CV1 —3C 116
Clifton St. DY8 —3E 83
Clifton St. WV3 —2G 29
Clifton St. WV14 —3B 42
Clifton Ter. B23 —1F 61
Clifton Ter. CV8 —2B 150
Clifton Way. LE10 —1C 138
Clinic Dri. DY9 —2A 84
Clinton Av. CV8 —2A 150
Clinton Av. CV35 —4B 146
Clinton Cres. WS7 —1F 9
Clinton Gro. B90 —1B 124
Clinton La. CV8 —1A 150
Clinton Rd. B46 —1D 78
Clinton Rd. B90 —1B 124
Clinton Rd. CV6 —4D 100
Clinton Rd. WV14 —4G 31
Clinton St. B18 —2D 72
Clinton St. CV31 —5B 149
Clipper View. B16 —4D 72
Clipstone Rd. CV6 —2G 115
Clipston Rd. B8 —2F 75
Clissold Clo. B12 —1A 90
Clissold Pas. B18 —2E 73
Clissold St. B18 —2F 73
Clive Clo. B75 —1B 38
Cliveden Av. B42 —1H 59
Cliveden Coppice. B74 —2G 37
Clivedon Av. WS9 —1F 25
Clivedon Way. B62 —5H 69
Cliveland St. B19 —2A 74 & 1C 152
Clive Pl. B19 —2H 73
Clive Rd. B32 —1F 87
Clive Rd. B60 —4E 143
Clive Rd. B87 —2B 144
Clive Rd. CV7 —3D 128
Clive Rd. WS7 —1F 9
Clive St. W Bro. B71 —1F 57
Clives Way. LE10 —1E 139
Clockfields Dri. DY5 —4F 67
Clock La. B92 —4C 94
Clockmill Av. WS3 —5H 15
Clockmill Pl. WS3 —5H 15
Clockmill Rd. WS3 —5H 15
Clodeshall Rd. B8 —2F 75
Cloister Crofts. CV32 —2B 148
Cloister Dri. B62 —3B 86
Cloisters, The. CV32 —2B 148
Cloister Way. CV32 —2B 148
Clonmel Rd. B30 —2F 105
Clopton Cres. B37 —2B 78
Clopton Rd. B33 —5F 77
Close, The. B17 —1H 87
Close, The. B29 —1C 104
Close, The. B47 —3B 122
Close, The. B63 —1E 85
Close, The. B92 —1C 108
Close, The. CV8 —2C 150
Close, The. CV31 —6C 149
Close, The. DY3 —1H 53
Close, The. WS10 —1B 44
Clothier Gdns. WV13 —1H 31
Clothier St. WV13 —1H 31
Cloudbridge Dri. B92 —1H 109
Cloud Grn. CV4 —3F 131
Cloudsky Gro. B92 —4C 92
Clovelly Gdns. CV2 —3F 117
Clovelly Ho. B31 —5E 103
Clovelly Rd. CV2 —3F 117
Clovelly Way. CV11 —2H 137
Clover Av. B37 —3C 78
Cloverdale. WV6 —1A 18
Clover Dri. B32 —5F 87
Cloverfield. LE10 —1E 139
Clover Hill. WS5 —3D 34
Clover La. DY6 —5B 52
Clover Lea Sq. B8 —1G 75
Clover Ley. WV10 —1B 30
Clover Meadows. WS12 —5F 5
Clover Ridge. WS6 —4B 6
Clover Rd. B29 —1A 104
Club Row. DY3 —1A 54
Club View. B38 —5C 104
Clunbury Croft. B34 —1E 77
Clunbury Rd. B31 —1A 120
Clun Clo. B69 —4G 55
Clunes Av. CV11 —2H 137
Clun Rd. B31 —2H 103
Clyde Av. B62 —5C 70
Clyde Ct. B68 —5G 57
Clyde M. DY5 —5G 53
Clyde Rd. B93 —5A 126
Clyde Rd. CV12 —1A 80
Clydesdale. B26 —2D 92
Clydesdale Rd. B32 —1E 87
Clydesdale Rd. DY2 —2E 69
Clydesdale Tower. B1 —4H 73 (off Holloway Head)
Clyde St. B12 —4B 74
Clyde St. B64 —4F 69
Coach Ho. Rise. B77 —5F 135
Coalbourne Gdns. B63 —2D 84
Coalbourn La. DY8 —5E 67
Coalbourn Way. DY5 —3F 67
Coalheath La. WS4 —2B 24
Coalmeadow Clo. WS3 —5D 14
Coalpit Fields Rd. CV12 —4G 81
Coalpool La. WS3 —5H 23 to 3H 23
Coalpool Pl. WS3 —4H 23
Coalport Rd. WV1 —2C 30
Coalway Av. B26 —3E 93
Coalway Av. WV4 —4F 29
Coalway Gdns. WV3 —4D 28
Coalway Rd. WS3 —2D 22
Coalway Rd. WV3 —4D 28
Coates Rd. DY10 —2G 141
Coat of Arms Bri. Rd. CV3 —3H 131
Coatsgate Wlk. WV8 —1E 19
Cobbles, The. B72 —4A 50
Cobble Wlk. B18 —2F 73
Cobbs Rd. CV8 —2A 150
Cobbs Wlk. B65 —1G 69
Cobden Av. CV31 —7D 149
Cobden Clo. DY4 —3G 43
Cobden Clo. WS10 —4C 32
Cobden Clo. WS12 —1F 5
Cobden Gdns. B12 —2A 90
Cobden St. CV6 —3D 116
Cobden St. DY8 —2D 82
Cobden St. DY11 —3C 140
Cobden St. WS1 —4G 33
Cobden St. WS10 —4C 32
Cobham Clo. B35 —2C 62
Cobham Clo. B60 —5D 142
Cobham Rd. B9 —3E 75
Cobham Rd. B63 —3A 86
Cobham Rd. DY8 —4F 83 (in two parts)
Cobham Rd. DY10 —4D 140
Cobham Rd. WS10 —2G 45
Cobia. B77 —5E 135
Cob La. B30 —1C 104
Cobs Field. B30 —2C 104
Coburn Dri. B75 —1A 38
Cochrane Clo. DY9 —5H 83
Cochrane Rd. DY2 —1B 68
Cock All. WS13 —3F 151
Cockermouth Clo. CV32 —1H 147
Cock Hill La. B45 —1D 118
Cockley Wharf Ind. Est. DY5 —2G 67
Cocksheds La. B62 —5A 70
Cockshut Hill. B26 —5D 76
Cockshut La. WV2 —4A 30
Cockshutt La. B61 —1B 142
Cocksmead Croft. B14 —3H 105
Cocksparrow La. WS12 —1A 4
Cocksparrow St. CV34 —4D 146
Cockthorpe Clo. B17 —1H 87
Cocton Clo. WV6 —1A 18
Codsall Ho. WV8 —4A 10
Codsall Rd. B64 —5F 69
Codsall Rd. WV8 & WV6 —2C 18 to 3E 19
Cofield Rd. B73 —3F 49
Cofton Church La. B45 —5F 119
Cofton Gro. B31 —3H 119
Cofton Lake Rd. B45 —5F 119
Cofton Rd. B31 —2A 120
Cokeland Pl. B64 —5E 69
Colaton Clo. WV10 —5A 20
Colbourne Gro. CV32 —1H 147
Colbourne Rd. B78 —5C 134
Colbourne Rd. DY4 —1H 55
Colbrand Gro. B15 —5H 73 & 5B 152
Colbrook. B77 —3E 135
Colchester St. CV1 —4C 116
Coldbath Rd. B13 —1C 106
Coldfield Dri. B98 —4C 144 & 5C 144
Coldridge Clo. WV8 —1E 19
Coldstream Clo. LE10 —2C 138
Coldstream Dri. DY8 —3D 66
Coldstream Rd. B76 —3C 50
Coldstream Way. B6 —2A 60
Cole Bank Rd. B13 & B28 —1E 107
Colebourne Rd. B13 —2E 107
Colebridge Cres. B46 —4E 65
Colebrook Croft. B90 —5F 107
Colebrook Rd. B11 —2E 91
Colebrook Rd. B90 —5F 107
Cole Ct. B37 —3A 78
Coleford Clo. DY8 —3C 66
Coleford Dri. B37 —3A 78
Cole Grn. B90 —5F 107
Cole Hall La. B33 —2D 76
Cole Hall La. B34 —1D 76 (in two parts)
Colehill. B79 —3D 134
Cole Holloway. B31 —1H 103
Colehurst Croft. B90 —3C 124
Coleman Rd. WS10 —5D 32
Coleman St. CV4 —4B 114
Coleman St. WV6 —5F 19
Colemeadow Rd. B13 —3C 106
Colemeadow Rd. B46 —5D 64
Colemeadow Rd. B98 —1H 145
Colenso Rd. B16 —2C 72
Coleraine Rd. B42 —5E 47
Coleridge Clo. B79 —2C 134
Coleridge Clo. B97 —5A 144
Coleridge Clo. WS3 —3A 16
Coleridge Clo. WV12 —3C 22
Coleridge Dri. WV6 —1A 18 & 5A 18
Coleridge Pas. B4 —3A 74 & 2D 152
Coleridge Rise. DY3 —1G 53
Coleridge Rd. B43 —4D 46
Coleridge Rd. CV2 —4F 117
Colesbourne Av. B14 —5H 105
Colesbourne Rd. B92 —4D 92
Coles Cres. B71 —4E 45
Colesden Wlk. WV4 —4C 28
Coleshaven. B46 —5E 65
Coleshill Heath Rd. B37 & B46 —1B 94 to 3E 79
Coleshill Rd. B36 —1B 76
Coleshill Rd. B37 —5A 78
Coleshill Rd. B46 —3H 65 (Blythe End)
Coleshill Rd. B46 —1H 79 (Duke End)
Coleshill Rd. B46 —2A 64 to 3C 64 (Water Orton)
Coleshill Rd. B75 —5A 38
Coleshill Rd. B76 —1B 64
Coleshill Rd. CV10 —1A 136
Coleshill St. B4 —3A 74 & 2D 152
Coleshill St. B72 —5A 38
Coleside Av. B28 —2E 107
Coles La. B71 —4E 45
Coles La. B72 —1A 50
Colesleys, The. B46 —1E 79
Cole St. DY2 —2F 69
Cole Valley Rd. B28 —2E 107
Coleview Cres. B33 —3G 77
Coleville Rd. B76 —5E 51
Coley Clo. LE10 —3E 139
Coley's La. B31 —5A 104
Colgreave Av. B11 —4E 91
Colina Clo. CV3 —4G 133
Colindale Rd. B44 —2B 48
Colinwood Clo. WS6 —5D 6
Collector Rd. B36 & B37 —4D 62 to 2B 78
Colledge Rd. CV6 —5B 100
Colleen Av. B30 —4G 105
College Clo. WS10 —2D 44
College Ct. WV6 —4D 18
College Dri. B20 —2E 59
College Dri. CV32 —3B 148
College Farm Dri. B23 —3E 49
College Gro. B19 —5F 59
College Hill. B73 —1H 49
College La. B79 —3C 134
College La. LE10 —2G 139
College Rd. B8 —2E 75
College Rd. B13 —4D 90
College Rd. B20 —2D 58
College Rd. B32 —1D 86
College Rd. B44 & B73 —5A 48 to 2E 49
College Rd. B60 —3E 143
College Rd. DY8 —3F 83
College Rd. DY10 —4E 141
College Rd. WV6 —5D 18
College St. B18 —2F 73
College St. CV10 —4F 137 & 5F 137
College View. WV6 —5D 18
College Wlk. B29 —5D 88
College Wlk. B60 —3E 143
Collett. B77 —3G 135
Collett Clo. DY8 —1G 83
Colletts Gro. B37 —2H 77
Collett Wlk. CV1 —4A 116
Colley Av. WV10 —2B 20
Colley Ga. B63 —1D 84
Colley La. B63 —1D 84 (in two parts)
Colley Orchard. B63 —2E 85
Colley St. B70 —2G 57
Collier Clo. WS6 —5B 6
Collier Clo. WS8 —2C 16
Collier's Clo. WV12 —4H 21
Colliers Fold. DY5 —1G 67
Colliery Dri. WS3 —5D 14
Colliery La. CV7 —4E 81
Colliery Rd. B71 —4A 58
Colliery Rd. WV1 —1B 30
Collindale Ct. DY6 —3D 52
Collingbourne Av. B36 —5B 62
Collingdon Av. B26 —1E 93
Colling Wlk. B37 —1H 77
Collingwood Dri. B43 —1G 47
Collingwood Rd. CV5 —5H 115
Collingwood Rd. WV10 —1A 20
Collins Clo. B32 —2E 87
Collins Gro. CV4 —4F 131
Collins Hill. WS13 —1F 151
Collinson Clo. B98 —4D 114
Collins Rd. CV34 —5H 147
Collins Rd. WS8 —3F 17
Collins Rd. WS10 —1F 45
Collins St. B70 —2C 56
Collins St. WS1 —4H 33
Collis Clo. B60 —5C 142
Collis St. DY8 —5E 67
Collister Clo. B90 —3H 107
Colly Croft. B37 —1H 77
Collycroft Pl. B27 —2H 20
Colman Av. WV11 —3G 21
Colman Cres. B68 —4F 71
Colman Hill. B63 —2E 85
Colman Hill Av. B63 —1F 85
Colmers Wlk. B31 —1G 119
Colmore Av. B14 —2H 105
Colmore Cir. Queensway. B4 —3A 74 & 2C 152
Colmore Cres. B13 —5C 90
Colmore Dri. B75 —5D 38
Colmore Flats. B19 —2H 73 & 1B 152
Colmore Rd. B14 —2H 105
Colmore Row. B3 —3H 73 & 3B 152
Coln Clo. B31 —2H 103
Colonial Rd. B9 —3F 75
Colshaw Rd. DY8 —3E 83
Colston Rd. B24 —2H 61
Colt Clo. B74 —4A 36
Coltham Rd. WV12 —3B 22
Coltishall Clo. B35 —3C 62
Coltman Clo. WS14 —3H 151
Colts Clo. LE10 —5F 139
Coltsfoot Clo. WV11 —4F 21
Coltsfoot View. WS6 —5C 6
Colts La. B98 —3G 145
Columbia Gdns. CV12 —4G 81
Columbian Cres. WS7 —1E 9
Columbian Dri. WS11 —4D 4
Columbian Way. WS11 —4D 4
Columbine Clo. WS5 —1A 46
Colville Rd. B12 —2C 90
Colville Wlk. B12 —2C 90
Colwall Rd. DY3 —1H 53
Colwall Wlk. B27 —3A 92
Colworth Rd. B31 —3H 103
Colyere Clo. CV7 —1H 99
Colyns Gro. B33 —2C 76
Comber Croft. B13 —5E 91
Comber Dri. DY5 —5G 53
Comberford Ct. WS10 —2D 44
Comberford Dri. WS10 —5F 33
Comberford Rd. B79 —1B 134
Comberton Av. DY10 —3G 141
Comberton Ct. DY10 —3F 141
Comberton Hill. DY10 —3E 141
Comberton Mans. DY10 —4F 141
Comberton Pk. Rd. DY10 —4G 141
Comberton Pl. DY10 —3E 141
Comberton Rd. B26 —5E 77
Comberton Rd. DY10 —3F 141
Comberton Ter. DY10 —3E 141
Combrook Grn. B34 —1F 77
Comet Ho. B35 —2E 63
Commainge Clo. CV34 —4D 146
Commercial Rd. WS2 —3D 22
Commercial Rd. WV1 —2A 30
Commercial St. B1 —4H 73 & 4A 152
Commonfield Croft. B8 —2E 75
Common La. B8 —5F 61
Common La. B26 —2D 92
Common La. B79 —3D 134
Common La. CV7 —1B 98
Common La. CV8 —1C 150
Common La. WS11 —3D 4
Common Rd. WV5 —1A 52 to 5B 40
Commonside. DY5 —1G 67
Commonside. WS8 —3E 17
Commonside Rd. WS3 —1A 24
Common View. WS12 —1E 5
Common Wlk. WS12 —2A 4
Common Way. CV2 —2E 117
Communication Row. B15 —4G 73 & 5A 152
Compass Ct. CV1 —4A 116
Compton Clo. B91 —3B 108
Compton Clo. B98 —4C 144
Compton Clo. CV32 —3D 148
Compton Ct. DY2 —1E 69
Compton Ct. WV3 —1F 29
Compton Croft. B37 —4C 78
Compton Dri. B74 —4A 36
Compton Dri. DY2 —4G 55
Compton Dri. DY6 —1D 66
Compton Gro. B63 —3D 84
Compton Gro. DY6 —1D 66
Compton Hill Dri. WV3 —1D 28
Compton Pk. WV3 & WV6 —1D 28
Compton Rd. B24 —3E 61
Compton Rd. B62 —2C 86
Compton Rd. B64 —4D 68
Compton Rd. B79 —1B 134
Compton Rd. CV6 —4C 100
Compton Rd. DY9 —4H 83 & 5H 83
Compton Rd. WV3 —1E 29
Compton Rd. W. WV3 —1C 28
Comrie Clo. CV2 —2H 117
Comsey Rd. B43 —1G 47
Comwall Clo. WS3 —3F 23 (in two parts)
Comyn St. CV32 —4C 148
Conchar Clo. B72 —2A 50
Conchar Rd. B72 —2A 50
Concorde Tower. B35 —3C 62
Condor Gro. WS12 —5F 5
Condover Clo. WS2 —5B 22
Condover Rd. B31 —1B 120
Conduit Rd. WS11 —3A 8
Conduit St. WS13 —3G 151
Coneybury Wlk. B76 —5F 51
Coneyford Rd. B34 —1F 77 (in two parts)
Coney Grn. DY8 —2G 83
Coney Grn. Dri. B31 —1H 119
Coneygre Ind. Est. DY4 —2G 55
Coneygre Rd. DY4 —3G 55 to 1H 55
Coneygre Ter. DY1 —3G 55
Congleton Clo. CV6 —4D 100
Congreve Clo. CV34 —1E 147
Congreve Pas. B3 —3H 73 (off Paradise Pl.)
Congreve Wlk. CV12 —3F 81
Conifer Clo. CV12 —2G 81
Conifer Clo. DY5 —5H 67
Conifer Ct. B13 —4A 90
Conifer Ct. CV12 —2G 81
Conifer Dri. B31 —4B 104
Conifer Gro. B61 —2D 142
Conifer Paddock. B62 —5C 70
Conifer Paddock. CV3 —5H 117
Conifer Rd. B74 —2A 36
Coningsby Dri. DY11 —1A 140
Conington Gro. B17 —2A 88
Coniston. B77 —5H 135
Coniston Av. B92 —3C 92
Coniston Clo. B28 —1F 107
Coniston Clo. B60 —4F 143
Coniston Clo. CV12 —1B 80
Coniston Ct. CV11 —1H 137
Coniston Cres. B43 —4E 47
Coniston Dri. CV5 —3A 114
Coniston Dri. DY6 —5C 52
Coniston Grange. CV8 —3B 150
Coniston Ho. B17 —2C 88
Coniston Ho. B69 —1B 70
Coniston Ho. DY10 —2E 141
Coniston Rd. B23 —1E 61
Coniston Rd. B74 —1B 36
Coniston Rd. CV5 —1G 131
Coniston Rd. CV32 —2H 147
Coniston Rd. WV6 —2D 18
Coniston Way. CV11 —1H 137
Coniston Way. WS11 —5C 4
Conkers La. B93 —5G 125
Connaught Av. DY11 —4C 140
Connaught Av. WS10 —1F 45
Connaught Clo. WS5 —3C 34
Connaught Dri. WV5 —3A 40
Connaught Rd. WV1 —1F 29
Connaught Rd. WV14 —3G 31
Conningsby Clo. CV31 —6D 149
Connops Way. DY9 —2B 84
Connor Rd. B71 —4H 45
Conrad Clo. B11 —1B 90
Conrad Rd. CV6 —1H 115
Consort Cres. DY5 —5G 53
Consort Dri. WS10 —3B 32
Consort Rd. B30 —4F 105
Constable Clo. B43 —1H 47
Constable Clo. CV12 —2E 81
Constance Av. B70 —4G 57
Constance Clo. CV12 —5D 80
Constance Rd. B5 —2H 89
Constantine La. B46 —3D 64
Constitution Hill. B19 —2H 73 & 1B 152
Constitution Hill. DY2 —4E 55
Constitution Hill Ringway. DY10 —4E 141
Convent Clo. CV8 —1C 150
Convent Clo. WS11 —1B 6
Conway Av. B32 —1E 87
Conway Av. B68 —3E 71
Conway Av. B71 —3E 45
Conway Av. CV4 —1A 130
Conway Clo. B90 —1B 124
Conway Clo. DY1 —5D 42
Conway Clo. DY6 —2E 67
Conway Cres. WV12 —3A 22
Conway Dri. B66 —5G 57
Conway Gro. B43 —4D 46
Conway Ho. WS3 —3F 23
Conway Rd. B11 —1D 90
Conway Rd. B37 —3A 78
Conway Rd. B60 —4D 142
Conway Rd. B90 —1B 124
Conway Rd. CV32 —2H 147
Conway Rd. WS11 —1A 6
Conway Rd. WV6 —5A 18
Conwy Clo. CV11 —3G 137
Conybere St. B12 —5A 74
Conyworth Clo. B27 —3B 92
Cook Av. DY2 —5E 55
Cook Clo. B93 —3B 126
Cook Clo. WV6 —1A 18
Cooke Clo. CV34 —2E 147

Dalton St.—Dinmore Clo.

Dalton St. WV3 —3G 29
Dalton Way. B4 —3A 74 & 3C 152
Dalvine Rd. DY2 —4D 68
Dalwood Clo. WV14 —4C 42
Dalwood Way. CV6 —2F 101
Daly Av. CV35 —4A 146
Damar Croft. B14 —4H 105
Dame Agnes Gro. CV6 —5F 101
Damien Clo. B67 —1H 71
Damson La. B91 & B92 —2G 109
Damson Parkway. B91 & B92 —3G 109
Damson Rd. CV35 —4A 146
Dam St. WS13 —3F 151
Danbury Rd. B90 —5H 107
Danby Gro. B24 —2H 61
Dando Rd. DY2 —4E 55
Dandy Bank Rd. DY6 —4F 53
Dandy's Wlk. WS1 —2H 33
Dane Gro. B13 —5H 89
Danehill Wlk. WV8 —2E 19
Danelagh Clo. B79 —1B 134
Dane Rd. CV2 —4E 117
Danesbury Cres. B44 —3B 48
Danesbury Cres. CV31 —6D 149
Danes Clo. WV11 —4G 13
Danescourt Rd. WV6 —4C 18
Daneswood Dri. WS9 —5E 17
Dane Ter. B65 —1A 70
Daneways Clo. B74 —2C 36
Danford Clo. DY8 —3F 83
Danford Gdns. B10 —5D 74
Danford La. B91 —4B 108
Danford Rd. B47 —3B 122
Danford Way. B43 —3D 46
Dangerfield Ho. B70 —3H 57
Dangerfield La. WS10 —5A 32
Daniel Av. CV10 —3B 136
Daniels La. WS9 —4G 25
Daniels Rd. B9 —4G 75
Danilo Rd. WS11 —5B 4
Danks St. DY4 —3G 55
Danzey Grn. Rd. B36 —4E 63
Danzey Gro. B14 —4G 105
Daphne Clo. CV2 —4F 101
Darby Clo. WV14 —2C 42
Darby End Rd. DY2 —2F 69
Darby Rd. B68 —1F 71
Darby Rd. WS10 —1E 45
Darby's Hill Rd. B69 —4H 55
Darby St. B65 —4A 70
Darell Croft. B76 —1B 50
Daren Clo. B36 —4H 63
Dare Rd. B23 —1F 61
Dares Wlk. LE10 —2F 139
Darges La. WS6 —3D 6
Darkhouse La. WV14 —2D 42
Darkies, The. B31 —4B 104
Dark La. B38 & B47 —2H 121
Dark La. CV1 —3A 116
Dark La. CV12 —4C 80
Dark La. WS6 —1F 15
Dark La. WV10 —1H 11 (Cross Green)
Dark La. WV10 —2E 13 (Featherstone)
Darlaston Central Trading Est. WS10 —4C 32
Darlaston Ct. CV7 —5D 96
Darlaston La. WV14 —3G 31
Darlaston Rd. WS2 —3D 32
Darlaston Rd. WS10 —5B 32
Darlaston Row. CV7 —5C 96
Darley Av. B34 —5C 62
Darleydale Av. B44 —3A 48
Darley Ho. B69 —1B 70
Darley Mead Ct. B91 —3G 109
Darley Rd. LE10 —4F 139
Darley Way. B74 —4B 36
Darlington St. WS10 —5B 32
Darlington St. WV1 —1G 29
Darnel Croft. B10 —5D 74
Darnel Hurst Rd. B75 —1A 38
Darnford Clo. B28 —3G 107
Darnford Clo. B72 —4A 50
Darnford Clo. CV2 —2H 117
Darnford View. WS13 —2H 151
Darnick Rd. B73 —1E 49
Darnley Rd. B16 —4E 73
Darrach Clo. CV2 —5H 101
Darris Rd. B29 —1F 105
Dart Clo. LE10 —3C 138
Dartford Rd. WS3 —1D 22
Dartmoor Clo. B45 —5E 103
Dartmouth Av. DY8 —2D 66
Dartmouth Av. WS3 —4G 23
Dartmouth Av. WS11 —5A 4
Dartmouth Av. WV13 —1G 31
Dartmouth Cir. B6 —1B 74
Dartmouth Clo. WS3 —4H 23
Dartmouth Cres. WV14 —4G 31
Dartmouth Dri. WS9 —4E 25
Dartmouth Middleway. B7 —2B 74
Dartmouth Pl. WS3 —3H 23
Dartmouth Rd. B29 —4E 89
Dartmouth Rd. B66 —4H 57
Dartmouth Rd. CV2 —2G 117
Dartmouth Rd. WS11 —5B 4
Dartmouth Sq. B70 —2G 57
Dartmouth St. B70 —2E 57
Dartmouth St. WV2 —2A 30
Dart St. B9 —4C 74
Darvel Rd. WV12 —5B 22
Darwall St. WS1 —1H 33
Darwin Clo. LE10 —1F 139
Darwin Clo. WS7 —1G 9
Darwin Clo. WS12 —4H 5
Darwin Clo. WS13 —2F 151
Darwin Ct. CV12 —3D 80
Darwin Ct. WV6 —1A 18
Darwin Ho. B37 —4B 78
Darwin Pl. WS2 —4E 23
Darwin Rd. WS2 —4E 23
Darwin St. B12 —5B 74 (in two parts)
Dassett Gro. B9 —3H 75
Dassett Rd. B93 —4H 125
Datchet Clo. CV5 —3E 115
Datteln Rd. WS11 —2D 4
D'Aubney Rd. CV4 —2E 131
Dauntsey Covert. B14 —5H 105
Davena Dri. B29 —5H 87
Davena Gro. WV14 —1E 43
Davenport Dri. B35 —2E 63
Davenport Dri. B60 —4F 143
Davenport Rd. CV5 —1A 132
Davenport Rd. WV6 —4C 18
Davenport Rd. WV11 —3F 21
Davenport Ter. LE10 —2F 139
Daventry Gro. B32 —1F 87
Daventry Rd. CV3 —2B 132
Davey Rd. B20 —3A 60
Davey Rd. B70 —1D 56
David Cox Tower. B31 —1H 103
David Rd. B20 —3G 59
David Rd. CV1 —5D 116
David Rd. CV7 —5D 80
David Rd. DY4 —4H 43
Davidson Av. CV31 —5C 149
Davidson Rd. WS14 —3G 151
Davies Av. WV14 —1E 43
Davies Ho. B69 —5D 56
Davies Ho. WS3 —1E 23
Davies Rd. CV7 —5D 80
Davis Av. DY4 —1F 55
Davis Clo. CV32 —1H 147
Davis Gro. B25 —2A 92
Davison Rd. B67 —3H 71
Davis Rd. B77 —1F 135
Davis Rd. WV12 —2B 22
Davy Rd. WS2 —4D 22
Dawberry Fields Rd. B14 —3H 105
Dawberry Rd. B14 —2G 105
Daw End. WS4 —4C 24
Daw End La. WS4 —3B 24
Dawes Av. B70 —4F 57
Dawes Clo. CV2 —4E 117
Dawley Brook Rd. DY6 —5D 52
Dawley Clo. WS2 —3E 33
Dawley Cres. B37 —4A 78
Dawley Rd. DY6 —4C 52
Dawley Trading Est. DY6 —4D 52
Dawlish Clo. CV11 —2H 137
Dawlish Dri. CV3 —4B 132
Dawlish Rd. B29 —4E 89
Dawlish Rd. B66 —1B 72
Dawlish Rd. DY1 —5D 42
Dawn Dri. DY4 —2A 44
Dawney Dri. B75 —5G 27
Dawn Rd. B31 —2G 103
Daws La. WS8 —5E 9
Dawson Av. WV14 —2C 42
Dawson Rd. B21 —4E 59
Dawson Rd. B61 —3C 142
Dawson Rd. CV3 —5E 117
Dawson Sq. WV14 —5D 30
Dawson St. B66 —3A 72
Dawson St. WS3 —2G 23
Day Av. WV11 —3F 21
Day Ho. DY4 —3A 44
Daylesford Rd. B92 —3D 92
Day's Clo. CV1 —4D 116
Day's La. CV1 —4D 116
Day St. WS2 —1G 33
Daytona Dri. CV5 —1G 113
Deacon St. CV11 —4F 137
Deakin Av. WS8 —5E 9
Deakin Rd. B24 —2G 61
Deakin Rd. B75 —4B 38
Deakins Rd. B25 —1H 91
Deal Av. WS7 —1F 9
Deal Dri. B69 —4G 55
Deal Gro. B31 —4A 104
Deanbrook Clo. B90 —3D 124
Dean Clo. B44 —4C 48
Dean Clo. DY8 —1G 83
Dean Clo. LE10 —1F 139
Dean Ct. DY5 —3A 68 (off Chapel St.)
Deanery Clo. WV10 —1E 13
Deanery Row. WV1 —1H 29
Dean Rd. B23 —5G 49
Dean Rd. LE10 —1F 139
Dean Rd. WS4 —3C 24
Dean Rd. WV5 —1A 52
Dean Rd. W. LE10 —1F 139
Deans Clo. B98 —1G 145
Deans Croft. WS13 —3G 151
Deansfield Rd. WV1 —1C 30
Deans Pl. WS3 —3A 24
Dean's Rd. WV1 —5C 20
Dean St. B5 —4A 74 & 4D 152
Dean St. CV2 —4E 117
Dean St. DY3 —4A 42
Deansway. B61 —4C 142
Deans Way. CV7 —1B 100
Deansway. CV34 —2D 146
Deansway Ho. DY10 —1F 141
Deansway, The. DY10 —1F 141
Dearman Rd. B11 —1C 90
Dearmont Rd. B31 —2H 119
Dearne Ct. DY3 —5C 42
Deavall Way. WS11 —4E 5
Debdale Clo. B91 —3F 109
Debden Clo. B90 —5G 125
Debenham Cres. B25 —4A 76
Debenham Rd. B25 —4A 76
Deblen Dri. B16 —4C 72
Deborah Clo. WV2 —4H 29
De Compton Clo. CV7 —1H 99
Deedmore Rd. CV2 —1G 117 & 5G 101
Deegan Clo. CV2 —3E 117
Dee Gro. B38 —1D 120
Dee Gro. WS11 —1B 6
Deelands Rd. B45 —1D 118 (in two parts)
Deeley. B77 —3G 135
Deeley Clo. B15 —5G 75 & 5A 152
Deeley Clo. B64 —1F 85
Deeley Pl. WS3 —2E 23
Deeley St. DY5 —4A 68
Deeley St. WS3 —2E 23
Deepdale Av. B26 —2E 93
Deepdale La. DY3 —2A 54
Deeplow Clo. B72 —1A 50
Deepmoor Rd. B33 —3C 76
Deepmore Av. WS2 —1E 33
Deepwood Clo. WS4 —2B 24
Deepwood Gro. B32 —5E 87
Deer Barn Hill. B98 —4D 144
Deer Clo. WS3 —1F 23
Deer Clo. WS11 —2A 8
Deerdale Way. CV3 —1H 133
Deerfold Cres. WS7 —1F 9
Deerham Clo. B23 —4E 49
Deerhurst Ct. B91 —4F 109
Deerhurst Rise. WS12 —1H 5
Deerhurst Rd. B20 —1E 59
Deerhurst Rd. CV6 —4A 100
Deer Leap, The. CV8 —2C 150
Dee Rd. WS3 —1G 23
Deerpark Dri. CV34 —3D 146
Deer Pk. Rd. B78 —5A 134
Deer Wlk. WV8 —1E 19
Dee Wlk. B36 —4H 63 to 5A 64
Defford Av. WS4 —1C 24
Defford Dri. B68 —2E 71
Deighton Rd. WS5 —5B 34
De-la-Bere Cres. LE10 —4H 139
Delage Clo. CV6 —2F 101
Delamere Clo. B36 —4F 63
Delamere Rd. B28 —1F 107
Delamere Rd. CV12 —4D 80
Delamere Rd. WV12 —3A 22
Delamere Way. CV32 —2D 148
Delaware Rd. CV3 —4B 132
Delhi Av. CV6 —5C 100
Delhurst Rd. B44 —3H 47
Delhurst Rd. WV4 —2A 42
Delius St. CV4 —4B 114
Della Dri. B32 —5G 87
Dell Clo. CV3 —3F 133
Dellows Clo. B38 —2D 120
Dell Rd. B30 —3F 105
Dell Rd. DY5 —1G 67
Dell, The. B31 —2G 103
Dell, The. B36 —3H 63
Dell, The. B79 —2C 134
Dell, The. B92 —5D 92
Dell, The. DY8 —2D 82
Dell, The. WS12 —2H 5
Dell, The. WS13 —3E 151
Delmore Way. B76 —5D 50
Delph Dri. DY5 —1A 84
Delphinium Clo. DY11 —1C 140
Delph La. DY5 —5A 68
Delph Rd. DY5 —4H 67
Delph Rd. Ind. Est. DY5 —4H 67
Delrene Rd. B28 & B90 —4F 107
Delta Way. WS11 —2B 6
Delta Way Bus. Cen. WS11 —2B 6
Deltic. B77 —3G 135
Delves Cres. WS5 —5A 34
Delves Grn. Rd. WS5 —4A 34
Delves Rd. WS1 —4H 33
Delville Clo. WS10 —1D 44
Delville Rd. WS10 —1D 44
Delville Ter. WS10 —1D 44
De Marnham Clo. B70 —3H 57
De Montfort Ho. B37 (off Shirrall Gro.) —2H 77
De Montfort Rd. CV8 —2A 150
De Montfort Rd. LE10 —1G 139
De Montfort Way. CV4 —3E 131
De Moram Gro. B92 —1H 109
Dempster Ct. CV11 —3G 137
Dempster Rd. CV12 —2E 81
Demuth Way. B69 —1D 70
Denaby Gro. B14 —4E 107
Denbigh Cres. B71 —5E 45
Denbigh Dri. B71 —5E 45
Denbigh Dri. WS10 —1G 45
Denbigh Rd. CV6 —2G 115
Denbigh Rd. DY4 —1A 56
Denbigh St. B9 —4E 75
Denbury Clo. WS12 —4G 5
Denby Clo. B7 —1C 74
Denby Clo. CV32 —3D 148
Denby Croft. B90 —3E 125
Dencer Clo. B45 —2D 118
Dencer Dri. CV8 —3D 150
Dencil Clo. B63 —2E 85
Dene Av. DY6 —2C 66
Dene Ct. Rd. B92 —5C 92
Denegate Clo. B76 —5D 50
Dene Hollow. B13 —2D 106
Dene Rd. DY8 —4E 83
Dene Rd. WV4 —1A 40
Denewood Av. B20 —3F 59
Denewood Way. CV8 —2D 150 (in two parts)
Denford Gro. B14 —3H 105
Denham Av. CV5 —4E 115
Denham Gdns. WV3 —3B 28
Denham Rd. B27 —2H 91
Denholme Gro. B14 —4B 106
Denholm Rd. B73 —2E 49
Denise Dri. B17 —3C 88
Denise Dri. B37 —2H 77
Denise Dri. WV14 —4D 42
Denis Rd. LE10 —4E 139
Denleigh Rd. DY6 —2E 67
Denmark Clo. WV6 —5F 19
Denmark Rise. WS12 —1G 5
Denmead Dri. WV11 —2G 21
Denmore Gdns. WV1 —1D 30
Dennett Clo. CV34 —2E 147
Dennis. B77 —2F 135
Dennis Hall Rd. DY8 —5F 67
Dennis Rd. B12 —3C 90
Dennis Rd. CV2 —3F 117
Dennis St. DY8 —5F 67
Denshaw Rd. B14 —2H 105
Denton Clo. CV8 —2A 150
Denton Croft. B93 —5F 125
Denton Gro. B33 —4B 76
Denton Gro. B43 —4C 46
Denton Rd. DY9 —2C 84
Dent St. B79 —3D 134
Denver Rd. B14 —5B 106
Denville Clo. WV14 —4F 31
Denville Cres. B9 —3H 75
Denville Rd. CV32 —2B 148
Derby Av. WV6 —3E 19
Derby Dri. B37 —3A 78
Derby Rd. LE10 —1F 139
Derby St. B9 —3C 74
Derby St. WS2 —5G 23
Dereham Ct. CV32 —3B 148
Dereham Wlk. WV14 —2F 43
Dereton Clo. DY1 —4B 54
Derick Burcher's Mall. DY10 —2E 141
Dering Clo. CV2 —5G 101
Deronda Clo. CV12 —3E 81
Derron Av. B26 —2B 92
Derry Clo. B17 —4A 88
Derrydown Clo. B23 —2F 61
Derrydown Rd. B42 —1G 59
Derry St. DY5 —4H 67
Derry St. WV2 —3H 29
Dersingham Dri. CV6 —4E 101
Derwent. B77 —3E 135
Derwent Clo. B74 —1B 36
Derwent Clo. CV5 —3B 114
Derwent Clo. CV32 —2H 147
Derwent Clo. DY5 —1G 67
Derwent Clo. WV13 —1A 32
Derwent Gro. B30 —5G 89
Derwent Gro. WS7 —2H 9
Derwent Gro. WS11 —1B 6
Derwent Ho. B17 —2C 88
Derwent Ho. B69 —1B 70
Derwent Ho. DY10 —2E 141
Derwent Rd. B30 —1G 105
Derwent Rd. CV6 —4H 99
Derwent Rd. CV12 —3E 81
Derwent Rd. WV6 —2D 18
Derwent Way. B60 —4E 143
Derwent Way. CV11 —1H 137
Desford Av. B42 —4G 47
Despard Rd. CV5 —3A 114
Dettonford Rd. B32 —1E 103
Devereaux Ho. B79 —3C 134
Devereux Clo. B36 —4E 63
Devereux Clo. CV4 —5A 114
Devereux Rd. B70 —3H 57
Devereux Rd. B75 —2H 37
Deveron Ct. B66 —4G 57
Deveron Way. LE10 —2D 138
Devil's Elbow La. WV11 —2F 21
Devitts Clo. B90 —2C 124
Devon Clo. B20 —2E 59
Devon Clo. CV10 —3D 136
Devon Clo. DY11 —1C 140
Devon Cres. B71 —5F 45
Devon Cres. DY2 —5B 54
Devon Cres. WS9 —1F 25
Devon Grn. WS11 —1D 6
Devon Gro. CV2 —2E 117
Devon Ho. B31 —5F 103
Devon Rd. B45 —5C 102
Devon Rd. B67 —5H 71
Devon Rd. DY8 —5D 66
Devon Rd. WS10 —1F 45
Devon Rd. WS11 —1D 6
Devon Rd. WV1 —5G 19
Devon Rd. WV13 —2B 32
Devonshire Av. B18 —1E 73
Devonshire Dri. B71 —2G 57
Devonshire Dri. B78 —5B 134
Devonshire Rd. B20 —2E 59
Devonshire Rd. B67 —5G 57
Devonshire St. B18 —1E 73
Devon St. B7 —2D 74
Devoran Clo. CV7 —5F 81
Devoran Clo. WV6 —5G 19
Dewberry Dri. WS5 —1A 46
Dewberry Rd. DY8 —4F 67
Dewhurst Croft. B33 —2D 76
Dewsbury Av. CV3 —3A 132
Dewsbury Clo. DY8 —3E 67
Dewsbury Dri. WS7 —2H 9
Dewsbury Dri. WV4 —1F 41
Dewsbury Gro. B42 —1G 59
Deykin Av. B6 —3C 60
Deyncourt Rd. WV10 —3C 20
Dial Clo. B14 —5A 106
Dialhouse La. CV5 —3C 114
Dial La. B70 —5C 44
Dial La. DY8 —5E 67
Diamond Gro. WS11 —4F 5
Diana Clo. WS9 —5G 17
Diana Dri. CV2 —5H 101
Diane Clo. DY4 —2H 43
Dibble Clo. WV12 —4B 22
Dibble Rd. B67 —1H 71
Dibdale Rd. DY1 —2A 54 to 2C 54
Dibdale St. DY1 —3B 54
Dice Pleck. B31 —5C 104
Dickens Clo. DY3 —1G 53
Dickens Gro. B14 —4C 106
Dickens Heath Rd. B90 —4E 123 to 2H 123
Dickens Rd. CV6 —5H 99
Dickens Rd. WV10 —2C 20
Dickens Rd. WV14 —2E 43
Dickinson Av. WV10 —2B 20
Dickinson Dri. B76 —1B 50
Dickinson Dri. WS2 —4F 33
Dickinson Rd. WV5 —1A 52
Dickins Rd. CV34 —2G 147
Dick Sheppard Av. DY4 —3H 43
Diddington Av. B28 —3G 107
Diddington La. B92 & CV7 —1G 111
Didgley Gro. B37 —1H 77
Didsbury Rd. CV7 —4E 81
Digbeth. B5 —4A 74 & 4D 152
Digbeth. WS1 —2H 33 (in two parts)
Digby Clo. CV5 —2D 114
Digby Cres. B46 —2A 64
Digby Dri. B37 —1A 94
Digby Ho. B37 —2H 77 (off Colletts Gro.)
Digby Pl. CV7 —5D 96
Digby Rd. B46 —1E 79
Digby Rd. B73 —1H 49
Digby Rd. DY6 —4D 52
Digby Wlk. B33 —5E 77
Dilcock Way. CV4 —2B 130
Dilke Rd. WS9 —4E 25
Dillam Clo. CV6 —3E 101
Dilliars Wlk. B70 —1D 56
Dillon Ct. CV11 —2E 137
Dillotford Av. CV3 —2B 132
Dilloway's La. WV13 —2F 31 (in two parts)
Dilwyn Clo. B98 —4H 145
Dimbles Hill. WS13 —1F 151
Dimbles La. WS13 —1F 151 to 2F 151
Dimbles, The. WS13 —1F 151
Dimmingsdale Bank. B32 —3F 87
Dimminsdale. WV13 —2H 31
Dimmocks Av. WV14 —3E 43
Dimmock St. WV4 —5A 30
Dimsdale Gro. B31 —4G 103
Dimsdale Rd. B31 —4G 103
Dinedor Clo. B98 —2G 145
Dingle Av. B64 —5F 69
Dingle Clo. B30 —2D 104
Dingle Clo. CV6 —2H 115
Dingle Clo. DY2 —5F 55
Dingle Ct. B69 —4B 56
Dingle Ct. B91 —5C 108
Dingle Hollow. B69 —4B 56
Dingle La. B91 —5C 108
Dingle La. WV13 —5G 21
Dingle Mead. B14 —3G 105
Dingle Rd. DY2 —5F 55
Dingle Rd. DY6 —2F 67
Dingle Rd. DY9 —4G 83
Dingle Rd. WS8 —3D 16
Dingle Rd. WV5 —5A 40
Dingle St. B69 —4B 56
Dingle, The. B29 —4D 88
Dingle, The. B69 —4B 56
Dingle, The. B90 —4B 124
Dingle, The. CV10 —2C 136
Dingle, The. WV3 —2D 28
Dingle View. DY3 —5H 41
Dingley Rd. CV12 —1A 80
Dingley Rd. WS10 —5D 32
Dingleys Pas. B4 —3A 74 & 3D 152
Dinmore Av. B31 —3B 104
Dinmore Clo. B98 —3G 145

Dinsdale Wlk. WV6 —4F **19**
Dippons Dri. WV6 —1B **28**
Dippons La. WV6 —4A **18**
Dippons Mill Clo. WV6 —1B **28**
Ditch, The. WS1 —2H **33**
Ditton Gdns. B31 —3H **119**
Dixon Clo. B35 —3D **62**
Dixon Clo. DY4 —5A **44**
Dixon Rd. B10 —5D **74**
Dixons Grn. Ct. DY2 —4F 55 (off Dixon's Grn. Rd.)
Dixon's Grn. Rd. DY2 —4F **55**
Dixon St. DY10 —3E **141**
Dixon St. WV2 —4A **30**
Dobbins Oak Rd. DY9 —5A **84**
Dobbs Mill Clo. B29 —4G **89**
Dobbs St. WV2 —3H **29**
Dobson La. CV31 —8B **149**
Dockar Rd. B31 —5G **103**
Dockers Clo. CV7 —2C **128**
Dock La. DY1 —4D **54**
Dock La. Ind. Est. DY1 (off Turner St.) —4D 54
Dock Meadow Dri. WV4 —1C **42**
Dock Rd. DY8 —4E **67**
Dock, The. DY9 —2B **84**
Doctors Hill. DY9 —4H **83**
Doctors La. DY6 —2A **66**
Doctor's Piece. WV13 —2H **31**
Dodd Av. CV34 —4G **147**
Doddington Gro. B32 —1E **103**
Dodford Clo. B45 —2D **118**
Dodwells Bri. Ind. Est. LE10 —3A **138**
Dodwells Rd. LE10 —3A **138**
Doe Bank La. CV1 —4H **115**
Doe Bank La. WS9 & B43 —4H **35**
Doe Bank Rd. DY4 —3B **44**
Dogberry Clo. CV3 —2F **133**
Dogge La. Croft. B27 —4H **91**
Dogkennel La. B63 —4H **85**
Dogkennel La. B68 —2F **71**
Dog Kennel La. B90 —2A **124**
Dog Kennel La. WS1 —1H **33**
Doglands, The. CV31 —8C **149**
Dogpool La. B30 —5G **89**
Doidge Rd. B23 —2D **60**
Dolben La. B98 —3G **145**
Dollery Dri. B5 —2G **89**
Dollis Gro. B44 —1A **48**
Dollman St. B7 —2C **74**
Dolman Rd. B6 —4A **60**
Dolobran Rd. B11 —1C **90**
Dolphin Clo. WS3 —2H **23**
Dolphin La. B27 —5H **91** & 4A **92**
Dolphin Rd. B11 —2D **90**
Dolphin Rd. B98 —1D **144**
Dolton Way. DY4 —5F **43**
Domar Rd. DY11 —2B **140**
Dominic Dri. B30 —3D **104**
Doncaster Clo. CV2 —1G **117**
Doncaster Way. B36 —4A **62** (in two parts)
Don Clo. B15 —5C **72**
Donegal Clo. CV4 —2C **130**
Donegal Rd. B74 —5B **36**
Dongan Rd. CV34 —3D **146**
Don Gro. WS11 —1B **6**
Donibristle Croft. B35 —2D **62**
Donnington Av. CV6 —3F **115**
Donnington Clo. B98 —1F **145**
Donnithorne Av. CV10 & CV11 —5F **137**
Dooley Clo. WV13 —1F **31**
Doone Clo. CV2 —2H **117**
Dorado. B77 —5E **135**
Doran Clo. B63 —5E **85**
Doranda Way. B71 —4A **58**
Dora Rd. B10 —5F **75**
Dora Rd. B21 —5D **58**
Dora Rd. B70 —3F **57**
Dora St. WS2 —3E **33**
Dorchester Av. CV35 —4A **146**
Dorchester Clo. WV12 —2A **22**
Dorchester Ct. B91 —4D **108**
Dorchester Dri. B17 —3B **88**
Dorchester Rd. B91 —3D **108**
Dorchester Rd. DY9 —4A **84**
Dorchester Rd. LE10 —3H **139**
Dorchester Rd. WS11 —5A **4**
Dorchester Rd. WV12 —2A **22**
Dordon Clo. B90 —1F **123**
Doreen Gro. B24 —3H **61**
Doris Rd. B9 —4D **74**
Doris Rd. B11 —3C **90**
Doris Rd. B46 —4E **65**
Dorking Gro. B15 —5H **73** & 5A **152**
Dorlcote Rd. B8 —2G **75**
Dorlecote Pl. CV10 —5F **137**
Dorlecote Rd. CV10 —5F **137**
Dorlecourt Ct. CV10 —5F **137**
Dormer Av. B77 —1E **135**
Dormer Harris Av. CV4 —1B **130**
Dormer Pl. CV32 —5B **149**
Dormie Clo. B38 —5C **104**
Dormington Rd. B44 —1A **48**
Dormston Clo. B91 —2E **125**
Dormston Clo. B98 —4D **144**
Dormston Dri. B29 —4H **87**
Dormston Dri. DY3 —3A **42**
Dormston Trading Est. DY1 —1B **54**
Dormy Dri. B31 —2A **120**
Dorncliffe Av. B33 —1F **93**
Dorney Clo. CV5 —2G **131**
Dornie Dri. B38 —1E **121**
Dornton Rd. B30 —1G **105**
Dorothy Rd. B11 —2H **91**
Dorothy Rd. B67 —2A **72**
Dorothy St. WS1 —4G **33**
Dorridge Clo. B97 —4A **144**
Dorridge Croft. B93 —5H **125**
Dorridge Rd. B93 —5A **126**
Dorridge Sq. B93 —5H **125**
Dorrington Grn. B42 —5F **47**
Dorrington Rd. B42 —5F **47**
Dorset Clo. B45 —5C **102**
Dorset Clo. B78 —5B **134**
Dorset Clo. CV10 —3D **136**
Dorset Cotts. B30 —2F **105**
Dorset Dri. WS9 —2F **25**
Dorset Rd. B8 —1E **75**
Dorset Rd. B17 —3B **72**
Dorset Rd. CV1 —3B **116**
Dorset Rd. DY8 —5D **66**
Dorset Rd. WS12 —5H **5**
Dorset Tower. B18 —2F **73**
Dorsett Pl. WS3 —3F **23**
Dorsett Rd. WS10 —4A **32** (Darlaston)
Dorsett Rd. WS10 —2G **45** (Wednesbury)
Dorsett Rd. Ter. WS10 —4A **32**
Dorsheath Gdns. B23 —1F **61**
Dorsington Rd. B27 —5A **92**
Dorstone Covert. B14 —5G **105**
Dorville Clo. B38 —1C **120**
Dosthill Rd. B77 —4E **135**
Douay Rd. B24 —5H **49**
Double Row. DY2 —2F **69**
Doughty St. DY4 —5A **44**
Douglas Av. B36 —5A **62**
Douglas Av. B68 —2F **71**
Douglas Davies Clo. WV12 —5A **22**
Douglas Pl. WV10 —3G **19**
Douglas Rd. B21 —4E **59**
Douglas Rd. B27 —3H **91**
Douglas Rd. B47 —2B **122**
Douglas Rd. B62 —4C **70**
Douglas Rd. B68 —2F **71**
Douglas Rd. B72 —1A **50**
Douglas Rd. DY2 —4E **55**
Douglas Rd. WV14 —3E **43**
Doulton Clo. B32 —3H **87**
Doulton Rd. B64 & B65 —2G **69**
Doulton Trading Est. B65 —2G **69**
Dovebridge Clo. B76 —1C **50**
Dove Clo. B25 —5B **76**
Dove Clo. DY10 —5G **141**
Dove Clo. LE10 —3C **138**
Dove Clo. WS7 —2H **9**
Dove Clo. WS10 —5E **33**
Dovecote Clo. B91 —1E **109**
Dovecote Clo. CV6 —3F **115**
Dovecote Clo. DY4 —1A **56**
Dovecote Clo. WV6 —5C **18**
Dovecote Rd. B61 —4C **142**
Dovecotes, The. B75 —5H **27**
Dovedale. WS11 —2D **4**
Dovedale Av. B90 —1H **123**
Dovedale Av. CV6 —4D **100**
Dovedale Av. WS3 —3A **16**
Dovedale Av. WV12 —4H **21**
Dovedale Ct. WV4 —2B **42**
Dovedale Dri. B28 —2F **107**
Dovedale Ho. B32 —5G **87**
Dovedale Rd. B23 —4D **48** to 5D **48**
Dovedale Rd. DY6 —4E **53**
Dovedale Rd. WV4 & WV14 —1A **42**
Dove Dri. DY8 —5F **67**
Dove Gdns. B38 —5G **105**
Dove Hollow. WS6 —5C **6**
Dove Hollow. WS12 —2G **5**
Dovehouse Fields. WS14 —4F **151**
Dove Ho. La. B91 —1C **108**
Dovehouse Pool Rd. B6 —4A **60**
Dover Clo. B32 —1D **102**
Dovercourt Rd. B26 —2F **93**
Doverdale Av. DY10 —3G **141**
Doverdale Clo. B63 —2F **85**
Doverdale Clo. B98 —5E **145**
Dove Ridge. DY8 —5F **67**
Doveridge Pl. WS1 —3H **33**
Doveridge Rd. B28 —3F **107**
Doversley Rd. B14 —3H **105**
Dover St. B18 —1E **73**
Dover St. CV1 —4A **116**
Dover St. WV14 —4E **31**
Dove Way. B36 —4H **63**
Dovey Dri. B76 —4D **50**
Dovey Rd. B13 —4E **91**
Dovey Rd. B69 —4B **56**
Dovey Tower. B7 —2C **74**
Dowar Rd. B45 —2F **119**
Dowells Clo. B13 —4A **90**
Dowells Gdns. DY8 —3D **66**
Doweries, The. B45 —1D **118**
Dower Rd. B75 —2H **37**
Dowlers Hill Cres. B98 —5E **145**
Dowles Clo. B29 —2A **104**
Dowles Rd. DY11 —5B **140**
Downcroft Av. B38 —5D **104**
Downderry Way. CV6 —2E **117**
Downend Clo. WV10 —4B **12**
Downes Ct. DY4 —5F **43**
Downes Way. WS11 —4A **4**
Downey Clo. B11 —1C **90**
Downfield Dri. DY3 —4A **42**
Downham Clo. WS5 —2D **34**
Downham Pl. WV3 —3F **29**
Downham Wood. WS5 —2D **34**
Downie Rd. WV8 —5C **10**
Downing Clo. B65 —4A **70**
Downing Clo. B93 —4A **126**
Downing Clo. WV11 —3H **21**
Downing Ct. B68 —5E **71**
Downing Cres. CV12 —2F **81**
Downing Ho. B37 —3A **78**
Downing St. B63 —2H **85**
Downing St. B66 —5B **58**
Downland Clo. B38 —5E **105**
Downsfield Rd. B26 —1E **93**
Downside Rd. B24 —3F **61**
Downs Rd. WV13 —2A **32**
Downs, The. WS9 —1A **36**
Downs, The. WV10 —3G **19**
Downton Cres. B33 —3G **77**
Dowry Ho. B45 —1D **118**
Dowty Av. CV12 —4B **80**
Dowty Way. WV9 —5G **11**
Doyle Dri. CV6 —3D **100**
Dragoon Fields. B60 —5F **143**
Drake Clo. WS3 —1E **23**
Drake Cres. DY11 —2A **140**
Drake Croft. WS13 —2G **151**
Drake Ho. DY4 —4G **43**
Drake Rd. B23 —2D **60**
Drake Rd. B66 —5G **57**
Drake Rd. WS3 —1E **23**
Drakes Cross Pde. B47 —3B **122**
Drakes Gro. WV14 —1G **43**
Drakes Hill Clo. DY8 —3C **82**
Drake St. B71 —5F **45**
Drake St. CV6 —1C **116**
Drancy Av. WV12 —3B **22**
Draper Clo. CV8 —4D **150**
Draper's Fields. CV1 —4B **116**
Drawbridge Rd. B90 —1F **123**
Draycote Clo. B92 —2F **109**
Draycott Av. B23 —1E **61**
Draycott Clo. WV4 —5C **28**
Draycott Cres. B77 —3E **135**
Draycott Dri. B29 —1H **103**
Draycott Rd. B66 —5H **57**
Draycott Rd. CV2 —2F **117**
Drayton Clo. B75 —1H **37**
Drayton Clo. B98 —5G **145**
Drayton Ct. CV10 —1B **136**
Drayton Ct. CV34 —1E **147**
Drayton Cres. CV5 —3A **114**
Drayton Mnr. Dri. B78 —5B **134**
Drayton Rd. B14 —1A **106**
Drayton Rd. B66 —4A **72**
Drayton Rd. B90 —1C **124**
Drayton Rd. CV12 —4G **81**
Drayton St. WS2 —1F **33**
Drayton St. WV2 —3H **29**
Drayton St. E. WS2 —1F **33**
Drayton Way. CV10 —1A **136**
Dreadnought Rd. DY5 —5G **53**
Dreel, The. B15 —5D **72**
Dreghorn Rd. B36 —4C **62**
Drem Croft. B35 —2D **62**
Dresden Clo. WV4 —1C **42**
Drew Cres. CV8 —4B **150**
Drew Cres. DY9 —4A **84**
Drew Rd. DY9 —4H **83**
Drew's Holloway. B63 —2E **85**
Drew's Holloway S. B63 —2E **85**
Drews La. B8 —5G **61**
Drews Meadow Clo. B14 —5H **105**
Driffield Clo. B98 —3G **145**
Driffold. B73 —1H **49**
Driffold, The. B73 —1H **49**
Driffold Vs. B73 —1H **49**
Driftwood Clo. B38 —2D **120**
Dri. Fields, The. WV4 —4B **28**
Drivefields, The. WV4 —4B **28**
Drive, The. B15 —5G **73** & 5A **152**
Drive, The. B20 —3F **59**
Drive, The. B23 —3E **61**
Drive, The. B63 —2E **85** (Drew's Holloway)
Drive, The. B63 —4H **85** (Halesowen)
Drive, The. B98 —3C **144**
Drive, The. CV2 —4H **117**
Drive, The. DY5 —2H **67**
Drive, The. WS3 —1H **23**
Drive, The. WS4 —2C **24**
Drive, The. WV6 —4C **18**
Drive, The. WV8 —5A **10**
Dronfield Rd. CV2 —4E **117**
Drovers Way. B60 —5C **142**
Droveway, The. WV8 & WV9 —5F **11**
Droxford Wlk. WV8 —2E **19**
Droylsdon Pk. Rd. CV3 —5A **132**
Druid Pk. Rd. WV12 —1A **22**
Druid Rd. CV2 —4F **117**
Druids Av. B65 —2B **70**
Druids Av. WS9 —2G **25**
Druids La. B14 —5G **105**
Druids Pl. LE10 —2E **139**
Druid St. LE10 —2E **139**
Druids Wlk. WS9 —5F **17**
Drummond Clo. CV6 —1G **115**
Drummond Clo. WV11 —1G **21**
Drummond Gro. B43 —1G **47**
Drummond Rd. B9 —4G **75**
Drummond Rd. B60 —4F **143**
Drummond Rd. DY9 —2B **84**
Drummond St. WV1 —1G **29**
Drummond Way. B37 —3B **78**
Drury La. B91 —4F **109** (in two parts)
Drury La. DY8 —2F **83**
Drury La. WV8 —4A **10**
Drybrook Clo. B38 —2D **120**
Drybrooks Clo. CV7 —3C **128**
Dryden Clo. CV8 —4B **150**
Dryden Clo. DY4 —4H **43**
Dryden Clo. WV12 —2C **22**
Dryden Gro. B27 —4H **91**
Dryden Pl. WS3 —3H **23**
Dryden Rd. B79 —1C **134**
Dryden Rd. WS3 —3H **23**
Dryden Rd. WV10 —2B **20**
Drylea Gro. B36 —4C **62**
Dubarry Av. DY6 —5C **52**
Duchess Pl. B16 —4F **73**
Duchess Rd. B16 —4F **73**
Duchess Rd. WS1 —5G **33**
Duckhouse Rd. WV11 —2E **21**
Duck La. WV8 —5B **10**
Duck La. WV14 —5F **31**
Duddeston Dri. B8 —2E **75**
Duddeston Manor Rd. B7 —2C **74**
Duddeston Mill Rd. B7 & B8 —2C **74**
Duddeston Mill Trading Est. B8 —2D **74**
Dudding Rd. WV4 —5H **29**
Dudhill Rd. B65 —3G **69**
Dudhill Wlk. B65 —3G **69**
Dudley Central Trading Est. DY2 —4D **54**
Dudley Clo. B65 —1G **69**
Dudley Cres. WV11 —3F **21**
Dudley Grn. CV32 —3C **148**
Dudley Gro. B18 —2D **72**
Dudley Pk. Rd. B27 —3H **91**
Dudley Port. DY4 —2H **55**
Dudley Rd. B18 —2C **72**
Dudley Rd. B63 —2H **85**
Dudley Rd. B65 —1G **69**
Dudley Rd. B69 —4C **56**
Dudley Rd. CV8 —5A **150**
Dudley Rd. DY3 —2C **52** (Himley)
Dudley Rd. DY3 —4A **42** (Sedgley)
Dudley Rd. DY4 —1F **55**
Dudley Rd. DY5 —2A **68**
Dudley Rd. DY6 —5E **53** (Kingswinford)
Dudley Rd. DY6 —4C **52** (Wall Heath)
Dudley Rd. DY9 —2A **84**
Dudley Rd. WV2 —2H **29**
Dudley Rd. E. B69 —3B **56**
Dudley Rd. W. DY4 & B69 —3H **55**
Dudley Row. DY2 —4E **55**
Dudley St. B5 —4A **74** & 4C **152**
Dudley St. B64 —4F **69**
Dudley St. B70 —1D **56**
Dudley St. CV6 —5E **101**
Dudley St. DY3 —4A **42**
Dudley St. DY10 —2E **141**
Dudley St. WS1 —2H **33**
Dudley St. WS10 —2C **44**
Dudley St. WV1 —1H **29**
Dudley St. WV14 —5E **31**
Dudley Wlk. WV4 —5H **29**
Dudley Wood Av. DY2 —4E **69**
Dudley Wood Rd. DY2 —4D **68**
Dudnill Gro. B32 —1D **102**
Duffield Clo. WV8 —1E **19**
Dufton Rd. B32 —2H **87**
Dugdale Clo. WS12 —3H **5**
Dugdale Ct. CV31 —6B **149**
Dugdale Cres. B75 —5H **27**
Dugdale Ho. B71 —3A **46**
Dugdale Rd. CV6 —2A **116**
Dugdale St. B18 —2C **72**
Dugdale St. CV11 —3F **137** (in two parts)
Duggins La. CV7 & CV4 —2G **129** to 1A **130**
Duke Barn Field. CV2 —3E **117**
Duke Pl. DY10 —2D **140**
Dukes Rd. B30 —4E **105**
Duke St. B65 —4H **69**
Duke St. B70 —2E **57**
Duke St. B72 —1H **49**
Duke St. CV5 —5H **115**
Duke St. CV11 —3E **137**
Duke St. CV32 —4C **148**
Duke St. DY3 —1A **54**
Duke St. DY8 —2F **83**
Duke St. DY10 —2D **140**
Duke St. WV1 —2A **30**
Duke St. WV3 —4F **29**
Duke St. WV11 —4E **21**
Dulais Clo. B98 —4C **144**
Dulvern Gro. B14 —3H **105**
Dulverton Av. CV5 —3F **115**
Dulverton Rd. B6 —3C **60**
Dulwich Gro. B44 —4C **48**
Dulwich Rd. B44 —3B **48**
Dumbleberry Av. DY3 —4G **41**
Dumblederry La. WS9 —3E **25**
Dumblederry La. WS9 —2D **24**
Dumolos La. B77 —2F **135**
Dunard Rd. B90 —4F **107**
Dunbar Clo. B32 —5F **87**
Dunbar Clo. DY10 —2H **141**
Dunbar Gro. B43 —1G **47**
Dunblane Dri. CV32 —1D **148**
Dunblane Way. LE10 —1C **138**
Duncalfe Dri. B75 —5H **27**
Duncan Edwards Clo. DY1 —4C **54**
Duncan St. WV2 —3H **29**
Dunchurch Clo. B98 —4H **145**
Dunchurch Clo. CV7 —2C **128**
Dunchurch Cres. B73 —1D **48**
Dunchurch Dri. B31 —1H **103**
Dunchurch Highway. CV5 —2C **114**
Dunclent Cres. DY10 —3G **141**
Duncombe Grn. B46 —5D **64**
Duncombe Gro. B17 —5A **72**
Duncombe St. DY8 —2D **82**
Duncroft Av. CV6 —1G **115**
Duncroft Rd. B26 —5C **76**
Duncroft Wlk. DY1 —5D **42**
Duncumb Rd. B75 —5D **38**
Dundalk La. WS6 —5B **6**
Dundas Av. DY2 —4G **55**
Dunedin. B77 —3G **135**
Dunedin Ho. B32 —3H **87**
Dunedin Rd. B44 —2A **48**
Dunhampton Dri. DY10 —1G **141**
Dunhill Av. CV4 —4B **114**
Dunhill Gro. B32 —1D **102**
Dunkirk Av. B70 —2B **56**
Dunkley St. WV1 —1G **29**
Dunley Croft. B90 —3C **124**
Dunlin Clo. B23 —3D **60**
Dunlin Clo. DY6 —5F **53**
Dunlin Clo. WV10 —2C **12**
Dunlin Dri. DY10 —5E **141**
Dunlin Dri. WV10 —2C **12**
Dunlop Way. B24 —3B **62**
Dunnigan Rd. B32 —4H **87**
Dunnington Av. DY10 —1F **141**
Dunnose Clo. CV6 —1C **116**
Dunn's Bank. DY5 —5B **68** & 1B **84**
Dunrose Clo. CV2 —5H **117**
Dunsfold Croft. B6 —5B **60**
Dunsford Clo. DY5 —1G **83**
Dunsford Clo. WV14 —1C **42**
Dunsford Rd. B66 —3A **72**
Dunsink Rd. B6 —3B **60**
Dunslade Cres. DY5 —5B **68**
Dunslade Rd. B23 —4E **49**
Dunsley Dri. DY8 —3E **67**
Dunsley Gro. WV4 —1F **41**
Dunsley Rd. DY8 —2C **82**
Dunsmore Av. CV3 —3F **133**
Dunsmore Dri. DY5 —5B **68**
Dunsmore Gro. B91 —2C **108**
Dunsmore Rd. B28 —5E **91**
Dunstall Av. WV6 —4G **19**
Dunstall Clo. B97 —4A **144**
Dunstall Gro. B29 —1H **103**
Dunstall Hill. WV10 & WV6 —4H **19**
Dunstall La. B78 —3A **134**
Dunstall La. WV6 —4G **19**
Dunstall Rd. B63 —4F **85**
Dunstall Rd. WV6 —5G **19**
Dunstan Croft. B90 —1A **124**
Dunster Clo. B30 —4G **105**
Dunster Gro. WV6 —1A **28**
Dunster Pl. CV6 —4C **100**
Dunster Rd. B37 —3B **78**
Dunster Way. B37 —3C **78**
Dunston Clo. DY6 —5D **52**
Dunston Clo. WS6 —1C **14**
Dunston Dri. WS7 —1F **9**
Dunsville Dri. CV2 —1H **117**
Dunton Clo. B75 —4G **75**
Dunton Hall Rd. B90 —1G **123**
Dunton Ind. Est. B7 —5D **60**
Dunton Rd. B37 —2G **77**

Fallings Pk. Ind. Est.—Fladbury Cres.

Fallings Pk. Ind. Est. WV10 —4B 20
Fallow Field. B74 —5C 26
Fallow Field. WS11 —3C 4
Fallowfield. WS13 —1G 151
Fallowfield. WV6 —1A 18
Fallowfield. WV8 —1E 19
Fallowfield Av. B28 —3F 107
Fallowfield Rd. B63 —4E 85
Fallowfield Rd. B65 —3H 69
Fallowfield Rd. B92 —4F 93
Fallowfield Rd. WS5 —3D 34
Fallowfields Clo. B61 —2C 142
Fallow Hill. CV31 —6D 149
Fallow Rd. B78 —5B 134
Fallows Rd. B11 —1D 90
Fallow Wlk. B32 —5D 86
Falmouth Clo. CV11 —5B 136
Falmouth Rd. B34 —1C 76
Falmouth Rd. WS5 —4C 34
Falna Cres. B79 —1B 134
Falstaff Av. B47 —3B 122
Falstaff Clo. B76 —4D 50
Falstaff Rd. B90 —5H 107
Falstaff Rd. CV4 —5B 114
Falstone Rd. B73 —2E 49
Fancott Dri. CV8 —2A 150
Fancott Rd. B31 —3A 104
Fancourt Av. WV4 —5D 28
Fane Rd. WV11 —1H 21
Fanshawe Rd. B27 —5A 92
Fanum Ho. B63 —4A 86
Faraday Av. B32 —2F 87
Faraday Rd. LE10 —3A 138
Faraday Rd. WS2 —4E 23
Farbrook Way. WV12 —4A 22
Farcroft Av. B21 —4C 58
Farcroft Av. CV5 —4A 114
Farcroft Gro. B21 —3D 58
Farcroft Rd. B21 —3C 58
Fareham Cres. WV4 —4C 28
Farewell La. WS7 —2H 9
Farfield Clo. B31 —5B 104
Far Gosford St. CV1 —5C 116
Far Highfield. B76 —1B 50
Farhill Clo. B71 —3H 45
Farlands Dri. DY8 —4F 83
Farlands Gro. B43 —4E 47
Farlands Rd. DY8 —3F 83
Far Lash. LE10 —3G 139
Farleigh Dri. WV3 —3B 28
Farleigh Rd. WV6 —1A 28
Farley Cen. B70 —2G 57
Farley Rd. B23 —1C 60
Farley St. CV31 —5C 149
Farley St. DY4 —1B 56
Farlow Clo. B98 —2G 145
Farlow Clo. CV6 —2E 117
Farlow Croft. B37 —5H 77
Farlow Rd. B31 —4B 104
Farmacre. B9 —4C 74
Farman Rd. CV5 —5H 115
Farm Av. B68 —3E 71
Farmbridge Clo. WS2 —1B 32
Farmbridge Rd. WS2 —1B 32
Farmbridge Way. WS2 —1B 32
Farmbrook Av. WV10 —4H 11
Farm Clo. B79 —1D 134
Farm Clo. B92 —4F 93
Farm Clo. CV6 —3A 100
Farm Clo. DY3 —4G 41
Farm Clo. DY11 —5B 140
Farm Clo. WS12 —3F 5
Farm Clo. WV8 —5B 10
Farmcote Rd. B33 —2D 76
Farmcote Rd. CV2 —3F 101
Farm Croft. B19 —1G 73
Farmcroft Rd. DY9 —4A 84
Farmdale Gro. B45 —3D 118
Farmer Rd. B10 —5G 75
Farmers Clo. B76 —1B 50
Farmers Ct. B63 —2G 85
Farmers Fold. WV1 —2H 29
Farmers Rd. B60 —5D 142
Farmers Wlk. B21 —5C 58
Farmer Ward Rd. CV8 —4C 150
Farmer Way. DY4 —3A 44
Farmhouse Rd. WV12 —4B 22
Farm Ho. Way. B43 —1D 46
Farmhouse Way. B90 —2E 125
Farmhouse Way. WV12 —4B 22
Farmoor Gro. B34 —5G 63
Far Moor La. B98 —3H 145
Farmoor Way. WV10 —4A 12
Farm Rd. B11 —1C 90
Farm Rd. B65 —2H 69
Farm Rd. B67 —2G 71
Farm Rd. B68 —3E 71
Farm Rd. B98 —3D 144
Farm Rd. CV8 —5A 150
Farm Rd. CV32 —2C 148
Farm Rd. DY2 —2C 68
Farm Rd. DY4 —4A 44
Farm Rd. DY5 —5A 68
Farm Rd. LE10 —4F 139
Farm Rd. WV3 —3C 28
Farmside. CV3 —3G 133
Farmside Grn. WV9 —5F 11
Farmstead Rd. B92 —4E 93
Farmstead, The. CV3 —1F 133
Farm St. B19 —1G 73
Farm St. B70 —3F 57
Farm St. WS2 —5G 23
Farnborough Clo. B98 —4H 145
Farnborough Ct. B75 —1H 37
Farnborough Dri. B90 —3C 124
Farnborough Rd. B35 —3D 62 to 1E 63
Farnbury Croft. B38 —5G 105
Farnbury Gdns. B38 —5G 105
Farn Clo. B33 —3C 76
Farncote Dri. B74 —1F 37
Farndale Av. CV6 —3C 100
Farndale Av. WV6 —4F 19
Farndale Clo. DY5 —1G 83
Farndon Clo. CV12 —1A 80
Farndon Rd. B8 —2F 75
Farndon Way. B23 —4D 48
Farneway. LE10 —2D 138
Farnham Clo. B43 —3E 47
Farnham Rd. B21 —3D 58
Farnhurst Rd. B36 —5H 61
Farnol Rd. B26 —5C 76
Farnworth Gro. B36 —4G 63
Farquhar Rd. B13 —4B 90
Farquhar Rd. B15 —1E 89 & 2E 89
Farquhar Rd. E. B15 —1E 89
Farran Way. B43 —4D 46
Farr Dri. CV4 —5D 114
Farren Rd. B31 —5G 103
Farren Rd. CV2 —3H 117
Farrier Clo. B60 —5C 142
Farrier Clo. B76 —4C 50
Farrier Rd. B43 —1H 47
Farriers, The. B26 —2D 92
Farriers Way. CV11 —4H 137
Farriers Way. LE10 —4G 139
Farrier Way. DY6 —5B 52
Farringdon. B77 —3G 135
Farringdon St. WS2 —1G 33
Farrington Rd. B23 —1D 60
Farrington Rd. WV4 —1A 42
Farrow Rd. B44 —2A 48
Farthing La. B72 —1H 49
Farthing Pools Clo. B73 —5H 37
Farvale Rd. B76 —5F 51
Far View. WS9 —1G 25
Far Wood Rd. B31 —1G 103
Faseman Av. CV4 —5C 114
Fashoda Rd. B29 —5G 89
Fastmoor Oval. B33 —4G 77
Fast Pits Rd. B25 —5H 75
Fatherless Barn Cres. B63 —2E 85
Faulconbridge Av. CV5 —4B 114
Faulkland Cres. WV1 —1H 29
Faulkner Clo. DY8 —2F 83
Faulkner Rd. B92 —5E 93
Faulkners Farm Dri. B23 —5C 48
Faulknor Dri. DY5 —5G 53
Faversham Clo. WS2 —5B 22
Faversham Clo. WV8 —2E 19
Fawdry Clo. B73 —5H 37
Fawdry St. B9 —3C 74
Fawdry St. B66 —1C 72
Fawdry St. WV1 —5G 19
Fawley Clo. CV3 —3G 133
Fawley Clo. WV13 —2G 31
Fawley Gro. B14 —2G 105
Fazeley Rd. B78 —5C 134 to 3C 134
Fazeley St. B5 —3A 74 & 3D 152
Fazeley St. Ind. Est. B9 —3B 74
Featherbed La. CV4 —4C 130
Featherstone Clo. B90 —5B 108
Featherstone Clo. CV10 —5F 137
Featherstone Cres. B90 —5B 108
Featherstone Dri. LE10 —4F 139
Featherstone La. WV10 —1D 12
Featherstone Rd. B14 —2A 106
Featherston Rd. B74 —1B 36
Feckenham Rd. B97 —5A 144 to 4A 144
Fecknam Way. WS13 —1H 151
Felbrigg Clo. DY5 —5H 67
Feldings, The. B24 —1A 62
Feldon La. B62 —5C 70
Felgate Clo. B90 —3D 124
Fellbrook Clo. B33 —2C 76
Fell Gro. B21 —3C 58
Fell Gro. CV32 —2D 148
Fellmeadow Rd. B33 —3D 76
Fellmeadow Way. DY3 —5A 42
Fellmore Gro. CV31 —6D 149
Fellows Av. DY6 —4C 52
Fellows La. B17 —2A 88
Fellows Rd. WV14 —3E 31
Fellows St. WV2 —3H 29
Felspar Rd. B77 —2G 135
Felsted Way. B7 —2C 74
Felstone Rd. B44 —3A 48
Feltham Clo. B33 —4G 77
Felton Clo. B98 —4H 145
Felton Clo. CV2 —5H 101
Felton Croft. B33 —3D 76
Felton Gro. B91 —5E 109
Fenbourne Clo. WS4 —2C 24
Fenchurch Clo. WS2 —5F 23
Fencote Av. B37 —2A 78
Fen End Rd. CV8 —5H 127 to 5A 128
Fen End Rd. W. B93 —4F 127
Fenmere Clo. WV4 —5A 30
Fennel Clo. WS6 —4B 6
Fennel Croft. B34 —5E 63
Fennel Rd. DY5 —1H 83
Fennis Clo. B93 —5H 125
Fenn Rise. DY8 —3C 66
Fenn Rise. WV12 —4A 22
Fenn St. B77 —4E 135
Fens Cres. DY5 —1H 67
Fenside Av. CV3 —4B 132
Fens Pool Av. DY5 —1A 68
Fensway, The. B34 —1D 76
Fenter Clo. B13 —2B 90
Fentham Clo. B92 —2F 111
Fentham Grn. B92 —1E 111
Fentham Rd. B6 —4H 59
Fentham Rd. B23 —2E 61
Fentham Rd. B92 —2F 111
Fenton Rd. B27 —2H 91 (in two parts)
Fenton Rd. B47 —2C 122
Fenton St. B66 —5H 57
Fenton St. DY5 —3H 67 (in two parts)
Fenwick Clo. B97 —4A 144
Fereday Rd. WS9 —5F 17
Fereday's Croft. DY3 —4H 41
Fereday St. DY4 —4G 43
Ferguson Dri. DY11 —5B 140
Ferguson Rd. B68 —1F 71
Ferguson St. WV11 —1G 21
Fern Av. DY4 —4G 43
Fernbank Clo. B63 —4F 85
Fernbank Cres. WS5 —1C 46
Fernbank Rd. B8 —2G 75
Ferncliffe Rd. B17 —3B 88
Fern Clo. CV2 —4F 101
Fern Clo. WS4 —1C 24
Fern Clo. WV14 —4C 42
Fern Croft. WS13 —2E 151
Ferndale Av. B43 —4E 47
Ferndale Clo. CV11 —2G 137
Ferndale Clo. WS7 —2F 9
Ferndale Clo. WS13 —2E 151
Ferndale Ct. B46 —1E 79
Ferndale Cres. B12 —5B 74
Ferndale Cres. DY11 —1B 140
Ferndale Dri. CV8 —4C 150
Ferndale Ho. B32 —5G 87
Ferndale Housing Est. DY11 —1A 140
Ferndale Pk. DY9 —5G 83
Ferndale Rd. B28 —1F 107
Ferndale Rd. B46 —1E 79
Ferndale Rd. B68 —3D 70
Ferndale Rd. B74 —3B 36
Ferndale Rd. CV7 —3B 128
Ferndale Rd. WS13 —1E 151
Ferndale Rd. WV11 —5H 13
Ferndell Clo. WS11 —4A 4
Ferndene Rd. B11 —3G 91
Ferndown Av. DY3 —4H 41
Ferndown Clo. B26 —4D 76
Ferndown Clo. CV4 —4C 114
Ferndown Clo. WS3 —4E 15
Ferndown Gdns. WV11 —4G 21
Ferndown Rd. B91 —2E 109
Fern Dri. WS6 —4D 6
Ferness Clo. LE10 —1D 138
Ferness Rd. LE10 —1D 138
Fernfell Ct. B23 —5F 49
Fernhill Clo. CV8 —2A 150
Fernhill Dri. CV32 —4C 148
Fernhill Gro. B44 —1B 48
Fernhill La. CV7 —4A 128
Fernhill Rd. B92 —4B 92
Fernhurst Dri. DY5 —5G 53
Fernhurst Rd. B8 —2G 75
Fernleigh Av. WS7 —1F 9
Fernleigh Gdns. DY8 —3C 66
Fernleigh Rd. WS4 —5B 24
Fernley Av. B29 —4G 89
Fernley Rd. B11 —3D 90
Fern Leys. WV3 —2D 28
Fern Rd. B24 —2G 61
Fern Rd. DY1 —1D 54
Fern Rd. WS12 —2B 4
Fern Rd. WV3 —3G 29
Fernside Gdns. B13 —3C 90
Fernwood Clo. B73 —3F 49
Fernwood Croft. B14 —2A 106
Fernwood Croft. DY4 —1G 55
Fernwood Rd. B73 —3F 49
Fernwoods. B32 —4E 87
Ferny Hill Av. B97 —3A 144
Ferrers Clo. B75 —2B 38
Ferrers Clo. CV4 —5C 114
Ferrers Rd. B77 —1E 135
Ferrie Gro. WS8 —2E 17
Ferris Gro. B27 —5G 91
Festival Av. WS10 —5A 32
Festival Ct. WS11 —2C 4
Fetherston Ct. CV31 —6B 149
Fibbersley. WV11 & WV13 —5G 21
Fibbersley Bank. WV13 —5G 21
Fiddlers Grn. B92 —1F 111
Field Barn Rd. CV35 —4A 146
Field Clo. B26 —1D 92
Field Clo. CV8 —2C 150
Field Clo. CV34 —3G 147
Field Clo. DY8 —4F 67
Field Clo. LE10 —1G 139
Field Clo. WS3 —2F 23
Field Clo. WS4 —1B 24
Field Cottage Dri. DY8 —3G 83
Fieldfare. WS7 —3H 9
Fieldfare Clo. B64 —2G 69
Fieldfare Croft. B36 —4H 63
Fieldfare Rd. DY9 —2A 84
Field Farm La. B98 —4G 145
Field Farm Rd. B77 —3E 135 (in two parts)
Fieldgate La. CV8 —2A 150
Fieldgate Lawn. CV8 —2B 150
Fieldgate Trading Est. WS1 —2H 33
Fieldhead La. CV34 —4G 147
Fieldhead Pl. WV6 —5B 18
Fieldhead Rd. B11 —3G 91
Field Ho. CV8 —3B 15 (off Priory Rd.)
Fieldhouse Rd. B25 —5A 76
Fieldhouse Rd. WS7 —1E 9
Fieldhouse Rd. WS12 —1C 4
Fieldhouse Rd. WV4 —1A 42
Field La. B32 —5E 87
Field La. B91 —2H 109
Field La. DY8 —4F 83
Field La. WS4 —5B 16
Field La. WS6 —4D 6
Field March. CV3 —3H 133
Field M. DY2 —3F 69
Fieldon Clo. B90 —5A 108
Field Rd. DY2 —3F 55
Field Rd. DY4 —3G 43
Field Rd. WS3 —2F 23
Field Rd. WS13 —1G 151
Fields Ct. CV34 —3F 147
Fieldside La. CV3 —4H 117
Fieldside Wlk. WV14 —3E 31
Field St. WS11 —3C 4
Field St. WV10 —1A 30
Field St. WV13 —1G 31 & 2G 31
Field St. WV14 —1F 43
Field View Clo. CV7 —5E 81
Fieldview Clo. WV14 —2F 43
Field View Dri. B65 —3C 70
Field Wlk. WS9 —3F 25
Field Way. B94 —5C 124
Fieldways Clo. B47 —2B 122
Fife Rd. CV5 —5G 115
Fife St. CV11 —3E 137
Fifield Clo. CV11 —4G 137
Fifield Gro. B33 —3C 76
Fifth Av. B9 —4F 75
Fifth Av. WV10 —3A 20
Filey Clo. WS11 —1A 6
Filey Rd. WV10 —1G 19
Fillingham Clo. B37 —4C 78
Fillongley Rd. CV7 —5C 96 to 1H 97
Filton Av. WS7 —1F 9
Filton Croft. B35 —1D 62
Fimbrell Clo. DY5 —5F 67
Finbury Clo. B92 —5C 92
Finchall Croft. B92 —1G 109
Fincham Clo. WV9 —5F 11
Finch Clo. B65 —2G 69
Finch Clo. CV6 —4B 100
Finchdene Gro. WV3 —2D 28
Finch Dri. B74 —4B 36
Finches End. B34 —1E 77
Finchfield Clo. DY8 —3C 82
Finchfield Gdns. WV3 —2E 29
Finchfield Hill. WV3 —2C 28
Finchfield La. WV3 —3C 28
Finchfield Rd. WV3 —2D 28
Finchfield Rd. W. WV3 —2D 28
Finchley Av. B19 —4G 59
Finchley Clo. DY3 —2A 54
Finchley Rd. B44 —2C 48
Finchmead Rd. B33 —4G 77
Finchpath Rd. B70 —5D 44
Finch Rd. B19 —4G 59
Findlay Rd. B14 —5A 90
Findon Clo. CV12 —1B 80
Findon Rd. B8 —5H 61
Findon St. DY10 —2E 141
Finford Croft. CV7 —3B 128
Fingal Clo. CV3 —3G 133
Fingerpost Dri. WS3 —4A 16
Fingest Clo. CV5 —4D 114
Finham Cres. CV8 —2C 150
Finham Flats. CV8 —2C 150
Finham Grn. Rd. CV3 —5A 132
Finham Gro. CV3 —5B 132
Finham Rd. CV8 —2C 150
Finings Ct. CV32 —3B 148
Finlarigg Dri. B15 —1E 89
Finmere Rd. B28 —5G 91
Finnemore Clo. CV3 —3A 132
Finnemore Rd. B9 —4G 75
Finneywall Clo. WV14 —1D 42
Finsbury Dri. DY5 —1G 83
Finsbury Gro. B23 —5E 49
Finstall Clo. B7 —2C 74
Finstall Clo. B72 —2H 49
Finstall Rd. B60 —5F 143
Finwood Clo. B92 —1G 109
Fir Av. B12 —2B 90
Firbank Clo. B30 —1D 104
Firbank Way. WS3 —5H 15
Firbarn Clo. B76 —1B 50
Firbeck Gro. B44 —2B 48
Firbeck Rd. B44 —3B 48
Fircrest Clo. WS11 —4F 5
Fircroft. B31 —1H 103
Fircroft. B91 —2C 108
Fir Croft. DY5 —5H 67
Fircroft. WV14 —1H 43
Fircroft Clo. WS11 —3D 4
Fircroft Ho. B37 —3A 78
Firecrest Way. DY10 —5G 141
Fir Gro. B14 —3B 106
Fir Gro. CV4 —5C 114
Fir Gro. DY8 —2C 82
Fir Gro. WV3 —2F 29
Firhill Croft. B14 —5H 105
Firleigh Dri. CV12 —1C 80
Firmstone Ct. DY8 —1D 82
Firmstone St. DY8 —1D 82
Firsbrook Clo. WV6 —4F 19
Firsby Rd. B32 —2G 87
Firs Caravan Pk. WS11 —4D 4
Firs Clo. B67 —2A 72
Firs Clo., The. DY10 —3F 141
Firs Dri. B90 —1G 123
Firs Est. CV5 —1A 132
Firs Farm Dri. B36 —5C 62
Firsholm Clo. B73 —4G 49
Firs Ho. B36 —4C 62
Firs La. B67 —1A 72
Firs Rd. DY6 —1E 67
Firs St. DY2 —4F 55
First Av. B6 —2B 60
First Av. B9 —4F 75
First Av. B29 —4G 89
First Av. B76 —1D 62 (off Forge La.)
First Av. CV3 —5G 117
First Av. DY6 —5F 53
First Av. WS8 —1E 17 & 1F 17
First Av. WV10 —4A 20
Firs, The. B11 —1E 91 (Small Heath)
Firs, The. B11 —1D 90 (Sparkbrook)
Firs, The. CV5 —1H 131
Firs, The. CV12 —4D 80
Firstlink. B70 —1E 57
First Meadow Piece. B32 —3H 87
Fir St. DY3 —4F 41
Firsvale Rd. WV11 —4G 21
Firsway. WV6 —2A 28
Firswood Rd. B33 —4F 77
Firth Dri. B14 —3C 106
Firth Dri. B62 —5C 70
Firth Pk. Cres. B62 —5C 70
Fir Tree Av. CV4 —5C 114
Firtree Clo. B44 —4A 48
Fir Tree Clo. B79 —1A 134
Fir Tree Dri. DY3 —4B 52
Fir Tree Dri. WS5 —1B 46
Fir Tree Gro. B73 —2G 49
Fir Tree Gro. CV11 —5G 137
Firtree Rd. B24 —2H 61
Fir Tree Rd. WV3 —3D 28
Fisher Clo. B62 —5C 102
Fisher Rd. B69 —5F 57
Fisher Rd. CV6 —5C 100
Fisher Rd. WS3 —1D 22
Fishers Ct. CV34 —5C 146
Fishers Dri. B90 —3G 123
Fisher St. DY2 —3E 55
Fisher St. DY4 —2G 55 (Burnt Tree)
Fisher St. DY4 —5B 44 (Great Bridge)
Fisher St. DY5 —3G 67 (in two parts)
Fisher St. WV3 —3G 29
Fisher St. WV13 —1A 32
Fish Hill. B98 —2C 144
Fishing Line Rd. B97 —1C 144
Fishley Clo. WS3 —4F 15
Fishley La. WS3 —5F 15 to 2H 15
Fishponds Rd. CV8 —4A 150
Fishpool Clo. B36 —4A 62
Fishpool La. B46 —1F 95
Fithern Clo. DY3 —1A 54
Fitters Mill Clo. B5 —1A 90
Fitton Av. DY6 —1F 67
Fitton St. CV11 —4F 137
Fitzgerald Pl. DY5 —1G 83
Fitzguy Clo. B70 —4H 57
Fitzmaurice Rd. WV11 —3G 21
Fitz Roy Av. B17 —1H 87 (in two parts)
Fitzroy Rd. B31 —4F 103
Fivefield Rd. CV7 —2F 99
Five Fields Rd. WV12 —4H 21
Five Foot. LE10 —1E 139
Five Oaks Rd. WV13 —3F 31
Five Ways. B33 —3B 76
Five Ways. DY3 —2A 54
Five Ways. DY5 —3A 68
Five Ways. WV3 —4C 28
Five Ways. WV10 & WV1 —5H 19
Five Ways Shopping Cen. B15 —4F 73
Flackwell Rd. B23 —4E 89
Fladbury Clo. B98 —5E 145
Fladbury Clo. DY2 —3E 69
Fladbury Cres. B29 —5C 88

Friday La.—Glendon Gdns.

Friday La. B92 —3B **110**
Friesland Dri. WV1 —1C **30**
Friezland La. WS8 —3E **17**
Friezland Rd. WS2 —1E **33**
Friezland Way. WS8 —3F **17**
Frilsham Way. CV5 —3D **114**
Fringe Grn. B60 —5E **143**
Fringe Grn. Clo. B60 —5E **143**
Fringe Meadow Rd. B98 —1H **145**
Frinton Gro. B21 —5C **58**
Frisby Rd. CV4 —5B **114**
Friston Av. B16 —4F **73**
Friswell Dri. CV6 —5D **100**
Friswell Ho. CV2 —1G **117**
Frith Way. LE10 —1C **138**
Frobisher Clo. WS6 —1D **14**
Frobisher Rd. CV3 —4B **132**
Frobisher Way. B66 —5G **57**
Frodesley Rd. B26 —5E **77**
Froggatt Rd. WV14 —4E **31**
Froggatt's Ride. B76 —1C **50**
Frog La. CV7 —3B **128**
Frog La. WS13 —3G **151**
Frogmere Clo. CV5 —2B **114**
Frogmill Rd. B45 —5E **103**
Frogmill Shopping Cen. B45 —5E **103**
Frogmore La. CV8 —5A **128**
Frome Dri. WV11 —4D **20**
Frome Way. B14 —2H **105**
Frost St. WV2 —4C **30**
Froxmere Clo. B92 —1E **125**
Froyle Clo. WV10 —4C **18**
Froysell St. WV13 —1H **31**
Fryer Av. CV32 —3A **148**
Fryer Rd. B31 —2B **120**
Fryer's Clo. WS3 —3E **23**
Fryer's Rd. WS2 & WS3 —3D **22**
Fryer St. WV1 —1A **30**
Frythe Clo. CV8 —2D **150**
Fuchsia Clo. CV2 —4F **101**
Fugelmere Clo. B17 —1H **87**
Fulbrook Clo. B98 —1F **145**
Fulbrook Gro. B29 —1A **104**
Fulbrook Rd. CV2 —5G **101**
Fulbrook Rd. DY1 —3C **54**
Fulford Dri. B76 —5E **51**
Fulford Gro. B26 —1F **93**
Fulford Hall Rd. B94 & B90 —5E **123**
Fulham Rd. B11 —2C **90**
Fullbrook Clo. B90 —3D **124**
Fullbrook Rd. WS5 —5H **33**
Fullelove Rd. WS8 —2F **17**
Fullers Clo. CV6 —1G **115**
Fullerton Clo. WV8 —2E **19**
Fullwood Clo. CV2 —4H **101**
Fullwood Cres. DY2 —1B **68**
Fullwoods End. WV14 —3D **42**
Fulmar Cres. DY10 —5G **141**
Fulmer Wlk. B18 —3F **73**
Fulton Clo. B60 —4F **143**
Fulwell Gro. B44 —4C **48**
Fulwood Av. B62 —5D **70**
Furber Pl. DY6 —5E **53**
Furlong La. B63 —1E **85**
Furlong Meadow. B31 —5C **104**
Furlongs Rd. DY3 —5A **42**
Furlongs, The. DY8 —4G **83**
Furlongs, The. WV11 —4D **20**
Furlong, The. WS10 —5C **32**
Furlong Wlk. DY3 —1H **53**
Furnace Hill. B63 —2H **85**
Furnace La. B63 —2H **85** & 3H **85**
Furnace Pde. DY4 —5F **43**
Furnace Rd. CV12 —2G **81**
Furnace Rd. DY2 —4D **54**
Furness. B77 —2E **135**
Furness Clo. WS3 —5D **14**
Furnivall Cres. WS13 —2G **151**
Furrows, The. B60 —5C **142**
Furst St. WS8 —1F **17**
Furzebank Way. WV12 —5C **22**
Furze Way. WS5 —3D **34**
Fynford Rd. CV6 —3A **116**

Gables, The. DY6 —4B **52**
Gaddesby Rd. B14 —1B **106**
Gadds Dri. B65 —2B **70**
Gadsby Av. WV11 —3G **21**
Gadsby St. CV11 —4G **137**
Gads Grn. Cres. DY2 —5F **55**
Gads La. B70 —2E **57**
Gads La. DY1 —3D **54**
Gadwall Croft. B23 —2C **60**
Gaelic Rd. WS11 —3B **4**
Gagarin. B79 —2B **134**
Gaiafields Rd. WS13 —2F **151**
Gaialands Cres. WS13 —2F **151**
Gaia La. WS13 —2F **151**
Gaia Stowe. WS13 —2G **151**
Gail Clo. WS9 —4F **17**
Gailey Croft. B44 —1A **48**
Gail Pk. WV3 —3D **28**
Gainford Clo. WV8 —1E **19**
Gainford Rd. B44 —3D **48**
Gainsborough Av. LE10 —1C **138**
Gainsborough Cres. B43 —1H **47**
Gainsborough Cres. B93 —3H **125**
Gainsborough Dri. CV12 —2E **81**
Gainsborough Dri. CV31 —6D **149**
Gainsborough Dri. WV6 —4A **18** & 5A **18**
Gainsborough Dri. S. CV31 —6D **149**
Gainsborough Hill. DY8 —4F **83**
Gainsborough M. DY11 —3C **140**
Gainsborough Pl. DY6 —3A **54**
Gainsborough Rd. B42 —5G **47**
Gainsborough Trading Est. DY9 —3H **83**
Gainsborough Trading Est. DY9 —3H **83**
Gainsbrook Cres. WS11 —2H **7**
Gainsford Dri. B62 —1A **86**
Gains La. WS11 —5F **7**
Gairloch Rd. WV12 —1A **22**
Gaitskell Ter. B69 —3B **56**
Galahad Way. WS10 —2D **44**
Galbraith Clo. WV14 —4E **43**
Galena Clo. B77 —2H **135**
Gale Wlk. B65 —2G **69**
Galey's Rd. CV3 —2C **132**
Gallagher Bus. Pk. CV6 —2C **100**
Gallagher Rd. CV12 —3E **81**
Gallery, The. WV1 —1H **29**
Galliards, The. CV4 —4F **131**
Galloway Av. B34 —5C **62**
Gallows Hill. CV34 —5G **147**
Galmington Dri. CV3 —3A **132**
Galton Clo. DY4 —5A **44**
Galton Dri. DY2 —1C **68**
Galton Rd. B67 —4H **71**
Galway Rd. WS7 —1F **9**
Gamesfield Grn. WV3 —2F **29**
Gammage St. DY2 —5D **54**
Gamson Clo. DY10 —4D **140**
Ganborough Clo. B98 —4H **145**
Gandy Rd. WV12 —3H **21**
Gannah's Farm Clo. B76 —1C **50**
Gannow Grn. La. B62 & B45 —1A **118**
Gannow Manor Cres. B45 —5B **102**
Gannow Manor Gdns. B45 —1D **118**
Gannow Rd. B45 —2C **118**
Gannow Shopping Cen. B45 —5C **102**
Gannow Wlk. B45 —2C **118**
Ganton Rd. WS3 —4E **15**
Ganton Wlk. WV8 —2E **19**
Garden Clo. B8 —2G **75**
Garden Clo. B45 —5D **102**
Garden Clo. B93 —3H **125**
Garden Cres. WS3 —5H **15**
Garden Croft. WS9 —3F **25**
Gardeners Clo. DY11 —1C **40**
Gardeners Wlk. B91 —4E 10
(off High St. Solihull,)
Gardeners Way. WV5 —1A **52**
Garden Gro. B20 —5D **46**
Gardenia Dri. CV5 —2D **114**
Garden Rd. LE10 —2E **139**
Gardens, The. B23 —2F **61**
Gardens, The. CV8 —4C **150**
Gardens, The. CV31 —7E **149**
Garden St. WS2 —1G **33**
Garden Wlk. DY2 —4E **55**
Garden Wlk. DY3 —2H **53** & 3H **53**
Garden Wlk. WV14 —4G **31**
Garfield Rd. B26 —5E **77**
Garibaldi Ter. B60 —4E **143**
Garland Cres. B62 —5C **70**
(in two parts)
Garland St. B9 —3D **74**
Garland Way. B31 —3B **104**
Garlick Dri. CV8 —2D **150**
Garman Clo. B43 —2D **46**
Garner Clo. WV14 —1E **43**
Garnet Av. B43 —1G **47**
Garnett Dri. B75 —4B **38**
Garnette Clo. CV10 —2A **136**
Garrard Gdns. B73 —5H **37**
Garrats Wlk. B14 —5A **106**
Garratt Clo. B68 —2F **71**
Garratt's La. B64 —3G **69**
Garratt St. B71 —1E **57**
Garratt St. DY5 —1A **68**
Garret Clo. DY6 —4D **52**
Garretts Grn. Ind. Est. B33 —4E **77**
Garretts Grn. La. B26 & B33 —5C **76** to 4E **77**
Garrett St. CV11 —4G **137**
(in two parts)
Garrick Clo. CV5 —3H **133**
Garrick Clo. WS13 —1E **151**
Garrick Ho. WS13 —1F **151**
Garrick Pl. WV14 —4G **31**
Garrick Rise. WS7 —1G **9**
Garrick Rd. WS11 —3B **4**
Garrick Rd. WS13 —1E **151**
Garrick St. WV1 —2H **29**
Garrigill. B77 —4H **135**
Garrington St. WS10 —3B **32**
Garrison La. B9 —3C **74**
Garrison St. B9 —3C **74**
Garsdale Ter. B7 —1C **74**
Garston Way. B43 —3C **46**
Garth Cres. CV3 —1G **133**
Garth Ho. CV3 —2G **133**
Garth, The. B14 —3E **107**
Garth, The. WS13 —1F **151**
Garway Clo. B98 —4H **145**
Garway Clo. CV32 —2B **148**
Garway Gro. B25 —1H **91**
Garwood Rd. B26 —4C **76**
Gas Sq. B61 —4D **142**
Gas St. B1 —4G **73** & 4A **152**
Gas St. CV31 —6B **149**
Gatacre St. DY3 —2H **53**
Gatcombe Clo. WV10 —4B **12**
Gatcombe Rd. DY1 —2A **54**
Gatehouse Fold. DY2 —3E **55**
Gate La. B73 —2G **49**
Gate La. B94 & B93 —5E **125**
Gateley Rd. B68 —5G **71**
Gateside Rd. CV6 —4C **100**
Gate St. B8 —1E **75**
Gate St. DY3 —4A **42**
Gate St. DY4 —2G **55**
Gatis St. WV6 —5F **19**
Gatwick Rd. B35 —1E **63**
Gauden Rd. DY9 —5H **83**
Gaveston Clo. CV34 —3E **147**
Gaveston Rd. CV6 —2G **115**
Gaveston Rd. CV32 —3A **148**
Gawne La. B64 —2G **69**
Gaydon Clo. B98 —4D **144**
Gaydon Clo. CV6 —1E **117**
Gaydon Clo. WV6 —1A **18**
Gaydon Gro. B29 —4A **88**
Gaydon Rd. B92 —3F **93**
Gaydon Rd. WS9 —5F **25**
Gayer St. CV6 —5E **101**
Gayfield Av. DY5 —5H **67** & 4A **68**
Gayhill La. B38 —1G **121**
Gayhurst Clo. CV3 —1H **133**
Gayhurst Dri. B25 —5B **76**
Gayle. B77 —3G **135**
Gayle Gro. B27 —1A **108**
Gayton Rd. B71 —5G **45**
Gaywood Croft. B15 —5H **73**
Gaza Clo. CV4 —5C **114**
Gazelle Clo. CV1 —4C **116**
Geach St. B19 —1H **73**
Gedney Clo. B90 —4D **106**
Geeson Clo. B35 —1E **63**
Gee St. B19 —1H **73**
Gemini Dri. WS11 —2D **6**
Geneva Rd. DY4 —1E **55**
Genge Av. WV4 —1A **42**
Genners App. B31 —1F **103**
Genners La. B32 & B31 —1F **103**
Gentain Clo. B31 —2H **103**
Genthorn Clo. WV4 —1B **42**
Geoffrey Clo. B76 —4D **50**
Geoffrey Clo. CV2 —3F **117**
Geoffrey Pl. B11 —4D **90**
Geoffrey Rd. B11 —4D **90**
Geoffrey Rd. B90 —4F **107**
George Arthur Rd. B8 —2E **75**
George Av. B65 —4B **70**
George Clo. DY2 —4F **55**
George Dance Clo. DY10 —2G **141**
George Eliot Av. CV12 —4G **81**
George Eliot Bldgs. CV11
(off Mill Wlk.) —3F 13
George Eliot Rd. CV1 —3B **116**
George Eliot St. CV11 —4F **137**
George Frederick Rd. B73 —1B **48**
George Henry Rd. DY4 —4C **44**
George La. WS13 —3G **151**
George Marston Rd. CV3 —1H **133**
George Rd. B15 —5G **73**
George Rd. B23 —2D **60**
George Rd. B25 —1G **91**
George Rd. B29 —4E **89**
George Rd. B43 —2E **47**
George Rd. B46 —2B **64**
George Rd. B63 —3G **85**
George Rd. B68 —3E **71**
George Rd. B73 —3E **49**
George Rd. B91 —4F **109**
George Rd. CV34 —2F **147**
George Rd. DY4 —5E **43**
George Rd. WV14 —3F **43**
George Robertson Clo. CV3 —2H **133**
George Rose Gdns. WS10 —4A **32**
George St. B3 —3G **73** & 2A **152**
George St. B12 —2A **90**
George St. B19 —5G **59**
George St. B21 —4B **58**
George St. B61 —3D **142**
George St. B70 —3G **57**
George St. B79 —3C **134**
George St. CV1 —3C **116**
George St. CV11 —4G **137**
George St. CV12 —3E **81**
George St. CV31 —5B **149**
George St. DY1 —5D **42**
George St. DY8 —4E **67**
George St. DY10 —3E **141**
George St. LE10 —3E **139**
George St. WS1 —2H **33**
George St. WS12 —2F **5**
George St. WV2 —4C **30**
(Ettingshall)
George St. WV2 —2H **29**
(Wolverhampton)
George St. WV13 —5H **21**
George St. Ringway. CV2 —3F **81**
George St. W. B18 —2F **73**
Georgian Pl. WS11 —4C **4**
Georgina Av. WV14 —1E **43**
Geraldine Rd. B25 —1H **91**
Gerald Rd. DY8 —1D **82**
(in two parts)
Geranium Rd. DY2 —4G **55**
Gerard. B79 —1A **134**
Gerard Av. CV4 —2D **130**
Gerardsfield Rd. B33 —3G **77**
Germander Dri. WS5 —2B **46**
Gerrard Clo. B19 —5H **59**
Gerrard Rd. WV13 —2F **31**
Gerrard St. B19 —5H **59**
Gerrard St. CV34 —4E **147**
Gervase Dri. DY1 —2E **55**
Geston Rd. DY1 —4B **54**
Gheluvelt Av. DY10 —1E **141**
Gibbet Hill Rd. CV4 —4D **130**
Gibbet La. DY7 —2A **82** to 2C **82**
Gibbins Rd. B29 —5C **88**
Gibbon Ind. Pk. DY6 —5F **53**
Gibbons Clo. CV4 —5C **114**
Gibbons Gro. WV6 —5E **19**
Gibbons Hill Rd. DY3 —2A **42**
Gibbon's La. DY5 —5F **53**
Gibbons Rd. B75 —5H **27** to 1A **38**
Gibbons Rd. WV6 —5E **19**
Gibbs Hill Rd. B31 —2B **120**
Gibbs Rd. B98 —1D **144**
Gibbs Rd. DY9 —2C **84**
Gibbs St. WV6 —5F **19**
Gibb St. B9 —4B **74**
Gibson Cres. CV12 —4E **81**
Gibson Dri. B20 —4G **59**
Gibson Rd. B20 —4F **59**
Gibson Rd. WV6 —2A **18**
Gideon Clo. B25 —1A **92**
Gideons Clo. DY3 —1H **53**
Giffard Rd. WV1 —3D **30**
Giffard Rd. WV10 —5B **12**
Giffard Way. CV34 —2D **146**
Gifford Ct. DY5 —4A 68
(off Hill St.)
Giffords Croft. WS13 —2F **151**
Giggetty La. WV5 —5A **40**
Gigmill Way. DY8 —3D **82**
Gilbanks Rd. DY8 —1D **82**
Gilberry Clo. B93 —4H **125**
Gilbert Av. B69 —5A **56**
Gilbert Clo. CV1 —4C **116**
Gilbert Clo. WV11 —3G **21**
Gilbert La. WV5 —4C **40**
Gilbert Rd. B60 —5C **142**
Gilbert Rd. B66 —2B **72**
Gilbert Rd. WS13 —1H **151**
Gilbert Scott Way. DY10 —2E **141**
Gilbertstone Av. B26 —2B **92**
Gilbertstone Clo. B98 —4C **144**
Gilbert St. DY4 —3G **55**
Gilbeys Clo. DY8 —4E **67**
Gilby Rd. B16 —4F **73**
Gilchrist Dri. B15 —5D **72**
Gildas Av. B38 —1F **121**
Giles Clo. B33 —3C **76**
Giles Clo. B92 —1G **109**
Giles Clo. CV6 —4B **100**
Giles Clo. Ho. B33 —3B **76**
Giles Hill. DY8 —2F **83**
Giles Rd. B68 —1E **71**
Giles Rd. WS13 —1F **151**
Gilfil Rd. CV10 —5F **137**
Gilldown Pl. B15 —5G **73**
Gillespie Croft. B6 —5B **60**
Gillhurst Rd. B17 —1B **88**
Gillies Ct. B33 —3B **76**
Gilling Gro. B34 —1D **76**
Gillingham Clo. WS10 —5F **33**
Gillity Av. WS5 —3B **34**
Gillity Clo. WS5 —3B **34**
Gillity Ct. WS5 —4C **34**
Gilliver Rd. B90 —5H **107**
Gillman Clo. B26 —3F **93**
Gillott Rd. B16 —4C **72**
Gillows Croft. B90 —2D **124**
Gillscroft Rd. B33 —2D **76**
Gills Field. DY5 —2H **67**
Gill St. B70 —3F **57**
Gill St. DY2 —2F **69**
Gillway La. B79 —1C **134**
(in two parts)
Gilmorton Clo. B17 —1B **88**
Gilmorton Clo. B91 —1E **125**
Gilpin Clo. B8 —5A **62**
Gilpin Cres. WS3 —4A **16**
Gilpins Arm. WS3 —3B **16**
Gilson Dri. B46 —5C **64**
Gilson Rd. B46 —4C **64**
Gilson St. DY4 —4A **44**
Gilson Way. B37 —1A **78**
Gilwell Rd. B34 —1G **77**
Gimble Wlk. B17 —5A **72**
Gipsy Clo. CV7 —3C **128**
Gipsy La. B23 —1C **60**
Gipsy La. CV7 —3C **128**
Gipsy La. CV10 & CV11 —1F **81**
Gipsy La. WV13 —2H **31**
Girdlers Clo. CV3 —3A **132**
Girtin Clo. CV12 —2E **81**
Girton Ho. B36 —4H **63**
Girton Rd. WS11 —1C **6**
Girvan Gro. CV32 —1D **148**
Gisborn Clo. B10 —5C **74**
Gisburn Clo. CV34 —2E **147**
Gladeside Clo. WS4 —2C **24**
Glades, The. WS9 —2G **25**
Glade, The. B26 —3F **93**
Glade, The. B74 —2A **36**
Glade, The. CV5 —4C **114**
Glade, The. DY9 —2A **84**
Glade, The. WS11 —4A **4**
Glade, The. WV8 —1E **19**
Gladstone Clo. LE10 —1F **139**
Gladstone Dri. B69 —2B **56**
Gladstone Dri. DY8 —2D **82**
Gladstone Gro. DY6 —4D **52**
Gladstone Rd. B11 —1C **90**
Gladstone Rd. B23 —2E **61**
Gladstone Rd. B26 —1B **92**
Gladstone Rd. B93 —5A **126**
Gladstone Rd. DY8 —2D **82**
Gladstone Rd. WS12 —5G **5**
Gladstone St. B6 —4C **60**
Gladstone St. B71 —5F **45**
Gladstone St. WS2 —5G **23**
Gladstone St. WS10 —4C **32**
Gladstone Ter. B21 —5E **59**
Gladstone Ter. LE10 —2F **139**
Gladys Rd. B25 —1H **91**
Gladys Rd. B67 —3H **71**
Gladys Ter. B67 —3A **72**
Glaisdale Av. CV6 —3C **100**
Glaisdale Gdns. WV6 —4F **19**
Glaisdale Rd. B28 —1H **107**
Glaisedale Gro. WV13 —1A **32**
Glamis Rd. WV12 —3A **22**
Glamorgan Clo. CV3 —4G **133**
Glanville Dri. B75 —5G **27**
Glasbury Croft. B38 —2D **120**
Glascote Clo. B90 —4G **107**
Glascote Gro. B34 —5E **63**
Glascote La. B77 —5F **135**
Glascote Rd. B77 —4D **134** to 3H **135**
Glasshouse Hill. DY8 —3G **83**
Glasshouse La. CV8 —2D **150** to 4D **150**
Glastonbury Clo. DY11 —2A **140**
Glastonbury Cres. WS3 —5C **14**
Glastonbury Rd. B14 —3D **106**
Glastonbury Rd. B71 —3G **45**
Glastonbury Way. WS3 —1C **22**
Glaston Dri. B91 —1D **124**
Gleads Croft. B32 —4D **86**
Gleaston Wlk. WV1 —2E **31**
Gleave Rd. B29 —5D **88**
Gleave Rd. CV31 —8C **149**
Glebe Av. CV12 —4C **80**
Glebe Clo. B98 —3G **145**
Glebe Clo. CV4 —2C **130**
Glebe Cres. CV8 —4B **150**
Glebe Dri. B73 —3F **49**
Glebe Farm Gro. CV3 —4H **117**
Glebe Farm Rd. B33 —1D **76**
Glebefields Rd. DY4 —4H **43**
Glebeland Clo. B16 —4F **73**
Glebe La. CV11 —2H **137**
Glebe La. DY8 —3E **83**
Glebe Pl. CV31 —5D **149**
Glebe Pl. WS10 —4A **32**
Glebe Rd. B91 —3F **109**
Glebe Rd. CV11 —3G **137**
Glebe Rd. LE10 —2G **139**
Glebe Rd. WV13 —3F **31**
Glebe St. WS1 —2G **33**
Glebe, The. CV7 —1E **99**
Gledhill Pk. WS14 —5G **151**
Gleeson Dri. CV34 —2D **146**
Glenavon Rd. B14 —4B **106**
Glen Bank. LE10 —2F **139**
Glenbarr Clo. LE10 —2C **138**
Glenbarr Dri. LE10 —2C **138**
Glen Clo. WS4 —1A **34**
Glen Clo. WS11 —2B **4**
Glencoe Dri. WS11 —3E **5**
Glencoe Rd. B16 —2C **72**
Glencoe Rd. CV3 —5F **117**
Glen Ct. WV3 —1E **29**
Glen Ct. WV8 —4A **10**
Glencroft Rd. B92 —3G **93**
Glendale Av. CV8 —2C **150**
Glendale Clo. B63 —3A **86**
Glendale Clo. WV3 —3C **28**
Glendale Dri. B33 —3C **76**
Glendale Dri. WV5 —5B **40**
Glendale Tower. B23 —5H **49**
Glendawn Clo. WS11 —3D **4**
Glendene Cres. B38 —2C **120**
Glendene Dri. B43 —3D **46**
Glendene Rd. WS12 —1F **5**
Glendevon Clo. B45 —5D **102**
Glendon Gdns. CV12 —1B **80**

Glendon Rd.—Gt. Hampton St.

Glendon Rd. B23 —5E 49
Glendon Way. B93 —5G 125
Glendower Av. CV5 —5F 115
Glendower Rd. B42 —1H 59
Glendower Rd. WS9 —1G 25
Gleneagles. B77 —1H 135
Gleneagles Dri. B43 —1D 46
Gleneagles Dri. B69 —5H 55
Gleneagles Dri. B75 —3A 38
Gleneagles Rd. B26 —5D 76
Gleneagles Rd. CV2 —2H 117
Gleneagles Rd. WS3 —5D 14
Gleneagles Rd. WV6 —1A 18
Glenelg Dri. DY8 —5G 83
Glenelg M. WS5 —5D 34
Glenfern Rd. WV14 —4C 42
Glenfield. B77 —5D 134
Glenfield. WV8 —1E 19
Glenfield Av. CV10 —1F 137
Glenfield Clo. B76 —1B 50
Glenfield Clo. B91 —1E 125
Glenfield Gro. B29 —5F 89
Glengarry Clo. B32 —1E 103
Glengarry Gdns. WV3 —2E 29
Glenhurst Clo. WS2 —5B 22
Glenmead Rd. B44 —3H 47
Glenmore Av. WS7 —2F 9
Glenmore Clo. WV3 —3E 29
Glenmore Dri. B38 —5D 104
Glenmore Dri. CV6 —2D 100
Glenmount Av. CV6 —2D 100
Glenn St. CV6 —3B 100
Glenpark Rd. B8 —1F 75
Glen Pk. Rd. DY3 —3A 54
Glenridding Clo. CV6 —2D 100
Glen Rise. B13 —2D 106
Glen Rd. DY3 —5B 42
Glen Rd. DY8 —4E 83
Glenrosa Wlk. CV4 —2C 130
Glenroy Clo. CV2 —2H 117
Glenroyde. B38 —2D 120
Glen Side. B32 —4F 87
Glenside Av. B92 —4E 93
Glenthorne Dri. WS6 —4C 6
Glenthorne Rd. B24 —3G 61
Glenthorne Way. B24 —3G 61
Glentworth Av. CV6 —4H 99
Glentworth Gdns. WV6 —4G 19
Glenville Dri. B23 —1F 61
Glenwood Clo. DY5 —5A 68
Glenwood Dri. B90 —4B 124
Glenwood Gdns. CV12 —2E 81
Glenwood Rise. WS9 —5H 17
Glenwood Rd. B38 —1C 120
Globe St. WS10 —3D 44
Gloster Dri. CV8 —2B 150
Gloucester Clo. WS13 —1G 151
Gloucester Flats. B65 —2C 70
Gloucester Pl. WV13 —2B 32
Gloucester Rd. DY2 —3E 69
Gloucester Rd. WS5 —3B 34
Gloucester Rd. WS10 —1F 45
Gloucester St. CV1 —4A 116
Gloucester St. CV31 —5B 149
Gloucester St. WV6 —5G 19
Gloucester Way. B37 —4H 77
Gloucester Way. WS11 —5E 5
Glover Clo. B28 —2F 107
Glover Clo. CV34 —5B 146
Glover Rd. B75 —5C 38
Glovers Clo. CV7 —5D 96
Glovers Croft. B37 —3H 77
Glovers Field Dri. B7 —5D 60
Glover's Rd. B10 —5D 74
Glover St. B9 —4C 74
Glover St. B70 —4G 57
Glover St. B98 —3C 144
Glover St. CV3 —1B 132
Glover St. WS12 —3H 5
Glovers Trust Homes. B73 —4G 49
Glyme Dri. WV6 —4E 19
Glyn Av. WV14 —1H 43
Glyn Dri. WV14 —1H 43
Glyn Farm Rd. B32 —2F 87
Glynn Cres. B63 —1D 84
Glynne Av. DY6 —2D 66
Glyn Rd. B32 —2G 87
Glynside Av. B32 —2F 87
Goat Ho. La. CV7 —4D 128
Godfrey Clo. CV31 —7E 149
Godiva Pl. CV1 —5C 116
Godiva Trading Est. CV6 —1D 116
Godson Cres. DY11 —5C 140
Godson Pl. DY11 —5C 140
Goffs Clo. B32 —4H 87
Gofton. B77 —4H 135
Gold Clo. CV11 —5H 137
Goldcrest. B77 —5G 135
Goldcrest Clo. DY2 —4E 69
Goldcrest Croft. B36 —4H 63
Goldcrest Dri. DY10 —5G 141
Goldencrest Dri. B69 —4B 56
Golden Croft. B20 —3E 59
Golden End Dri. B93 —3C 126
Golden Hillock Rd. B11 & B10 —2D 90
Golden Hillock Rd. DY2 —3E 69
Goldfinch Clo. B30 —1D 104
Goldfinch Rd. DY9 —3H 83
Gold Hill Rd. B21 —4E 59
Goldicroft Rd. WS10 —1D 44
Goldieslie Clo. B73 —2H 49
Goldieslie Rd. B73 —2H 49
Golding St. DY2 —5E 55
Goldsborough. B77 —4G 135
Golds Hill Gdns. B21 —5E 59
Goldsmith Av. CV34 —5C 146
Goldsmith Pl. B79 —1C 134
Goldsmith Rd. B14 —1B 106
Goldsmith Rd. WS3 —2H 23
Goldsmith Wlk. DY10 —3H 141
Goldstar Way. B33 —4F 77
Goldthorn Av. WS11 —4C 4
Goldthorn Av. WV4 —4G 29
Goldthorn Clo. CV5 —4A 114
Goldthorn Cres. WV4 —4G 29
Goldthorne Av. B26 —3E 93
Goldthorne Clo. B97 —4A 144
Goldthorne Wlk. DY5 —5A 68
Goldthorn Hill. WV2 —4G 29
Goldthorn Hill Rd. WV2 —4G 29
Goldthorn Pl. DY11 —5C 140
Goldthorn Rd. DY11 —5C 140
Goldthorn Rd. WV2 —4G 29
Goldthorn Ter. WV2 —3G 29
Golf Club Dri. WS1 —4A 34
Golf La. CV31 —8C 149
Golf La. WV14 —3E 31
Golson Clo. B75 —4C 38
Gomeldon Av. B14 —5A 106
Gomer St. WV13 —1H 31
Gomer St. W. WV13 —2G 31
Gonville Ho. B36 —4H 63
Gooch Clo. DY8 —1G 83
Gooch St. B5 —5A 74 & 5C 152
Gooch St. N. B5 —4A 74 & 5C 152
Goodall Gro. B43 —5A 36
Goodall St. WS1 —2H 33
Goodby Rd. B13 —4H 89
Goodcrest Av. B62 —2D 86
Goode Av. B18 —1F 73
Goode Clo. B68 —2F 71
Goode Croft. CV4 —5C 114
Goodeve Wlk. B75 —5E 39
Goodfellow St. CV32 —2H 147
Goodison Gdns. B24 —5H 49
Goodleigh Av. B31 —3H 119
Goodman Clo. B28 —2F 107
Goodman St. B1 —3F 73
Goodman Way. CV4 —1H 129
Goodrest Croft. B14 —4D 106
Goodrest La. B38 —3E 121 to 2F 121
Goodrich Av. WV6 —5A 18
Goodrich Clo. B98 —3H 145
Goodrich Covert. B14 —5H 105
Goodrick Way. B7 —1D 74
Goodway Rd. B44 —4A 48
Goodway Rd. B92 —3G 93
Goodwin Clo. DY11 —2C 140
Goodwood Clo. B36 —4B 62
Goodwood Clo. WS14 —3H 151
Goodwood Dri. B74 —4B 36
Goodwyn Av. B68 —5F 71
Goodyear Av. WV10 —2A 20
Goodyear Rd. B67 —3G 71
Goodyers End La. CV12 —5B 80
Goosehill Clo. B98 —4H 145
Goosehills Rd. LE10 —5G 139
Goosemoor La. B23 —4F 49
Goostry Clo. B77 —1E 135
Goostry Rd. B77 —1E 135
Gopsall Rd. LE10 —1E 139
Gopsal St. B4 —3B 74
Gordon Av. B19 —5H 59
Gordon Av. B71 —3F 45
Gordon Av. WV4 —1B 42
Gordon Clo. B69 —3B 56
Gordon Clo. CV12 —2F 81
Gordon Cres. DY5 —1A 68
Gordon Dri. DY4 —5A 44
Gordon Pas. CV31 —5B 149
Gordon Pl. WV14 —5D 30
Gordon Rd. B17 —1C 88
Gordon Rd. B19 —4G 59
Gordon St. CV1 —5A 116
Gordon St. CV31 —5C 149
Gordon St. WS10 —4B 32
Gordon St. WV2 —2A 30
Gorey Clo. WV12 —2H 21
Gorge Rd. DY3 & WV14 —3B 42
Goring Rd. CV2 —4E 117
Gorleston Gro. B14 —5C 106
Gorleston Rd. B14 —5C 106
Gorsebrook Rd. WV6 & WV10 —4G 19
Gorse Clo. B29 —1A 104
Gorse Clo. B37 —3H 77
Gorse Dri. WS12 —2B 4
Gorse Farm Rd. B43 —4D 46
Gorsefield Rd. B34 —1E 77
Gorse La. WS14 —4H 151
Gorsemoor Rd. WS12 —5F 5
Gorsemore Way. WV11 —5H 13
Gorse Rd. DY1 —1C 54
Gorse Rd. WV11 —2H 21
Gorseway. CV5 —5E 115
Gorseway. WS7 —3F 9
Gorseway, The. B73 —1H 49
Gorsey La. B46 —3D 64
Gorsey La. B47 —5B 122
Gorsey La. WS3 —5G 7
Gorsey La. WS6 —1D 14 to 5D 6
Gorsey La. WS11 —5A 4
Gorsey Way. WS9 —4D 24
Gorsly Piece. B32 —3F 87
Gorstey Lea. WS7 —1G 9
Gorsty Av. DY5 —2H 67
Gorsty Bank. WS14 —3H 151
Gorsty Clo. B71 —3H 45
Gorsty Hayes. WV8 —5A 10
Gorsty Hill Rd. B64 & B65 —5A 70
Gorsymead Gro. B31 —5F 103
Gorsy Rd. B32 —2G 87
Gorsy Way. CV10 —2C 136
Gorway Clo. WS1 —3H 33
Gorway Gdns. WS1 —3A 34
Gorway Rd. WS1 —3A 34
Goscote Clo. WS3 —2H 23
Goscote Ind. Est. WS3 —1H 23
Goscote La. WS3 —1H 23
(in two parts)
Goscote Lodge Cres. WS3 —3A 24
Goscote Pl. WS3 —3A 24
Goscote Rd. WS3 —1A 24
Gosford Dri. LE10 —2C 138
Gosford Ind. Est. CV1 —5D 116
Gosford St. B12 —1A 90
Gosford St. CV1 —5C 116
Gosford Wlk. B92 —5D 92
Gospel End Rd. DY3 —4F 41
Gospel End St. DY3 —4H 41
Gospel Farm Rd. B27 —1H 107
Gospel La. B27 —1A 108 to 4B 92
Gospel Oak Rd. CV6 —3A 100
Gospel Oak Rd. DY4 —3A 44
Gosport Clo. WV1 —3C 30
Gosport Rd. CV6 —1C 116
Goss Croft. B29 —5C 88
Gossey La. B33 —3E 77
Goss, The. DY5 —4A 68
Gotham Rd. B26 —1C 92
Goths Clo. B65 —2B 70
Gough Av. WV11 —2D 20
Gough Rd. B11 —2E 91
Gough Rd. B15 —1G 89
Gough Rd. WV14 —3E 43
Gough St. B1 —4H 73 & 4B 152
Gough St. WV1 —2A 30
Gough St. WV13 —1A 32
Gould Av. E. DY11 —5B 140
Gould Av. W. DY11 —5A 140
Gould Firm La. WS9 —4A 26
Gould Rd. CV35 —4B 146
Gowan Rd. B8 —2F 75
Gower Av. DY6 —2E 67
Gower Rd. B62 —1C 86
Gower Rd. DY3 —3G 41
Gower St. B19 —5H 59
Gower St. WS2 —4E 33
Gower St. WV2 —3A 30
Gower St. WV13 —1H 31
Gowland Dri. WS11 —5A 4
Gowrie Clo. LE10 —1D 138
Goya Clo. WS11 —4F 5
Gozzard St. WV14 —5F 31
Gracechurch Cen. B73 —5H 37
Grace Ho. B69 —4B 56
Gracemere Cres. B28 —4F 107
Grace Moore Ct. WS11 —2D 4
Grace Rd. B11 —1D 90
Grace Rd. B69 —4A 56
Grace Rd. CV5 —1G 113
Grace Rd. DY4 —4H 43
Gracewell Rd. B13 —5E 91
Grafton Clo. B98 —5E 145
Grafton Cres. B60 —5C 142
Grafton Dri. WV13 —2E 31
Grafton Gdns. DY3 —2G 53
Grafton Gro. B19 —5G 59
Grafton La. B61 —5A 142
Grafton Pl. WV14 —3F 31
Grafton Rd. B11 —5C 74
Grafton Rd. B21 —3C 58
Grafton Rd. B68 —4D 70
Grafton Rd. B71 —1G 57
Grafton Rd. B90 —5D 106
Grafton St. CV1 —5D 116
Graham Clo. CV6 —5E 101
Graham Clo. DY4 —3H 43
Graham Cres. B45 —2D 118
Graham Rd. B25 —1A 92
Graham Rd. B62 —5A 70
Graham Rd. B71 —1G 57
Graham Rd. DY8 —2D 66
Graham St. B1 —3G 73 & 2A 152
Graham St. B19 —5G 59
Graham St. CV11 —2F 137
Graingers La. B64 —5E 69
Grainger St. DY2 —5E 55
Graiseley Hill. WV2 —3G 29
Graiseley Row. WV2 —3H 29
Graiseley St. WV3 —2G 29
Graisley La. WV11 —4D 20
Graith Clo. B28 —4E 107
Grammar School La. B63 —3H 85
Grampian Rd. DY8 —1F 83
Granada Ind. Est. B69 —5D 56
Granary Clo. DY6 —4B 52
Granary Rd. B60 —5C 142
Granary Rd. WV8 —1E 19
Granary, The. WS9 —3G 25
Granborough Clo. CV3 —1H 133
Granborough Ct. CV32 —3C 148
Granbourne Rd. WS2 —5B 22
Granby Av. B33 —4E 77
Granby Bus. Pk. B33 —4F 77
Granby Clo. B92 —1B 108
Granby Clo. B98 —2H 145
Granby Clo. LE10 —3E 139
Granby Rd. CV10 —3D 136
Granby Rd. LE10 —3E 139
Grandborough Dri. B91 —5D 108
Grand Clo. B66 —3B 72
Grand Junction Way. WS1 —5G 33
Grandys Croft. B37 —3H 77
Grange Av. B75 —1A 38
Grange Av. CV3 —2H 133
(Binley)
Grange Av. CV3 —5B 132
(Finham)
Grange Av. CV8 —1A 150
Grange Av. WS7 —2F 9
Grange Av. WS9 —1F 25
Grange Clo. B77 —5D 134
Grange Clo. CV10 —1A 136
Grange Clo. CV34 —3G 147
Grange Ct. B98 —2D 144
Grange Ct. DY9 —3H 83
Grange Ct. WS2 —1B 32
Grange Ct. WV3 —2G 29
Grange Cres. B45 —1C 118
Grange Cres. B63 —4A 86
Grange Cres. WS4 —2B 24
Grange Dri. LE10 —5F 139
Grange Dri. WS11 —4D 4
Grange Farm Dri. B38 —1C 120
Grangefield Clo. WV8 —1E 19
Grange Hill. B63 —4A 86
Grange Hill Rd. B38 —1D 120
Grange La. B75 —1A 38
(in two parts)
Grange La. DY6 —2E 67
Grange La. DY9 —3H 83
Grange La. WS13 —1E 151
(in two parts)
Grange M., The. CV32 —2H 147
Grangemouth Rd. CV6 —2A 116
Grange Rise. B38 —2E 121
Grange Rd. B6 —4A 60
Grange Rd. B10 —5D 74
Grange Rd. B14 —5A 90
Grange Rd. B24 —1H 61
Grange Rd. B29 —4E 89
Grange Rd. B63 & B62 —4A 86
Grange Rd. B64 —4H 69
Grange Rd. B66 —2A 72
Grange Rd. B70 —2E 57
Grange Rd. B91 —2B 108
Grange Rd. B93 —5G 125
Grange Rd. B98 —2D 144
Grange Rd. CV6 —3E 101
Grange Rd. CV7 —2B 128
Grange Rd. CV32 —2C 148
Grange Rd. DY1 —3C 54
Grange Rd. DY9 —3H 83
Grange Rd. WS7 —3F 9
Grange Rd. WS11 —2B 8
Grange Rd. WV2 —4G 29
Grange Rd. WV6 —5C 18
Grange Rd. WV14 —4D 42
Grange St. DY1 —3C 54
Grange St. WS1 —4H 33
Grange, The. B62 —1C 86
Grange, The. CV32 —1E 148
(Cubbington)
Grange, The. CV32 —4C 148
(Leamington Spa)
Grange, The. WV5 —4A 40
Granhill Clo. B98 —5D 144
Granoe Clo. CV3 —1H 133
Granshaw Clo. B38 —1E 121
Grant Clo. B71 —1F 57
Grant Clo. DY6 —4D 52
Grant Ct. B30 —3F 105
Grantham Rd. B11 —1C 90
Grantham Rd. B66 —3B 72
Grantham St. CV2 —4D 116
Grantley Cres. DY6 —5C 52
Grantley Dri. B37 —3A 78
Granton Clo. B14 —3H 105
Granton Rd. B14 —3H 105
Grant Rd. CV3 —5F 117
Grant Rd. CV7 —5E 81
Grant St. B15 —5H 73 & 5B 152
Grant St. WS3 —2E 23
Granville. B77 —3G 135
Granville Clo. B60 —4F 143
Granville Clo. WV2 —2A 30
Granville Crest. DY10 —2G 141
Granville Dri. DY6 —1E 67 & 2E 167
Granville Gdns. LE10 —3E 139
Granville Rd. B64 —5H 69
Granville Rd. LE10 —3E 139
Granville Rd. Sol. B93 —5A 126
Granville Sq. B1 —4G 73 & 4A 152
Granville St. B1 —4G 73 & 4A 152
Granville St. CV32 —3B 148
Granville St. WV2 —2A 30
Granville St. WV13 —1H 31
Grapes Clo. CV6 —3A 116
Grasdene Gro. B17 —3C 88
Grasmere Av. B74 —1C 36
Grasmere Av. CV3 —3H 131
Grasmere Av. WV6 —5A 18
Grasmere Clo. B43 —4E 47
Grasmere Clo. DY6 —5B 52
Grasmere Clo. DY10 —2E 141
Grasmere Clo. WV6 —2D 18
Grasmere Clo. WV11 —2D 20
Grasmere Ct. WS6 —4B 6
Grasmere Cres. Nun. CV11 —1H 137
Grasmere Ho. B69 —2B 70
Grasmere Pl. WS11 —2C 4
Grasmere Rd. B21 —5E 59
Grasmere Rd. CV12 —3E 81
Grasscroft Dri. CV3 —3C 132
Grassholme. B77 —4H 135
Grassington Av. CV34 —2E 147
Grassington Dri. B37 —4H 77
Grassmere Dri. Sto. DY8 —3E 83
Grassmoor Rd. B38 —5D 104
Grassy La. WV10 —1D 20
Graston Clo. B16 —4F 73
Gratham Clo. DY5 —1G 83
Gratley Croft. WS12 —3A 4
Gratton Ct. CV3 —3H 131
Gravel Bank. B32 —4G 87
Gravel Hill. CV4 —1B 130
Gravel Hill. WV5 —5B 40
Gravel La. WS12 —2A 4 & 1A 4
Gravelly Hill. B23 —3E 61
Gravelly Hill N. B23 —3F 61
Gravelly Ind. Pk. B7 —4F 61
Gravelly Ind. Pk. B24 —4F 61
Gravelly La. B23 —5G 49
Gravelly La. WS9 —1A 26
Gray Clo. DY10 —2G 141
Graydon Ct. B74 —3H 37
Grayfield Av. B13 —3B 90
Grayland Clo. B27 —4H 91
Graylands, The. CV3 —4B 132
Grayling. B77 —5E 135
Grayling Rd. DY9 —2H 83
Gray Rd. WS12 —1C 4
Grayshott Clo. B23 —5F 49
Grayshott Clo. B61 —2C 142
Grays Rd. B17 —1D 88
Grayston Av. B77 —1F 135
Gray St. B9 —3C 74
Grayswood Av. CV5 —4F 115
Grayswood Pk. Rd. B32 —1F 87
Grayswood Rd. B31 —2H 119
Grazebrook Croft. B32 —5G 87
Grazebrook Ind. Pk. DY2 —1D 68
Grazebrook Rd. DY2 —5E 55
Grazewood Clo. WV12 —2A 22
Greadier St. WV12 —4A 22
Gt. Arthur St. B66 —5H 57
Gt. Barn La. B97 —4A 144
Gt. Barr St. B9 —3C 74
Gt. Brickkiln St. WV3 —2F 29
Gt. Bridge. DY4 —5B 44
Gt. Bridge E. B70 —5C 44
Gt. Bridge Ind. Est. DY4 —4A 44
Gt. Bridge Rd. WV14 —1H 43
Gt. Bridge St. DY4 & B70 —5B 44
Gt. Bridge Town Centre. DY4 —5B 44
Gt. Bridge W. DY4 —5B 44
Gt. Brook St. B7 —2B 74
(in two parts)
Gt. Charles St. WS8 —1E 17
Gt. Charles St. Queensway. B3 —3H 73 & 3B 152
Gt. Colmore St. B15 —5H 73 & 5B 152
Gt. Cornbow. B63 —3H 85
Greatfield Rd. DY11 —4B 140
Gt. Francis St. B7 —2C 74
Gt. Hampton Row. B19 —2H 73 & 1A 152
Gt. Hampton St. B18 —2G 73 & 1A 152

Gt. Hampton St.—Guns La.

Gt. Hampton St. WV1 —5G 19
Greatheed Rd. CV32 —3A 148
Gt. Hill. DY1 —4D 54
Gt. King St. B19 —1G 73 & 1H 73
Gt. Lister St. B7 —2B 74
Greatmead. B77 —5D 134
Gt. Oaks. B26 —2E 93
Greatorex Ct. B71 —3E 45
Gt. Stone Rd. B31 —4A 104
Gt. Tindal St. B16 —3F 73
Gt. Western Arc. B2 —3A 74 & 3C 152
Gt. Western Clo. B18 —5D 58
Gt. Western Dri. B64 —5G 69
Gt. Western Ind. Est. B18 —5D 50
Gt. Western St. WS10 —2C 44
Gt. Western St. WV1 —5H 19
Gt. Wood Rd. B10 —4D 74
Greaves Av. WS5 —3C 34
Greaves Clo. CV34 —4H 147
Greaves Clo. WS5 —3C 34
Greaves Cres. WV12 —2A 22
Greaves Gdns. DY11 —1B 140
Greaves Rd. DY2 —1E 69
Greaves Sq. B38 —5F 105
Grebe Clo. B23 —2C 60
Greenacre Clo. B77 —1H 135
Greenacre Dri. WV8 —1B 18
Greenacre Rd. DY4 —3H 43
Green Acres. B27 —4H 91
Greenacres. B76 —3D 50
Green Acres. DY3 —3G 41
Green Acres. WV5 —1A 52
Greenacres. WV6 —4B 18
Greenacres Av. WV10 —1C 20
Greenacres Clo. WS9 —1A 36
Greenacres Rd. B38 —2C 120
Greenacres Rd. B61 —2C 142
Greenaleigh Rd. B14 —4E 107
Green Av. B28 —5E 91
Greenaway Clo. B43 —1G 47
Green Bank Av. B28 —5F 91
Greenbank Rd. CV7 —3B 128
Green Barns La. WS14 —2H 27
Greenbush Dri. B63 —2H 85
Green Clo. B47 —5C 122
Green Clo. CV31 —8D 149
Greencoat Tower. B1 —3G 73 & 3A 152
Green Ct. B28 —1G 107
Green Croft. B9 —3G 75
Greencroft. DY6 —2D 66
Greencroft. WS13 —1F 151
Green Croft. WV14 —4E 31
Greendale Rd. CV5 —4E 115
Green Dri. B32 —5F 87
Green Dri. WV10 —3G 19
Greenend Rd. B13 —5B 90
Greenfels Rise. DY2 —4G 55
Greenfield Av. B64 —4D 68
Greenfield Av. DY8 —2E 83
Greenfield Cres. B15 —5F 73
Greenfield Croft. WV14 —2E 43
Greenfield La. WV10 —3A 12 to 4B 12
Greenfield Rd. B17 —2C 88
Greenfield Rd. B43 —4C 46
Greenfield Rd. B67 —2H 71
Greenfields. B98 —3C 144
Greenfields. WS9 —3F 25
Greenfields. WS11 —4C 4
Greenfields Rd. DY6 —1D 66
Greenfields Rd. WS4 —1C 24
Greenfields Rd. WV5 —5A 40
Green Field, The. CV3 —1F 133
Greenfield View. DY3 —4G 41
Greenfiels Rd. WV5 —5A 40
Greenfinch Clo. B36 —5A 64
Greenfinch Clo. DY10 —5G 141
Greenfinch Rd. B36 —5A 64
Greenfinch Rd. DY9 —3H 83
Greenford Rd. B14 —4D 106
Green Gables. B74 —3H 37
Green Gables Dri. B47 —2B 122
Greenheart. B77 —1G 135
Green Heath Rd. WS12 —1E 5
Green Hill. B60 —2H 143
Greenhill. WS13 —3G 151
Greenhill. WV5 —5B 40
Green Hill Av. B14 —5B 90
Greenhill Av. DY10 —1E 141
Greenhill Clo. WV12 —4H 21
Greenhill Ct. WV5 —1B 52
Greenhill Dri. B29 —5C 88
Greenhill Gdns. B43 —2D 46
Greenhill Gdns. WV5 —1B 52
Greenhill Ind. Est. DY10 —2F 141
Greenhill Rd. B13 —5B 90
Greenhill Rd. B21 —3D 58
Greenhill Rd. B62 —1B 86
Greenhill Rd. B72 —4H 49
Greenhill Rd. CV31 —8C 149
Greenhill Rd. DY3 —1B 54 (in two parts)
Greenhill Wlk. WS1 —3H 33
Green Hill Way. B90 —3H 107
Greenhill Way. WS9 —1G 25
Greenholm Rd. B44 —4A 48
Greenhoughs Rd. WS13 —2E 151
Greening Dri. B15 —1F 89
Greenland Clo. DY6 —4E 53
Greenland Rise. B92 —1F 109
Greenland Rd. B29 —5F 89
Greenlands Av. B98 —4E 145
Greenlands Bus. Cen. B98 —4E 145
Greenlands Ct. B14 —4A 106
Greenlands Dri. B98 —4C 144
Greenlands Rd. B37 —4B 78
Greenlands, The. WV5 —4A 40
Green La. B9 —4D 74
Green La. B21 —4C 58
Green La. B32 —1F 87
Green La. B36 —4F 63
Green La. B37 & B46 —2B 78 to 2D 78
Green La. B38 —1D 120
Green La. B43 —4C 46
Green La. B46 —1E 79 (Coleshill, in two parts)
Green La. B46 (Gilson) —4A 64 to 4C 64
Green La. B62 —4B 70
Green La. B77 —5H 135
Green La. B78 —3H 39
Green La. B90 —5F 107
Green La. CV3 —3H 131 to 5A 132
Green La. CV7 —1A 98 (Corley Moor)
Green La. CV7 —2C 128 (Needlers End)
Green La. CV10 —1B 136 (in two parts)
Green La. CV34 —3E 147
Green La. DY3 —5B 42
Green La. DY6 —5D 52
Green La. DY9 —2A 84
Green La. WS3 & WS2 (Leamore) —3F 23 to 5G 23
Green La. WS3 —4A 16 (Pelsall)
Green La. WS4 & WS9 —1C 24 to 4D 16
Green La. WS7 —5F 9
Green La. WS9 —4A 26
Green La. WS11 —2C 6
Green La. WV6 —2E 19
Green La. Ind. Est. B9 —4F 75
Green Lanes. B73 —4H 49
Green Lanes. WV14 —3E 31 & 4E 31
Green La. Wlk. B38 —2E 121
Greenleaf Clo. CV5 —4C 114
Greenleas Gdns. B63 —4A 86
Greenlee. B77 —4G 135
Green Leigh. B23 —4F 49
Greenleighs. DY3 —1H 41
Greenly Rd. WV4 —5A 30
Green Man Entry. DY1 —3E 55
Green Meadow Rd. B29 —1A 104 & 2A 104
Greenmeadow Rd. WV12 —2H 21
Green Meadows. WS12 —5F 5
Greenmoor Rd. CV10 —3D 136
Greenmore Rd. LE10 —5E 139
Greenoak Cres. B30 —1G 105
Greenoak Cres. WV14 —4C 42
Green Oak Rd. WV8 —5B 10
Greenodd Dri. CV6 —2D 100
Green Pk. Av. WV14 —3D 30
Green Pk. Dri. WV14 —3E 31 (in two parts)
Green Pk. Rd. B31 —5H 103
Green Pk. Rd. B60 —3F 143
Green Pk. Rd. DY2 —4G 55
Greenridge Rd. B20 —1D 58
Green Rd. B13 & B28 —5E 91
Green Rd. B76 —3B 50
Green Rd. DY2 —5E 55
Green Rd. WV14 —4D 42
Green Rock La. WS3 —1G 23
Green Royde. DY9 —5G 83
Greenside. B17 —2C 88
Greenside. B90 —4B 124
Greenside Gdns. WS5 —1B 46
Greenside Rd. B24 —1H 61
Greenside Way. WS5 —1A 46
Greensill Av. DY4 —3G 43
Greenslade Croft. B31 —5A 104
Green Slade Gro. WS12 —1F 5
Greenslade Rd. B90 —5D 106
Greenslade Rd. DY3 —2G 41
Greenslade Rd. WS5 —3C 34
Greensleeves Clo. CV6 —4A 100
Greensleves. B74 —2G 37
Green's Rd. CV6 —5H 99
Greenstead Rd. B13 —5E 91
Green St. B12 —4B 74
Green St. B67 —1H 71
Green St. B69 —5D 56
Green St. B70 —4G 57 (in two parts)
Green St. DY8 —2E 83
Green St. DY10 —4D 140
Green St. WS2 —5F 23
Greensward Clo. CV8 —2C 150
Green Sward La. B98 —4G 145
Greensway. WV11 —1D 20
Greens Yd. CV12 —3F 81
Green, The. B32 —1E 87
Green, The. B36 —5E 63
Green, The. B38 —5E 105
Green, The. B68 —4E 71
Green, The. B78 —5A 134
Green, The. B91 —3F 109
Green, The. CV11 —4G 137
Green, The. DY8 —3D 66
Green, The. WS3 —1E 23 (in two parts)
Green, The. WS9 —3G 25
Green, The. WS10 —3B 32
Green, The. WS11 —5B 4
Greenvale. B31 —3H 103
Greenvale Av. B26 —1G 93
Green Wlk. B17 —5A 72
Greenway. B20 —5E 47
Greenway. CV34 —2E 147
Greenway. DY3 —3A 42
Greenway. WS9 —1G 25
Greenway Av. DY8 —4D 66
Greenway Dri. B73 —1D 48
Greenway Gdns. B38 —2E 121
Greenway Gdns. DY3 —3A 42
Greenway Ind. Est. B9 —4D 74
Greenway Rd. WV14 —1F 43
Greenways. B63 —2D 84
Greenways. DY8 —4C 66
Greenways, The. CV32 —2C 148
Greenway St. B9 —4D 74
Greenway, The. B37 —1A 94
Greenway, The. B73 —1D 48
Greenway Wlk. B33 —4G 77
Greenwood. B25 —5B 76 & 4B 76
Greenwood Av. B27 —5H 91
Greenwood Av. B65 —3B 70
Greenwood Av. B68 —1E 71
Greenwood Clo. B14 —3A 106
Greenwood Cotts. DY1 (off Maple Grn.) —5C 42
Greenwood Ct. CV32 —4C 148
Greenwood Dri. WS14 —4G 151
Greenwood Pk. WS9 —1G 25
Greenwood Pl. B44 —3C 48
Greenwood Rd. B71 —4E 45
Greenwood Rd. WS9 —1F 25
Greenwood Rd. WV10 —2G 19
Greenwood Sq. B37 —3A 78
Greenwoods, The. DY8 —2E 83
Greenwood Way. B37 —3A 78
Greethurst Dri. B13 —4D 90
Greets Grn. Rd. B70 —2C 56
Greetville Clo. B34 —1D 76
Gregory Av. B29 —1A 104
Gregory Av. CV3 —3H 131
Gregory Clo. WS10 —2D 44
Gregory Dri. DY1 —3C 54
Gregory Hood Rd. CV3 —4C 132
Gregory Rd. DY8 —2C 82
Gregston Ind. Est. B69 —5E 57
Grendon Clo. B98 —4G 145
Grendon Clo. CV4 —1A 130
Grendon Dri. B73 —2E 49
Grendon Gdns. WV3 —4D 28
Grendon Rd. B14 —4B 106
Grendon Rd. B92 —1B 108
Grenfell Clo. CV31 —6D 149
Grenfell Dri. B15 —5E 73
Grenfell Rd. WS3 —5G 15
Grenville Av. CV2 —4F 117
Grenville Clo. WS2 —1B 32
Grenville Dri. B23 —2C 60
Grenville Dri. B66 —4G 57
Grenville Pl. B70 —2C 56
Grenville Rd. B90 —5H 107
Grenville Rd. DY1 —3A 54
Gresham Av. CV32 —3C 148
Gresham Pl. CV32 —3C 148
Gresham Rd. B28 —2F 107
Gresham Rd. B68 —1F 71
Gresham Rd. CV10 —5E 137
Gresham Rd. WS11 —4C 4
Gresham St. CV2 —5E 117
Gresley. B77 —3G 135
Gresley Clo. B75 —5G 27
Gresley Gro. B23 —3D 60
Gresley Rd. CV2 —1G 117
Gresley Row. WS13 —3G 151
Gressel La. B33 —3F 77
Grestone Av. B20 —1D 58
Greswold Clo. CV4 —1C 130
Greswolde Dri. B24 —1H 61
Greswolde Pk. Rd. B27 —3H 91
Greswolde Rd. B11 —4D 90
Greswolde Rd. B33 —4B 76
Greswolde Rd. B91 —2C 108
Greswold Gdns. B34 —1D 76
Greswold St. B71 —5E 45
Gretna Rd. CV3 —4H 131
Gretton Cres. WS9 —4E 25
Gretton Rd. B23 —4E 49
Gretton Rd. WS9 —4E 25
Greville Dri. B15 —1G 89
Greville Rd. CV8 —4A 150
Greville Rd. CV34 —2G 147
Greville Smith Av. CV31 —7D 149
Grevis Clo. B13 —3B 90
Grevis Rd. B25 —4C 76
Greycoat Rd. CV6 —4H 99
Greyfort Cres. B92 —5C 92
Greyfriars Bus. Cen. CV1 —1B 132
Greyfriars Clo. B92 —2B 108
Greyfriars La. CV1 —5B 116
Greyfriars Rd. CV1 —5A 116
Greyhound La. DY8 —5D 82
Greyhound La. WV4 —5A 28
Greyhurst Croft. B91 —1E 125
Grey Mill Clo. B90 —3C 124
Greystoke Av. B36 —5A 62
Greystoke Dri. DY6 —1D 66
Greystone Clo. B98 —1F 145
Greystone Pas. DY1 —4D 54
Greystone St. DY1 —4D 54
Greytree Cres. B93 —5G 125
Grice St. B70 —4F 57
Grieg Ct. WS11 —4F 5
Griffin Av. DY10 —4E 141
Griffin Clo. WS7 —1D 8
Griffin Clo. Student Flats. B31 —2B 104
Griffin Gdns. B17 —3C 88
Griffin Ind. Est. B65 —3C 70
Griffin Rd. B23 —1D 60
Griffin Rd. CV34 —4H 147
Griffin's Brook Clo. B30 —2C 104
Griffin's Brook La. B30 —2C 104
Griffin St. B70 —2G 57
Griffin St. DY2 —2D 68
Griffin St. WV1 —2B 30
Griffiths Dri. WV11 —2G 21 (in two parts)
Griffiths Rd. B71 —3F 45
Griffiths Rd. DY1 —5C 42
Griffiths Rd. WV12 —2B 22
Griffiths St. DY4 —1F 55
Griff La. CV10 —1E 81
Grigg Gro. B31 —1G 119
Grimley Clo. B98 —4D 144
Grimley Rd. B31 —5C 104
Grimley Way. WS11 —2D 4
Grimpits La. B38 —2F 121
Grimshaw Rd. B27 —5G 91
Grimstone St. WV10 —5A 20
Grindleford Rd. B42 —4H 47
Grindle Rd. CV6 —3D 100
Grindsbrook. B77 —4G 135
Gristhorpe Rd. B29 —5E 89
Grizebeck Dri. CV5 —3C 114
Grizedale Clo. B45 —5E 103
Grocott Rd. WS10 —1H 43
Grosmont Av. B12 —2B 90
Grosvenor Av. B20 —3G 59
Grosvenor Av. B74 —2B 36
Grosvenor Av. DY10 —2F 141
Grosvenor Clo. B75 —2A 38
Grosvenor Clo. WS14 —4H 151
Grosvenor Ct. CV32 —4B 148
Grosvenor Ct. DY3 —3A 54
Grosvenor Cres. LE10 —4G 139
Grosvenor Cres. WV10 —1A 20
Grosvenor Link Rd. CV1 —5A 116
Grosvenor Rd. B6 —4C 60
Grosvenor Rd. B17 —1A 88
Grosvenor Rd. B20 —3G 59
Grosvenor Rd. B68 —2D 70
Grosvenor Rd. B91 —1C 124
Grosvenor Rd. CV1 —5A 116
Grosvenor Rd. CV31 —7C 149
Grosvenor Rd. DY3 —3A 54
Grosvenor Rd. WV4 —1A 42
Grosvenor Rd. WV10 —1A 20
Grosvenor Shopping Cen. B31 —3A 104
Grosvenor Sq. B28 —3F 107
Grosvenor St. B5 —3B 74
Grosvenor St. WV10 —1B 30
Grosvenor St. W. B16 —4F 73
Grosvenor Ter. B16 —4G 73
Grosvenor Way. DY5 —5A 68
Grotto La. WV6 —4D 18
Groucutt St. WV14 —4D 42
Grounds Dri. B74 —1F 37
Grounds Rd. B74 —1F 37
Grout St. B70 —1C 56
Grove Av. B13 —4B 90
Grove Av. B21 —4E 59
Grove Av. B27 —4H 91
Grove Av. B29 —5D 88
Grove Av. B63 —4G 85
Grove Av. B91 —3F 109
Grove Clo. WS11 —3H 7
Grove Cottage Rd. B9 —4E 75
Grove Cotts. WS3 —2E 23
Grove Ct. B43 —5E 47
Grove Cres. B70 —3H 57
Grove Cres. DY5 —1H 67
Grove Cres. WS3 —5H 15
Grove Farm Dri. B75 —5C 38
Grove Fields. CV10 —1F 137
Grove Gdns. B20 —3E 59
Grove Hill. WS5 —2D 34
Grove Hill Rd. B21 —3E 59
Groveland Rd. DY4 —2H 55
Grovelands Cres. WV10 —5A 12
Grovelands Ind. Est. CV7 —1E 101
Grove La. B17 —3B 88
Grove La. B20 & B21 —3E 59
Grove La. B66 —1C 72
Grove La. B76 —1H 51 & 2H 51
Grove La. CV7 —1G 99
Grove La. WS3 —1G 15
Grove La. WV6 —1B 28
Groveley Fall Rd. B31 —2B 120
Groveley La. B45 & B31 —4F 119 to 2A 120
Grove M. B31 —2B 120
Grove Pk. DY6 —4C 52
Grove Pk. LE10 —4H 139
Grove Pl. CV10 —4B 136
Grove Pl. CV31 —6C 149
Grove Rd. B11 —4D 90
Grove Rd. B14 —2H 105
Grove Rd. B68 —4G 71
Grove Rd. B91 —3F 109
Grove Rd. B93 —5A 126
Grove Rd. CV10 —4B 136
Grove Rd. DY9 —3B 84
Grove Rd. LE10 —5G 139
Groveside Way. WS3 —3A 16
Grove St. B66 —2C 72
Grove St. B98 —2C 144
Grove St. CV1 —5C 116
Grove St. CV32 —4A 148
Grove St. DY2 —4F 55
Grove St. WV2 —3H 29
Grove St. WV10 —5B 20
Grove Ter. WS1 —2H 33
Grove, The. B8 —2D 74
Grove, The. B31 —2B 120
Grove, The. B43 —1E 47
Grove, The. B45 —4G 119
Grove, The. B46 —2E 79
Grove, The. B65 —4A 70
Grove, The. B74 —4E 27
Grove, The. B92 —5E 95
Grove, The. CV12 —3F 81
Grove, The. DY5 —5H 67
Grove, The. LE10 —3E 139
Grove, The. WS5 —1B 46
Grove, The. WV4 —5A 30
Grove, The. WV11 —4C 20
Grove Vale Av. B43 —3B 46
Grove Vs. B64 —5F 69
Grove Way. B74 —3B 36
Grovewood Dri. B38 —1D 120
Guardhouse Rd. CV6 —5A 100
Guardian Ct. B91 —4F 109
Guardian Ho. B68 —1F 87
Guardian Ho. WS14 —3G 151
Guardians Way. B31 —1H 103
Guernsey Dri. B36 —1A 78
Guest Av. WV11 —2D 20
Guest Gro. B19 —1G 73
Guild Av. WS3 —3G 23
Guild Clo. B16 —3F 73
Guild Croft. B19 —1H 73
Guildford Clo. DY11 —3A 140
Guildford Ct. CV6 —2B 116
Guildford Croft. B37 —5H 77
Guildford Dri. B19 —1H 73
Guildford St. B19 —5H 59
Guild Rd. B60 —4D 142
Guild Rd. CV6 —1B 116
Guillemard Ct. B37 —4A 78
Guilsborough Rd. CV3 —1H 133
Guiness Clo. B98 —5B 144
Guiting Rd. B29 —2A 104
Gulistan Rd. CV32 —4A 148
Guliston Ct. CV32 —4A 148
Gullane Clo. B38 —1C 120
Gullswood Clo. B14 —5H 105
Gulson Rd. CV1 —5C 116
Gumbleberrys Clo. B8 —2A 76
Gun Barrel Ind. Cen. B64 —1G 85
Gundry Clo. CV31 —5C 149
Gun La. CV2 —3E 117
Gunmakers Wlk. B19 —5H 59
Gunner La. B45 —2B 118
Gunnery Ter. CV32 —4A 148
Gunns Way. B92 —1B 108
Guns La. B70 —2E 57

Gunstock Clo.—Harriott Dri.

Gunstock Clo. B74 —4A **36**
Gunstone La. WV8 —4A **10** & 3B **10**
Gunter Rd. B24 —2B **62**
Gunton Av. CV3 —3F **133**
Guphill Av. CV5 —5F **115**
Gurnard. B77 —5E **135**
Gurnard Clo. WV12 —2H **21**
Gurney Clo. CV4 —4B **114**
Gurney Pl. WS2 —4E **23**
Gurney Rd. WS2 —4D **22**
Guthrie Clo. B19 —1H **73**
Guthrum Clo. WV6 —4A **18**
Gutteridge Av. CV6 —4H **99**
Guy Av. WV10 —3A **20** & 4A **20**
Guy Pl. E. CV32 —4B **148**
Guy Pl. W. CV32 —4B **148**
Guy Rd. CV8 —4B **150** & 5B **150**
Guys Cliffe Av. B76 —3C **50**
Guy's Cliffe Av. CV32 —1H **147**
Guy's Cliffe Rd. CV32 —4A **148**
Guy's Cliffe Ter. CV34 —3E **147**
Guys Clo. B79 —1B **134**
Guys Clo. CV34 —3F **147**
Guys Cross Pk. Rd. CV34 —2E **147**
Guy's La. DY3 —3G **53**
Guy St. CV32 —4B **148**
Guy St. CV34 —3E **147**
Guy's Wlk. B61 —1E **143**
Gwalia Gro. B23 —1F **61**
Gwendoline Av. LE10 —1C **138**
Gwendoline Way. WS9 —4F **17**
Gypsy La. B46 —3C **64**
Gypsy La. CV8 —5B **150**

Habberley Croft. B91 —5D **108**
Habberley La. DY11 —1A **140** to 1B **140**
Habberley Rd. B65 —3B **70**
Habberley Rd. DY11 & DY12 —2A **140** to 2C **140**
Habberley St. DY11 —2C **140**
Habitat Ct. B76 —1C **50**
Hackett Clo. WV14 —2B **42**
Hackett Dri. B66 —5F **57**
Hackett Rd. B65 —3C **70**
Hackett St. DY4 —4A **44**
Hackford Rd. WV4 —1B **42**
Hack St. B9 —4B **74**
Hackwood Ho. B69 —1B **70**
Hackwood Rd. WS10 —2E **45**
Hadcroft Grange. DY9 —3H **83**
Hadcroft Rd. DY9 —3H **83**
Haddock Rd. WV14 —3E **31**
Haddon Cres. WV12 —2A **22**
Haddon Croft. B63 —5E **85**
Haddon End. CV3 —3D **132**
Haddon Rd. B42 —5H **47**
Haddon Rd. CV32 —3C **148**
Haddon St. CV6 —5E **101**
Haden Clo. B64 —1G **85**
Haden Clo. DY8 —4D **66**
Haden Cres. WV11 —3G **21**
Haden Cross Dri. B64 —5G **69**
Haden Dale. B64 —1G **85**
Haden Hill. WV3 —1F **29**
Haden Hill Rd. B63 —1H **85**
Haden Pk. Rd. B64 —5F **69**
Haden Rd. B64 —4F **69**
Haden Rd. DY4 —3H **43**
Haden St. B12 —1B **90**
Haden Wlk. B65 —2A **70**
Haden Way. B12 —1B **90**
Hadfield Croft. B19 —1H **73**
Hadland Rd. B33 —4E **77**
Hadleigh Croft. B76 —5D **50**
Hadleigh Rd. CV3 —5A **132**
Hadley Clo. B47 —4B **122**
Hadley Croft. B66 —5A **58**
Hadley Pl. WV14 —4D **30**
Hadley Rd. WS2 —3D **22**
Hadley Rd. WV14 —4D **30**
Hadleys Clo. DY2 —2F **69**
Hadley St. B68 —2D **70**
Hadley Way. WS2 —4D **22**
Hadlow Croft. B33 —5F **77**
Hadrian Clo. CV32 —2C **148**
Hadrian Dri. B46 —3D **64**
Hadrians Clo. B77 —4E **135**
Hadyn Gro. B26 —2E **93**
Hadzor Rd. B68 —5G **71**
Hafren Clo. B45 —5E **103**
Hafton Gro. B9 —4E **75**
Haggar St. WV2 —4H **29**
Hagley Causeway. DY9 —5C **84**
Hagley Mall. B63 —3H **85**
Hagley Pk. Dri. B45 —2D **118**
Hagley Rd. B17 & B16 —4B **72**
Hagley Rd. B63 —5E **85** to 4H **85**
Hagley Rd. DY8 —3F **83**
Hagley Rd. DY9 —5G **83**
Hagley Rd. W. B62, B68, B32, B67 & B17 —1D **86** to 5A **72**
Hagley St. B63 —3H **85**
Hagley View. DY2 —4D **54**
Hagley Wood La. DY9 —5D **84**
Haig Clo. B75 —3A **38**
Haig Clo. WS11 —2D **4**
Haig Pl. B13 —1C **106**
Haig Rd. DY2 —3G **55**
Haig St. B71 —5F **45**
Hailes Pk. Clo. WV2 —4A **30**
Hailsham Rd. B23 —5F **49**
Hailstone Clo. B65 —1H **69**
Haines Clo. DY4 —1A **56**
Haines St. B70 —3F **57**
Hainfield Dri. B91 —3G **109**
Hainge Rd. B69 —3A **56**
Hainult Clo. DY8 —2C **66**
Halberd Rd. LE10 —5F **139**
Halberton St. B66 —2C **72**
Haldon Gro. B31 —2H **119**
Halecroft Av. WV11 —4E **21**
Hale Gro. B24 —2B **62**
Halesbury Ct. B63 —4G 85 (off Ombersley Rd.)
Hales Cres. B67 —2G **71**
Halescroft Sq. B31 —2H **103**
Hales Gdns. B23 —4D **48**
Hales Ind. Pk. CV6 —3D **100**
Hales La. B67 —2G **71**
Halesmere Way. B63 —3A **68**
Halesowen-By-Pass. B63 —4H **85** & 4C **86**
Halesowen Rd. B61 —5A **118**
Halesowen Rd. B62 —1C **86**
Halesowen Rd. B64 —5G **69**
Halesowen Rd. DY2 & B64 —1E **69**
Halesowen St. B65 —4A **70**
Halesowen St. B69 —5D **56**
Hales Rd. B63 —3H **85** (in two parts)
Hales Rd. WS10 —5D **32**
Hales St. CV1 —4B **116** (in two parts)
Hales Way. B69 —5D **56**
Halesworth Rd. WV9 —1F **19**
Halewood Gro. B28 —2H **107**
Haley St. WV12 —4A **22**
Halfcot Av. DY9 —4H **83**
Halford Cres. WS3 —4H **23**
Halford Gro. B24 —2B **62**
Halford La. B79 —3C **134**
Halford La. CV6 —5H **99**
Halford Lodge. CV6 —4H **99**
Halford Rd. B91 —2B **108**
Halford's La. B66 & B71 —4A **58**
Halfords La. Ind. Est. B66 —4A **58**
Halford St. B79 —3C **134**
Halfpenny Field Wlk. B35 —2D **62**
Halfway Clo. B44 —5A **48**
Halifax Clo. CV5 —2C **114**
Halifax Ct. DY11 —1B **140**
Halifax Rd. B90 —5H **107**
Haliscombe Gro. B6 —4A **60**
Halkett Glade. B33 —3A **76**
Halladale. B38 —1E **121**
Hallam Clo. B71 —1G **57**
Hallam Ct. B71 —5G **45**
Hallam Cres. WV10 —4B **20**
Hallam Rd. CV6 —4A **100**
Hallam St. B12 —2A **90**
Hallam St. B71 —1G **57**
Hallbridge Clo. WS3 —1H **23**
Hallbridge Way. B69 —2A **56**
Hallbrook Rd. CV6 —3H **99**
Hallchurch Rd. DY2 —5B **54**
Hallcourt Clo. WS11 —5C **4**
Hallcourt Cres. WS11 —5C **4**
Hallcourt La. WS11 —5C **4**
Hall Cres. B71 —5F **45**
Hallcroft Clo. B72 —4A **50**
Hallcroft Way. B93 —3H **125**
Hallcroft Way. WS9 —4G **25**
Hall Dale Clo. B28 —3F **107**
Hall Dri. B37 —1H **93**
Hall End. CV11 —4G **137**
Hall End. WS10 —1C **44**
Hall End Pl. CV11 —4G **137**
Hallens Dri. WS10 —1B **44**
Hallet Dri. WV3 —2G **29**
Hallewell Rd. B16 —3C **72**
Hallfields. CV31 —7E **149**
Hall Gdns. B68 —2E **71**
Hall Grn. Rd. B71 —3F **45**
Hall Grn. Rd. CV6 —4F **101**
Hall Grn. St. WV14 —2F **43**
Hall Gro. WV14 —3D **42**
Hall Hays Rd. B34 —5G **63**
Hall Hill La. CV7 —2E **99**
Hall La. DY2 —1D **68**
Hall La. DY4 —3H **43**
Hall La. WS3 —5H **15**
Hall La. WS6 —4D **6**
Hall La. WS7 —4H **9**
Hall La. WS9 —4D **16**
Hall La. WV14 —3B **42**
Hall La. Ind. Development. WS9 —5D **16**
Hall Meadow. WS11 —2A **6**
Hallmoor Rd. B33 —3E **77**
Hallot Clo. B23 —4E **49**
Halloughton Rd. B74 —3G **37**
Hallow Ho. B31 —5C **104**
Hallows, The. CV11 —5H **137**
Hall Pk. St. WV14 —4D **30**
Hall Rd. B8 —2E **75**
Hall Rd. B20 —4F **59**
Hall Rd. B36 —4D **62**
Hall Rd. B67 —2H **71**
Hall Rd. CV32 —4B **148**
Hall Rd. LE10 —4E **139**
Hall Rd. Av. B20 —4F **59**
Hall's Clo. CV31 —8C **149**
Hallstead Rd. B13 —3C **106**
Hall St. B18 —2G **73** & 1A **152**
Hall St. B64 —3G **69**
Hall St. B68 —1E **71**
Hall St. B70 —3F **57**
Hall St. DY2 —4E **55**
Hall St. DY3 —3A **42**
Hall St. DY4 —1F **55**
Hall St. DY5 —3A **68**
Hall St. DY8 —3F **83**
Hall St. WS2 —5G **23**
Hall St. WS10 —4A **32**
Hall St. WV11 —4E **21**
Hall St. WV13 —2H **31**
Hall St. WV14 —5F **31**
Hall St. E. WS10 —3A **32**
Hall St. S. B70 —4G **57**
Hallswelle Gro. B43 —5A **36**
Hall Wlk. B46 —1D **78** & 2E **79**
Halsbury Gro. B44 —3C **48**
Halstead Gro. B91 —1D **124**
Halston Rd. WS7 —1F **9**
Haltonlea. B77 —4G **135**
Halton Rd. B73 —1E **49**
Halton St. DY2 —1D **68**
Hamar Way. B37 —4A **78**
Hamberley Ct. B18 —2D **72**
Hamble. B77 —3E **135**
Hamble Clo. DY5 —1F **67**
Hambledon Clo. WV9 —1F **19**
Hamble Gro. WV6 —5A **18**
Hamble Rd. B42 —3E **47**
Hamble Rd. WV4 —4C **28**
Hambleton Rd. B63 —4E **85**
Hambletts Rd. B70 —2D **56**
Hambrook Clo. B37 —3B **78**
Hambrook Clo. WV6 —4F **19**
Hambury Dri. B14 —2H **105**
Hamelin St. WS11 —4B **4**
Hamilton Av. B17 —5A **72**
Hamilton Av. B62 —3A **86**
Hamilton Av. DY8 —1D **82**
Hamilton Clo. CV12 —4B **80**
Hamilton Clo. DY3 —4H **41**
Hamilton Clo. DY8 —3C **66**
Hamilton Clo. LE10 —1C **138**
Hamilton Clo. WS12 —2H **5**
Hamilton Ct. B30 —3D **104**
Hamilton Ct. CV10 —3B **136**
Hamilton Dri. B29 —5C **88**
Hamilton Dri. B69 —3A **56**
Hamilton Dri. DY8 —3C **66**
Hamilton Gdns. WV10 —5B **12**
Hamilton Ho. B66 —2C **72**
Hamilton Rd. B21 —4D **58**
Hamilton Rd. B67 —4H **71**
Hamilton Rd. B97 —5B **144**
Hamilton Rd. CV2 —4E **117**
Hamilton Rd. CV31 —7E **149**
Hamilton Rd. DY4 —5A **44**
Hamilton Rd. DY11 —4C **140**
Hamilton St. WS3 —1F **23**
Hamilton Ter. CV32 —5B **149**
Ham La. DY6 —3D **52**
Ham La. DY9 —5H **83**
Hamlet Gdns. B28 —1F **107**
Hamlet Rd. B28 —1F **107**
Hammer Bank. DY5 —5C **68**
Hammersley Clo. B63 —1D **84**
Hammersley St. CV12 —4C **80**
Hammerwich Rd. WS7 —2H **9**
Hammond Av. WV10 —2A **20**
Hammond Clo. CV11 —3H **137**
Hammond Dri. B23 —1F **61**
Hammond Rd. CV2 —3D **116**
Hammonds Ter. CV8 —2A **150**
Hammond Way. DY8 —1F **83**
Hampden Clo. DY5 —5C **68**
Hampden Ct. B69 —4B **56**
Hampden Ho. B35 —2E **63**
Hampden Retreat. B12 —1A **90**
Hamps Clo. WS7 —2H **9**
Hampshire Clo. B78 —5B **134**
Hampshire Clo. CV3 —1H **133**
Hampshire Dri. B15 —5D **72**
Hampshire Rd. B71 —3D **44**
Hampson Gro. B11 —1C **90**
Hampstead Ind. Est. B42 —1F **59**
Hampton Av. B60 —5E **143**
Hampton Av. CV10 —3A **136**
Hampton Clo. B79 —1D **134**
Hampton Clo. B98 —5E **145**
Hampton Clo. CV6 —2D **116**
Hampton Ct. Rd. B17 —1A **88**
Hampton Dri. B74 —3H **37**
Hampton Grn. WS11 —1B **6**
Hampton Gro. CV32 —4C **148**
Hampton Gro. WS3 —4A **16**
Hampton La. B91 —4F **109** to 3B **110**
Hampton La. CV7 —5A **96**
Hampton Pl. WS10 —3A **32**
Hampton Rd. B6 —4H **59**
Hampton Rd. B23 —1E **61**
Hampton Rd. B93 —2B **126**
Hampton Rd. CV6 —2D **116**
Hampton Rd. CV35 & CV34 —5A **146**
Hampton Rd. WV10 —1G **19**
Hampton St. B19 —2H **73** & 1B **152**
Hampton St. CV34 —4D **146**
Hampton St. DY2 —2D **68**
Hampton St. WS11 —1B **6**
Hampton St. WV14 —3D **42**
Hams Rd. B8 —2D **74**
Hamstead Clo. WV11 —4E **21**
Hamstead Hall Av. B20 —5D **46**
Hamstead Hall Rd. B20 —1E **59**
Hamstead Hill. B20 —2E **59**
Hamstead Ho. B43 —4E **47**
Hamstead Rd. B20 & B19 —3F **59**
Hamstead Rd. B43 —3C **46**
Hamstead Ter. WS10 —2E **45**
Hanam Clo. B75 —4C **38**
Hanbury Clo. B60 —4E **143**
Hanbury Clo. B63 —4G **85**
Hanbury Ct. DY8 —3F 83 (off College Rd.)
Hanbury Cres. WV4 —4E **29**
Hanbury Croft. B27 —3B **92**
Hanbury Hill. DY8 —3F **83**
Hanbury Pas. DY8 —2F **83**
Hanbury Pl. CV6 —4E **101**
Hanbury Rd. B60 —5B **142**
Hanbury Rd. B70 —2E **57**
Hanbury Rd. B77 —1F **135**
Hanbury Rd. B93 —4H **125** & 5H **125**
Hanbury Rd. CV12 —2F **81**
Hanbury Rd. WS8 —5E **9**
Hanbury Rd. WS11 —3H **7**
Hanch Pl. WS1 —2H **33**
Hancock Grn. CV4 —2C **130**
Hancock Rd. B8 —2F **75**
Hancox St. B68 —3E **71**
Handcross Gro. CV3 —4H **131**
Handel Ct. WS11 —4F **5**
Handel Wlk. WS13 —1G **151**
Handley Gro. B31 —5F **103**
Handley Gro. CV34 —2D **146**
Handley St. WS10 —1D **44**
Handsworth Cres. CV5 —4B **114**
Handsworth Dri. B43 —3F **47**
Handsworth New Rd. B18 —1D **72**
Handsworth Wood Rd. B20 —2E **59**
Hanford Clo. CV6 —2C **116**
Hanger Rd. B26 —3H **93**
Hanging La. B31 —5G **103**
Hangleton Dri. B11 —2E **91**
Hangmans La. LE10 —1F **139**
Hanley Clo. B63 —3F **85**
Hanley St. B19 —2A **74** & 1C **152**
Hanlith. B77 —4H **135**
Hannaford Way. WS11 —4D **4**
Hannafore Rd. B16 —3C **72**
Hannah Rd. WV14 —1H **43**
Hanney Hay Rd. WS7 —4F **9**
Hannon Rd. B14 —3A **106**
Hanover Clo. B6 —5A **60**
Hanover Ct. B79 —1A **134**
Hanover Ct. B98 —5B **144**
Hanover Ct. LE10 —4F **139**
Hanover Ct. WS10 —2C **32**
Hanover Ct. WV6 —5C **18**
Hanover Dri. B24 —4F **61**
Hanover Gdns. CV32 —4C **148**
Hanover Glebe. CV11 —4F **137**
Hanover Pl. B60 —4D **142**
Hanover Pl. WS11 —4B **4**
Hanover Rd. B65 —2A **70**
Hanover St. B61 —3D **142**
Hansell Dri. B93 —5G **125**
Hansom Ct. LE10 —2E 13 (off Borough, The.)
Hansom Rd. B32 —2F **87**
Hansom Rd. LE10 —1G **139**
Hanson Gro. B92 —2C **92**
Hansons Bri. Rd. B24 —1C **62**
Hanwell Clo. B76 —4D **50**
Hanwood Clo. B12 —5B **74**
Hanwood Clo. CV5 —4A **114**
Hanworth Clo. CV32 —3D **148**
Hanworth Rd. CV34 —3C **146**
Harald Clo. WV6 —4A **18**
Harbeck Av. B44 —4A **48**
Harbinger Rd. B38 —5G **105**
Harborne La. B17 & B29 —3C **88**
Harborne Pk. Rd. B17 —2B **88**
Harborne Rd. B15 —1D **88**
Harborne Rd. B68 —4G **71**
Harborough Dri. B36 —3F **63**
Harborough Dri. WS9 —4F **25**
Harborough Rd. CV6 —4A **100**
Harborough Wlk. DY9 —4G **83**
Harbour Ter. WV3 —2F **29**
Harbury Clo. B76 —5E **51**
Harbury Clo. B98 —4G **145**
Harbury La. CV34 —5H **147** & 8A **149**
Harbury Rd. B12 —2H **89**
Harcourt. CV3 —3H **133**
Harcourt Dri. B74 —5F **27**
Harcourt Dri. DY3 —3A **54**
Harcourt Gdns. CV11 —3F **137**
Harcourt Ho. B79 —3B **134**
Harcourt Rd. B23 —5F **49**
Harcourt Rd. B64 —5G **69**
Harcourt Rd. WS10 —1D **44**
Harden Clo. WS3 —3H **23**
Harden Ct. B31 —5H **103**
Harden Gro. WS3 —3G **23**
Harden Manor Ct. B63 —4A **86**
Harden Rd. WS3 —3F **23** to 3H **23**
Harden Vale. B63 —2F **85**
Hardie Grn. WS11 —3D **4**
Harding St. WV14 —2E **43**
Hardon Rd. WV4 —5B **30**
Hardware St. B70 —2F **57**
Hardwick Clo. CV5 —4C **114**
Hardwick Dri. B62 —1H **85**
Hardwicke Wlk. B14 —5H **105**
Hardwicke Way. DY9 —2H **83**
Hardwick Field. DY3 —2H **41**
Hardwick Rd. B74 —1B **36**
Hardwick Rd. B92 —3B **92**
Hardy Av. DY10 —2G **141**
Hardy Rd. CV6 —1H **115**
Hardy Rd. WS3 —2H **23**
Hardy Rd. WS10 —1D **44**
Hardy Sq. WV2 —4B **30**
Harebell. B77 —1G **135**
Harebell Clo. WS5 —1A **46**
Harebell Clo. WS12 —4G **5**
Harebell Clo. WV10 —2C **12**
Harebell Cres. DY1 —1C **54**
Harebell Gdns. B38 —2E **121**
Harebell Wlk. B37 —3C **78**
Harefield La. CV10 —5C **136**
Harefield Rd. CV2 —4E **117**
Harefield Rd. CV11 —3F **137**
Hare Gro. B31 —4G **103**
Hare & Hounds La. CV10 —4D **136**
Haresfield Clo. B97 —3B **144**
Hare St. WV14 —5G **31**
Harewell Dri. B75 —2A **38**
Harewood Av. B43 —2C **46**
Harewood Av. WS10 —1F **45**
Harewood Clo. B28 —3E **107**
Harewood Rd. CV5 —4E **115**
Harford St. B19 —2H **73** & 1A **152**
Hargate La. B71 —1F **57**
Harger Ct. CV8 —4B **150**
Hargrave Clo. B46 —2A **64**
Hargrave Rd. B90 —5D **106**
Hargreave Clo. B76 —4C **50**
Hargreaves Ct. DY11 —4C **140**
Hargreaves St. WV1 —3C **30**
Harland Rd. B74 —1G **37**
Harlech Clo. B32 —2E **103**
Harlech Clo. B69 —3G **55**
Harlech Clo. CV8 —2D **150**
Harlech Rd. WV12 —3A **22**
Harlech Tower. B23 —5G **49**
Harlech Way. DY1 —3B **54**
Harlech Way. DY11 —5E **141**
Harleston Rd. B44 —4A **48**
Harley Clo. WS8 —3F **17**
Harley St. CV2 —5E **117**
Harlow Gro. B28 —2G **107**
Harlstones Clo. DY8 —5F **67**
Harman Rd. B72 —4H **49**
Harmer Clo. CV34 —2D **146**
Harmer St. B18 —1F **73**
Harmon Rd. DY8 —2C **82**
Harnall Clo. B90 —2B **124**
Harnall La. E. CV1 —3C **116**
Harnall La. Ind. Est. CV1 —3C **116**
Harnall La. W. CV1 —3B **116** (in two parts)
Harnall Row. CV1 —4C **116**
Harness Clo. WS5 —5H **33**
Harold Evers Way. DY10 —2E **141**
Harold Rd. B16 —4E **73**
Harold Rd. B67 —3G **71**
Harold Rd. CV2 —5G **117**
Harold St. CV11 —4F **137**
Harpenden Dri. CV5 —3C **114**
Harper Av. WV11 —2D **20**
Harper Rd. CV1 —5C **116**
Harper Rd. WV14 —4E **31**
Harper's Bldgs. B12 —2C **90**
Harpers Rd. B14 —1B **122**
Harpers Rd. B31 —5A **104**
Harper St. WV13 —1H **31**
Harport Rd. B98 —4D **144**
Harpur Clo. WS4 —5A **24**
Harpur Rd. WS4 —5A **24**
Harriers Grn. DY10 —1G **141**
Harrier Way. B42 —2H **59**
Harriet Clo. DY5 —1G **67**
Harringay Dri. DY8 —4E **83**
Harringay Rd. B44 —2B **48**
Harrington Rd. CV6 —3H **115**
Harringworth Ct. WS4 —2B **24**
Harriott Dri. CV34 —5H **147**

Harris Dri.—Heath Clo.

Harris Dri. B42 —4E 47
Harris Dri. B66 —3B 72
Harrison Clo. WS3 —2F 23
Harrison Cres. CV12 —3E 81
Harrison Rd. B24 —2G 61
Harrison Rd. B74 —4F 27
Harrison Rd. B97 —5A 144
Harrison Rd. DY8 —4F 67
Harrison Rd. WS4 —1C 24
Harrison Rd. WS11 —1C 6
Harrison's Fold. DY2 —2E 69
Harrisons Grn. B15 —1D 88
Harrisons Pleck. B13 —3B 90
Harrison's Rd. B15 —2D 88
Harrison St. WS3 —1E 23
Harris Rd. CV3 —5F 117
Harris Rd. CV34 —2C 146
Harrold Av. B65 —3C 70
Harrold Rd. B65 —3C 70
Harrold St. DY4 —4A 44
Harrop Way. DY8 —5E 67
Harrowbrook Ind. Est. LE10 —3B 138
Harrowbrook Rd. LE10 —3A 138
Harrowby Dri. DY4 —1H 55
Harrowby Pl. WV13 —2B 32
Harrowby Pl. WV14 —1G 43
Harrowby Rd. WV10 —5G 11
Harrowby Rd. WV14 —1G 43
Harrow Clo. B60 —5C 142
Harrowfield Rd. B33 —2C 76
Harrow Rd. B29 —4E 89
Harrow Rd. CV31 —8C 149
Harrow Rd. DY6 —4D 52
Harrow St. WV1 —5G 19
Harry Edwards Ho. CV2 —1G 117
Harry Perks St. WV13 —5H 21
Harry Price Ho. B69 —1B 70
Harry Rose Rd. CV2 —4H 117
Harry Truslove Clo. CV6 —1H 115
Hart Dri. B73 —3G 49
Hartfield Cres. B27 —4H 91 & 5G 91
Hartfields Way. B65 —1G 69
Hartford Clo. B17 —1A 88
Hartford Rd. B60 —4F 143
Hartill Rd. WV4 —1D 40
Hartill St. WV13 —2H 31
Hartington Clo. B93 —5G 125
Hartington Cres. CV5 —1G 131
Hartington Grn. LE10 —4F 139
Hartington Rd. B19 —5H 59
Hartland Av. CV2 —2F 117
Hartland Av. WV14 —3C 42
Hartland Rd. B31 —3G 119
Hartland Rd. B71 —4H 45
Hartland Rd. DY4 —5E 43
Hartland St. DY5 —5H 53
Hartlebury Clo. B93 —5H 125
Hartlebury Clo. B98 —1G 145
Hartlebury Clo. WS11 —4F 5
Hartlebury Rd. B63 —4G 85
Hartlebury Rd. B69 —1B 70
Hartledon Rd. B17 —2B 88
Hartlepool Rd. CV1 —3C 116
Hartleyburn. B77 —4G 135
Hartley Dri. WS9 —5G 25
Hartley Gro. B44 —2C 48
Hartley Pl. B15 —5E 73
Hartley Rd. B44 —1C 48
Hartley St. WV3 —1F 29
Harton Way. B14 —3H 105
Hartopp Rd. B8 —2E 75
Hartopp Rd. B74 —2F 37 & 2G 37
Hartridge Wlk. CV5 —3D 114
Hart Rd. B24 —1G 61
Hart Rd. WV11 —5E 21
Hartsbourne Dri. B62 —3B 86
Harts Clo. B17 —1C 88
Harts Grn. Rd. B17 —2A 88
Hartshill Rd. B27 —4B 92
Hartshill Rd. B34 —5D 62
Hartshorn St. WV14 —5E 31
Hartside Clo. B63 —4E 85
Harts Rd. B8 —1F 75
Hart St. WS1 —2G 33
Hartswell Dri. B13 —2B 106
Hartwell Clo. B91 —1D 124
Hartwell La. WS6 —4D 6
Hartwell Rd. B24 —3H 61
Harvard Rd. B92 —3D 92
Harvest Clo. B30 —2G 105
Harvest Clo. B60 —5C 142
Harvest Clo. DY3 —1A 54
Harvest Ct. B65 —2H 69
Harvester Rd. B67 —3G 71
Harvesters Clo. WS9 —1A 36
Harvesters Rd. WV12 —4B 22
Harvesters Wlk. WV8 —1E 19
Harvesters Way. WV12 —4B 22
Harvester Way. DY6 —4B 52
Harvest Hill Clo. CV31 —6D 149
Harvest Hill La. CV5 —2G 97 to 4B 98
Harvest Rd. B65 —2G 69
Harvest Rd. B67 —3G 71
Harvest Wlk. B65 —2G 69
Harvey Clo. CV5 —1D 114
Harvey Ct. B33 —3F 77
Harvey Dri. B75 —1A 38
Harvey Rd. B26 —1B 92
Harvey Rd. WS2 —4E 23
Harvey's Ter. DY2 —2E 69
Harvills Hawthorn. B70 —4C 44
Harvine Wlk. DY8 —3E 83
Harvington Clo. DY11 —1B 140
Harvington Dri. B90 —3E 125
Harvington Rd. B29 —1A 104
Harvington Rd. B60 —5D 142
Harvington Rd. B63 —5G 85
Harvington Rd. B68 —5E 71
Harvington Rd. WV14 —3D 42
Harvington Wlk. B65 —3B 70
Harvington Way. B76 —3D 50
Harwell Clo. B79 —1D 134
Harwin Clo. WV6 —3E 19
Harwood Dri. LE10 —1G 139
Harwood Gro. B90 —1A 124
Harwood Rd. WS13 —1G 151
Harwood St. B70 —2E 57
Hasbury Clo. B63 —4F 85
Hasbury Rd. B32 —1D 102
Haselbech Rd. CV3 —1H 133 (in two parts)
Haseley Clo. B98 —4H 145
Haseley Clo. CV31 —7C 149
Haseley Rd. B21 —5D 58
Haseley Rd. B91 —2B 108
Haseley Rd. CV2 —5G 101
Haselor Rd. B73 —3F 49
Haselour Rd. B37 —1H 77
Hasilwood Sq. CV3 —5E 117
Haskell St. WS1 —4H 33
Haslemere Gro. WS11 —5A 4
Haslucks Croft. B90 —4G 107
Haslucks Grn. Rd. B90 —2E 123 to 4H 107
Hassop Rd. B42 —4H 47
Hastings Clo. B77 —5G 135
Hastings Ct. DY1 —2A 54
Hastings Rd. B23 —4C 48
Hastings Rd. B60 —5C 142
Hastings Rd. CV2 —4E 117
Haswell Rd. B63 —3F 85
Hatcham Rd. B44 —2D 48
Hatchett St. B19 —1A 74
Hatchford Av. B92 —4F 93
Hatchford Brook Rd. B92 —4F 93
Hatchford Ct. B92 —4E 93
Hatchford Wlk. B37 —4B 78
Hatch Heath Clo. WV5 —4A 40
Hateley Dri. WV4 —5A 30
Hatfield Clo. B23 —4E 49
Hatfield Clo. B98 —4H 145
Hatfield Rd. B19 —4H 59
Hatfield Rd. DY9 —3H 83
Hathaway Clo. CV7 —2C 128
Hathaway Clo. WV13 —3G 31
Hathaway Dri. CV34 —1D 146
Hathaway Gro. B11 —2H 91
Hathaway M. DY8 —3C 66
Hathaway Rd. B75 —5G 27
Hathaway Rd. B90 —1H 123
Hathaway Rd. CV4 —1A 130
Hatherell Rd. CV31 —7E 149
Hathersage Rd. B42 —4H 47
Hatherton Croft. WS11 —5A 4
Hatherton Gdns. WV10 —1A 20
Hatherton Gro. B29 —5H 87
Hatherton Pl. WS9 —3F 25
Hatherton Rd. WS1 —1H 33
Hatherton Rd. WS11 —5A 4
Hatherton Rd. WV14 —4G 31
Hatherton St. WS1 & WS4 —1H 33
Hatherton St. WS6 —5A 6
Hattersley Gro. B11 —3G 91
Hatton Cres. WV10 —3C 20
Hatton Gdns. B42 —4G 47
Hatton Rd. WV6 —1E 29
Hattons Gro. WV8 —5B 10
Hatton St. WV14 —1F 43
Haughton Rd. B20 —4H 59
Haunch La. B13 —2B 106
Haunchwood Dri. B76 —4C 50
Haunchwood Rd. CV10 —3B 136
Havacre La. WV14 —2D 42
Havefield Av. WS14 —3H 151
Havelock Pl. WV3 —3E 29
Havelock Rd. B8 —1E 75
Havelock Rd. B11 —3F 91
Havelock Rd. B20 —3H 59
Havelock Ter. B18 —1D 72
Havelock Ter. B21 —5E 59
Haven Croft. B43 —4C 46
Havendale Clo. CV6 —3A 116
Haven Dri. B27 —3H 91
Haven, The. B14 —3E 107
Haven, The. DY8 —3D 66
Haven, The. WV2 —3H 29
Haverford Dri. B45 —2E 119
Havergal Wlk. B63 —2D 84
Haverhill Clo. WS3 —5D 14
Hawbridge Clo. B90 —3D 124
Hawbush Rd. DY5 —4F 67
Hawbush Rd. WS3 —3G 23
Hawcroft Gro. B34 —5F 63
Hawes Clo. WS1 —4H 33
Hawes La. B65 —2H 69
Hawes Rd. WS1 —4H 33
Haweswater Dri. DY6 —1D 66
Hawfield Clo. B69 —5A 56
Hawfield Gro. B72 —4A 50
Hawfield Rd. B69 —5A 56
Hawfinch. B77 —5G 135
Hawford Av. DY10 —3F 141
Hawker Dri. B35 —3C 62
Hawker Ho. B35 —2E 63
Hawkesbury La. CV2 —2G 101
Hawkesbury Rd. B90 —1F 123
Hawkes Clo. B30 —1E 105
Hawkes Dri. CV34 —7A 149
Hawkesford Clo. B74 —2H 37
Hawkesford Rd. B33 —3F 77
Hawkes La. B70 —4D 44
Hawkesley Cres. B31 —1A 120
Hawkesley Dri. B31 —1A 120
Hawkesley End. B38 —2D 120
Hawkesley Mill La. B31 —5H 103
Hawkesley Rd. DY1 —4B 54
Hawkesley Sq. B38 —2E 121
Hawkes Mill La. CV5 —4C 98
Hawkesmoor Dri. WS14 —3H 151
Hawkesmoor Dri. WV6 —2A 18
Hawkes St. B10 —5E 75
Hawkestone Cres. B70 —5D 44
Hawkestone Rd. B29 —1A 104
Hawkesville Dri. WS11 —4C 4
Hawkeswell Clo. B92 —5B 92
Hawkeswell La. B46 —2F 79
Hawkesworth Dri. CV8 —2B 150
Hawkesyard Rd. B24 —4E 61
Hawkhurst Rd. B14 —5B 106
Hawkinge Dri. B35 —2D 62
Hawkins Clo. B5 —1A 90
Hawkins Clo. DY4 —2H 55
Hawkins Dri. WS6 —3A 6
Hawkins Pl. WV14 —1G 43
Hawkins Rd. CV5 —5H 115
Hawkins St. B70 —3D 44
Hawkley Clo. WV1 —1D 30
Hawkley Rd. WV1 —2C 30
Hawk Mill Ind. Est. B9 —4D 74
Hawkmoor Gdns. B38 —1E 121
Hawksbury Clo. B98 —1G 145
Hawks Clo. WS6 —5B 6
Hawksford Clo. B36 —4D 62
Hawksford Cres. WV10 —3A 20
Hawk's Grn. Ind. Est. WS11 —4D 4
Hawks Grn. La. WS11 —4D 4
Hawkshead Dri. B93 —3H 125
Hawkside. B77 —4H 135
Hawkstone Clo. DY11 —1D 140
Hawkstone Ct. WV6 —1A 18
Hawkswell Av. WV5 —5A 40
Hawkswell Dri. WV13 —2G 31
Hawkswood Dri. CV7 —2B 128
Hawkswood Gro. B14 —4C 106
Hawksworth. B77 —3F 135
Hawksworth Dri. CV1 —4A 116
Hawkyard Clo. WS11 —2D 4
Hawley Rd. LE10 —3E 139
Hawne Clo. B63 —1F 85
Hawnelands, The. B63 —2G 85
Hawne La. B63 —1F 85
Hawthorn Av. WS6 —5D 6
Hawthorn Brook Way. B23 —4E 49
Hawthorn Clo. B9 —4C 74
Hawthorn Clo. WS13 —3H 151
Hawthorn Coppice. B30 —3D 104
Hawthorn Cres. LE10 —5F 139
Hawthorn Cres. WS7 —2F 9
Hawthorn Croft. B68 —1F 87
Hawthornden Ct. B76 —4B 50
Hawthorn Dri. B47 —3C 122
Hawthorne Av. B79 —1C 134
Hawthorne Ct. CV4 —5B 114
Hawthorne Gro. DY3 —3H 53
Hawthorne La. CV4 —4B 114 & 5B 114
Hawthorne La. WV8 —5A 10
Hawthorne Rd. B15 —5D 72
Hawthorne Rd. B30 —3D 104
Hawthorne Rd. B36 —5G 63
Hawthorne Rd. B63 —4F 85
Hawthorne Rd. DY1 —1D 54
Hawthorne Rd. WS6 —3C 6
Hawthorne Rd. WS11 —4G 21
Hawthorne Rd. WS12 —3H 5
Hawthorne Rd. WV1 —3D 30
Hawthorne Rd. WV2 —4H 29
Hawthorne Rd. WV12 —3B 22
Hawthorne Ter. CV10 —2C 136
Hawthorn Gro. B19 —4H 59
Hawthorn Gro. DY11 —2B 140
Hawthorn Ho. WS13 —3H 151
Hawthorn Pk. B20 —2E 59 (in two parts)
Hawthorn Pk. Dri. B20 —2E 59
Hawthorn Pl. WS2 —1C 32
Hawthorn Rd. B44 —4B 48
Hawthorn Rd. B61 —1E 143
Hawthorn Rd. B72 —3A 50
Hawthorn Rd. B74 —2B 36
Hawthorn Rd. CV31 —6B 149
Hawthorn Rd. DY4 —3H 43
Hawthorn Rd. DY5 —5A 68
Hawthorn Rd. WS4 —2B 24
Hawthorn Rd. WS5 —5H 33
Hawthorn Rd. WS10 —5C 32
Hawthorn Rd. WV11 —5G 13
Hawthorns Ind. Est. B21 —4B 58
Hawthorns, The. DY10 —3F 141
Hawthorn Ter. WS10 —5C 32
Haxby Av. B34 —5D 62
Haybarn, The. B76 —3D 50
Haybrook Dri. B11 —3G 91
Hay Clo. DY11 —2C 140
Haycock Pl. WS10 —3A 32
Haycroft Av. B8 —1F 75
Haycroft Dri. B74 —5G 27
Haydn Sanders Sq. WS1 —3G 33
Haydock Clo. B36 —4A 62
Haydon Clo. B93 —5H 125
Haydon Croft. B33 —2D 76
Hayehouse Gro. B36 —5B 62
Hayes Cres. B68 —1G 71
Hayes Croft. B38 —2E 121
Hayes Grn. Rd. CV12 —5D 80
Hayes Gro. B24 —5A 50
Hayes La. CV7 —5D 80
Hayes La. DY9 —2C 84
Hayes Meadow. B72 —4A 50
Hayes Rd. B68 —1F 71
Hayes St. B70 —1E 57
Hayes, The. B31 —2B 120
Hayes, The. DY9 —2B 84
Hayes, The. WV12 —4A 22 (in two parts)
Hayes View. WS13 —2E 151
Hayes View Dri. WS6 —3C 6
Hayes Way. WS11 —5D 4
Hayes Way. WS12 —5E 5
Hayfield Ct. B13 —4D 90
Hayfield Gdns. B13 —4D 90
Hayfield Rd. B13 —4C 90
Hayford Clo. B98 —1D 144
Hay Grn. DY9 —2A 84
Hay Grn. Clo. B30 —2C 104
Hay Grn. La. B30 —3B 104 to 2D 104
Hay Hall Rd. B11 —2F 91
Hay Hill. WS5 —3D 34
Hayland Rd. B23 —5E 49
Hay La. B90 & B91 —3C 124 & 2D 124 (in two parts)
Hay La. CV1 —5B 116
Hayle. B77 —3E 135
Hayle Av. CV34 —2E 147
Hayle Clo. B38 —5G 105
Hayle Clo. CV11 —5B 136
Hayley Ct. B24 —5A 50
Hayley Grn. Rd. B32 —1E 103
Hayley Pk. Rd. B63 —5E 85
Hayling Clo. B45 —1C 118
Hayling Gro. WV2 —4G 29
Haymarket, The. WV8 —1E 19
Haymor. WS14 —3H 151
Haynes La. WS5 —1B 46
Haynestone Rd. CV6 —2G 115
Hay Pk. B5 —1H 89
Haypits Clo. B71 —4H 45
Hayrick Dri. DY6 —5B 52
Hay Rd. B25 —1G 91
Hayseech. B64 —1G 85
Hayseech Rd. B63 —2G 85
Hays Kents Moat, The. B26 —4D 76
Hays La. LE10 —3D 138
Hays, The. B26 —4D 76
Hayton Grn. CV4 —2B 130
Haytor Av. B14 —2H 105
Haytor Rise. CV2 —2F 117
Haywain Clo. WV9 —5F 11
Hayward Rd. B75 —3H 37
Haywards Clo. B23 —1E 61
Haywards Clo. WS3 —5A 16
Haywards Grn. CV6 —2H 115
Hayward St. WV14 —3D 42
Hayway, The. WS2 —5E 23
Haywharf Rd. DY5 —1G 67
Haywood Clo. CV35 —4A 146
Haywood Dri. B62 —5A 70
Haywood Dri. WV6 —5C 18
Haywood Rd. B33 —3G 77
Hayworth Clo. B79 —1B 134
Hayworth Rd. WS13 —1H 151
Hazel Av. B73 —3D 48
Hazel Av. WS10 —5D 32
Hazelbank. B38 —5D 104
Hazelbeach Rd. B8 —2F 75
Hazel Beech Rd. B70 —2E 57
Hazel Clo. CV32 —3C 148
Hazel Croft. B31 —4A 104
Hazel Croft. B37 —4A 78
Hazeldene Gro. B6 —4A 60
Hazeldene Rd. B33 —1F 93
Hazeldene Rd. B63 —4F 85
Hazel Dri. B47 —3C 122
Hazel Dri. WS12 —1H 5
Hazeley Clo. B17 —1A 88
Hazel Gdns. B27 —2H 91
Hazel Gdns. WV8 —4A 10
Hazelgarth. B77 —4H 135
Hazel Gro. B70 —3F 57
Hazel Gro. B94 —5B 124
Hazel Gro. CV12 —2G 81
Hazel Gro. DY8 —4C 82
Hazel Gro. WS14 —4G 151
Hazel Gro. WV5 —4B 40
Hazel Gro. WV11 —3E 21
Hazel Gro. WV14 —4F 31
Hazelhurst Rd. B14 —2A 106
Hazelhurst Rd. B36 —5G 63 (in two parts)
Hazel La. WS6 —5E 7
Hazell Way. CV10 —5E 137
Hazellwell Fordrough. B30 —2G 105
Hazelmere Ct. B69 —4B 56
Hazelmere Rd. B28 —5G 91
Hazeloak Rd. B90 —5G 107
Hazel Rd. B45 —3C 118
Hazel Rd. B97 —1A 144
Hazel Rd. CV6 —5E 101
Hazel Rd. CV10 —2B 136
Hazel Rd. DY1 —2D 54
Hazel Rd. DY4 —3B 44
Hazel Rd. DY6 —1D 66
Hazel Rd. WV3 —3E 29
Hazelton Clo. B91 —1E 125
Hazeltree Croft. B27 —4H 91
Hazeltree Gro. B93 —5G 125
Hazelville Gro. B28 —2G 107
Hazelville Rd. B28 —2G 107
Hazelwell Cres. B30 —2G 105
Hazelwell La. B30 —1F 105
Hazelwell Rd. B30 —2F 105
Hazelwell St. B30 —1F 105
Hazelwood Clo. DY11 —4B 140
Hazelwood Clo. WS6 —5B 6
Hazelwood Dri. WV11 —4C 20
Hazelwood Gro. WV12 —4B 22
Hazelwood Rd. B27 —4H 91
Hazelwood Rd. B74 —2H 35
Hazelwood Rd. DY1 —1B 54
Hazlemere Clo. CV5 —3D 114
Hazlemere Dri. B74 —2H 37
Hazlemere Dri. WS7 —3E 9
Hazlitt Gro. B30 —4C 104
Headborough Rd. CV2 —3E 117
Headborough Wlk. WS9 —1G 25
Headingley Rd. B21 —3D 58
Headington Av. CV6 —4H 99
Headland Dri. B8 —2E 75
Headland Rd. WV3 —2A 28
Headlands, The. B74 —5D 26
Headlands, The. CV5 —4F 115
Headless Cross Dri. B97 —4B 144
Headley Croft. B38 —1C 120
Headley Heath La. B38 —2F 121
Headley Rise. B90 —5A 108
Heale Clo. B63 —1C 84
Healey. B77 —3F 135
Healey Ct. CV34 —4F 147
Health Cen. Rd. CV4 —4E 131
Heanor Croft. B6 —4C 60
Heanton Rise. WV1 —5H 19
Heantun Mill Ct. WS10 —3B 44
Hearsall Comn. CV5 —5G 115
Hearsall Ct. CV4 —5F 115
Hearsall La. CV5 —5G 115
Heartlands Pl. B8 —2E 75
Heath Acres. WS10 —5A 32
Heath Av. CV12 —4C 80
Heathbank Dri. WS12 —1A 4
Heath Bri. Clo. WS4 —2A 24
Heathbrook Av. DY6 —5B 52
Heathcliff Rd. B11 —3G 91
Heathcliff Rd. DY2 —5G 55
Heath Clo. B30 —3C 104

Heath Clo.—Highpark Av.

Heath Clo. DY4 —1A 56
Heathcote Av. B91 —4B 108
Heathcote Ind. Est. CV34 —5H 147
Heathcote La. CV34 & CV31 —5H 147
Heathcote Rd. B30 —3F 105
Heathcote Rd. CV34 & CV31 —5F 147 to 8C 149
Heathcote St. CV6 —2H 115
Heathcote Way. CV34 —5H 147
Heath Cres. CV2 —3E 117
Heath Croft. B31 —2A 120
Heath Croft Rd. B75 —2A 38
Heath Dri. DY10 —1G 141
Heath End Rd. CV10 —4C 136
Heather Av. WS5 —1B 46
Heather Clo. B36 —4A 64
Heather Clo. CV10 —4D 136
Heather Clo. WS3 —2D 22
Heather Clo. WV11 —4F 21
Heather Ct. Gdns. B74 —2H 37
Heather Croft. B44 —2B 48
Heather Dale. B13 —4H 89
Heather Dri. B45 —3D 118
Heather Dri. CV12 —3D 80
Heather Dri. WS12 —2B 4
Heather Gro. B91 —2G 109
Heather Gro. WV12 —5C 22
Heatherleigh Rd. B36 —4G 63
Heather Rd. B10 —5F 75
Heather Rd. B43 —3C 46
Heather Rd. B67 —1G 71
Heather Rd. CV2 —4F 101
Heather Rd. DY1 —1D 54
Heather Rd. WS3 —2D 22
Heather Valley. WS12 —1F 5
Heath Farm Rd. DY8 —4D 82
Heath Farm Rd. WV8 —5B 10
Heathfield Av. B20 —4G 59
Heathfield Clo. B64 —4G 69
Heathfield Clo. B93 —3A 126
Heathfield Ct. B19 —5G 59
Heathfield Cres. DY11 —4B 140
Heathfield Dri. WS3 —1E 23
Heathfield Gdns. DY8 —3E 83
Heathfield La. WS10 —4A 32
Heathfield La. W. WS10 —5H 31
Heathfield Rd. B14 —1A 106
Heathfield Rd. B19 —4G 59
Heathfield Rd. B63 —4F 85
Heathfield Rd. B74 —1F 37
Heathfield Rd. CV5 —5E 115
Heath Gap Rd. WS11 —3D 4
Heath Gdns. B91 —2F 109
Heath Grn. DY1 —1B 54
Heathgreen Clo. B37 —3C 78
Heath Grn. Rd. B18 —2D 72
Heath Gro. WV8 —5B 10
Heath Hill Rd. WV6 —2A 28
Heathland Av. B34 —5D 62
Heathland Clo. WS12 —4G 5
Heathlands Clo. DY6 —4E 53
Heathlands Cres. B73 —3F 49
Heathlands Gro. B31 —1A 120
Heathlands Rd. B73 —2F 49
Heathlands, The. B65 —4A 70
Heathlands, The. DY8 —3G 83
Heathlands, The. WS2 —5E 23
Heath La. B71 —4F 45 to 5G 45
Heath La. DY8 —3F 83
Heathleigh Rd. B38 —1C 120
Heathmere Av. B25 —5B 76
Heathmere Dri. B37 —4H 77
Heath Mill La. B9 —4B 74
Heath Rise. B14 —5C 106
Heath Rd. B30 —3C 104
Heath Rd. B47 —2C 122
Heath Rd. B91 —2G 109
Heath Rd. CV2 —4D 116
Heath Rd. CV12 —4D 80 & 3D 80
Heath Rd. DY2 —3D 68 (in two parts)
Heath Rd. WS10 —3C 32
Heath Rd. WV12 —2B 22
Heath Rd. S. B31 —4B 104
Heathside Dri. B38 —5F 105
Heathside Dri. WS3 —4A 16
Heath St. B65 —4A 70
Heath St. B66 & B18 —1D 72
Heath St. B79 —3D 134
Heath St. DY8 —2E 83
Heath St. WS12 —1E 5
Heath St. S. B18 —2E 73
Heath Ter. CV32 —4A 148
Heath Trading Pk. B66 —1D 72
Heath Way. B34 —5C 62
Heath Way. WS11 & WS12 —4E 5
Heathy Farm Clo. B32 —5E 87
Heathy Rise. B32 —4D 86
Heaton Clo. WV10 —4A 12
Heaton Dri. B15 —5E 73
Heaton Dri. B74 —3F 37
Heaton Rd. B91 —2C 108
Heaton St. B18 —1G 73
Heatun Croft. WV10 —4C 20
Hebden. B77 —4H 135
Hebden Av. CV34 —2E 147
Hebden Gro. B28 —4E 107
Heckley Rd. CV7 —5E 81
Heddle Gro. CV6 —5E 101
Heddon Pl. B7 —2C 74
Hedera Clo. B43 —1B 46
Hedgefield Gro. B63 —3E 85
Hedgerow Clo. WS12 —1D 4
Hedgerow Dri. DY6 —4D 52
Hedgerow Wlk. WV8 —1E 19
Hedges Way. B60 —4F 143
Hedgetree Croft. B37 —3B 78
Hedgings, The. B34 —1E 77
Hedgley Gro. B33 —2D 76
Hedingham Gro. B37 —4C 78
Hedley Croft. B35 —1E 63
Hednesford Rd. WS8 —4C 8
Hednesford Rd. WS11 (Cannock) —5C 4
Hednesford Rd. WS11 (Norton Canes) —1H 7
Hednesford Rd. WS12 —4F 5
Hednesford St. WS11 —5C 4
Heeley Rd. B29 —4E 89
Heemstede La. CV32 —3B 148
Heenan Gro. WS13 —1E 151
Helena Pl. B66 —5F 57
Helena St. B1 —3G 73 & 3A 152
Helenny Clo. WV11 —4C 20
Helen St. CV6 —2D 116
Hele Rd. CV3 —3C 132
Helford Clo. DY4 —1E 55
Hellaby Clo. B72 —1H 49
Hellidon Clo. CV32 —3C 148
Hellier Av. DY4 —1H 55
Hellier Rd. WV10 —5A 12
Hellier St. DY2 —4D 54
Helming Dri. WV1 —1C 30
Helmsdale Rd. CV32 —1C 148
Helmsdale Way. WV14 —4C 42
Helmsley Clo. DY5 —5G 57
Helmsley Rd. WV11 —2E 21
Helmswood Dri. B37 —5B 78
Helston Clo. B79 —1D 134
Helston Clo. CV11 —5B 136
Helston Clo. DY8 —3C 66
Helston Clo. WS5 —4C 34
Helstone Gro. B11 —3G 91
Helston Rd. WS5 —4C 34
Hembs Cres. B43 —4C 46
Heming Rd. B98 —5H 145
Hemlingford Croft. B37 —1A 94
Hemlingford Rd. B37 —1H 77
Hemlingford Rd. B76 —4D 50
Hemlock Way. WS12 —4E 5
Hemmings Clo. CV31 —7E 149
Hemming's Entry. B97 —2C 144
Hemmings St. WS10 —3B 32
Hemming St. DY11 —4C 140
Hemplands Rd. DY8 —2F 83
Hempole La. DY4 —4B 44
Hemsby Clo. CV4 —2D 130
Hemsworth Dri. CV12 —1A 80
Hemyock Rd. B29 —1B 104
Henbury Rd. B27 —3B 92
Henderson Clo. CV5 —2E 115
Henderson Clo. WS14 —3H 151
Henderson Ct. B68 —5E 71
Henderson Wlk. DY4 —4H 43
Henderson Way. B65 —4A 70
Hendon Clo. DY3 —2A 54
Hendon Clo. WV10 —2B 20
Hendon Rd. B11 —2D 90
Hendre Clo. CV5 —5E 115
Heneage Pl. B7 —2B 74
Heneage St. B7 —2B 74
Heneage St. W. B7 —2B 74
Henfield Clo. WV11 —3E 21
Hengham Rd. B26 —4D 76
Hen La. CV6 —3B 100
Henley Clo. B73 —3H 49
Henley Clo. B79 —2D 134
Henley Clo. CV11 —1H 137
Henley Clo. DY4 —1B 56
Henley Clo. WS3 —1G 23
Henley Clo. WS7 —2F 9
Henley Ct. WS14 —4G 151
Henley Cres. B91 —1E 109
Henley Dri. B75 —5G 27
Henley Mill La. CV2 —1F 117
Henley Pk. Ind. Est. CV2 —1H 117
Henley Rd. CV2 —5F 101
Henley Rd. CV31 —7C 149
Henley Rd. WV10 —1G 19
Henley St. B11 —5C 74
Henlow Clo. DY4 —5E 43
Henlow Rd. B14 —5B 106
Henn Dri. DY4 —3F 43
Henn St. DY4 —3H 43
Henrietta St. B19 —2H 73 & 1B 152
Henrietta St. CV6 —3D 116
Henry Boteler Rd. CV4 —2D 130
Henry Rd. B25 —1A 92
Henry St. CV1 —4B 116
Henry St. CV8 —3B 150
Henry St. CV11 —4F 137
Henry St. LE10 —1C 138
Henry St. WS2 —2G 33
Henry Tandley Ct. CV32 —4A 148
Henry Wlk. B60 —5C 142
Hensel Dri. WV3 —2C 28
Henshaw Gro. B25 —5A 76
Henshaw Rd. B10 —5E 75
Henson Rd. CV12 —4C 80
Henstead St. B5 —5H 73 & 5C 152
Hentland Clo. B98 —2G 145
Henwood Clo. WV6 —1C 28
Henwood Croft. B29 —4H 87
Henwood La. B91 —3B 110
Henwood Rd. WV6 —1C 28 (in two parts)
Henwood Wharf. B91 —5B 110
Hepburn Clo. WS9 —5F 25
Hepburn Edge. B24 —1H 61
Hepworth Clo. WV6 —5A 18
Herald Ct. DY1 —3E 55
Heralds Ct. CV34 —3G 147
Herald Way. LE10 —5F 139
Herbert Rd. B10 —4D 74
Herbert Rd. B21 —4E 59
Herbert Rd. B67 —4A 72
Herbert Rd. B91 —4E 109
Herbert Rd. WS9 —1F 25
Herberts La. CV8 —2C 150
Herberts Pk. Rd. WS10 —4H 31
Herbert St. B70 —2G 57
Herbert St. B98 —2C 144
Herbert St. CV10 —4C 136
Herbert St. WV1 —1H 29
Herbert St. WV14 —4D 30
Herbhill Clo. WV4 —5A 30
Hereford Av. B12 —1B 90
Hereford Clo. B45 —5E 103
Hereford Clo. CV10 —3C 136
Hereford Clo. DY11 —3A 140
Hereford Clo. WS9 —2F 25
Hereford Pl. B71 —4E 45
Hereford Rd. B68 —5E 71
Hereford Rd. DY2 —3F 69
Hereford Rd. WS12 —2E 5
Hereford Sq. B8 —1D 74
Hereford St. WS2 —5G 23
Hereford Wlk. B37 —5H 77
Hereford Way. B78 —5B 134
Hereward Rise. B62 —2A 86
Herford Way. LE10 —4G 139
Heritage Clo. B68 —2F 71
Heritage Ct. WS14 —4H 151
Hermes Clo. CV34 —7A 149
Hermes Ct. B74 —1G 37
Hermes Cres. CV2 —1H 117 & 2G 117
Hermes Ho. B35 —1D 62
Hermes Rd. WS13 —2H 151
Hermitage Rd. B15 —5C 72
Hermitage Rd. B23 —2E 61
Hermitage Rd. B91 —2F 109
Hermitage Rd. CV2 —4G 117
Hermitage, The. B91 —2F 109
Hermitage Way. CV8 —4C 150
Hermit's Croft. CV3 —1C 132
Hermit St. DY3 —1A 54
Hermon Row. B11 —2E 91
Hernall Croft. B26 —1D 92
Herne Clo. B18 —2F 73
Hernefield Rd. B34 —5D 62
Hernehurst. B32 —2F 87
Hern Rd. DY5 —1H 83
Heron Clo. B90 —4A 124
Heron Ct. B73 —4H 49 (off Emscote Dri.)
Herondale. WS12 —3E 5
Herondale Cres. DY8 —3C 82
Herondale Rd. B26 —1C 92
Herondale Rd. DY8 —3C 82 (in two parts)
Heronfield Clo. B98 —1F 145
Heronfield Dri. B31 —3H 119
Heronfield Way. B91 —3G 109
Heron Rd. B68 —4D 70
Heronry, The. WV6 —1A 28
Herons Way. B29 —4C 88
Heronswood Dri. DY5 —4H 67
Heronswood Rd. B45 —3E 119
Heronswood Rd. DY10 —5F 141
Heronville Dri. B70 —4D 44
Heronville Ho. DY4 —2H 55
Heronville Rd. B70 —5D 44
Heron Way. B45 —2C 118
Herrick Rd. B8 —1E 75
Herrick Rd. CV2 —4G 117
Herrick St. WV3 —2G 29
Herringshaw Croft. B76 —1B 50
Hertford Ho. B92 —5B 92
Hertford Pl. CV1 —5A 116
Hertford St. B12 —2B 90
Hertford St. CV1 —5B 116
Hertford Ter. B12 —2B 90
Hervey Gro. B24 —5A 50
Hesketh Cres. B23 —1D 60
Heskett Av. B68 —4F 71
Hesleden. B77 —4H 135
Heslop Clo. CV3 —1H 133
Hessian Clo. WV14 —2D 42
Hestia Dri. B29 —5D 88
Heston Av. B42 —3F 47
Hever Av. B44 —3C 48
Hever Clo. DY1 —2A 54
Hewell Av. B60 —5D 142
Hewell Clo. B31 —2H 119
Hewell Clo. DY6 —4D 52
Hewell Rd. B97 —1A 144
Hewitson Gdns. B67 —3H 71
Hewitt Av. CV6 —3A 116
Hewitt Clo. WS13 —1F 151
Hewitt St. WS10 —4A 32
Hewston Croft. WS12 —3G 5
Hexham Croft. B36 —4A 62
Hexham Way. DY1 —3B 54
Hexworthy Av. CV3 —3A 132
Heybarnes Cir. B25 —1G 91
Heybarnes Rd. B10 —5G 75
Heybrook Clo. CV2 —1F 117
Heycott Gro. B38 —5G 105
Heycroft. CV4 —4F 131
Heydon Rd. B60 —4G 143
Heydon Rd. DY5 —1G 67
Heyford Gro. B91 —1E 125
Heyford Way. B35 —1D 62 & 1E 63
Heygate Way. WS9 —1G 25
Heynesfield Rd. B33 —3F 77
Heythrop Gro. B13 —1E 107
Heyville Croft. CV8 —4D 150
Heywood Clo. CV6 —1E 117
Hibberd Ct. CV8 —3B 150
Hickman Av. WV1 —2C 30
Hickman Gdns. B16 —4E 73
Hickman Pl. WV14 —5E 31
Hickman Rd. B11 —1D 90
Hickman Rd. DY4 —4G 43
Hickman Rd. DY5 —2H 67
Hickman Rd. WV14 —5E 31
Hickman's Av. B64 —3F 69
Hickmans Clo. B62 —1D 86
Hickman St. DY9 —2H 83
Hickmerelands La. DY3 —3H 41
Hickory Ct. WS11 —4F 5
Hickory Dri. B17 —3A 72
Hicks Clo. CV34 —2E 147
Hidcote Av. B76 —3D 50
Hidcote Clo. CV31 —7D 149
Hidcote Gro. B33 —5E 77
Hidcote Gro. B37 —1A 94
Hidcote Rd. CV8 —2D 150
Hidson Rd. B23 —1D 60
Higgins Av. WV14 —2F 43
Higgins La. B32 —2F 87
Higgins Wlk. B66 —1B 72
Higgs Field Cres. B64 —4H 69
Higgs Rd. WV11 —1H 21
Higham La. CV11 & CV10 —2G 137
Higham La. LE10 —1H 138
Highams Clo. B65 —3H 69
Higham Way. LE10 —3F 139
Higham Way. WV10 —4B 20
High Arcal Dri. DY3 —4B 42
High Arcal Rd. DY3 —1F 53
High Ash Clo. CV7 —5D 80
High Av. B64 —5G 69
High Bank. WS11 —1C 6
High Beech. CV5 —2C 114
High Beeches. B43 —3D 46
Highbridge Rd. B73 —3G 49
Highbridge Rd. DY2 —3C 68
High Brink Rd. B46 —5D 64
Highbrook Clo. WV9 —1F 19
High Brow. B17 —1B 88
High Bullen. WS10 —2C 44
Highbury Av. B21 —4E 59
Highbury Av. B65 —3B 70
Highbury Clo. B65 —3B 70
Highbury Grn. CV10 —1A 136
Highbury Rd. B14 —5H 89
Highbury Rd. B66 —5F 57
Highbury Rd. B68 —2E 71
Highbury Rd. B74 —1D 36
High Clere. B64 —1H 85
Highcliffe Rd. B77 —4E 135
Highcrest Clo. B31 —2A 120
High Croft. B43 —3C 46
High Croft. WS3 —3B 16
Highcroft. WS9 —1G 25
Highcroft Av. DY8 —3C 66
Highcroft Clo. B92 —4E 93
Highcroft Cres. CV32 —2H 147
High Croft Cres. WS14 —4G 151
Highcroft Dri. B74 —1E 37
Highcroft Rd. B23 —2E 61
Highdown Cres. B90 —3D 124
Highdown Rd. CV31 —6C 149
High Ercal Av. DY5 —4H 67
High Farm Rd. B62 —5D 70
High Farm Rd. B63 —4F 85
Highfield. CV7 —5C 96
Highfield Av. B77 —1G 135
Highfield Av. B97 —5B 144
Highfield Av. WS4 —2C 24
Highfield Av. WS7 —1F 9
Highfield Av. WV10 —1C 20
Highfield Clo. B28 —3E 107
Highfield Clo. CV8 —3A 150
Highfield Clo. WS7 —1F 9
Highfield Ct. WV4 —4C 28
Highfield Cres. B63 —2E 85
Highfield Cres. B65 —5A 70
Highfield Cres. WV11 —4D 20
Highfield Dri. B73 —4G 49
Highfield Gdns. WS14 —4H 151
Highfield La. B32 —2E 87 to 3F 87
Highfield La. B63 —3G 85
Highfield Pas. WS1 —3H 33
Highfield Pl. B14 —3E 107
Highfield Rd. B8 —2F 75
Highfield Rd. B13 —4C 90
Highfield Rd. B14 & B28 —3E 107 to 2F 107
Highfield Rd. B15 —5F 73
Highfield Rd. B43 —4C 46
Highfield Rd. B61 —4C 142
Highfield Rd. B63 —2E 85
Highfield Rd. B65 —4A 70
Highfield Rd. B67 —2A 72
Highfield Rd. B97 —4B 144
Highfield Rd. CV2 —4D 116
Highfield Rd. CV11 —4G 137
Highfield Rd. DY2 —3F 55
Highfield Rd. DY3 —3A 42
Highfield Rd. DY4 —4H 43
Highfield Rd. DY8 —4F 67
Highfield Rd. DY10 —1F 141
Highfield Rd. WS3 —4A 16
Highfield Rd. WS7 —1G 9
Highfield Rd. WS12 —4G 5
Highfield Rd. N. WS3 —4A 16
Highfields. B61 —4C 142
Highfields. WS7 —1G 9
Highfields Av. WV14 —1F 43
Highfields Dri. WV5 —5B 40
Highfields Dri. WV14 —1E 43
Highfields Rd. LE10 —2F 139
Highfields Rd. WS7 —3E 9
Highfields Rd. WV14 —1E 43 & 1F 43
Highfields, The. WV6 —1A 28
Highfield Ter. B8 —1F 75
Highfield Ter. CV32 —2H 147
Highfield Way. WS9 —1F 25
Highgate. B74 —2C 36
Highgate. DY3 —5A 42
Highgate Av. WS1 —3H 33
Highgate Av. WV4 —4D 28
Highgate Clo. B12 —1A 90
Highgate Clo. DY11 —4A 140
Highgate Clo. WS1 —3H 33
Highgate Dri. WS1 —4H 33
Highgate Middleway. B12 —1B 90
Highgate Pl. B12 —1B 90
Highgate Rd. B12 —1B 90
Highgate Rd. DY2 —5B 54
Highgate Rd. WS1 —3H 33
Highgate Sq. B12 —1B 90
Highgate St. B12 —1A 90
Highgate St. B64 —4G 69
High Grange. WS11 —2D 4
High Grange. WS13 —1E 151
High Grn. WS11 —5B 4
Highgrove. CV4 —3C 130
Highgrove. WV6 —1C 28
Highgrove Clo. WV12 —3H 21
Highgrove Ct. DY10 —1F 141
Highgrove Pl. DY1 —3B 54
High Haden Cres. B64 —5H 69
High Haden Rd. B64 —5G 69
High Harcourt. B64 —5G 69
High Heath Clo. B30 —3D 104
High Hill. WV11 —5G 13
High Holborn. DY3 —4A 42
High Ho. Dri. B45 —5D 118
Highland M. WV14 —3E 43
Highland Ridge. B62 —2C 86
Highland Rd. B23 —1F 61
Highland Rd. B43 —1D 46
Highland Rd. B64 —3F 69
Highland Rd. CV5 —1G 131
Highland Rd. CV8 —1D 150
Highland Rd. CV32 —1C 148
Highland Rd. DY1 —2C 54
High Land Rd. WS9 —4G 17
Highland Rd. WS12 —3A 4 & 2B 4
Highlands Clo. CV34 —3F 147
Highlands Clo. DY11 —3B 140
Highlands Ct. B90 —1B 124
Highlands Rd. B90 —1B 124
Highlands Rd. WV3 —3D 28
Highland Way. B98 —5D 144
High Leasowes. B63 —3H 85
Highley Clo. B98 —2H 145
Highley Clo. DY11 —5B 140
Highlow Av. DY11 —1C 140
High Meadow Rd. B38 —5F 105
High Meadows. B60 —5B 142
High Meadows. WV5 —5B 40
High Meadows. WV6 —1C 28
Highmoor Clo. WV12 —2H 21
Highmoor Clo. WV14 —1E 43
Highmoor Rd. B65 —3H 69
Highmore Dri. B32 —5F 87
High Mt. St. WS12 —1E 5
High Oak. DY5 —5G 53
Highpark Av. DY8 —2D 82

High Pk. Clo.—Hollinwell Clo.

High Pk. Clo. B66 —1B 72
High Pk. Clo. CV5 —4C 114
High Pk. Clo. DY3 —3A 42
High Pk. Cres. DY3 —2H 41
High Pk. Rd. B63 —2D 84
High Pk. St. B7 —1C 74
High Point. B15 —1E 89
High Ridge. WS9 —4E 25
High Ridge Clo. WS9 —4D 24
High Ridge Clo. WS10 —5H 31
High Rd. WV12 —4A 22
High St. Aldridge, WS9 —3G 25
High St. Amblecote, DY8 —5E 67
High St. Aston, B6 —5A 60 (in two parts)
High St. Bedworth, CV12 —3F 81
High St. Bilston, WV14 —5E 31
High St. Birmingham, B4 —3A 74 & 3C 152
High St. Bloxwich, WS3 —2E 33
High St. Bordesley, B12 —4B 74
High St. Brierley Hill, DY5 —3A 68
High St. Brockmoor, DY5 —2G 67
High St. Bromsgrove, B61 —3D 142
High St. Brownhills, WS8 —2E 17
High St. Cannock, WS11 —3B 8
High St. Chase Terrace, WS7 —1D 8
High St. Chasetown, WS7 —3E 9
High St. Cheslyn Hay, WS6 —4B 6
High St. Clayhanger, WS8 —3D 16
High St. Coleshill, B46 —4E 65
High St. Coventry, CV1 —5B 116
High St. Cradley Heath, B64 —5E 69
High St. Cubbington, CV32 —1E 148
High St. Darlaston, WS10 —4B 32
High St. Deritend, B12 —4B 74
High St. Dudley, DY1 —4D 54
High St. Erdington, B23 —1G 61
High St. Halesowen, B63 —3H 85
High St. Hampton in Arden, B92 —2E 11
High St. Harborne, B17 —2B 88
High St. Kenilworth, CV8 —2A 150
High St. Keresley, CV6 —5G 99
High St. Kidderminster, DY10 —3E 141
High St. Kings Heath, B14 —1A 106
High St. Kingswinford, DY6 —5D 52
High St. Knowle, B93 —3B 126
High St. Leamington Spa, CV31 —5B 149
High St. Lye, DY9 —2A 84
High St. Moxley, WS10 —5H 31
High St. Nuneaton, CV11 —3E 137
High St. Oldbury, B69 —2D 70
High St. Pelsall, WS3 —4A 16
High St. Pensnett, DY6 & DY5 —5F 53
High St. Precinct. WS10 —4B 32
High St. Princes End, DY4 —3F 43
High St. Quarry Bank, DY5 —4B 68
High St. Quinton, B32 —1E 87
High St. Rowley Regis, B65 —4A 70
High St. Saltley, B8 —1D 74
High St. Sedgley, DY3 —3A 42
High St. Shirley, B90 —5D 106
High St. Smethwick, B66 —5H 57
High St. Solihull, B91 —4E 109
High St. Stourbridge, DY8 —2F 83
High St. Sutton Coldfield, B72 —4H 37
High St. Tettenhall, WV6 —5D 18
High St. Tipton, DY4 —1F 55
High St. Wall Heath, DY6 —4C 52
High St. Walsall, WS1 —2H 33
High St. Walsall Wood, WS9 —5E 17
High St. Warwick, CV34 —4D 146
High St. Wednesfield, WV11 —4E 21
High St. West Bromwich, B70 —1E 57 to 3H 57
High St. Willenhall, WV13 —2F 31
High St. Wollaston, DY8 —1D 82
High St. Wombourne, WV5 —5B 40
High St. Wordsley, DY8 —3D 66
Highters Clo. B14 —5C 106
Highter's Heath La. B14 —1B 122
Highters Rd. B14 —4C 106
High Timbers. B45 —1D 118
High Tower. B7 —1C 74
High Town. B63 —1E 85
Hightree Clo. B32 —5E 87
High Trees. B20 —2E 59
High Trees Clo. B98 —5C 144
High Trees Rd. B93 —2A 126
High View. WV14 —3B 42
High View Dri. CV7 —1A 100
Highview Dri. DY6 —2E 67
High View Rd. CV32 —1D 148
Highview St. DY2 —4F 55
Highwayman's Croft. CV4 —4F 131
Highwood Av. B92 —5D 92
Highwood Clo. DY6 —5C 52
Highwood Croft. B38 —1C 120
Hilary Cres. DY1 —5D 42
Hilary Dri. B76 —1D 50
Hilary Dri. WS9 —4F 25
Hilary Dri. WV3 —4D 28
Hilary Gro. B31 —4H 103
Hilary Rd. CV4 —3F 131
Hilary Rd. CV10 —2C 136
Hilden Rd. B7 —2C 74
Hilderic Cres. DY1 —5B 54
Hilderstone Rd. B25 —1A 92
Hildicks Cres. WS3 —2A 24 & 3A 24
Hildicks Pl. WS3 —2A 24
Hillaire Clo. B38 —5G 105
Hillaries Rd. B23 —3E 61
Hillary Av. WS10 —1F 45
Hillary Crest. DY3 —1A 54
Hillary St. WS2 —4F 33
Hill Av. WV4 —1B 42
Hillbank. B69 —4B 56
Hill Bank. DY9 —2B 84
Hill Bank Dri. B33 —2B 76
Hill Bank Rd. B38 —5F 105
Hillbank Rd. B63 —1E 85
Hillborough Rd. B27 —4B 92
Hillbrook Gro. B33 —3C 76
Hillbrow Cres. B62 —5C 70
Hillbury Dri. WV12 —2H 21
Hill Clo. B31 —1B 120
Hill Clo. CV32 —2C 148
Hill Clo. DY3 —3A 42
Hillcrest. CV32 —1E 148
Hillcrest. DY3 —1G 53
Hillcrest Av. B43 —2D 46
Hillcrest Av. B63 —5D 68
Hillcrest Av. DY5 —4H 67
Hillcrest Av. WV10 —2B 20
Hillcrest Clo. B79 —2C 134
Hillcrest Clo. DY2 —1D 68
Hillcrest Dri. WS13 —2F 151
Hillcrest Gdns. WV12 —4B 22
Hillcrest Gro. B44 —4B 48
Hillcrest Ind. Est. B64 —5E 69
Hillcrest Rise. WS7 —3F 9
Hill Crest Rd. B13 —4A 90
Hillcrest Rd. B43 —2D 46
Hillcrest Rd. B72 —3A 50
Hillcrest Rd. CV10 —2B 136
Hillcrest Rd. DY2 —3F 55
Hill Croft Rd. B14 —2G 105
Hillcroft Rd. DY6 —5E 53
Hillcross Wlk. B36 —5C 62
Hilldene Rd. DY6 —2C 66
Hilldrop Gro. B17 —3C 88
Hilleys Croft. B37 —3H 77
Hillfield M. B91 —1E 125
Hillfield Rd. B11 —3D 90
Hillfield Rd. B91 —1E 125
Hillfields. B67 —2G 71
Hillfields Ho. CV1 —4C 11 (off Yardley St.)
Hillfields Rd. DY5 —1G 83
Hillfield Wlk. B65 —1G 69
Hillfray Dri. CV3 —3E 133
Hill Gro. B20 —2G 59
Hillgrove Cres. DY10 —3F 141
Hillgrove Gdns. DY10 —4F 141
Hill Hook Rd. B74 —4F 27
Hill Ho. La. B33 —3C 76 (in two parts)
Hillhurst Gro. B36 —3F 63
Hilliard Clo. CV12 —2E 81
Hilliards Croft. B42 —3F 47
Hillingford Av. B43 —1G 47
Hill La. B43 —2D 46
Hill La. B60 —4D 142
Hill La. B75 —1D 38
Hillman. B77 —2F 135
Hillman Dri. DY2 —5F 55
Hillman Gro. B36 —3G 63
Hillmeads Dri. DY2 —5F 55
Hillmeads Rd. B38 —1F 121
Hillmorton Clo. B98 —1G 145
Hill Morton Rd. B74 —5F 27
Hillmorton Rd. B93 —3A 126
Hillmorton Rd. CV2 —4F 101
Hillmount Clo. B28 —4F 91
Hill Pk. WS9 —4F 17
Hill Pas. B64 —4F 69
Hill Pl. WV11 —1H 21
Hillrise. LE10 —3G 139
Hill Rd. B69 —3H 55
Hill Rd. CV7 —1G 99
Hill Rd. DY9 —2B 84
Hill Rd. WV13 —2F 31
Hillside. CV2 —2E 117
Hillside. DY3 —1H 53
Hillside. WS8 —3F 17
Hillside. WS14 —4H 151
Hillside Av. B63 —1E 85
Hillside Av. B65 —5A 70
Hillside Av. DY5 —5C 68
Hillside Clo. B32 —5D 86
Hillside Clo. B98 —3C 144
Hillside Clo. WS8 —3F 17
Hillside Clo. WS12 —1E 5
Hillside Ct. B43 —2D 46
Hillside Cres. WS3 —5H 15
Hillside Croft. B92 —3G 93
Hillside Dri. B37 —2H 77
Hillside Dri. B42 —5F 47
Hillside Dri. B61 —1F 143
Hillside Dri. B74 —3A 36
Hillside Dri. CV10 —1B 136
Hillside Dri. DY11 —2A 140
Hill Side Gdns. WV1 —1C 30
Hillside Ho. B45 —1D 118
Hillside N. CV2 —2E 117
Hillside Rd. B23 —3E 61
Hillside Rd. B43 —2D 46
Hillside Rd. B74 —5G 27
Hillside Rd. DY1 —1C 54
Hillside Rd. LE10 —4E 139
Hillside Wlk. WV1 —1C 30
Hillstone Rd. B34 —1F 77 (in two parts)
Hill St. B2 & B5 —3H 73 & 3B 152
Hill St. B63 —4H 85
Hill St. B66 —1A 72
Hill St. CV1 —4A 116
Hill St. CV10 —3B 136
Hill St. CV12 —1F 81
Hill St. CV32 —4B 148
Hill St. CV34 —3G 147
Hill St. DY2 —2D 68
Hill St. DY3 —1A 54
Hill St. DY4 —1G 55
Hill St. DY5 —4H 67 (Brierley Hill)
Hill St. DY5 —5C 68 (Quarry Bank)
Hill St. DY8 —5E 67 (Amblecote)
Hill St. DY8 —2E 83 (Stourbridge)
Hill St. DY9 —2B 84
Hill St. LE10 —2F 139
Hill St. WS1 —2H 33
Hill St. WS6 —5A 6
Hill St. WS7 —2D 8
Hill St. WS10 —4C 32
Hill St. WS11 —2A 8
Hill St. WS12 —3F 5
Hill St. WV11 —5G 13
Hill St. WV14 —1F 43
Hill St. S. WV1 —2B 30
Hill, The. B32 —4G 87
Hill Top. B70 —4D 44
Hill Top. CV1 —4B 116
Hilltop. DY9 —4B 84
Hill Top Av. B62 —1C 86
Hill Top Av. B79 —1C 134
Hill Top Clo. B44 —5A 48
Hill Top Dri. B36 —5B 62
Hilltop Ind. Est. B70 —4C 44
Hill Top Rd. B31 —4H 103
Hill Top Rd. B68 —3F 71
Hilltop Rd. DY2 —4F 55
Hill Top Wlk. WS9 —1G 25
Hillview. WS9 —1G 25
Hillview Clo. B60 —1F 143
Hillview Clo. B63 —2F 85
Hillview Rd. B45 —2B 118
Hillview Rd. B60 —1F 143
Hill Village Rd. B75 —4G 27
Hillville Gdns. DY8 —3G 83
Hillwood. WS3 —5H 15
Hillwood Av. B90 —3D 124
Hillwood Clo. DY6 —2C 66
Hillwood Comn. Rd. B75 —4H 27
Hillwood Rd. B31 —1G 103
Hillwood Rd. B62 —5A 70
Hillwood Rd. B75 —5H 27
Hillyfields Rd. B23 —1D 60
Hilly Rd. WV14 —2F 43
Hilsea Clo. WV8 —1E 19
Hilston Av. B63 —3G 85
Hilston Av. WV4 —1C 40 (in two parts)
Hilton Av. B28 —3F 107
Hilton Av. CV10 —2A 136
Hilton Clo. WS3 —1D 22
Hilton Ct. CV5 —5G 115
Hilton Dri. B72 —3A 50
Hilton La. WS6 —5D 6
Hilton La. WV10 & WV11 —1E 13
Hilton Main Ind. Site. WV10 —3D 12
Hilton Pl. WV14 —5G 31
Hilton Rd. B69 —4A 56
Hilton Rd. WV4 —5B 30
Hilton Rd. WV10 —2D 12
Hilton Rd. WV12 —1A 22 & 2A 22
Hilton St. B70 —2D 56
Hilton St. WV10 —5A 20
Hilton Way. WV12 —2A 22
Himbleton Clo. B98 —4D 144
Himbleton Croft. B90 —2D 124
Himley Av. DY1 —3B 54
Himley. By-Pass. DY3 —2B 52
Himley Clo. B43 —2C 46
Himley Clo. WV12 —4H 21
Himley Cres. WV4 —5G 29
Himley Gdns. DY3 —1F 53
Himley Gro. B45 —3E 119
Himley La. DY3 —3A 52 to 2B 52
Himley Rise. B90 —4B 124
Himley Rd. CV12 —4B 80
Himley Rd. DY3 & DY1 —2F 53 to 3C 54
Himley St. DY1 —4C 54
Hinbrook Rd. DY1 —3B 54
Hinchliffe Av. WV14 —2D 42
Hinckes Rd. WV6 —4C 18
Hinckley Bus. Pk. LE10 —3B 138
Hinckley Ct. B68 —5E 71
Hinckley La. LE10 —1A 138
Hinckley Rd. CV11 —2G 137
Hinckley Rd. LE10 —3H 139
Hinckley St. B5 —4A 74 & 4C 152
Hind Clo. CV34 —2E 147
Hindhead Rd. B14 —3D 106
Hindlip Clo. B63 —4G 85
Hindlow Clo. B7 —2C 74
Hindon Gro. B27 —1H 107
Hindon Sq. B15 —5E 73
Hindon Wlk. B32 —4F 87
Hingeston St. B18 —2F 73
Hingley Croft. WS9 —1B 36
Hingley Rd. B63 —2C 84
Hingley St. B64 —4E 69
Hinksford Gdns. DY3 —3A 52
Hinksford La. DY3 —3A 52
Hinks St. WV2 —3C 30
Hinsford Clo. DY6 —4E 53
Hinstock Clo. WV4 —5F 29
Hinstock Rd. B20 —3E 59
Hin St. DY11 —3D 140
Hintlesham Av. B15 —2D 88
Hinton Gro. WV11 —4G 21
Hintons Coppice. B93 —3G 125
Hipkins St. DY4 —4F 43
Hiplands Rd. B62 —3C 86
Hipsley Clo. B36 —4F 63
Hipsmoor Clo. B37 —2H 77
Hipswell Highway. CV2 —5G 117 to 3G 117
Hiron Croft. CV3 —1B 132
Hiron, The. CV3 —2B 132
Hirsel Gdns. CV32 —3B 148
Histons Dri. WV8 —5A 10
Histons Hill. WV8 —5A 10
Hitchens Croft. WS10 —2C 44
Hitches La. B15 —5G 73
Hitchman M. CV31 —7B 149
Hitchman Rd. CV31 —6B 149
Hive Ind. Est. B18 —5E 49
Hobacre Clo. B45 —2D 118
Hobart Croft. B7 —2C 74
Hobart Dri. WS5 —4B 34
Hobart Rd. DY4 —3F 43
Hobart Rd. WS12 —4H 5
Hobbins St. WS10 —2C 44
Hobble End La. WS6 —2D 14
Hobgate Clo. WV10 —5B 20
Hobgate Rd. WV10 —5B 20
Hob Grn. Rd. DY9 —4A 84
Hob La. B93 —3F 127
Hob La. CV7 & CV8 —4E 129
Hobley St. WV13 —2A 32
Hobmoor Croft. B25 —5B 76
Hob Moor Rd. B10 & B25 —4G 75 & 5B 76
Hobnock Rd. WV11 —4H 13
Hobs Hole La. WS9 —3G 25
Hob's Meadow. B92 —4D 92
Hobs Moat Rd. B92 —4E 93
Hobson Clo. B18 —1E 73
Hobson Rd. B29 —5G 89
Hobs Rd. WS10 —5D 32
Hob's Rd. WS13 —2H 151
Hockett St. CV3 —1C 132
Hocking Rd. CV2 —3H 117
Hockley Brook Clo. B18 —1F 73
Hockley Brook Trading Est. B18 —5F 59
Hockley Cir. B19 & B18 —1G 73
Hockley Clo. B19 —1H 73
Hockley Flyover. B19 & B18 —1G 73
Hockley Hill. B18 —1G 73
Hockley Ind. Est. B18 —2F 73
Hockley La. CV5 —3H 113
Hockley La. DY2 —2D 68
Hockley Pool Clo. B18 —1G 73
Hockley Rd. B23 —1D 60
Hockley Rd. B77 —5F 135
Hockley Rd. WV14 —4C 42
Hockley St. B18 & B19 —2G 73 & 1A 152
Hodge Hill Av. DY9 —3B 84
Hodge Hill Comn. B24 —5B 62
Hodgehill Ct. B36 —5C 62
Hodge Hill Rd. B34 —1B 76
Hodge La. B77 —1H 135
Hodgetts Clo. B67 —3G 71
Hodgetts La. CV7 —2F 129
Hodgkins Clo. WS8 —2F 17
Hodnell Clo. B36 —4F 63
Hodnet Clo. CV8 —3D 150
Hodnet Dri. DY5 —1H 67
Hodnet Gro. B5 —5A 74 & 5C 152
Hodnet Pl. WS11 —4E 5
Hodson Av. WV13 —2A 32
Hodson Clo. WV11 —2G 21
Hodson Way. WS11 —4E 5
Hoff Beck Ct. B9 —3C 74
Hogardens Av. B60 —3F 143
Hogarth Clo. B43 —5H 35
Hogarth Clo. CV12 —2E 81
Hogarth Clo. LE10 —1C 138
Hogarth Clo. WV13 —1F 31
Hogarth Dri. LE10 —1C 138
Hogg's La. B31 —4G 103
Holbeache La. DY6 —3C 52
Holbeache Rd. DY6 —4C 52
Holbeach Rd. B33 —3D 76
Holbeche Rd. B75 —5D 38
Holbeche Rd. B93 —2A 126
Holberg Gro. WV11 —4G 21
Holbien Clo. CV12 —2E 81
Holborn Av. CV6 —4B 100
Holborn Hill. B6 & B7 —5D 60
Holbrook La. CV6 —4B 100
Holbrook Tower. B36 —4A 62
Holbrook Way. CV6 —5B 100
Holbury Clo. WV9 —1F 19
Holcombe Rd. B11 —3G 91
Holcroft Rd. B63 —2E 85
Holcroft Rd. DY6 —4C 52
Holcroft Rd. DY9 —3H 83
Holcroft St. DY4 —3G 55
Holcroft St. WV2 —3C 30
Holden Clo. B23 —3E 61
Holden Cres. WS3 —4H 23
Holden Croft. DY4 —2H 55
Holden Pl. WS3 —4H 23
Holden Rd. WS10 —2D 44
Holden Rd. WV4 —1D 40
Holder Dr. WS11 —4A 4
Holder Rd. B11 —1D 90
Holder Rd. B25 —1A 92
Holders Gdns. B13 —4H 89
Holders La. B13 —4H 89
Holdford Rd. B6 —3B 60
Holdgate Rd. B29 —1B 104
Hole Farm Rd. B31 —3B 104
Hole Farm Way. B38 —2E 121
Hole La. B31 —2B 104 to 4B 104
Holford Av. WS2 —4F 33
Holford Dri. B42 —2A 60
Holford Way. B6 —2B 60 (in two parts)
Holifast Rd. B72 —4H 49
Holioak Dri. CV34 —4F 147
Holland Av. B68 —2F 71
Holland Av. B93 —1B 126
Holland Rd. B6 —1B 74
Holland Rd. B43 —4D 46
Holland Rd. B72 —1H 49
Holland Rd. CV6 —2H 115
Holland Rd. WV14 —3F 31
Holland Rd. E. B6 —1B 74
Holland Rd. W. B6 —1B 74
Hollands Pl. WS3 —1G 23
Hollands Rd. WS3 —1G 23
Holland St. B3 —3G 73 & 2A 152
Holland St. B72 —5H 37
Holland St. DY1 —4C 54
Holland St. DY4 —4A 44
Hollands Way. WS3 —4H 15
Hollemeadow Av. WS3 —2F 23
Holliars Gro. B37 —1H 77
Hollicombe Ter. CV2 —1G 117
Holliday Pas. B1 —4H 73 & 4A 152
Holliday Rd. B21 —5E 59
Holliday Rd. B24 —1G 61
Holliday St. B1 —4G 73 & 4A 152
Hollie Lucas Rd. B13 —2B 106
Holliers Wlk. LE10 —2E 139
Hollies Av. WS11 —5C 4
Hollies Croft. B5 —2H 89
Hollies Dri. B62 —2B 86
Hollies Dri. WS10 —1D 44
Hollies Rd. B69 —4H 55
Hollies St. DY5 —5H 53
Hollies, The. B6 —4D 60
Hollies, The. B16 —3E 73
Hollies, The. B66 —2C 72
Hollies, The. WS13 —3H 151
Hollies, The. WV2 —3G 29
Hollies, The. WV5 —4B 40
Hollin Brow Clo. B93 —5A 126
Hollings Gro. B91 —2E 125
Hollington Cres. B33 —2D 76
Hollington Rd. WV1 —2D 30
Hollington Way. B90 —2E 125
Hollinwell Clo. WS3 —5D 14

Hollis La.—Huntsman Ga.

Hollis La. CV8 —1A **150**
Hollis Rd. CV3 —5E **117**
Hollister Dri. B32 —4H **87**
Holloway. B31 —2H **103**
Holloway. B79 —3C **134**
Holloway Bank. B70 —3D **44**
Holloway Cir. Queensway. B1 —4H **73** & 4B **152**
Holloway Ct. B63 —2E **85**
Holloway Field. CV6 —2H **115**
Holloway Head. B1 —4H **73** & 5B **152**
Holloway La. B98 —2D **144**
Holloway Pk. B98 —3D **144**
Holloway St. DY3 —1A **54**
Holloway St. WV1 —3C **30**
Holloway, The. CV34 —4D **146**
Holloway, The. DY8 —1F **83**
Holloway, The. WV6 —1C **28**
Hollow Cres. CV6 —3A **116**
Hollow Croft. B31 —4B **104**
Hollowcroft Rd. WV12 —2A **22**
Hollow Fields Clo. B98 —4C **144**
Hollowmeadow Ho. B36 —4B **62**
Hollows, The. CV11 —5H **137**
Holly Acre. B24 —1A **62**
Holly Av. B12 —2B **90**
Holly Av. B29 —5G **89**
Hollybank. CV5 —1H **131**
Holly Bank Av. WV11 —5H **13**
Hollybank Clo. B13 —2C **106**
Hollybank Clo. WS3 —1D **22**
Hollybank Gro. B63 —5F **85**
Hollybank Rd. B13 —2B **106**
Hollyberry Av. B91 —1D **124**
Hollyberry Croft. B34 —5F **63**
Hollybrow. B29 —2A **104**
Hollybush Gro. B32 —1G **87**
Hollybush Ho. CV11 —3F 13 (off Bond Ga.)
Hollybush La. CV6 —3E **101**
Hollybush La. DY8 —1E **83**
Hollybush La. WV4 —5D **28**
Holly Bush La. WV11 (in two parts) —1G **13**
Holly Bush Wlk. B64 —4E **69**
Holly Clo. B79 —1C **134**
Holly Clo. LE10 —5F **139**
Holly Clo. WV12 —3A **22**
Hollycot Gdns. B12 —2A **90**
Holly Ct. B23 —5G **49**
Holly Ct. CV7 —5C **128**
Hollycroft. LE10 —1D **138**
Hollycroft Cres. LE10 —2D **138**
Hollycroft Rd. B21 —3C **58**
Hollydale Rd. B24 —2A **62**
Hollydale Rd. B65 —3B **70**
Holly Dell. B38 —5G **105**
Holly Dri. B27 —4H **91**
Holly Dri. B47 —2C **122**
Hollyfaste Rd. B33 —4E **77**
Hollyfast La. CV7 —3E **99**
Hollyfast Rd. CV6 —1F **115** to 2G **115**
Hollyfield Av. B91 —4C **108**
Hollyfield Cres. B75 —5C **38**
Hollyfield Dri. B75 —5B **38**
Hollyfield Rd. B75 —5C **38**
Hollyfield Rd. B76 —5C **38**
Holly Gro. B19 —4G **59**
Holly Gro. B29 —4E **89** (in two parts)
Holly Gro. B30 —1E **105**
Holly Gro. B61 —2D **142**
Holly Gro. CV5 —5E **115**
Holly Gro. DY8 —2F **83**
Holly Gro. WV3 —4F **29**
Holly Hall Rd. DY2 —5C **54**
Hollyhedge Clo. B31 —2G **103**
Hollyhedge Clo. WS2 —1F **33**
Hollyhedge La. WS2 —1F **33**
Hollyhedge Rd. B71 —4G **45** to 3H **45**
Holly Hill. B45 —1D **118**
Holly Hill Rd. B45 —5D **102**
Holly Hill Shopping Cen. B45 —1D **118**
Hollyhock Rd. B27 —5G **91**
Hollyhock Rd. DY2 —3G **55**
Hollyhurst Dri. DY8 —3D **66**
Hollyhurst Gro. B26 —1D **92**
Hollyhurst Rd. B73 —1C **48**
Holly La. B24 —1H **61** to 3A **62**
Holly La. B37 —5H **77**
Holly La. B67 —1G **71**
Holly La. B75 —1H **37**
Holly La. B76 —1G **51**
Holly La. CV8 & CV7 —5B **128**
Holly La. WS6 —1C **14**
Holly La. WS9 —2B **26** (Mill Green)
Holly La. WS9 —4F **17** (Walsall Wood)
Holly La. WS12 —1A **4**
Holly Lodge Wlk. B37 —4H **77**
Hollymoor Way. B31 —5F **103**
Hollymount. B62 —1D **86**
Hollyoake Clo. B68 —3D **70**
Hollyoak Gro. B91 —1D **124**
Hollyoak St. B71 —1G **57**
Holly Pk. Dri. B24 —2H **61**
Holly Pl. B19 —4H **59**
Holly Pl. B29 —5G **89**
Holly Rd. B16 —4C **72**
Holly Rd. B20 —4E **59**
Holly Rd. B30 —3E **105**
Holly Rd. B61 —2D **142**
Holly Rd. B65 —4A **70**
Holly Rd. B68 —5F **71**
Holly Rd. B71 —4H **45**
Holly Rd. DY1 —2C **54**
Holly Rd. WS10 —5D **32**
Holly Stitches Rd. CV10 —1C **136**
Holly St. B67 —1A **72**
Holly St. CV32 —4C **148**
Holly St. DY1 —5B **54**
Holly St. WS11 —1C **4**
Holly View. WV11 —5H **13**
Holly Wlk. CV8 —5C **132**
Holly Wlk. CV11 —4H **137**
Holly Wlk. CV32 —4B **148**
Hollywell Rd. B26 —1D **92**
Hollywell Rd. B93 —4H **125**
Hollywell St. WV14 —3C **42**
Holly Wood. B43 —2E **47**
Hollywood By-Pass. B47 —2A **122**
Hollywood Croft. B42 —4E **47**
Hollywood La. B47 —2C **122**
Holman Clo. WV13 —1F **31**
Holman Rd. WV13 —1F **31**
Holman St. DY11 —3C **140**
Holman Way. WV13 —1F **31**
Holmcroft Gdns. WV9 —1H **11**
Holmcroft Rd. DY10 —3F **141**
Holme Mill. WV10 —4A **12**
Holmes Clo. B43 —4D **46**
Holmes Ct. CV8 —2B **150**
Holmes Dri. B45 —3D **118**
Holmes Dri. CV5 —3A **114**
Holmesfield Rd. B42 —4G **47**
Holmes Rd. CV31 —8C **149**
Holmes Rd. WV12 —3B **22**
Holmes, The. WV10 —5H **11**
Holme Way. WS4 —3B **24**
Holmewood Clo. CV8 —2C **150**
Holmfield Rd. CV2 —5F **117**
Holmsdale Rd. CV6 —1C **116**
Holmwood Av. DY11 —3B **140**
Holmwood Dri. B97 —3B **144**
Holmwood Rd. B10 —4E **75**
Holston Clo. WS12 —5H **5**
Holsworth Clo. B77 —3E **135**
Holsworthy Clo. CV11 —2H **137**
Holt Ct. N. B7 —2B **74**
Holt Ct. S. B7 —2B **74**
Holt Cres. WS11 —4E **5**
Holte Dri. B75 —1A **38**
Holte Rd. B6 —4B **60**
Holte Rd. B11 —2E **91**
Holtes Wlk. B6 —4C **60**
Holt Rd. B62 —4B **70**
Holt Rd. LE10 —4F **139**
Holtshill La. WS1 —1H **33**
Holt St. B7 —2B **74** & 1D **152**
Holt, The. CV32 —2C **148**
Holwick. B77 —4H **135**
Holyhead Rd. B21 —4B **58**
Holyhead Rd. CV5 & CV1 —3F **115**
Holyhead Rd. WS10 —1A **44**
Holyhead Rd. Ind. Est. WS10 —1B **44**
Holyhead Way. B21 —4C **58**
Holylake Rd. WV6 —1A **18**
Holyoak Clo. B6 —3B **60**
Holyoak Clo. CV12 —4D **80**
Holyrood Ct. CV10 —2C **136**
Holyrood Gro. B6 —4A **60**
Holy Well Clo. B16 —4F **73**
Holywell La. B45 —3B **118**
Holywell Rise. WS14 —4H **151**
Home Clo. B28 —2F **107**
Homecroft Rd. B25 —5B **76**
Homedene Rd. B31 —2G **103**
Home Farm Cres. CV31 —8C **149**
Homefield Rd. WV8 —5C **10**
Homelands. B42 —4G **47**
Homelea Rd. B25 —5A **76**
Homemead Gro. B45 —2D **118**
Home Meadow La. B98 —1G **145**
Home Pk. Rd. CV11 —4F **137**
Homer Hill Rd. B63 —1D **84**
Homer Rd. B75 —1A **38**
Homer Rd. B91 —4E **109**
Homers Fold. WV14 —5E **31**
Homer St. B12 —2B **90**
Homerton Rd. B44 —3C **48**
Homestead Clo. DY3 —1A **54**
Homestead Dri. B75 —1A **38**
Homestead Rd. B33 —4E **77**
Home Tower. B7 —1C **74**
Homewood Clo. B76 —1B **50**
Homfray Rd. DY10 —1F **141**
Honeswade Clo. B20 —4F **59**
Honeyborne Rd. B75 —3A **38**
Honeybourne. B77 —3E **135**
Honeybourne Clo. B63 —4H **85**
Honeybourne Clo. CV5 —4D **114**
Honeybourne Cres. WV5 —5A **40**
Honeybourne Rd. B33 —5F **77**
Honeybourne Rd. B63 —3A **86**
Honeybourne Way. WV13 —1A **32**
Honeybrook Gdns. DY11 —1B **140**
Honeybrook La. DY11 —1B **140**
Honeybrook Ter. DY11 —1B **140**
Honeyfield Rd. CV1 —3B **116**
Honeysuckle Av. DY6 —5E **53**
Honeysuckle Clo. B32 —2E **87**
Honeysuckle Dri. CV2 —4F **101**
Honeysuckle Dri. WS5 —1A **46**
Honeysuckle Dri. WV10 —2D **12**
Honeysuckle Gro. B27 —2H **91**
Honeytree Clo. DY6 —3F **67**
Honiley Dri. B73 —2D **48**
Honiley Rd. B33 —3D **76**
Honiley Way. CV2 —5G **101**
Honister Clo. DY5 —4B **68**
Honiton Clo. B31 —3H **103**
Honiton Cres. B31 —3G **103**
Honiton Rd. CV2 —3F **117**
Honiton Wlk. B66 —1B **72**
Honiton Way. WS9 —4E **25**
Honor Av. WV4 —5H **29**
Hoobrook Ind. Est. DY10 —5D **140**
Hood Gro. B30 —4C **104**
Hood St. CV1 —4C **116**
Hoo Farm Ind. Est. DY11 —5E **141**
Hook Dri. B74 —5F **27**
Hooper St. B18 —2E **73**
Hoo Rd. DY10 —4E **141**
Hoosen Clo. B62 —1D **86**
Hope Clo. CV7 —1H **99**
Hopedale Clo. CV2 —4H **117**
Hopedale Rd. B32 —2F **87**
Hope Dri. WS11 —3B **8**
Hope Pl. B29 —4E **89**
Hope Rd. DY4 —5A **44**
Hope St. B5 —5A **74** & 5C **152**
Hope St. B62 —5B **70**
Hope St. B70 —3G **57**
Hope St. CV1 —5A **116**
Hope St. DY2 —4D **54**
Hope St. DY8 —3D **66**
Hope St. WS1 —3H **33**
Hope Ter. DY2 —2D **68**
Hope Ter. WS10 —5B **32**
Hopgardens Av. B60 —3F **143**
Hopkins Ct. WS10 —2D **44**
Hopkins Dri. B71 —4H **45**
Hopkins Rd. CV6 —3H **115**
Hopkins St. DY4 —3G **55**
Hopleys Clo. B77 —1F **135**
Hopstone Gdns. WV4 —5E **29**
Hopstone Rd. B29 —5A **88**
Hopton Clo. CV5 —4C **114**
Hopton Clo. DY4 —2A **44**
Hopton Clo. WV6 —1A **28**
Hopton Cres. WV11 —4F **21**
Hopton Crofts. CV32 —1H **147**
Hopton Gro. B13 —3D **106**
Hopton Meadow. WS12 —5F **5**
Hopwas Gro. B37 —1H **77**
Hopwood Clo. B63 —4G **85**
Hopwood Gro. B31 —3H **119**
Hopyard Clo. DY3 —2G **53**
Hopyard Gdns. WV14 —1C **42**
Hopyard La. B98 —2G **145**
Hopyard La. DY3 —2G **53** (in two parts)
Hopyard Rd. WS2 —1C **32**
Horace Partridge Rd. WS10 —5H **31**
Horace St. WV14 —3C **42**
Hordern Clo. WV6 —4E **19**
Hordern Cres. DY5 —5A **68**
Hordern Gro. WV6 —4E **19**
Hordern Rd. WV6 —4E **19**
Hornbeam. B77 —1G **135**
Hornbeam Clo. B29 —1B **104**
Hornbeam Gro. CV31 —6D **149**
Hornbeam Wlk. WV3 —2F **29**
Hornbrook Gro. B92 —2H **107**
Hornby Gro. B14 —4D **106**
Hornby Rd. WV4 —5H **29**
Hornchurch Clo. CV1 —1B **132**
Horndean Clo. CV6 —1C **116**
Horne Way. B34 —1G **77**
Horning Dri. WV14 —1E **43**
Horninghold Clo. CV3 —1H **133**
Hornsey Clo. CV2 —2H **117**
Hornsey Gro. B44 —2C **48**
Hornsey Rd. B44 —2C **48**
Hornton Clo. B74 —4E **27**
Horobins Yd. CV12 —2F **81**
Horrell Rd. B26 —5D **76**
Horrell Rd. B90 —5G **107**
Horse Fair. B1 —4H **73** & 4C **152**
Horse Fair. DY10 —2E **141**
Horsefair, The. LE10 —2E **139**
Horsehills Dri. WV3 —1E **29**
Horselea Croft. B8 —2A **76**
Horseley Fields. WV1 —1A **30**
Horseley Heath. DY4 —1A **56**
Horseley Rd. DY4 —5A **44** (in two parts)
Horsepool. LE10 —4H **139**
Horse Shoe Rd. CV6 —3E **101**
Horse Shoes La. B26 —2D **92**
Horseshoe, The. B68 —3F **71**
Horseshoe Walk. DY4 —5F **43**
Horsfall Rd. B75 —5D **38**
Horsford Rd. CV3 —3C **132**
Horsham Av. DY8 —3C **66**
Horsley Rd. B43 —5H **35**
Horsman St. WV1 —1G **29**
Horton Clo. DY3 —3H **41**
Horton Clo. WS10 —3B **32**
Horton Gro. B90 —3D **124**
Horton Pl. WS10 —3B **32**
Horton Sq. B12 —1A **90**
Horton St. B70 —3F **57**
Horton St. DY4 —1B **56**
Horton St. WS10 —3B **32**
Hosiery St. CV12 —3G **81**
Hospital La. B69 —3H **55**
Hospital La. CV12 —4A **80**
Hospital La. WV14 —4D **42** (in two parts)
Hospital Rd. WS7 —3F **9**
Hospital St. B19 —1H **73** & 1B **152**
Hospital St. B79 —2C **134**
Hospital St. WS2 —5G **23**
Hospital St. WV1 —2A **30**
Hothersall Dri. B73 —3G **49**
Hothorpe Clo. CV3 —1H **133**
Hotspur Rd. B44 —3B **48**
Hough Pl. WS2 —4E **33**
Hough Rd. B14 —2H **105**
Hough Rd. WS2 —3D **32** & 3E **33**
Houghton Ct. B28 —4E **107**
Houghton St. B69 —1D **70**
Houghton St. B70 —4G **57**
Houlbrooke Ho. WS13 —2G **151**
Houldey Rd. B31 —1B **120**
Houldsworth Cres. CV6 —3B **100**
Houliston Clo. WS10 —5E **33**
Houndsfield Clo. B47 —3D **122**
Houndsfield Ct. B47 —3C **122**
Houndsfield Gro. B47 (in two parts) —4B **122**
Houndsfield La. B47 & B90 —4B **122**
Houndsfield M. B47 —3C **122**
Housman Clo. B60 —5C **142**
Housman Pk. B60 —3E **143**
Housman Wlk. DY10 —3H **141**
Houting. B77 —5E **135**
Houx, The. DY8 —5E **67**
Hove Av. CV5 —4B **114**
Hovelands Clo. CV2 —1G **117**
Hove Rd. B27 —5H **91**
Howard Av. B61 —2C **142**
Howard Clo. CV5 —3B **114**
Howard Cres. WS12 —1F **5**
Howard Rd. B14 —1H **105**
Howard Rd. B20 —3G **59**
Howard Rd. B25 —1A **92**
Howard Rd. B43 —3B **46**
Howard Rd. B92 —3B **92**
Howard Rd. B98 —5F **145**
Howard Rd. CV10 —3D **136**
Howard Rd. WV11 —2G **21**
Howard Rd. WV14 —1G **43**
Howard Rd. E. B13 —2A **106**
Howard St. B19 —2H **73** & 1B **152**
Howard St. B70 —4D **44**
Howard St. CV1 —3B **116**
Howard St. DY4 —1H **55**
Howard St. WV2 —3H **29**
Howard Wlk. CV34 —4H **147**
Howarth Way. B6 —5B **60**
Howat Rd. CV7 —1G **99**
Howcotte Grn. CV4 —2B **130**
Howden Pl. B33 —2D **76**
Howdle's La. WS8 —5E **9**
Howe Cres. WV12 —3A **22**
Howell Rd. WV2 —4A **30**
Howells Clo. CV12 —4B **80**
Howes Croft. B35 —3D **62**
Howes La. CV3 —5B **132**
Howe St. B4 —3B **74**
Howford Gro. B7 —2C **74**
Howland Clo. WV9 —1F **19**
Howlette Rd. CV4 —5B **114**
Howley Av. B44 —3A **48**
Howley Grange Rd. B62 —2D **86**
Howl Pl. DY4 —5G **43**
Hoylake. B77 —1H **135**
Hoylake Clo. WS3 —4E **15**
Hoylake Dri. B69 —5H **55**
Hoyland Way. B30 —1D **104**
H.R.S. Ind. Pk. B33 —4E **77**
Huband Clo. B98 —1D **144**
Hubert Croft. B29 —4E **89**
Hubert Rd. B29 —4E **89**
Hubert St. B6 —1B **74**
Hucker Clo. WS2 —3E **33**
Hucker Rd. WS2 —3E **33**
Huddison Clo. CV34 —2E **147**
Huddlestone Clo. WV10 —2C **12**
Huddock's View. WS3 —4H **15**
Hudson Av. B46 —1E **79**
Hudson Clo. WS11 —4E **5**
Hudson Dri. WS7 —2H **9**
Hudson Gro. WV6 —1A **18**
Hudson Rd. B20 —1E **59**
Hudson Rd. DY4 —1A **56**
Hudson's Dri. B30 —3F **105**
Hudswell Dri. DY5 —5H **67**
Hughes Av. WV3 —3E **29** (in two parts)
Hughes Clo. CV34 —1D **146**
Hughes Pl. WV14 —3E **31**
Hughes Rd. WS10 —5H **31**
Hughes Rd. WV14 —3E **31**
Hugh Rd. B10 —4E **75**
Hugh Rd. B67 —1G **71**
Hugh Rd. CV3 —5E **117**
Huins Clo. B98 —2D **144**
Hulbert Dri. DY2 —1C **68**
Hullbrook Rd. B13 —3D **106**
Humber Av. B76 —4D **50**
Humber Av. CV1 —5C **116**
Humber Av. CV3 —5D **116**
Humber Gro. B36 —3H **63**
Humber Rd. CV3 —5D **116** to 2E **133**
Humber Rd. WV3 —2G **29**
Humberstone Rd. B24 —1C **62**
Humberstone Rd. CV6 —3H **115**
Humber Tower. B7 —2C **74**
Hume St. B66 —2B **72**
Hume St. DY11 —3C **140**
Humpage Rd. B9 —3E **75**
Humphrey Av. B60 —5D **142**
Humphrey Burton's Rd. CV3 —2A **132**
Humphrey Davy Rd. CV12 —5C **80**
Humphrey Middlemoor Dri. B17 —3C **88**
Humphrey St. DY3 —2A **54**
Humphries Cres. WV14 —2G **43**
Humphries Dri. DY10 —5E **141**
Humphries Ho. WS8 —2E **17**
Humphries Rd. WV10 —3A **20**
Humphris St. CV34 —3G **147**
Hundred Acre Rd. B74 —3A **36**
Hungary Clo. DY9 —2G **83**
Hungary Hill. DY9 —2G **83**
Hungerfield Rd. B36 —4F **63**
Hungerford Rd. DY8 —4D **82**
Hunningham Gro. B91 —1E **125**
Hunnington Clo. B32 —5D **86**
Hunnington Cres. B63 —4H **85**
Hunscote Clo. B90 —1F **123**
Hunslet Rd. B32 —3H **87**
Hunslet Rd. WS7 —1F **9**
Hunstanton Av. B17 —5H **71**
Hunstanton Clo. DY5 —5H **67**
Hunt Clo. CV35 —4A **146**
Hunter Av. WS7 —1G **9**
Hunter Clo. WS14 —4H **151**
Hunter Cres. WS3 —3H **23**
Hunter Rd. WS11 —1C **6**
Hunters Clo. WV14 —3G **31**
Hunters Ride. DY7 —3B **66**
Hunters Rise. B63 —5F **85**
Hunter's Rd. B19 —5F **59**
Hunter St. WV6 —5F **19**
Hunter's Vale. B19 —1G **73**
Hunters Wlk. B23 —3D **48**
Hunter Ter. CV5 —1F **131**
Huntingdon Clo. B78 —5B **134**
Huntingdon Gdns. B63 —1E **85**
Huntingdon Rd. B71 —5E **45**
Huntingdon Rd. CV5 —1H **131**
Huntingdon Way. CV10 —3C **136**
Huntington Clo. B98 —3H **145**
Huntington Rd. WV12 —2B **22**
Huntington Ter. Rd. WS11 —3D **4**
Huntingtree Rd. B63 —3F **85**
Huntlands Rd. B63 —4F **85**
Huntley Dri. B91 —5E **109**
Huntly Rd. B16 —4F **73**
Hunton Hill. B23 —2E **61**
Hunton Rd. B23 —2E **61**
Hunt's La. WV12 —3B **22**
Huntsman Ga. WS7 —1G **9**

Hunts Mill Dri.—Jones Wood Clo.

Hunts Mill Dri. DY5 —4H 53
Hunt's Rd. B30 —2F 105
Hunt Ter. CV4 —2D 130
Hurcott La. DY10 —1H 141
Hurcott Rd. DY10 —2E 141
Hurcott Village. DY10 —2H 141
Hurdis Rd. B90 —5G 107
Hurdlow Av. B18 —1F 73
Hurlbutt Rd. CV34 —5H 147
Hurley Clo. B72 —2A 50
Hurley Clo. CV32 —3C 148
Hurley Clo. WS5 —4C 34
Hurley Gro. B37 —1H 77
Hurley's Fold. DY2 —1D 68
Hurlingham Rd. B44 —2B 48
Hurn Way. CV6 —2F 101
Huron Clo. WS11 —4E 5
Hursey Dri. DY4 —5H 43
Hurstbourne Cres. WV1 —2D 30
Hurst Clo. B36 —5G 63
Hurstcroft Rd. B33 —3E 77
Hurst Grn. Rd. B62 —5C 70
Hurst Grn. Rd. B76 —5F 51
Hurst Grn. Rd. B93 —4H 125
Hurst La. B34 —1F 77 & 5G 63
Hurst La. DY4 —5F 43
Hurst La. DY5 —2B 68
Hurst La. N. B36 —5G 63
Hurst Rd. B67 —3G 71
Hurst Rd. CV6 —3E 101
Hurst Rd. CV12 —3F 81
Hurst Rd. LE10 —3F 139
Hurst Rd. WV14 —3C 42
Hurst St. B5 —4A 74 & 5D 152
Hurst, The. B13 —1D 106
Hurst, The. B47 —3B 122
Hurstway, The. B23 —3D 48
Hurstwood Rd. B23 —4D 48
Hussey Rd. WS8 —1D 16
Hussey Rd. WS11 —3H 7
Husum Way. DY10 —2H 141
Hut Hill La. WS6 —3D 6 (in two parts)
Hutton Av. B8 —1E 75
Hutton Rd. B8 —1E 75
Hutton Rd. B20 —3G 59
Huxbey Dri. B92 —5H 93
Huxley Clo. WV9 —5F 11
Hyacinth Way. LE10 —4F 139
Hyatt Sq. DY5 —5H 67
Hyatt's Wlk. B65 —1G 69
Hyde Clo. B60 —3F 143
Hyde Pl. CV32 —4A 148
Hyde Rd. B16 —4E 73
Hyde Rd. CV2 —3H 117
Hyde Rd. CV8 —3B 150
Hyde Rd. WV11 —3F 21
Hydes La. LE10 —5B 138
Hydes Rd. WS10 & B71 —2D 44
Hyde, The. DY9 —4A 84
Hyett Way. WV14 —2H 43
Hylda Rd. B20 —3F 59
Hylstone Cres. WV11 —3E 21
Hylton St. B18 —2G 73 & 1A 152
Hyperion Dri. WV4 —1F 41
Hyperion Rd. B36 —4C 62
Hyperion Rd. DY7 —5C 66 (in two parts)
Hyron Hall Rd. B27 —4A 92
Hyssap Clo. WS11 —4E 5
Hyssop Clo. B7 —1C 74
Hytall Rd. B90 —5D 106
Hythe Gro. B25 —5B 76

Ibberton Rd. B14 —4C 106
Ibex Clo. CV3 —1H 133
Ibis Clo. DY10 —5G 141
Ibis Gdns. DY6 —5F 53
Ibstock Clo. B98 —2H 145
Ibstock Dri. DY8 —3G 83
Ibstock Rd. CV6 —2E 101
Icknield Clo. B74 —2B 36
Icknield Port Rd. B16 —2D 72
Icknield Sq. B16 —3E 73
Icknield St. B18 —2F 73
Icknield St. B38 & B48 —2F 121 to 5F 121
Icknield St. B98 —1F 145 & 3G 145
Icknield St. Dri. B98 —3G 145
Ida Rd. B70 —4G 57
Ida Rd. WS2 —2F 33
Idbury Rd. B44 —4B 48
Ideal Bldgs. DY11 —2D 140
Iden Rd. CV1 —3C 116
Idmiston Croft. B14 —5A 106
Idonia Rd. WV6 —4A 18
Ilam Pk. CV8 —2D 150 & 3D 150
Ilex Ct. CV34 —3F 147
Ilford Clo. CV12 —3D 80
Ilford Dri. CV3 —3A 132
Ilford Rd. B23 —5E 49
Ilfracombe Gro. CV3 —4H 131
Iliffe Way. B17 —3C 88
Ilkley Gro. B37 —4H 77
Illeybrook Sq. B32 —4F 87
Illey La. B62 & B32 —5A 86 to 1D 102
Illmington Clo. CV3 —4A 132
Illshaw. WV9 —5G 11
Illshaw Heath Rd. B94 —5B 124
Ilmington Clo. B98 —4G 145
Ilmington Dri. B73 —2D 48
Ilmington Rd. B29 —5H 87
Ilminster Clo. LE10 —4H 139
Ilsham Gro. B31 —3H 119
Ilsley Rd. B23 —1F 61
Imber Rd. DY10 —5F 141
Imperial Av. DY10 —1F 141
Imperial Gro. DY10 —1F 141
Imperial Rise. B46 —3D 64
Imperial Rd. B9 —4F 75
Impney Clo. B98 —1G 145
Impsley Clo. B36 —4E 63
Ince Rd. WS10 —3A 32
Inchbrook Rd. CV8 —1D 150
Inchcape Av. B20 —2F 59
Inchford Av. CV34 —2E 147
Inchford Clo. CV11 —5H 137
Inchford Rd. B92 —1G 109
Inchlaggan Rd. WV10 —3B 20
Ingatestone Dri. DY8 —2C 66
Ingestre Clo. WS3 —5D 11
Ingestre Clo. WS11 —5E 5
Ingestre Dri. B43 —3C 46
Inge St. B5 —4A 74 & 4C 152
Ingestre Rd. B28 —2G 107
Ingestre Rd. WV10 —1H 19
Ingham Way. B17 —5A 72
Ingleby Gdns. WV6 —4F 19
Ingle Ct. CV31 —5A 149
Ingledew Clo. WS2 —1B 32
Inglefield Rd. B33 —3C 76
Inglemere Gro. B29 —1H 103
Inglenook Dri. B20 —3F 59
Ingleton Rd. B8 —5G 61
Inglewood Av. WV3 —3E 29
Inglewood Clo. CV32 —2C 148
Inglewood Clo. DY6 —1D 66
Inglewood Gro. B74 —1A 36 & 2A 36
Inglewood Rd. B11 —2D 90
Ingoldsby Rd. B31 —4C 104
Ingram Gro. B27 —5G 91
Ingram Pit La. B77 —1G 135
Ingram Pl. WS3 —1G 23
Ingram Rd. CV5 —1F 131
Ingram Rd. WS3 —1F 23
Inhedge St. DY3 —1B 54
Inhedge, The. DY1 —4D 54
Inkberrow Rd. B63 —4G 85
Inkerman Gro. WV10 —1B 30
Inkerman St. B7 —2D 74
Inkerman St. WV10 —1B 30
Inland Rd. B24 —3H 61
Innage Clo. CV31 —5C 149
Innage Rd. B31 —4B 104
Innage, The. B47 —3C 122
Innis Rd. CV5 —2G 131
Innsworth Dri. B35 —1D 62
Insetton Clo. B98 —2G 145
Inshaw Clo. B33 —3C 76
Institute Rd. B14 —1A 106
Instone Rd. B63 —4G 85
Instone Rd. CV6 —5H 99
Instow Clo. WV12 —2H 21
Insull Av. B14 —5C 106
Intended St. B63 —1E 85
International Ho. CV4 —4F 131
Intown. WS1 —1H 33
Intown Row. WS1 —1H 33
Inveraray Clo. CV8 —3D 150
Inverclyde Rd. B20 —2F 59
Inverness Clo. CV5 —3C 114
Inverness Rd. B31 —4H 103
Invicta Rd. CV3 —1H 133
Inworth. WV9 —5G 11
Ipsley Church La. B98 —4F 145
Ipsley Ct. B98 —4F 145
Ipsley Gro. B23 —1C 60
Ipsley Ho. B98 —4F 145
Ipsley La. B98 —4G 145
Ipsley St. B98 —3C 144
Ipstones Av. B33 —2C 76
Ipswich Cres. B42 —4G 47
Ipswich Wlk. B37 —4A 78
Ireland Grn. Rd. B70 —2E 57
Ireton Clo. CV4 —1H 129
Ireton Rd. B20 —1F 59
Ireton Rd. WV10 —5A 12
Iris Clo. B29 —1B 104
Iris Clo. B79 —2D 134
Iris Clo. DY2 —3G 55
Iris Clo. LE10 —5F 139
Irnham Rd. B74 —1H 37
Iron Bridge Wlk. DY9 —5G 83
Iron La. B33 —2B 76
Ironmonger Row. CV1 —4B 116
Ironstone Rd. WS7 —1D 8
Irvan Av. B70 —1D 56
Irvine Clo. WS3 —3E 23
Irvine Rd. WS3 —2E 23
Irving Clo. DY3 —1F 53
Irving Clo. WS13 —1E 151
Irving Rd. B92 —3G 93
Irving Rd. CV1 —5D 116
Irving Rd. DY4 —2G 43
Irving St. B1 —4H 73 & 5B 152
Irwell. B77 —3E 135
Irwin Av. B45 —3F 119
Isbourne Way. B9 —3D 74
Isis Gro. B36 —4H 63
Isis Gro. WV13 —1A 32
Island Clo. LE10 —1G 139
Island Dri. DY10 —4D 140
Island Rd. B21 —4C 58
Islington. B63 —3H 85
Islington Row Middleway. B15 —4G 73 & 5A 152
Ismere Rd. B24 —2H 61
Ismere Way. DY10 —1F 141
Issac Walton Pl. B70 —4C 44
Itchen Gro. WV6 —2A 18
Ithon Gro. B38 —1D 120
Ivanhoe Av. CV11 —5H 137
Ivanhoe Rd. B43 —2G 47
Ivanhoe Rd. WS14 —4F 151
Ivanhoe Rd. WV2 —4C 30
Ivanhoe St. DY2 —5C 54
Ivatt. B77 —3F 135
Ivatt Clo. WS4 —3B 24
Iverley Rd. B63 —3A 86
Iverley Wlk. DY9 —4G 83
Ivor Rd. B11 —3C 90
Ivor Rd. B97 —3B 144
Ivor Rd. CV6 —4D 100
Ivy Av. B12 —2B 90 & 2C 90
Ivy Av. B12 —2C 90
Ivybridge Gro. B42 —2H 59
Ivybridge Rd. CV3 —3B 132
Ivydale Av. B26 —2F 93
Ivy Farm La. CV4 —3F 131
Ivyfield Rd. B23 —1C 60
Ivy Gro. B18 —2D 72
Ivyhouse La. WV14 —3D 42 (in two parts)
Ivyhouse Rd. B38 —1B 120
Ivy Ho. Rd. B69 —5B 56
Ivyhouse Wlk. B77 —5G 135
Ivy La. B9 —3C 74
Ivy Lodge Clo. B37 —5A 78
Ivy Pl. B29 —4E 89
Ivy Rd. B21 —5F 59
Ivy Rd. B30 —2F 105
Ivy Rd. B73 —2F 49
Ivy Rd. DY1 —1C 54
Ivy Rd. DY4 —4G 43
Ivy Wlk. CV3 —2G 133
Izod St. B97 —2B 144
Izons Ind. Est. B70 —3D 56
Izons La. B70 —3D 56
Izons Rd. B70 —2F 57

Jacey Rd. B16 —4C 72
Jacey Rd. B90 —3H 107
Jack David Ho. DY4 —1B 56
Jackdaw Clo. DY3 —2H 41
Jackdaw Dri. B36 —4A 64
Jacker's Rd. CV2 —3E 101
Jack Holden Av. WV14 —2C 42
Jacklin Dri. CV3 —4B 132
Jacknell Clo. LE10 —3A 138
Jacknell Ind. Pk. LE10 —3A 138
Jacknell Rd. LE10 —3A 138
Jack Newell Ct. WV14 (off Jevon St.) —3D 42
Jackson Av. B8 —2F 75
Jackson Clo. B68 —2E 71
Jackson Clo. CV7 —1H 99
Jackson Clo. CV35 —4A 146
Jackson Clo. DY4 —3A 44
Jackson Clo. WS11 —3G 7
Jackson Clo. WV10 —2C 12
Jackson Ct. DY5 —4B 68
Jackson Ho. B69 —5D 56
Jackson Rd. B8 —2F 75
Jackson Rd. CV6 —5B 100
Jackson Rd. WS13 —1G 151
Jackson St. B68 —2E 71
Jackson St. DY9 —2A 84
Jackson St. WV6 —5G 19
Jackson Wlk. B35 —3D 62
Jackson Way. B32 —2E 87
Jacmar Cres. B67 —1G 71
Jacobean La. B93 —1A 126
Jacob's Hall La. WS6 —1E 15
Jacoby Pl. B5 —2G 89
Jacox Cres. CV8 —3D 150
Jacquard Clo. CV3 —4B 132
Jade Clo. CV1 —3C 116
Jade Gro. WS11 —4F 5
Jaffray Cres. B24 —2F 61
Jaffray Rd. B24 —2F 61
Jaguar. B77 —2F 135
Jakeman Rd. B12 —2A 90
Jakemans Clo. B98 —2G 145
James Bri. Clo. WS2 —3E 33
James Clift Ho. B69 —1B 70
James Clo. B67 —1A 72
James Clo. WS2 —4D 32
James Ct. CV34 —4E 147
James Croft. CV3 —3H 133
James Dawson Dri. CV5 —1H 113
James Dee Clo. DY5 —4C 68
James Diskin Clo. CV11 —4H 137
James Eaton Clo. B71 —1F 57
James Galloway Clo. CV3 —2H 133
James Grn. Rd. CV4 —5B 114
James Greenway. WS13 —1F 151
James Hutchens Ct. WS7 —3E 9
James Memorial Homes. B7 (off Stuart St.) —5D 60
Jameson Rd. B6 —4D 60
Jameson St. WV6 —5G 19
James Rd. B11 —2G 91
James Rd. B43 —4D 46
James Rd. B46 —4E 65
James Rd. DY10 —1F 141
James Scott Rd. B63 —1C 84
James St. B3 —2G 73 & 2A 152
James St. CV11 —2E 137
James St. WS11 —2D 4
James St. WV13 —1G 31
James St. WV14 —4F 31
James Turner St. B18 —1D 72
James Watt Dri. B19 —4G 59
James Watt Ho. B66 —1B 72
James Watt Point. B6 —4C 60
James Watt Queensway. B4 —3A 74 & 2D 152
James Watt St. B4 —3A 74 & 2D 152
James Watt St. B71 —3E 45 (in two parts)
Jane Lane Clo. WS2 —5C 22
Janice Gro. B14 —3D 106
Janine Av. WV11 —3F 21
Jaques Clo. B46 —3B 64
Jardine Cres. CV4 —5B 114
Jardine Rd. B6 —4B 60
Jardine Shopping Cen. CV4 —5C 114
Jarvis Cres. B69 —2D 70
Jarvis Rd. B23 —5F 49
Jarvis Way. B24 —4F 61 (in two parts)
Jasmin Croft. B14 —4A 106
Jasmine Clo. WV9 —5F 11
Jasmine Gro. B61 —2D 142
Jasmine Gro. CV3 —1F 133
Jasmine Gro. CV32 —3C 148
Jasmine Gro. WV8 —5B 10
Jasmine Rd. B77 —1G 135
Jasmine Rd. DY2 —4G 55
Jasmine Way. WS10 —4B 32
Jason Clo. B77 —1E 135
Jason Rd. DY9 —3C 84
J.A.S. Ind. Pk. B69 —2C 70
Javelin Ho. B35 —2E 63
Jayne Clo. B71 —3H 45
Jayne Clo. WV11 —3E 21
Jay Park Cres. DY10 —5G 141
Jay Rd. DY6 —4D 52
Jay's Av. DY4 —1H 55
Jayshaw Av. B43 —3D 46
Jeavons Pl. WV14 —5D 30
Jedburgh Av. WV6 —1A 18
Jedburgh Gro. CV3 —4H 131
Jeddo St. WV2 —2H 29
Jeffcock Rd. WV3 —2F 29
Jefferies Clo. LE10 —1F 139
Jefferson Clo. B71 —3E 45
Jeffrey Av. WV4 —5B 30
Jeffrey Clo. CV12 —5B 80
Jeffrey Rd. B65 —2C 70
Jeffries Ho. B69 —5D 56
Jeffs Av. WV2 —3A 30
Jeliff St. CV4 —5B 114
Jelleyman Clo. DY11 —3C 140
Jellicoe Way. LE10 —1F 139
Jenkins Av. CV5 —3B 114
Jenkins Clo. WV14 —5E 31
Jenkinson Rd. WS10 —2B 44
Jenkins St. B10 —5D 74
Jenks Av. WV10 —2A 20
Jenks Rd. WV5 —1A 52
Jennens Rd. B4 —3A 74 & 2D 152
Jenner Clo. WS2 —3D 22
Jenner Rd. WS2 —3D 22 (in two parts)
Jenner St. CV1 —3C 116
Jenner St. WV2 —2A 30
Jennifer Wlk. B25 —5B 76
Jennings St. B64 —4G 69
Jenny Clo. WV14 —3F 43
Jennyns Ct. WS10 —2D 44
Jensen. B77 —2F 135
Jenton Rd. CV31 —6C 149
Jephcott Gro. B8 —2G 75
Jephcott Ho. CV1 —4C 11 (off Kildale Clo.)
Jephcott Rd. B8 —2G 75
Jephson Dri. B26 —5C 76
Jephson Pl. CV31 —5C 149
Jeremy Gro. B92 —3E 93
Jeremy Rd. WV4 —5H 29 (in two parts)
Jerome Clo. WS11 —3A 8
Jerome Dri. WS11 —2A 8
Jerome Rd. B72 —1A 50
Jerome Rd. WS2 —2E 33
Jerome Rd. WS11 —3A 8
Jerome Way. WS7 —1G 9
Jerrard Dri. B75 —5A 38
Jerry's La. B23 —4E 49
Jersey Croft. B36 —1A 78
Jersey Rd. B8 —2E 75
Jerusalem Wlk. DY10 —2E 141
Jervis Clo. DY5 —5H 53
Jervis Cres. B74 —5D 26
Jervoise Dri. B31 —3B 104
Jervoise La. B71 —3G 45
Jervoise Rd. B29 —5A 88
Jervoise St. B70 —1E 57
Jesmond Gro. B24 —1B 62
Jesmond Rd. CV1 —3D 116
Jessel Rd. WS2 —1F 33
Jessie Rd. WS9 —1F 25
Jesson Clo. WS1 —3A 34
Jesson Rd. B75 —5D 38
Jesson Rd. DY3 —5C 42
Jesson Rd. WS1 —3A 34
Jesson St. B70 —3H 57
Jevons Rd. B73 —1D 48
Jevon St. WV14 —3D 42 & 4D 42
Jew's La. DY3 —1A 54
Jiggin's La. B32 —5F 87
Jill Av. B43 —3C 46
Jillcot Rd. B92 —3E 93
Jinnah Clo. B12 —5A 74 & 5D 152
Jitty, The. CV34 —4D 146
Joanna Dri. CV3 —5B 132
Joans Clo. CV31 —6D 149
Joan St. WV2 —4A 30
Joan Ward St. CV3 —1B 132
Job's La. CV4 —4C 114
Jockey Field. DY3 —5A 42
Jockey La. WS10 —1E 45
Jockey Rd. B73 —2E 49 to 1H 49
Jodrell St. CV11 —2E 137
Joe Jones Ct. DY3 —3A 42
Joey's La. WV8 —4C 10
John Bright Clo. DY4 —3G 43
John Bright St. B1 —4H 73 & 4B 152
John Dray. B77 —5E 135
John Feeney Tower. B31 —1H 103
John F. Kennedy Wlk. DY4 —4H 43
John Grace St. CV3 —1C 132
John Harper St. WV13 —1A 32
John Kempe Way. B11 —5B 74
John Kennedy Av. WV14 —2E 43
John Knight Rd. CV12 —2F 81
John McGuire Cres. CV3 —2H 133
John Nash Sq. CV8 —4B 150
John Nichols St. LE10 —3D 138
John O'Gaunt Rd. CV8 —4A 150
John Riley Dri. WV12 —2A 22
John Rd. B62 —3C 86
John Rous Av. CV4 —2D 130
John's Clo. LE10 —5E 139
Johns Gro. B43 —4B 46
John's La. B69 & DY4 —2A 56
Johns La. WS6 —4D 6
Johnson Av. WV11 —3G 21
Johnson Clo. B8 —5A 62
Johnson Clo. B11 —2D 90
Johnson Clo. B98 —2D 144
Johnson Clo. WS10 —5B 32
Johnson Clo. WS13 —2H 151
Johnson Dri. B35 —2C 62
Johnson Pl. WV14 —4G 31
Johnson Rd. B23 —5G 49
Johnson Rd. CV6 —5E 101
Johnson Rd. CV12 —3F 81
Johnson Rd. WS7 —1E 9
Johnson Rd. WS10 —5B 32 (Darlaston)
Johnson Rd. WS10 —2F 45 (Wednesbury)
Johnson Rd. WS11 —3B 4
Johnson Rd. WV12 —3B 22 (in two parts)
Johnson Row. WV14 —3B 42
Johnsons Bri. Rd. B71 —5F 45
Johnsons Gro. B68 —5F 71
Johnson St. B7 —5D 60
Johnson St. WV2 —3H 29
Johnson St. WV14 —2B 42
Johnstone St. B19 —4H 59
Johnston St. B70 —4F 57
John St. B19 —5G 59
John St. B65 —4A 70
John St. B69 —5D 56
John St. B70 —1E 57 (Guns Village)
John St. B70 —1D 56 (Swan Village)
John St. B77 —2E 135
John St. CV10 —4C 136
John St. CV11 —4F 137
John St. CV12 —3E 81
John St. CV32 —4B 148
John St. DY5 —2H 67
John St. DY8 —4E 67
John St. LE10 —2F 139
John St. WS2 —5G 23
John St. WS11 —2D 4
John St. WS12 —3H 5 (in two parts)
John St. WV2 —4C 30
John St. WV13 —2H 31
John St. N. B71 —1E 57
Joiners Croft. B92 —5G 93
Joinings Bank. B68 —2E 71
Jon Baker Ct. LE10 —3F 139
Jones Field Cres. WV1 —1C 30
Jones La. WS6 —5E 7
Jones Rd. CV7 —4E 81
Jones Rd. WV10 —4H 19
Jones Rd. WV12 —2B 22
Jones's La. WS6 —5E 7
Jones Wood Clo. B76 —4D 50

Lancaster Rd.—Leith Gro.

Lancaster Rd. LE10 —3E 139
Lancaster St. B4 —2A 74 & 1D 152
Lance Clo. LE10 —5F 139
Lancelot Pl. B70 —1B 56
Lanchester Clo. B79 —1A 134
Lanchester Rd. B38 —5E 105
Lanchester Rd. CV6 —2A 116
Lanchester Way. B36 —4G 63
Lancia Clo. CV6 —2F 101
Lancing Rd. CV12 —1B 80
Lander Clo. B45 —3D 118
Landgate Rd. B21 —3C 58
Land La. B37 —1H 93
Land Oak Dri. DY10 —1G 141
Landor Rd. B93 —3A 126
Landor Rd. B98 —4E 145
Landor Rd. CV31 —8B 149
Landor Rd. CV34 —3C 146
Landor St. B8 —3C 74
Landport Rd. WV2 —2B 30
Landrail Wlk. B36 —4A 64 & 5A 64
Landrake Rd. DY6 —2F 67
Landsberg. B79 —2A 134
Landseer Gro. B43 —5H 35
Landsgate. DY8 —5G 83
Landswood Clo. B44 —3C 48
Landswood Rd. B68 —2F 71
Landywood La. WS6 —5B 6 to 5D 6
Lane Av. WS2 —1E 33
Lane Clo. WS2 —1E 33
Lane Croft. B76 —4D 50
Lane Grn. Av. WV8 —1C 18
Lane Grn. Ct. WV8 —5B 10
Lane Grn. Rd. WV8 —5C 10
Lane Rd. WV4 —1C 42
Lanesfield Dri. WV4 —1C 42
Lane Side. CV3 —3H 133
Laneside Av. B74 —3A 36
Laneside Dri. LE10 —1G 139
Laneside Gdns. WS2 —1E 33
Lanes Shopping Cen., The. B73 —4H 49
Lane St. WV14 —1E 43
Langbank Av. CV3 —2G 133
Langcliffe Av. CV34 —2E 147
Langcomb Rd. B90 —1G 123
Langdale Av. CV6 —3C 100
Langdale Clo. CV32 —2D 148
Langdale Croft. B21 —5D 58
Langdale Dri. CV10 —5B 136
Langdale Dri. WS11 —1A 6
Langdale Dri. WV14 —3F 31
Langdale Grn. WS11 —1A 6
Langdale Rd. B43 —4E 47
Langdale Rd. LE10 —3C 138
Langdale Way. DY9 —3A 84
Langdon St. B9 —3C 74
Langdon Wlk. B26 —2B 92
Langfield Rd. B93 —2A 126
Langford Av. B43 —3D 46
Langford Clo. WS1 —2A 34
Langford Croft. B91 —5E 109
Langford Gro. B17 —3C 88
Langham Clo. B26 —1D 92
Langham Grn. B74 —2A 36
Langholm Dri. B44 —3D 48
Langholm Dri. WS12 —4G 5
Langland Dri. DY3 —3G 41
Langley Av. WV14 —3D 42
Langley Clo. B98 —4G 145
Langley Ct. B69 —1E 71
Langley Ct. WV4 —4D 28
Langley Cres. B68 —2E 71
Langley Croft. CV4 —5C 114
Langley Dri. B35 —3D 62
Langley Gdns. B68 —2E 71
Langley Gdns. WV3 —4D 28
Langley Grn. Rd. B69 —2D 70
Langley Gro. B10 —5E 75
Langley Hall Dri. B75 —5E 39
Langley Hall Rd. B75 —5E 39
Langley Hall Rd. B92 —1A 108
Langley Rise. B92 —3G 93
Langley Rd. B10 —5E 75
Langley Rd. B68 —2E 71
Langley Rd. CV31 —7C 149
Langley Rd. WV4 & WV3 —4A 28
Langleys Rd. B29 —5D 88
Langlodge Rd. CV6 —4A 100
Langmead Clo. WS2 —5B 22
Langnor Rd. CV2 —2F 117
Langsett Rd. WV10 —5A 20
Langstone Rd. B14 —5C 106
Langstone Rd. DY1 —3A 54
Langton Clo. CV3 —1H 133
Langton Ct. WS13 —2E 151
Langton Pl. WV14 —4G 31
Langton Rd. B8 —2F 75
Langtree Av. B91 —1D 124
Langtree Clo. WS12 —5G 5
Langwood Clo. CV4 —2D 130
Langwood Ct. B36 —4E 63
Langworth Av. B27 —2A 92
Lannacombe Rd. B31 —3H 119
Lansbury Av. WS10 —5B 32
Lansbury Clo. CV2 —1H 117
Lansbury Dri. WS11 —3B 4
Lansbury Rd. B64 —5H 69
Lansbury Wlk. DY4 —4H 43
Lansdale Av. B92 —1H 109
Lansdowne Av. WV8 —5A 10
Lansdowne Cir. CV32 —4C 148
Lansdowne Clo. CV12 —3E 81
Lansdowne Clo. DY2 —5G 55
Lansdowne Clo. WV14 —4C 42
Lansdowne Ct. DY9 —5G 83
Lansdowne Cres. B77 —4E 135
Lansdowne Cres. CV32 —4B 148
Lansdowne Rd. B21 —5F 59
Lansdowne Rd. B24 —2F 61
Lansdowne Rd. B62 —5D 70
Lansdowne Rd. B63 —4F 85
Lansdowne Rd. CV32 —4B 148
Lansdowne Rd. WV1 —1G 29
Lansdowne Rd. WV14 —3F 31
Lansdowne St. B18 —2E 73 (in two parts)
Lansdowne St. CV2 —4D 116
Lansdowne St. CV32 —4B 148
Lansdown Grn. DY11 —3C 140
Lansdown Pl. B18 —2E 73
Lant Clo. CV7 —2G 129
Lantern Rd. DY2 —4D 68
Lapal La. B32 —4D 86
Lapal La. N. B62 —3C 86
Lapal La. S. B62 —4C 86
Lapley Clo. WV1 —1C 30
Lapper Av. WV4 —2B 42
Lapwing. B77 —5G 135
Lapwing Clo. DY10 —5G 141
Lapwing Clo. WS6 —5B 6
Lapwood Av. DY6 —1F 67
Lapworth Clo. B98 —5D 144
Lapworth Dri. B73 —2D 48
Lapworth Gro. B12 —2B 90
Lapworth Rd. CV2 —5F 101
Lara Clo. B17 —5B 72
Lara Gro. DY4 —2H 55
Larch Av. B21 —3D 58
Larch Croft. B37 —3B 78
Larch Croft. B69 —3A 56
Larches Cottage Gdns. DY11 —4C 140
Larches La. WV3 —1F 29
Larches Pas. B12 —1B 90
Larches Rd. DY11 —4D 140
Larches St. B11 —1C 90
Larches St. B12 —1B 90
Larches, The. CV7 —5E 81
Larchfield Clo. B20 —2F 59
Larch Gro. CV34 —2F 147
Larch Gro. DY3 —4A 42
Larch Ho. B20 —2E 59
Larch Ho. B36 —4C 62
Larchmere Dri. B28 —5G 91
Larchmere Dri. B61 —3C 142
Larchmere Dri. WV11 —5H 13
Larch Rd. DY6 —5E 53
Larch Tree Av. CV4 —5C 114
Larch Wlk. B25 —5H 75
Larchwood Cres. B74 —2A 36
Larchwood Dri. WS11 —3E 5
Larchwood Grn. WS5 —1B 46
Larchwood Rd. CV7 —5E 81
Larchwood Rd. WS5 —1A 46
Larcombe Dri. WV4 —5A 30
Large Av. WS10 —1B 44
Lark Clo. B14 —5C 106
Larkfield Av. B36 —4D 62
Larkfield Rd. B98 —4D 144
Larkfield Way. CV5 —2C 114
Larkhill. DY10 —1E 141
Larkhill Rd. DY8 —3C 82
Larkhill Wlk. B14 —5H 105
Larkin Clo. CV12 —1A 80
Lark Meadow Dri. B37 —3G 77
Larkspur Av. WS7 —3F 9
Larkspur Croft. B36 —4B 62
Larkspur Dri. WV10 —2C 12
Larkspur Rd. DY2 —4G 55
Larkswood Dri. DY3 —4H 41
Larkswood Dri. WV4 —1C 40
Larne Rd. B26 —1D 92
Lash Hill Path. LE10 —3G 139
Lassington Clo. B98 —2G 145
Latches Clo. WS10 —4B 32
Latchford Clo. B98 —1G 145
Latelow Rd. B33 —3D 76
Latham Av. B43 —4D 46
Latham Cres. DY4 —2H 55
Latham Rd. CV5 —5H 115
Lath La. B66 —4G 57
Lathom Gro. B33 —2C 76
Latimer Clo. CV8 —5B 150
Latimer Gdns. B15 —1H 89
Latimer Pl. B18 —1D 72
Latimer St. WV13 —1H 31 (in two parts)
Latymer Clo. B76 —4D 50
Lauder Clo. DY3 —3H 41
Lauder Clo. WV13 —2E 31
Lauderdale Av. CV6 —3C 100
Lauderdale Gdns. WV10 —5A 12
Launceston Clo. B77 —3E 135
Launceston Clo. WS5 —4D 34
Launceston Dri. CV11 —3H 137
Launceston Rd. WS5 —4D 34
Launde, The. B28 —5E 107
Laundry Rd. B66 —3C 72
Laureates Wlk. B74 —2G 37
Laurel Av. B12 —2C 90
Laurel Clo. B98 —3C 144
Laurel Clo. CV2 —4H 101
Laurel Clo. DY1 —2C 54
Laurel Clo. WS13 —3H 151
Laurel Dri. B66 —4B 58
Laurel Dri. B74 —3A 36
Laurel Dri. WS7 —1H 9
Laurel Dri. WS12 —3G 5
Laurel Gdns. B21 —3D 58
Laurel Gro. B30 —2D 104
Laurel Gro. B61 —2D 142
Laurel Gro. WV3 —4D 28
Laurel Gro. WV14 —1G 43
Laurel La. B63 —4H 85
Laurel Rd. B21 —3D 58 & 3E 59
Laurel Rd. B30 —3F 105
Laurel Rd. DY1 —1C 54 to 2D 54
Laurel Rd. DY4 —4G 43
Laurel Rd. WS5 —5B 34
Laurels Cres. CV7 —3C 128
Laurels, The. B16 —3E 73 (off Marroway St.)
Laurels, The. B26 —2F 93
Laurels, The. B66 —2C 72
Laurels, The. CV12 —3C 80
Laurel Ter. B6 —4A 60
Laurence Gro. WV6 —3D 18
Lauriston Pl. B6 —4A 60
Lavender Av. CV6 —3G 115
Lavender Gro. WV14 —4G 31
Lavender Hall La. CV7 —1C 128
Lavender La. DY8 —3D 82
Lavender Rd. B77 —1F 135
Lavender Rd. DY1 —2D 54
Lavendon Rd. B42 —1F 59
Lavinia Rd. B62 —3C 86
Law Cliff Rd. B42 —5F 47
Law Clo. B69 —2B 56
Lawden Rd. B10 —5C 74
Lawford Av. WS14 —3H 151
Lawford Clo. B7 —3C 74
Lawford Clo. CV3 —1H 133
Lawford Gro. B5 —5A 74 & 5C 152
Lawford Gro. B90 —5E 107
Lawford Rd. CV31 —7C 149
Lawfred Av. WV11 —4E 21
Lawley Clo. CV4 —5C 114
Lawley Clo. WS4 —1B 24
Lawley Middleway. B4 —2B 74
Lawley Rd. WV14 —4D 30
Lawley St. B70 —2C 56
Lawley St. DY1 —4C 54
Lawley, The. B63 —5E 85
Lawn Av. DY8 —3E 83
Lawn La. WV9 —2G 11
Lawn Oaks Clo. WS8 —5C 8
Lawn Rd. WV2 —4B 30
Lawnsdale Clo. B46 —5D 64
Lawnsdown Rd. DY5 —1B 84
Lawnsfield Gro. B23 —5E 49
Lawnside Grn. WV14 —3E 31
Lawns, The. LE10 —2F 139
Lawn St. DY8 —3E 83
Lawnswood. B76 —3D 50
Lawnswood. DY7 —2B 66 & 3B 66
Lawnswood. LE10 —3C 138
Lawnswood Av. B90 —4A 108 to 5B 108
Lawnswood Av. DY8 —2C 66
Lawnswood Av. WS7 —3E 9
Lawnswood Av. WV4 —5A 30
Lawnswood Av. WV6 —2E 19
Lawnswood Clo. WS12 —4G 5
Lawnswood Dri. DY7 —3B 66
Lawnswood Dri. WS9 —5E 17
Lawnswood Gro. B21 —4C 58
Lawnswood Rise. WV6 —2E 19
Lawnswood Rd. DY3 —1H 53
Lawnswood Rd. DY8 —3C 66
Lawnwood Rd. DY2 —3D 68
Lawrence Av. WV10 —5C 20
Lawrence Av. WV11 —3G 21 (in two parts)
Lawrence Clo. CV8 —2B 150
Lawrence Ct. B68 —5E 71
Lawrence Ct. B79 —2B 134
Lawrence Dri. B76 —5F 51
Lawrence La. B64 —4F 69
Lawrence Rd. CV7 —5E 81
Lawrence Saunders Rd. CV6 —3H 115
Lawrence St. B4 —2B 74 (in two parts)
Lawrence St. DY9 —1H 83
Lawrence St. WV13 —5H 21 (in two parts)
Lawrence Wlk. B43 —5H 35
Lawson Clo. B65 —1B 70
Lawson Clo. WS9 —5G 25
Lawson St. B4 —2A 74 & 1D 152
Law St. B71 —1F 57
Lawton Av. B29 —4G 89
Lawton Clo. LE10 —2C 138
Lawyers Wlk. WS1 —2H 33
Laxey Rd. B16 —3C 72
Laxford Clo. B12 —1A 90
Laxford Clo. LE10 —2C 138
Laxton Clo. DY6 —2F 67
Laxton Gro. B25 —4A 76
Lay Gdns. CV31 —7E 149
Lazy Hill. B38 —5F 105
Lazy Hill Rd. WS9 —2G 25
Lea Av. WS10 —3B 44
Leabank. WV3 —2C 28
Lea Bank Av. DY11 —3B 140
Lea Bank Rd. DY2 —3D 68
Leabon Gro. B17 —2C 88
Leabrook. B26 —5C 76
Leabrook Rd. DY4 & WS10 —3B 44
Lea Brook Sq. WS10 —3B 44
Lea Castle Clo. DY10 —1F 141
Lea Causeway, The. DY11 —3B 140
Leach Grn. La. B45 —2D 118
Leach Heath La. B45 —2D 118
Leacliffe Way. WS9 —1B 36
Leacote Dri. WV6 —5C 18
Leacrest Rd. CV6 —4H 99
Leacroft. WV12 —3B 22
Leacroft Av. WV10 —2B 20
Leacroft Clo. WS9 —1G 25
Leacroft Gro. B71 —4E 45
Leacroft La. WS11 —3D 6
Leacroft Rd. DY6 —4E 53
Leadbetter Dri. B61 —3C 142
Lea Dri. B26 —2D 92
Lea End La. B48 & B38 —5B 120 to 5F 121
Leafdown Clo. WS12 —3F 5
Leafenden Av. WS7 —2F 9
Leafield Clo. CV2 —5H 101
Leafield Cres. B33 —2D 76
Leafield Gdns. B62 —5B 70
Leafield Rd. B92 —5E 93
Leaf La. CV3 —4C 132
Lea Ford Rd. B33 —2E 77
Leaford Way. DY6 —1F 67
Leafy Glade. B74 —1B 36
Leafy Rise. DY3 —1H 53
Lea Gdns. WV3 —3G 29
Leagh Clo. CV8 —1C 150
Lea Grn. Av. DY4 —1E 55
Lea Grn. La. B47 —3D 122
Lea Hall Rd. B33 —3D 76
Leahill Croft. B37 —4H 77
Lea Hill Rd. B20 —2G 59
Lea Holme Gdns. DY9 —4G 83
Leahouse Gdns. B68 —3D 70
Lea Ho. Rd. B30 —2F 105
Leahouse Rd. B68 —3D 70
Leahurst Cres. B17 —2C 88
Lea La. WS6 —4D 6
Lea Mnr. Caravan Pk. WV10 —1B 12
Lea Manor Dri. WV4 —1E 41
Leam Clo. CV11 —5H 137
Leam Cres. B92 —5E 93
Leam Dri. WS7 —1H 9
Leam Grn. CV4 —3F 131
Leamington Clo. WS11 —1A 6
Leamington Rd. B12 —2C 90
Leamington Rd. CV3 —2A 132
Leamington Rd. CV8 —5C 150
Leamore Clo. WS2 —3D 22
Leamore La. WS2 & WS3 —3D 22 to 3F 23
Leamount Dri. B44 —2D 48
Leam Rd. CV34 —4H 147
Leam St. CV31 —5C 149
Leam Ter. CV31 —5B 149
Leam Ter. E. CV31 —5C 149
Leander Clo. WS6 —5D 6
Leander Gdns. B14 —3A 106
Leander Rd. DY9 —2B 84
Leandor Dri. B74 —3B 36
Lea Pk. Rise. B61 —1D 142
Lea Rd. B11 —3D 90
Lea Rd. WV3 —3F 29
Lear Rd. WV5 —4B 40
Leas Clo. CV12 —3E 81
Leason La. WV10 —2C 20
Leasow Dri. B15 —4D 88
Leasowe Dri. WV6 —1A 18
Leasowe Rd. B45 —1C 118
Leasowe Rd. DY4 —1F 55
Leasowes Av. CV3 —4G 131
Leasowes Dri. WV4 —4D 28
Leasowes La. B62 —2C 86 to 3C 86
Leasowes Rd. B14 —5A 90
Leasowe, The. WS13 —2F 151
Leasow, The. WS9 —4D 24
Leas, The. WV10 —2D 12
Lea St. DY10 —3F 141
Lea, The. B33 —3D 76
Lea, The. DY11 —3A 140
Leatherhead Clo. B6 —1B 74
Lea Vale Rd. DY8 —4E 83
Leavesden Gro. B26 —2D 92
Lea View. WS9 —4D 24
Lea View. WV12 —4H 21
Lea Village. B33 —3E 77
Lea Wlk. B45 —2D 118
Leaward Clo. CV10 —4C 136
Lea Wood Gro. DY11 —3A 140
Lea Yield Clo. B30 —1E 105
Lebanon Gro. WS7 —1E 9
Lechlade Clo. B98 —1F 145
Lechlade Rd. B43 —3D 46 & 4D 46
Leckie Rd. WS2 —5G 23
Ledbrook Rd. CV32 —1E 148
Ledbury Clo. B16 —4F 73
Ledbury Clo. B98 —3H 145
Ledbury Clo. WS9 —2H 25
Ledbury Dri. WV1 —2D 30
Ledbury Ho. B33 —3G 77
Ledbury Rd. CV31 —6D 149
Ledbury Way. B76 —3D 50
Ledsam Gro. B32 —1H 87
Ledsam St. B16 —3F 73
Lee Bank Middleway. B15 —5G 73 & 5A 152
Leebank Rd. B63 —4F 85
Leech St. DY4 —5B 44
Lee Clo. CV34 —1D 146
Lee Cres. B15 —5G 73 & 5A 152
Leeder Clo. CV6 —4B 100
Leedham Av. B77 —1E 135
Lee Gdns. B67 —2G 71
Leeming Clo. CV4 —3E 131
Lee Rd. B47 —2C 122
Lee Rd. B64 —5G 69
Lee Rd. CV31 —6A 149 & 6B 149
Leeson Wlk. B17 —2C 88
Lees Rd. WV14 —1G 43
Lees St. B18 —1E 73
Lees Ter. WV14 —1G 43
Lee St. B70 —4D 44
Lee, The. CV5 —4E 115
Lee Wlk. WS11 —2E 5
Legge Ho. WS13 —2H 151
Legge La. B1 —3G 73 & 2A 152
Legge La. WV14 —2E 43
Legge St. B4 —2A 74 & 1D 152
Legge St. B70 —2G 57
Legge St. WV2 —4B 30
Legion Clo. WS11 —2A 8
Legion Rd. B45 —2C 118
Legs La. WV10 —4B 12
Le Hanche Clo. CV7 —1H 99
Leicester Causeway. CV1 —3B 116 & 3C 116
Leicester Clo. B67 —4G 71
Leicester Ct. CV12 —1B 80
Leicester Ct. CV32 —4C 148
Leicester La. CV32 —1C 148
Leicester Pl. B71 —4F 45
Leicester Rd. CV11 —3G 137
Leicester Rd. CV12 —2F 81
Leicester Rd. LE10 —2F 139
Leicester Row. CV1 —4B 116
Leicester Sq. WV6 —5G 19
Leicester St. CV12 —3F 81 (Bedworth)
Leicester St. CV12 —1B 80 (Bulkington)
Leicester St. CV32 —4C 148
Leicester St. WS1 —1H 33
Leicester St. WV6 —5G 19
Leigham Dri. B17 —1A 88
Leigh Av. CV3 —5B 132
Leigh Av. WS7 —1G 9
Leigh Clo. WS4 —5A 24
Leigh Rd. B8 —5F 61
Leigh Rd. B75 —4D 38 & 5D 38
Leigh Rd. WS4 —5A 24
Leighs Clo. WS4 —1B 24
Leighs Rd. WS4 —1B 24
Leigh St. CV1 —4C 116
Leighswood Av. WS9 —3F 25
Leighswood Ct. WS9 —3F 25
Leighswood Ct. WS11 —2H 7
Leighswood Gro. WS9 —3F 25
Leighswood Ind. Est. WS9 —1E 25 & 2F 25
Leighswood Rd. WS9 —3F 25
Leighton Clo. B43 —1H 47
Leighton Clo. CV4 —5F 131
Leighton Clo. CV32 —1D 148
Leighton Clo. DY1 —3A 54
Leighton Rd. B13 —4B 90
Leighton Rd. WV4 —4E 29
Leighton Rd. WV14 —1H 43
Leisure Wlk. B77 —5G 135
Leith Gro. B38 —1D 120

Littleshaw La.—Ludworth Clo.

Littleshaw La. B47 —4D **122**
Littles La. WV1 —1H **29**
Lit. Station St. WS2 —2G **33**
Little St. DY2 —3E **55**
Little St. WS2 —5G **23**
Lit. Sutton La. B75 —3A **38**
Lit. Sutton Rd. B75 —1A **38** to 1B **38**
Littlethorpe. CV3 —3G **133**
Littleton Croft. B91 —2E **125**
Littleton Rd. WV12 —3A **22**
Littleton St. E. WS1 —1H **33**
Littleton St. W. WS2 —1G **33**
Lit. Whitehouse St. WS2 —5G **23**
Littlewood Clo. B91 —1E **125**
Littlewood La. WS6 —3C **6**
(in two parts)
Littlewood Rd. WS6 —3C **6**
Lit. Wood St. WV13 —1H **31**
Littleworth Av. DY1 —5D **42**
Littleworth Hill. WS12 —3G **5**
Littleworth Rd. WS12 —3F **5**
Litton. B77 —4H **135**
Liveridge Clo. B93 —3H **125**
Liverpool Croft. B37 —5H **77**
Liverpool St. B9 —4C **74**
Livery St. B3 —2H **73** & 1B **152**
Livingstone Av. WV6 —1A **18**
Livingstone Rd. B14 —2A **106**
Livingstone Rd. B20 —3H **59**
Livingstone Rd. B70 —3E **57**
Livingstone Rd. CV6 —1C **116**
Livingstone Rd. WS3 —5G **15**
Livingstone Rd. WV14 —5D **30**
Lizafield Ct. B66 —5H **57**
Llewellyn Rd. CV31 —6C **149**
Lloyd Clo. CV35 —4A **146**
Lloyd Cres. CV2 —5H **117**
Lloyd Dri. WV4 —2C **40**
Lloyd George Gro. WS11 —4F **5**
Lloyd Hill. WV4 —1C **40**
Lloyd Rd. B20 —1F **59**
Lloyd Rd. WV6 —4D **18**
Lloyds Rd. B62 —5A **70**
Lloyds Sq. B15 —5E **73**
Lloyd St. B10 —5E **75**
Lloyd St. B71 —1G **57**
Lloyd St. DY2 —4E **55**
Lloyd St. WS10 —1C **44**
Lloyd St. WS11 —5B **4**
Lloyd St. WV6 —5F **19**
Loach Dri. CV2 —3F **101**
Lobelia Clo. DY11 —1D **140**
Lobelia Clo. LE10 —5F **139**
Locarno Rd. DY4 —5G **43**
Lochalsh Gro. WV12 —1H **21**
Lochmore Clo. LE10 —2C **138**
Lochmore Dri. LE10 —2C **138**
Lochmore Way. LE10 —2C **138**
Lochranza Croft. B43 —2D **46**
Lock Dri. B33 —2A **76**
Locke Clo. CV6 —5H **99**
Locke Pl. B7 —3C **74**
Locket Clo. WS2 —5C **22**
Lockhart Clo. CV8 —3B **150**
Lockhart Dri. B75 —2A **38**
Lockhead Clo. CV31 —7B **149**
Lockhurst La. CV6 —1C **116**
Locking Croft. B35 —2D **62**
Lockington Croft. B62 —1D **86**
Lock La. CV34 —2D **146**
Lock Side. DY4 —1F **55**
Lockside. WS9 —3E **25**
Lockside. WV5 —4A **40**
Lock St. WV10 —1A **30**
Locks View. DY8 —4D **66**
Lockton Rd. B30 —1G **105**
Lockwood Rd. B31 —3H **103**
Lode La. B91 —3E **109**
Lode La. B92 & B91 —5E **93** to 4E **109**
Lode Mill Ct. B92 —5E **93**
Loder Clo. CV4 —4C **114**
Lodge Clo. B62 —3C **86**
Lodge Clo. LE10 —5H **139**
Lodge Clo. WS5 —4C **34**
Lodge Cres. CV34 —5D **146**
Lodge Cres. DY2 —2C **68**
Lodge Croft. B31 —2G **103**
Lodge Croft. B93 —3B **126**
Lodge Dri. B26 —5C **76**
Lodge Farm Clo. B76 —1C **50**
Lodgefield Rd. B62 —1H **85**
Lodge Forge Rd. B64 —5E **69**
Lodge Forge Trading Est. B64 —5E **69**
Lodge Grn. La. CV7 —4E **97**
Lodge Grn. La. N. CV7 —3E **97** to 4G **97**
Lodge Gro. WS9 —4F **25**
Lodge Hill Rd. B29 —5C **88**
Lodge La. DY6 —1B **66**
Lodge La. WS11 —3A **6**
Lodge Pool Clo. B44 —5A **48**
Lodge Pool Dri. B98 —4D **144**
Lodge Rd. B6 —4A **60**
Lodge Rd. B18 —1E **73**
Lodge Rd. B67 —5G **57**
Lodge Rd. B70 —2F **57**
Lodge Rd. B93 —3B **126**
Lodge Rd. B98 —3C **144**
Lodge Rd. CV3 —5E **117**
Lodge Rd. WS4 —1B **24**
Lodge Rd. WS5 —5C **34**
Lodge Rd. WS10 —5B **32**
Lodge Rd. WV10 —2G **19**
Lodge Rd. WV14 —1G **43**
Lodge St. B69 —5D **56**
Lodge St. WV12 —4A **22**
Lodge Ter. B17 —2C **88**
Lodge View. WS6 —4A **6**
Loeless Rd. B33 —3D **76**
Lofthouse Cres. B31 —4H **103**
Lofthouse Gro. B31 —4H **103**
Lofthouse Rd. B20 —2E **59**
Loftus Clo. B29 —1H **103**
Loftus Ct. WS7 —3E **9**
Logan Clo. WV10 —3H **19**
Logan Rd. CV2 —1H **117**
Lollard Croft. CV3 —1C **132**
Lomaine Dri. B30 —4D **104**
Lomas Dri. B31 —4G **103**
Lomas St. WV1 —5H **19**
Lomax Clo. WS13 —2F **151**
Lomax Rd. WS12 —1E **5**
Lombard Av. DY2 —3E **69**
Lombard St. B12 —5B **74**
Lombard St. B70 —2F **57**
Lombard St. WS13 —3G **151**
Lombard St. W. B70 —2F **57**
Lombardy Croft. B62 —1D **86**
Lombardy Gdns. WV12 —3C **22**
Lombardy Gro. WS7 —2E **9**
Lomita Cres. B77 —4E **135**
Lomond Clo. B34 —1G **77**
Lomond Clo. B79 —1B **134**
Lomond Clo. LE10 —2D **138**
Lomond Rd. DY3 —2H **41**
Londonderry Gro. B67 —1H **71**
Londonderry La. B67 —2G **71** & 2H **71**
Londonderry Rd. B68 —2F **71**
London Heights. DY1 —3C **54**
London Rd. B20 —3A **60**
London Rd. B75 —1D **38** & 1E **39**
(in three parts)
London Rd. CV1, CV3 & CV8 —1C **132** to 5H **133**
London Rd. LE10 —2F **139**
London Rd. WS14 —5G **151**
London St. B66 —1C **72**
London St. Ind. Est. B66 —1C **72**
Lones Rd. B71 —4A **58**
Long Acre. B7 —5C **60**
Long Acre. DY10 —2E **141**
Long Acre. WV8 —5A **10**
Longacre. WV13 —2G **31**
Long Acre Ind. Est. B7 —4D **60** & 5C **60**
Longacres. B74 —5D **26**
Longacres. WS12 —2H **5**
Long Acres. WV13 —2G **31** & 2H **31**
Long Acre St. WS2 —1G **33**
Longbank Rd. B69 —4A **56**
Longboat La. DY8 —4D **66**
Longborough Clo. B97 —5A **144**
Longbow Rd. B29 —1A **104**
Longbridge La. B31 —2G **119** to 3B **120**
Longbridge Rd. WS14 —5G **151**
Longbrook La. CV7 —3A **128**
Long Clo. Av. CV5 —2D **114**
Long Clo. Wlk. B35 —2D **62**
Long Croft. WS12 —3A **4**
Longcroft Av. WS10 —1D **44**
Longcroft Clo. B35 —2C **62**
Longcroft, The. B63 —3F **85**
Longcroft, The. WS4 —3C **24**
Longdale Ho. B32 —5G **87**
Longdales Rd. B38 —2C **120** & 2D **120**
Longdon Av. WV4 —5A **30**
Longdon Clo. B98 —5E **145**
Longdon Croft. B93 —1A **126**
Longdon Dri. B74 —5E **27**
Longdon Rd. B93 —3H **125**
Longfellow Av. CV34 —5C **146**
Longfellow Clo. B97 —5A **144**
Longfellow Grn. DY10 —3G **141**
Longfellow Pl. WS11 —3C **4**
Longfellow Rd. B30 —4C **104**
Longfellow Rd. CV2 —4F **117**
Longfellow Rd. DY3 —1F **53**
Longfellow Wlk. B79 —1B **134**
Longfield Clo. B28 —2F **107**
Longfield Clo. B77 —1E **135**
Longfield Dri. B74 —5D **26**
Longfield Ho. WV10 —5B **20**
Longfield Rd. B31 —1H **103**
Longfield Rd. CV31 —6C **149**
Longfield Rd. DY9 —2A **84**
Longford Clo. B32 —1D **102**
Longford Clo. B93 —5A **126**
Longford Grn. WS11 —1B **6**
Longford Gro. B44 —2C **48**
Longford Ind. Est. WS11 —2B **6**
Longford Rd. B44 —2C **48**
Longford Rd. CV6 —4D **100**
Longford Rd. CV7 & CV6 —1E **101**
Longford Rd. WS11 —5A **4** to 2C **6**
Longford Rd. WV10 —5B **20**
Longford Sq. CV6 —3D **100**
Long Furrow. WV8 —1E **19**
Longham Croft. B32 —3A **88**
Longhurst Croft. B31 —2B **120**
Long Hyde Rd. B67 —4H **71**
Long Innage. B63 —1C **84**
Long Knowle La. WV11 —2D **20**
Longlake Av. WV6 —5B **18**
Longlands Clo. B38 —2C **120**
Longlands Dri. B77 —1G **135**
Longlands Rd. B62 —3C **86**
Longlands, The. WV5 —5A **40**
Long La. B65 & B62 —4B **70**
Long La. CV5 —4F **99**
Long La. WS11 —1G **7**
Long La. WV11 & WS6 —3B **14**
Long Leasow. B29 —2A **104**
Longleat. B43 —2C **46**
Longleat. B79 —1A **134**
Longleat Dri. B90 —4B **124**
Longleat Dri. DY1 —3A **54**
Longleat Gro. CV31 —6D **149**
Longleat Rd. WS9 —1F **25**
Long Ley. WV10 —1B **30**
Longley Av. B76 —5F **51**
Longley Cres. B26 —3B **92**
Long Leys Ct. B46 —2A **64**
Long Leys Croft. B46 —2A **64**
Longley Wlk. B37 —4B **78** & 4C **78**
Long Meadow. B65 —3A **70**
Longmeadow Clo. B75 —5C **38**
Longmeadow Cres. B34 —5G **63** & 1G **77**
Long Meadow Dri. DY3 —2G **41**
Longmeadow Gro. B31 —3A **120**
Longmeadow Rd. WS5 —2D **34**
Long Mill Av. WV11 —3D **20**
Long Mill N. WV11 —3D **20**
Long Mill S. WV11 —3D **20**
Longmoor Clo. WV11 —4G **21**
Longmoor Rd. B63 —4F **85**
Longmoor Rd. B73 —1C **48**
Longmore Av. WS2 —2D **32**
Longmore Rd. B90 —5A **108**
Longmore St. B12 —1A **90**
Longmore St. WS10 —1D **44**
Long Mynd. B63 —5E **85**
Long Mynd Rd. B31 —2H **103**
Long Nuke Rd. B31 —1G **103**
(in two parts)
Long Rd. DY3 —1F **53**
Longshaw Gro. B34 —5G **63**
Long Shoot, The. CV11 & LE10 —5B **136** & 3A **138**
Longstaff Croft. WS13 —1E **151**
Longstone Clo. B90 —3E **125**
Longstone Rd. B42 —4G **47**
Long St. B11 —1B **90**
Long St. CV12 —1C **80**
Long St. WS2 —2G **33**
Long St. WV1 —1H **29**
Long Wood. B30 —3D **104**
Longwood Clo. CV4 —3B **130**
Longwood La. WS4 & WS5 —1D **34**
Longwood Pathway. B34 —1E **77**
Longwood Rise. WV12 —4B **22**
Longwood Rd. B45 —2E **119**
Longwood Rd. WS9 —1G **35**
Lonicera Dri. WS5 —1B **46**
Lonscale Dri. CV3 —4A **132**
Lonsdale Clo. B33 —4B **76**
Lonsdale Clo. WV12 —4A **22**
Lonsdale Rd. B17 —2B **88**
Lonsdale Rd. B66 —5G **57**
Lonsdale Rd. CV32 —1D **148**
Lonsdale Rd. WS5 —4C **34**
Lonsdale Rd. WV3 —3G **29**
Lonsdale Rd. WV14 —4G **31**
Lord Cromwell Ct. WS11 —2E **5**
Lord Lytton Av. CV2 —5G **117**
Lords Dri. WS2 —1G **33**
Lord St. B7 —2B **74**
Lord St. CV5 —5G **115**
Lord St. WS1 —4G **33**
Lord St. WV3 —2G **29**
(in two parts)
Lord St. WV14 —1F **43**
Lord St. W. WV14 —1F **43**
Lordswood Rd. B17 —5A **72**
Lordswood Sq. B17 —1A **88**
Lorenzo Clo. CV3 —3H **133**
Lorimer Way. B43 —5H **35**
Lorne Gro. DY10 —3F **141**
Lorne St. DY4 —3G **43**
Lorne St. DY10 —3F **141**
Lorne St. WS7 —1D **8**
Lorrainer Av. DY5 —5F **67**
Lorton. B79 —1A **134**
Lothersdale. B77 —4H **135**
(in two parts)
Lothians Rd. WS3 —3A **16**
Lothians Rd. WV6 —3D **18**
Lottie Rd. B29 —5D **88**
Lotus. B77 —2E **135**
Lotus Ct. B16 —4D **72**
Lotus Croft. B67 —2A **72**
Lotus Dri. B64 —3G **69**
Lotus Dri. WS11 —2C **4**
Lotus Wlk. B36 —4H **63**
Lotus Way. B65 —2G **69**
Loudon Av. CV6 —3H **115**
Loughshaw. B77 —3H **135**
Loughton Gro. B63 —3G **85**
Louisa Pl. B18 —2E **73**
Louisa St. B1 —3G **73** & 3A **152**
Louis Ct. B67 —1A **72**
Louise Ct. B91 —1B **124**
Louise Croft. B14 —5A **106**
Louise Lorne Rd. B13 —3B **90**
Louise Rd. B21 —5E **59**
Louise St. DY3 —2G **53**
Lount Wlk. B19 —1A **74**
Lovatt Clo. DY4 —3A **44**
Lovatt St. WV1 —1G **29**
Loveday Dri. CV32 —3A **148**
Loveday Ho. B70 —2G **57**
Loveday St. B4 —2A **74** & 1C **152**
(in two parts)
Lovelace Av. B91 —2F **125**
Love La. B7 —2B **74** & 1D **152**
Love La. B47 —2A **122**
Love La. B69 —3H **55**
Love La. CV8 —2B **150**
Love La. DY8 —3F **83** & 4F **83**
Love La. DY9 —2B **84**
Love La. LE10 —4H **139**
Love La. WS1 —3H **33**
Love La. WS6 —4D **6** & 4E **7**
Love La. WV6 —3D **18**
Lovell. B79 —2B **134**
Lovell Clo. B29 —2A **104**
Lovell Rd. CV12 —3E **81**
Loveridge Clo. WV8 —5A **10**
Lovers Wlk. B6 —4C **60**
Lovers Wlk. B78 —3C **134**
Lovers Wlk. WS10 —1D **44**
Lovett Av. B69 —2B **70**
Lovetts Clo. LE10 —2B **138**
Lovetts, The. B37 —1H **77**
Lowans Hill View. B97 —2A **144**
Low Av. B43 —2E **47**
Lowbridge Clo. WV12 —4B **22**
Lowbrook La. B90 —4E **123**
Lowden Croft. B26 —3B **92**
Lowe Av. WS10 —3A **32**
Lowe Dri. B73 —1D **48**
Lowe Dri. DY6 —2E **67**
Lowe La. DY11 —1C **140**
Lower Av. CV31 —5B **149**
Lwr. Beeches Rd. B31 —5F **103**
Lwr. Bond St. LE10 —2E **139**
Lwr. Cape. CV34 —2D **146**
Lwr. Chapel St. B69 —3A **56**
Lwr. Church La. DY4 —5H **43**
Lwr. City Rd. B69 —4B **56**
Lwr. Common La. B97 —4A **144**
Lowercroft Way. B74 —4F **27**
Lwr. Dartmouth St. B9 —3C **74**
Lwr. Darwin St. B12 —5B **74** & 5D **152**
Lwr. Derry St. DY5 —4H **67**
Lwr. Eastern Grn. La. CV5 —3C **114**
Lwr. Eldon St. WS10 —4B **32**
Lwr. Essex St. B5 —4A **74** & 5C **152**
Lwr. Ford St. CV1 —4C **116**
Lwr. Forster St. WS1 —1H **33**
Lwr. Friars. CV34 —5D **146**
Lwr. Green. DY4 —1F **55**
Lwr. Green. WS10 —3B **32**
Lwr. Green. WV6 —4D **18**
Lwr. Gungate. B79 —3C **134**
Lwr. Hall La. WS1 —2H **33**
Lwr. High St. B64 —5D **68**
Lwr. High St. DY8 —2F **83**
Lwr. High St. WS10 —2D **44**
Lwr. Higley Clo. B32 —3G **87**
Lwr. Holyhead Rd. CV1 —4A **116**
Lwr. Horseley Field. WV1 —2B **30**
Lwr. Ladyes Hills. CV8 —2B **150**
Lwr. Leam St. CV31 —5C **149**
Lwr. Lichfield St. WV13 —1H **31**
Lwr. Loveday St. B19 & B4 —2A **74** & 1C **152**
Lwr. Mill St. DY11 —2D **140**
Lwr. Moor. B30 —1D **104**
Lwr. North St. WS4 —5H **23**
Lowe Rd. CV6 —4H **99**
Lwr. Parade. B72 —5H **37**
Lowerpark. B77 —5D **134**
Lwr. Parklands. DY11 —3C **140**
Lwr. Precinct. CV1 —5B **116**
Lwr. Prestwood Rd. WV11 —3D **20**
Lwr. Queen St. B72 —5A **38**
Lwr. Reddicroft. B73 —5H **37**
Lower Rd. WS12 —3E **5**
Lwr. Rushall St. WS1 —1H **33**
Lwr. Sandford St. WS13 —3F **151**
Lwr. Severn St. B1 —4H **73** & 4B **152**
Lwr. Shepley La. B60 —1H **143**
Lowerstack Croft. B37 —3H **77**
Lwr. Stafford St. WV1 —5H **19**
Lower St. WV6 —4E **19**
Lwr. Temple St. B2 —3H **73** & 3C **152**
Lwr. Tower St. B19 —2A **74** & 1C **152**
Lwr. Trinity St. B9 —4B **74**
Lwr. Valley Rd. DY5 —3F **67**
Lwr. Vauxhall. WV1 —1F **29**
Lwr. Villiers St. CV32 —3B **148**
Lwr. Villiers St. WV2 —3H **29**
Lwr. Walsall St. WV1 —2B **30**
Lwr. White Rd. B32 —2G **87**
Lowes Av. CV34 —2D **146**
Lowesmoor Rd. B26 —5E **77**
Lowe St. B12 —5C **74**
Lowe St. WV6 —5F **19**
Loweswater Clo. CV11 —5B **136**
Loweswater Rd. CV3 —1H **133**
Lowfield Clo. B62 —4D **86**
Lowforce. B77 —4H **135**
Low Hill Cres. WV10 —2A **20**
Lowhill La. B45 —3F **119**
Lowland Clo. B64 —4G **69**
Lowland Rd. WS12 —2A **4**
Lowlands Av. B74 —3A **36**
Lowlands Av. WV6 —4E **19**
Lowlands La. B98 —3G **145**
Lowndes Rd. DY8 —2E **83**
Lowry Clo. B67 —1H **71**
Lowry Clo. CV12 —2E **81**
Lowry Clo. WV6 —5A **18**
Lowry Clo. WV13 —1F **31**
Low St. WS6 —4B **6**
Low Thatch. B38 —2D **120**
Lowther Ct. DY5 —4A **68**
Lowther St. CV2 —3D **116**
Lowton Dri. B74 —5B **36**
Low Town. B69 —5D **66**
Low Wood Rd. B23 —1E **61**
Loxdale Ind. Est. WV14 —1G **43**
Loxdale Sidings. WV14 —1G **43**
Loxdale St. WS10 —2C **44**
Loxdale St. WV14 —1G **43**
Loxley Av. B14 —5D **106**
Loxley Av. B90 —1G **123**
Loxley Clo. B31 —1H **103**
Loxley Clo. B98 —1G **145**
Loxley Clo. CV2 —4G **101**
Loxley Ct. CV2 —4G **101**
Loxley Rd. B67 —4H **71**
Loxley Rd. B75 —1A **38**
Loxley Way. CV32 —3C **148**
Loynells Rd. B45 —2E **119**
Loyns Clo. B37 —3G **77**
Lozells Rd. B19 —5G **59**
Lozells St. B19 —5H **59**
Lozells Wood Clo. B19 —5G **59**
Lucas Rd. LE10 —4F **139**
Luce Clo. B35 —1E **63**
Luce Rd. WV10 —3A **20**
Lucknow Rd. WV12 —4A **22**
Luddington Rd. B92 —1G **109**
Ludford Clo. B75 —3C **38**
Ludford Rd. B32 —5E **87**
Ludford Rd. CV10 —1A **136**
Ludgate. B79 —2C **134**
Ludgate Av. DY11 —4A **140**
Ludgate Clo. B46 —2A **64**
Ludgate Ct. WS5 —4C **34**
Ludgate Hill. B3 —3H **73** & 2B **152**
Ludgate St. DY1 —4D **54**
Lud La. B79 —2C **134**
Ludlow Clo. B37 —3B **78**
Ludlow Clo. WS11 —4F **5**
Ludlow Clo. WV12 —3H **21**
Ludlow Rd. B8 —2F **75**
Ludlow Rd. B97 —3B **144**
Ludlow Rd. CV5 —5H **115**
Ludlow Rd. DY10 —5E **141**
Ludlow Way. DY1 —2A **54**
Ludmer Way. B20 —3G **59**
Ludstone Av. WV4 —5D **28**
Ludstone Rd. B29 —5H **87**
Ludworth Clo. B63 —1D **84**

Maple Wlk.—Meadow La.

Maple Wlk. B37 —3A 78
Maple Way. B31 —1H 119
Maplewood. B76 —3D 50
Mapperley Gdns. B13 —4H 89
Mappleborough Rd. B90 —1F 123
Marans Croft. B38 —2D 120
Marbury Clo. B38 —5D 104
Marbury M. DY5 —4H 67
Marchant Rd. LE10 —3E 139
Marchant Rd. WV3 —1E 29
Marchant Rd. WV14 —3E 31
March End Rd. WV11 —4E 21 & 4F 21
Marchmont Rd. B9 —4G 75
Marchmount Rd. B72 —3H 49
March Way. CV3 —2G 133
March Way. WS9 —1G 25
Marcliff Cres. B90 —5D 106
Marconi Pl. WS12 —1F 5
Marcos Dri. B36 —3H 63
Marcot Rd. B92 —2C 92
Marcroft Pl. CV31 —6E 149
Marden Clo. WV13 —2G 31
Marden Gro. B31 —2A 120
Marden Wlk. B23 —2D 60
Mardol Clo. CV2 —1G 117
Mardon Rd. B26 —2E 93
Maree Gro. WV12 —1H 21
Marfield Clo. B76 —5D 50
Margam Cres. WS3 —1C 22
Margam Ter. WS3 —1C 22
Margam Way. WS3 —1C 22
Margaret Av. B63 —3G 85
Margaret Av. CV12 —3E 81
Margaret Clo. DY5 —5B 68
Margaret Dri. DY8 —3G 83
Margaret Dri. WS11 —1C 4
Margaret Gdns. B67 —2H 71
Margaret Gro. B17 —1C 88
Margaret Rd. B17 —2C 88
Margaret Rd. B73 —3E 49
Margaret Rd. WS2 —1C 32
Margaret Rd. WS10 —1A 44
Margarets Ho. B76 —1C 50
Margaret St. B3 —3H 73 & 3B 152
Margaret St. B70 —3E 57
Margaret St. WS2 —1G 33
Margaret Vale. DY4 —2A 44
Margeson Clo. CV2 —5H 117
Margetts Clo. CV8 —3B 150
Marian Croft. B26 —2F 93
Maria St. B70 —4G 57
Marie Brock Clo. CV4 —5D 114
Marie Dri. B27 —5H 91
Marigold Clo. WS11 —4F 5
Marigold Cres. DY1 —1C 54
Marigold Dri. LE10 —5F 139
Marina Clo. CV4 —2B 130
Marina Cres. WS12 —2D 4
Marine Cres. DY8 —4D 66 (in two parts)
Marine Dri. B44 —5A 48
Marine Gdns. DY8 —4E 67
Mariner. B79 —1A 134
Mariner Av. B16 —4D 72
Marion Clo. DY5 —4B 68
Marion Rd. B67 —1G 71
Marion Rd. CV6 —1B 116
Marion Way. B28 —1E 107
Marita Clo. DY2 —2F 69
Marjoram Clo. B38 —2E 121
Marjorie Av. B30 —4G 105
Mark Av. WS10 —1C 44
Markby Rd. B18 —1D 72
Market Cen., The. WS3 —1E 23
Market Corner. CV31 —6B 149
Market End Clo. CV12 —4B 80
Market Hall Precinct. WS11 —5C 4
Market Hall St. WS11 —5B 4
Market La. WV4 —4A 28
Market Pl. B61 —3D 142
Market Pl. B98 —2C 144
Market Pl. CV11 —3F 137
Market Pl. CV34 —4D 146
Market Pl. DY2 —1E 69
Market Pl. DY4 —5B 44
Market Pl. LE10 —2E 139
Market Pl. WS3 —1E 23
Market Pl. WS10 —2D 44
Market Pl. WS11 —5B 4
Market Pl. WV13 —2H 31
Market Sq. B64 —5E 69
Market St. B4 —3B 74
Market St. B61 —3D 142
Market St. B69 —4D 56
Market St. B79 —3C 134
Market St. CV34 —4D 146
Market St. DY4 —5B 44
Market St. DY6 —1D 66
Market St. DY8 —2F 83
Market St. DY10 —3E 141
Market St. WS12 —2F 5
Market St. WS13 —3F 151
Market St. WV1 —2H 29
Market Wlk. B97 —2C 144
Market Way. CV1 —5B 116
Market Way. WV14 —5E 31
Markfield Rd. B26 —5D 76
Markford Wlk. B19 —5H 59
Markham Cres. B92 —5G 93
Markham Croft. WV9 —1F 19
Markham Dri. CV31 —8C 149
Markham Dri. DY6 —2E 67
Markham Rd. B73 —1D 48
Markholm Clo. WV9 —1F 19
Marklew Clo. WS8 —3F 17
Marklin Av. WV10 —1H 19
Mark Rd. WS10 —1C 44
Marksbury Clo. WV6 —4F 19
Marks M. CV34 —4D 146
Mark's Wlk. WS13 —1F 151
Marl Bank Rd. DY8 —4F 67
Marlboro' Rd. B66 —3A 72
Marlborough. B74 —1F 37 (off Vesey Clo.)
Marlborough Av. B60 —5E 143
Marlborough Clo. B74 —4F 27
Marlborough Clo. LE10 —3H 139
Marlborough Ct. WS13 —3F 151
Marlborough Dri. CV31 —6D 149
Marlborough Dri. CV31 —7D 149
Marlborough Dri. DY8 —4F 83
Marlborough Gdns. DY8 —4C 66
Marlborough Gdns. WV6 —5E 19
Marlborough Gro. B25 —4B 76
Marlborough Rd. B10 —4F 75
Marlborough Rd. B36 —4F 63
Marlborough Rd. B66 —3A 72
Marlborough Rd. CV2 —5E 117
Marlborough Rd. CV11 —3E 137
Marlborough Rd. DY3 —4B 42
Marlborough St. DY10 —3E 141
Marlborough St. WS3 —1E 23
Marlborough Way. B77 —4F 135
Marlbrook Clo. B92 —3E 93
Marlbrook Dri. WV4 —4G 29
Marlbrook La. B60 —5B 118
Marlcliff Gro. B13 —2B 106
Marlcroft. CV3 —3H 133
Marldon Rd. B14 —2A 106
Marlene Croft. B37 —4B 78 (in two parts)
Marler Rd. CV4 —2C 130
Marley Rd. DY6 —2F 67 (in two parts)
Marlfield. B98 —1E 145
Marlfield La. B98 —2E 145 & 1F 145
Marlin. B77 —5E 135
Marling Croft. B92 —2G 109
Marlisa Dri. CV6 —4C 100
Marloes Wlk. CV31 —6D 149
Marlow Clo. CV5 —4D 114
Marlow Clo. DY2 —3F 69
Marlowe Clo. DY10 —2G 141
Marlowe Dri. WV12 —3H 21
Marlow Rd. B23 —5D 48
Marlow Rd. B77 —1E 135
Marlow St. B65 —4A 70
Marlow St. WS2 —5G 23
Marlpit La. B75 —1B 38
Marlpit La. B97 —4A 144 (in two parts)
Marlpool Clo. DY11 —1C 140
Marlpool Dri. B97 —3A 144
Marlpool Dri. WS3 —1A 24
Marlpool La. DY11 —1C 140
Marlpool Pl. DY11 —1C 140
Marl Rd. DY2 —2D 68
Marlston Wlk. CV5 —3D 114
Marlwood Clo. CV6 —3D 100
Marmion Dri. B43 —2E 47
Marmion Gro. DY1 —4C 54
Marmion St. B79 —3D 134
Marmion Way. B70 —5C 44
Marnel Dri. WV3 —3D 28
Marner Cres. CV6 —2A 116
Marner Rd. CV10 —5F 137
Marner Rd. CV12 —2E 81
Marquis Dri. B62 —1H 85
Marriner's La. CV5 —3D 114
Marriott Rd. B66 —5G 57 (in two parts)
Marriott Rd. CV6 —3H 115
Marriott Rd. CV12 —4B 80
Marriott Rd. DY2 —2D 68 & 2E 69
Marroway St. B16 —3E 73
Marrowfat La. B21 —5E 59
Mars Clo. WV14 —3B 42
Marsden Clo. B92 —5B 92
Marsden Rd. B98 —3C 144
Marshall Clo. WS9 —5F 25
Marshall Gro. B44 —4A 48
Marshall Lake Rd. B90 —1A 124
Marshall Rd. B68 —4F 71
Marshall Rd. CV7 —5D 80
Marshall Rd. WV13 —2E 31
Marshall St. B1 —4H 73 & 4B 152
Marshall St. B67 —5G 57
Marshall St. B77 —1E 135
Marsham Clo. CV34 —2G 147
Marsham Ct. Rd. B91 —1C 108
Marsham Rd. B14 —4A 106
Marshbrook Clo. CV2 —4H 101
Marshbrook Rd. B24 —2B 62
Marsh Cres. DY8 —3C 66
Marshdale Av. CV6 —4C 100
Marsh End. B38 —1E 121
Marshfield Dri. CV4 —5F 131
Marshfield Gdns. B24 —3F 61
Marsh Hill. B23 —1C 60
Marshland Way. WS2 —2C 32
Marsh La. B23 —1E 61
Marsh La. B46 —2A 64
Marsh La. B71 —4F 45
Marsh La. B76 —1B 64
Marsh La. B91 —4G 109 to 3G 100
Marsh La. B92 —2F 111 to 3H 111
Marsh La. WS2 —1G 33
Marsh La. WS14 —5G 151
Marsh La. WV10 —5G 11
Marsh La. Pde. WV10 —1H 19
Marshmont Way. B23 —4E 49
Marsh Rd. B92 —4H 111
Marsh St. WS2 —2G 33
Marsh, The. WS10 —1C 44
Marshwood Clo. WS11 —4D 4
Marshwood Croft. B62 —4D 86
Marsland Clo. B17 —4B 72
Marsland Rd. B92 —1B 108
Mars St. WV2 —4C 30
Marston Av. WS10 —4A 32
Marston Clo. CV32 —3C 148
Marston Clo. DY8 —3C 82
Marston Croft. B37 —5H 77
Marston Dri. B37 —1H 77
Marston Gro. B43 —3B 46
Marston La. CV11 —5H 137
Marston La. CV12 —2F 81 to 1H 81
Marston Rd. B29 —5H 87
Marston Rd. B73 —4G 49
Marston Rd. DY1 —4A 54
Marston Rd. WS12 —1D 4
Marston Rd. WV2 —3G 29
Marston St. WV13 —1A 32
Marten Clo. CV35 —4H 146
Martham Dri. WV6 —1C 28
Martin Clo. B25 —1B 92
Martin Clo. B61 —4C 142
Martin Clo. CV5 —3B 114
Martin Clo. WV14 —4E 43
Martin Croft. WS13 —2E 151
Martindale. WS11 —4D 4
Martindale Ind. Est. WS11 —4D 4
Martindale Rd. CV7 —5F 81
Martindale Wlk. DY5 —1G 83
Martin Dri. WV12 —4A 22
Martineau Sq. B2 —3A 74 & 3C 152
Martineau Way. B2 —3A 74 & 3C 152
Martingale Clo. B60 —5D 142
Martingale Clo. WS5 —5H 33
Martin Hill St. DY2 —4E 55
Martin Rise. B37 —5H 77
Martin Rd. DY4 —1H 55
Martin Rd. WS5 —3C 34
Martin Rd. WV14 —1G 43
Martins Rd. CV12 —4D 80
Martin St. WV4 —5B 30
Martlesham Sq. B35 —2D 62
Martley Clo. B98 —5E 145
Martley Ct. DY9 —3H 83
Martley Croft. B32 —3H 87
Martley Croft. B91 —2E 125
Martley Dri. DY9 —3H 83
Martley Rd. B69 —1B 70
Martley Rd. WS4 —1C 24
Marton Av. WS7 —1F 9
Marton Clo. B7 —1C 74
Martyrs Clo., The. CV3 —1B 132
Marwood Croft. B74 —1B 36
Mary Ann St. B3 —2H 73 & 2B 152
Mary Herbert St. CV3 —2B 132
Maryland Av. B34 —1B 76
Maryland Dri. B31 —3B 104
Maryland Rd. DY5 —1B 84
Marylebone Clo. DY8 —1F 83
Mary Rd. B21 —5D 58
Mary Rd. B33 —3A 76
Mary Rd. B69 —4A 56
Mary Rd. B70 —3G 57
Mary Slessor St. CV3 —2G 133
Marystow Clo. CV5 —5D 98
Mary St. B3 —2H 73 & 1A 152
Mary St. B12 —2A 90
Mary St. WS2 —5G 23
Mary St. WS12 —1E 5
Maryvale Ct. WS14 —3H 151
Mary Vale Rd. B30 —2D 104
Marywell Clo. B32 —1E 103
Masefield Av. CV34 —5C 146
Masefield Av. DY1 —4D 42
Masefield Clo. WS7 —1F 9
Masefield Clo. WS14 —4F 151
Masefield Clo. WV14 —2G 43
Masefield Dri. B79 —1B 134
Masefield Gdns. DY10 —2G 141
Masefield Gro. WS11 —2B 4
Masefield Rise. B62 —3B 86
Masefield Rd. DY3 —1F 53
Masefield Rd. WS3 —2G 23
Masefield Rd. WV10 —1C 20
Masefield Sq. B31 —4C 104
Masham Clo. B33 —3B 76
Mashie Gdns. B38 —5C 104
Maslen Pl. B63 —4H 85
Maslin Dri. WV14 —3C 42
Mason Av. CV32 —2D 148 & 3D 148
Mason Clo. B97 —5B 144
Mason Ct. LE10 —3D 138
Mason Cres. WV4 —5E 29
Mason Ho. B90 —1H 123
Masonleys Rd. B31 —4G 103
Mason Rd. B24 —1G 61
Mason Rd. B97 —5B 144
Mason Rd. CV6 —5D 100
Mason Rd. DY11 —2C 140
Mason Rd. WS2 —4E 23
Mason's Clo. B63 —1E 85
Masons Cotts. B24 —1H 61
Mason St. B70 —1E 57
Mason St. WV2 —3H 29
Mason St. WV14 —4D 42
Masons Way. B92 —4B 92
Massbrook Gro. WV10 —3B 20
Massbrook Rd. WV10 —3B 20
Masser Rd. CV6 —3B 100
Massers Yd. CV6 —3E 101
Masshouse Cir. Queensway. B4 —3A 74 & 3D 152
Masshouse La. B5 —3A 74 & 3D 152
Masshouse La. B38 —5E 105
Masters La. B62 —4B 70
Masters Rd. CV31 —7C 149
Matchborough Cen. B98 —4H 145
Matchborough Way. B98 —5H 145
Matchlock Clo. B74 —4A 36
Matfen Av. B73 —2F 49
Mathecroft. CV31 —7D 149
Math Meadow. B32 —2H 87
Matlock Clo. DY2 —3E 69
Matlock Clo. WS3 —5F 15
Matlock Dri. WS11 —3E 5
Matlock Rd. B11 —4F 91
Matlock Rd. CV1 —2B 116
Matlock Rd. WS3 —5F 15
Matterson Rd. CV6 —3H 115
Matthew Dri. B21 —5D 58
Matthew La. DY11 —5E 141
Matthew's Wlk. WS13 —1E 151
Mattox Rd. WV11 —3E 21
Matty Rd. B68 —2E 71
Maud Rd. B46 —2C 64
Maud Rd. B70 —3F 57
Maudslay Rd. CV5 —5F 115
Maughan St. DY1 —4C 54
Maughan St. DY5 —5B 68
Maund Clo. B60 —5C 142
Maureen Clo. CV4 —5H 113
Maurice Gro. WV10 —3C 20
Maurice Rd. B14 —3A 106
Maurice Rd. B67 —4H 71
Mavis Gdns. B68 —5E 71
Mavis Rd. B31 —1H 119
Mavis Rd. WS12 —1E 5
Mavor Dri. CV12 —4B 80
Mawgan Dri. WS14 —4H 151
Mawnan Clo. CV7 —5E 81
Maw St. WS1 —4H 33
Maxholm Rd. B74 —3A 36
Max Rd. B32 —2G 87
Max Rd. CV6 —3G 115
Maxstoke Clo. B32 —1D 102
Maxstoke Clo. B73 —2F 49
Maxstoke Clo. B98 —4G 145
Maxstoke Clo. CV7 —5C 96
Maxstoke Clo. WS3 —5D 14
Maxstoke Ct. B46 —2E 79
Maxstoke Croft. B90 —2A 124
Maxstoke Gdns. CV31 —6B 149
Maxstoke La. B46 —1E 79 to 1H 79
Maxstoke La. CV7 —4C 96
Maxstoke Rd. B73 —2F 49
Maxstoke St. B9 —4C 74
Maxted Rd. B23 —4D 48
Maxwell Av. B20 —3F 59
Maxwell Clo. WS13 —3G 151
Maxwell Rd. WV2 —3A 30
Mayall Dri. B75 —1A 38
May Av. B12 —2B 90
Maybank Pl. B44 —5A 48
Maybank Rd. DY2 —3E 69
Mayberry Clo. B14 —5D 106
Maybridge Dri. B91 —1D 124
Maybrook Ho. B63 —3H 85
Maybrook Rd. B76 —5D 50
Maybrook Rd. WS8 —4E 17
Maybrook Rd. Ind. Est. WS8 —3E 17
Maybush Gdns. WV10 —1H 19
Maycock Rd. CV6 —2B 116
Maycroft. WS12 —1D 4
Maydene Croft. B12 —1B 90
Mayfair. DY9 —4A 84
Mayfair Clo. B44 —4C 48
Mayfair Clo. DY1 —3C 54
Mayfair Dri. DY6 —5C 52
Mayfair Gdns. DY4 —1G 55
Mayfair Gdns. WV3 —1D 28
Mayfair Pde. B44 —4C 48
May Farm Clo. B47 —3B 122
Mayfield Av. B29 —4G 89
Mayfield Clo. B91 —5E 109
Mayfield Clo. CV12 —3E 81
Mayfield Clo. CV31 —6D 149
Mayfield Clo. DY11 —1B 140
Mayfield Cres. B65 —3G 69
Mayfield Dri. CV8 —4D 150
Mayfield Rd. B11 & B27 —3G 91
Mayfield Rd. B13 —4C 90
Mayfield Rd. B19 —4G 59
Mayfield Rd. B30 —2F 105
Mayfield Rd. B62 —4D 70
Mayfield Rd. B63 —4F 85
Mayfield Rd. B73 —2G 49
Mayfield Rd. B74 —2B 36
Mayfield Rd. CV5 —1H 131
Mayfield Rd. CV11 —4H 137
Mayfield Rd. DY1 —1D 54
Mayfield Rd. WV1 —2C 30
Mayfields. B98 —3C 144
Mayfields Dri. WS8 —4B 8
Mayflower Dri. CV2 —5H 117
Mayflower Dri. DY5 —5G 53
Mayford Gro. B13 —2D 106
Maygrove Rd. DY6 —5C 52
Mayhurst Clo. B47 —2D 122
Mayhurst Clo. DY4 —3H 43
Mayhurst Rd. B47 —2D 122
Mayland Dri. B74 —5B 36
Mayland Rd. B16 —3C 72
May La. B14 —3B 106
May La. B47 —2B 122
Maynard Av. CV12 —5B 80
Maynard Av. CV34 —3F 147
Maynard Av. DY8 —4D 82
Mayne Clo. CV35 —4A 146
Mayo Dri. CV8 —3C 150
Mayor's Croft. CV4 —2D 130
Maypole Dri. DY8 —2E 83
Maypole Fields. B63 —5C 68
Maypole Gro. B14 —5D 106
Maypole Hill. B63 —5C 68
Maypole La. B14 —5B 106
Maypole Rd. B68 —4E 71
Maypole St. WV5 —4B 40
May St. CV6 —1C 116
May St. WS3 —3F 23
Mayswood Dri. WV6 —2A 28
Mayswood Gro. B32 —3G 87
Mayswood Rd. B92 —4E 93
Maythorn Av. B76 —5D 50
Maythorn Gdns. WV6 —5C 18
Maythorn Gro. B91 —1E 125
Maytree Clo. B37 —3H 77
May Tree Gro. B20 —2E 59
Maywell Dri. B92 —1H 109
Maywood Clo. DY6 —5C 52
Meaburn Clo. B29 —1A 104
Mead Clo. WS9 —3F 25
Mead Cres. B9 —3H 75
Meadfoot Av. B14 —4B 106
Meadfoot Dri. DY6 —5B 52
Meadfoot Rd. CV3 —3G 133
Meadow Av. B71 —3A 46
Meadow Brook Rd. B31 —3H 103
Meadowbrook Rd. B63 —4F 85
Meadowbrook Rd. WS13 —1G 151
Meadow Clo. B17 —4B 72
Meadow Clo. B74 —2B 36
Meadow Clo. B90 —1B 124
Meadow Clo. B94 —5C 124
Meadow Clo. CV7 —4D 112
Meadow Clo. CV32 —2D 148
Meadow Clo. WS4 —2C 24
Meadow Ct. CV11 —2E 137
Meadow Croft. B47 —5B 122
Meadow Croft. WS12 —3B 4
Meadow Croft. WV6 —2A 18
Meadow Dri. B92 —2F 111
Meadow Dri. LE10 —3H 139
Meadowfield Rd. B45 —2D 118
Meadowfields Clo. DY8 —4D 66
Meadow Grange Dri. WV12 —2A 22
Meadow Gro. B92 —5B 92
Meadow Gro. WS6 —5D 6
Meadow Hill Clo. DY11 —3B 140
Meadowhill Cres. B98 —1C 144
Meadow Hill Dri. DY8 —4D 66
Meadow Hill Dri. WS11 —4D 4
Meadow Hill Rd. B38 —5D 104
Meadowhill Rd. B98 —1C 144
Meadowlands Dri. WS4 —2C 24
Meadow La. WV5 —4B 40
Meadow La. WV12 —4H 21
Meadow La. WV14 —2C 42 (in two parts)

Meadowlark Clo.—Millhaven Av.

Meadowlark Clo. WS12 —3E **5**
Meadow Pk. B79 —3B **134**
Meadow Pk. Rd. DY8 —5D **66**
Meadow Rise. B30 —1D **104**
Meadow Rd. B17 —4B **72**
Meadow Rd. B32 —1D **86**
Meadow Rd. B47 —5B **122**
Meadow Rd. B62 —5A **70**
Meadow Rd. B67 —2A **72**
Meadow Rd. B68 —3E **71**
Meadow Rd. CV6 —3A **100**
Meadow Rd. CV34 —3F **147**
Meadow Rd. DY1 —1C **54**
Meadow Rd. WS9 —5F **25**
Meadow Rd. WV3 —3C **28**
Meadowside Clo. B43 —3D **46**
Meadowside Rd. B74 —5F **27**
Meadows, The. LE10 —4H **139**
Meadows, The. WS9 —4D **24**
Meadow St. B64 —5G **69**
Meadow St. B77 —4D **134**
Meadow St. CV1 —5A **116**
Meadow St. CV11 —2E **137**
Meadow St. WS1 —2G **33**
Meadow St. WV1 —1G **29**
Meadowsweet Av. B38 —1E **121**
Meadowsweet Way. DY6 —5F **53**
Meadow Vale. WV8 —1B **18**
Meadowvale Rd. B60 —1F **143**
Meadow View. B13 —5D **90**
(in two parts)
Meadow View. DY3 —3H **41**
Meadow View. WS7 —2H **9**
Meadow View Ter. WV6 —5B **18**
Meadow Wlk. B14 —5A **106**
Meadow Wlk. B64 —5F **69**
(in two parts)
Meadow Way. DY8 —4C **66**
Meadow Way. WS12 —5F **5**
Meadow Way. WV8 —5A **10**
Meadow Wyrthe. B79 —1C **134**
Mead Rise. B15 —1E **89**
Mead, The. DY3 —3G **41**
Meadthorpe Rd. B44 —3H **47**
Meadvale Rd. B45 —3E **119**
Meadway. B33 —4C **76**
Meadway. CV2 —2E **117**
Meadway Clo. WS12 —3F **5**
Meadway N. CV2 —2E **117**
Meadway St. WS7 —2F **9**
Meadway, The. B97 —4B **144**
Meadway, The. LE10 —3G **139**
Meadway, The. WV6 —4B **18**
Meadwood Ind. Est. WV14 —5F **31**
Mears Clo. B23 —4E **49**
Mears Coppice. DY5 —1A **84**
Mears Dri. B33 —2B **76**
Mearse Clo. B18 —2F **73**
Mearse La. B45 —5D **118**
Mease Av. WS7 —2H **9**
Mease Croft. B9 —3D **74**
Measham Gro. B26 —2B **92**
Measham Way. WV11 —2F **21**
Meaton Gro. B32 —5E **87**
Medcroft Av. B20 —1D **58**
Medina. B77 —3F **135**
Medina Clo. WV10 —4B **12**
Medina Rd. B11 —3F **91**
Medina Rd. CV6 —5C **100**
Medina Way. DY6 —5C **52**
Medland Av. CV3 —4H **131**
Medley Gdns. DY4 —1B **56**
Medley Rd. B11 —2E **91**
Medlicott Rd. B11 —1D **90**
Medway. B77 —3E **135**
Medway Clo. DY5 —1F **67**
Medway Croft. B36 —5H **63**
Medway Gro. B38 —1D **120**
Medway Rd. WS8 —5C **8**
(in two parts)
Medway Wlk. WS8 —5C **8**
Medwin Gro. B23 —4E **49**
Meerash La. WS7 —4G **9**
Meer End. B38 —2D **120**
Meer End Rd. CV8 —5D **128**
Meerhill Av. B90 —3D **124**
Meetinghouse La. B31 —4A **104**
Meetinghouse La. CV7 —2C **128**
Meeting La. DY5 —4G **67**
(in two parts)
Meeting St. DY2 —2E **69**
(in two parts)
Meeting St. DY4 —5B **44**
Meeting St. WS10 —1C **44**
Meg La. WS7 —1G **9**
Melbourne Av. B19 —5G **59**
Melbourne Av. B61 —2C **142**
Melbourne Av. B66 —5A **58**
Melbourne Clo. B61 —2D **142**
Melbourne Clo. B70 —4D **44**
Melbourne Clo. DY6 —2E **67**
Melbourne Ct. CV12 —3D **80**
Melbourne Cres. WS12 —4H **5**
Melbourne Gdns. WS5 —4B **34**
Melbourne Ho. B34 —1G **77**
Melbourne Rd. B61 —2C **142**
Melbourne Rd. B63 —2H **85**
Melbourne Rd. B66 —5A **58**
Melbourne Rd. CV5 —5H **115**
Melbourne Rd. WS12 —4H **5**
Melbourne St. WV2 —2H **29**
Melbury Clo. WV3 —2F **29**
Melbury Gro. B14 —2A **106**
Melbury Way. WS11 —4D **4**
Melchester Wlk. WS11 —4D **4**
Melchett Rd. B30 —4E **105**
Melcote Gro. B44 —3A **48**
Meldon Dri. WV14 —2H **43**
Meldrum Rd. CV10 —3B **136**
Melen St. B97 —2B **144**
Melford. B79 —2A **134**
Melford Clo. DY3 —2H **41**
Melford Hall Rd. B91 —1C **108**
Melfort Gro. B14 —4B **106**
Melksham Sq. B35 —2D **62**
Melling Way. B7 —1C **74**
Mellis Gro. B23 —1C **60**
Mellish Dri. WS4 —5B **24**
Mellish Rd. WS4 —5A **24**
Mellor Dri. B74 —1E **37**
Mellors Clo. B17 —3B **88**
Mellowdew Rd. CV2 —4G **117**
Mellowdew Rd. DY8 —2C **66**
Mellowship Rd. CV5 —3A **114**
Mell Sq. B91 —4F **109**
Melplash Av. B91 —3D **108**
Melrose Av. B11 —2D **90**
Melrose Av. B12 —2B **90**
Melrose Av. B71 —3G **45**
Melrose Av. B73 —2F **49**
Melrose Av. CV12 —5C **80**
Melrose Av. DY8 —4F **83**
Melrose Clo. B38 —1E **121**
Melrose Clo. LE10 —2D **138**
Melrose Dri. WS12 —1D **4**
Melrose Dri. WV6 —1A **18**
Melrose Gro. B19 —5G **59**
Melrose Pl. B66 —5G **57**
Melrose Rd. B20 —3A **60**
Melstock Clo. DY4 —1E **55**
Melstock Rd. B14 —2H **105**
Melton Av. B92 —3D **92**
Melton Dri. B15 —1G **89**
Melton Rd. B14 —1B **106**
Melton Rd. CV32 —1C **148**
Melverley Gro. B44 —4B **48**
Melverton Av. WV10 —2A **20**
Melville Clo. CV7 —5E **81**
Melville Hall. B16 —4C **72**
Melville Rd. B16 —4C **72**
Melville Rd. CV1 —4A **116**
Melvina Rd. B7 —2C **74**
Melwaters. B77 —4H **135**
Membury Rd. B8 —1E **75**
Memorial Clo. WV13 —1G **31**
Memory La. WS10 —3B **32**
Memory La. WV11 —4D **20**
Menai Clo. WV12 —3A **22**
Menai Wlk. B37 —2A **78**
Mendip Av. B8 —2F **75**
Mendip Clo. B61 —1E **143**
Mendip Clo. B63 —5E **85**
Mendip Clo. DY3 —2A **54**
Mendip Clo. WV2 —4B **30**
Mendip Dri. CV10 —3A **136**
Mendip Rd. B8 —2F **75**
Mendip Rd. B63 —5E **85**
Mendip Rd. DY8 —2G **83**
Mendip Way. B77 —3H **135**
Menin Cres. B13 —1D **106**
Menin Pas. B13 —1C **106**
Menin Rd. B13 —1C **106**
Menin Rd. DY4 —1E **55**
Meon Gro. B33 —5E **77**
Meon Gro. WV6 —5A **18**
Meon Rise. DY9 —3H **83**
Meon Way. WV11 —2G **21**
Meranti Clo. WV12 —2A **22**
Mercer Av. B46 —2A **64**
Mercer Av. CV2 —3E **117**
Mercer Gro. WV11 —2F **21**
Merchants Way. WS9 —3E **25**
Mercia Av. CV8 —3A **150**
Mercia Bus. Village. CV4 —3C **130**
Mercia Clo. B60 —5D **142**
Mercia Clo. B79 —1A **134**
Mercia Dri. WV6 —1A **18** & 4A **18**
Mercian Ct. WS13 —3G **151**
Mercian Way. B77 —1H **135**
Mercia Way. CV34 —3F **147**
Mercote Hall La. CV7 —2B **112**
Mercury Ct. B77 —2H **135**
Mercury Rd. WS11 —2D **4**
Mere Clo. WV12 —4H **21**
Merecote Rd. B92 —1A **108**
Meredith Grn. DY11 —5B **140**
Meredith Rd. CV2 —5G **117**
Meredith Rd. DY3 —1F **53**
Meredith Rd. WV11 —2D **20**
Merediths Pool Clo. B18 —1E **73**
Meredith St. B64 —4E **69**
Mere Dri. B75 —1H **37**
Mere Grn. Clo. B75 —1A **38**
Mere Grn. Rd. B75 —1H **37**
Mere Oak Rd. WV4 —1A **18**
Mere Pool Rd. B75 —1B **38**
Mere Rd. B23 —2D **60**
Mere Rd. DY8 —3E **83**
Mereside Way. B92 —1B **108**
Meres Rd. B63 —2E **85**
Merevale Av. CV11 —3E **137**
Merevale Av. LE10 —3D **138**
Merevale Clo. B98 —5G **145**
Merevale Clo. LE10 —3D **138**
Merevale Rd. B92 —4E **93**
Mere View. WS4 —2C **24**
Merganser. B77 —5G **135**
Merganser Way. DY10 —5G **141**
Meriden Av. DY8 —1D **82**
(in two parts)
Meriden Clo. B25 —1H **91**
Meriden Clo. DY8 —1D **82**
Meriden Clo. WS11 —5A **4**
Meriden Dri. B37 —1H **77**
Meriden Rise. B92 —3F **93**
Meriden Rd. B92 & CV7 —1F **111**
Meriden Rd. CV7 —3D **112**
Meriden Rd. WV10 —2G **19**
Meriden St. B5 —4A **74** & 4D **152**
Meriden St. CV1 —4A **116**
Meridian Pl. B60 —4E **143**
Merino Av. B31 —1A **120**
Merlin Av. CV10 —2A **136**
Merlin Clo. DY1 —4B **54**
Merlin Clo. WS11 —4A **4**
Merlin Ct. B66 —5G **57**
Merlin Dri. DY10 —4G **141**
Merlin Gro. B26 —2E **93**
Merrick Clo. B63 —4E **85**
Merrick Rd. WV11 —3G **21**
Merridale Av. WV3 —2F **29**
Merridale Ct. WV3 —2F **29**
Merridale Cres. WV3 —2F **29**
Merridale Gdns. WV3 —2F **29**
Merridale Gro. WV3 —2E **29**
Merridale La. WV3 —1F **29**
Merridale Rd. WV3 —3F **29**
Merridale St. WV3 —2G **29**
Merridale St. W. WV3 —3F **29**
Merrifield Gdns. LE10 —5F **139**
Merrill Clo. WS6 —5C **6**
Merrill's Hall La. WV11 —5F **21**
Merrington Clo. B91 —1E **125**
Merrions Clo. B43 —5D **34**
Merrishaw Rd. B31 —2A **120**
Merritts Brook Clo. B29 —3A **104**
Merritt's Brook La. B31 —3G **103**
Merritt's Hill. B31 —2G **103** & 2H **103**
Merrivale Rd. B62 —5C **70**
Merrivale Rd. B66 —3A **72**
Merrivale Rd. CV5 —4G **115**
Merryfield Clo. B92 —1F **109**
Merryfield Gro. B17 —3C **88**
Merryfield Rd. DY1 —4A **54**
Merry Hill. DY5 —4B **68**
Merry Hill Ct. B66 —1C **72**
Merryhill Dri. B18 —1E **73**
Merry Hill Shopping Cen. DY5 —3B **68**
Merse Rd. B98 —1H **145**
Mersey Gro. B38 —1D **120**
Mersey Pl. WS3 —1G **23**
Mersey Rd. CV12 —1A **80**
Mersey Rd. WS3 —1G **23**
Merstal Dri. B92 —1G **109**
Merstone Clo. WV14 —4D **30**
Merstowe Clo. B27 —3H **91**
Merton Clo. B68 —3E **71**
Merton Clo. DY10 —2G **141**
Merton Ho. B37 —3H **77**
Merton Rd. B13 —3C **90**
Mervyn Pl. WV14 —1G **43**
Mervyn Rd. B21 —3D **58**
Mervyn Rd. WV14 —2G **43**
Meryhurst Rd. WS10 —5E **33**
Merynton Av. CV4 —3F **131**
Meschede Way. CV1 —5B **116**
Meschines St. CV3 —3B **132**
Mesnes Grn. WS14 —3G **151**
Messenger La. B70 —2G **57**
Messenger Rd. B66 —1B **72**
Metcalf Clo. WS7 —1G **9**
Metchley Ct. B17 —3C **88**
Metchley Croft. B90 —3C **124**
Metchley Dri. B17 —2C **88**
Metchley Ho. B17 —2C **88**
Metchley La. B17 —3C **88**
Metchley Pk. Rd. B15 —3D **88**
Meteor Ho. B35 —1D **62**
Metfield Clo. B79 —1D **134**
Metfield Croft. B17 —3C **88**
Metfield Croft. DY6 —1F **67**
Metlin Gro. B33 —3G **77**
Metric Wlk. B67 —1A **72**
(in two parts)
Metro Way. B66 —5C **58**
Mews Rd. CV32 —4A **148**
Mews, The. B27 —3H **91**
Mews, The. B65 —4A **70**
Mews, The. CV8 —4A **150**
Meynell Ho. B20 —2E **59**
Meyrick Rd. B70 —5D **44**
Meyrick Wlk. B16 —4E **73**
Miall Pk. Rd. B91 —3B **108**
Miall Rd. B28 —1G **107**
Mica Clo. B77 —3H **135**
Michael Dri. B15 —1G **89**
Michaelmas Rd. CV3 —1A **132**
Michael Rd. B67 —1G **71**
Michael Rd. WS10 —3A **32**
Michell Clo. CV3 —1E **133**
Michigan Clo. WS11 —4E **5**
Micklehill Dri. B90 —1H **123**
Mickle Meadow. B46 —2A **64**
Mickleover Rd. B8 —1A **76**
Mickleton Av. B33 —5E **77**
Mickleton Clo. B98 —5C **144**
Mickleton Rd. B92 —1A **108**
Mickleton Rd. CV5 —1H **131**
Mickley Av. WV10 —4B **20**
Midacre. WV13 —2G **31**
Middle Acre Rd. B32 —4G **87**
Middle Av. WV13 —3F **31**
Middle Bickenhill La. B37 —2E **95**
Middleborough Rd. CV1 —4A **116**
Middlecotes. CV4 —1D **130**
Middle Cres. WS3 —2A **24**
Middle Cross St. WV1 —2A **30**
Middle Dri. B45 —4G **119**
Middle Entry. B79 —3C **134**
Middlefield. WV8 —1E **19**
Middlefield Av. B62 —4C **70**
Middlefield Clo. B62 —4D **70**
Middlefield Clo. LE10 —1E **139**
Middlefield Ct. LE10 —1E **139**
Middlefield Gdns. B62 —5C **70**
Middlefield La. LE10 —1E **139**
Middlefield Pl. LE10 —1E **139**
Middle Field Rd. B31 —5C **104**
Middlefield Rd. B60 —5F **143**
Middlefield Rd. B69 —4H **55**
Middle Gdns. WV13 —2H **31**
Middlehill Rise. B32 —4G **87**
Middlehouse La. B97 —1C **144**
Middle La. B38 & B47 —3H **121**
Middle La. WV9 —4E **11**
Middle Leaford. B34 —1D **76**
Middle Leasow. B32 —3F **87**
Middlemarch Bus. Pk. CV8 —5G **133**
Middlemarch Rd. CV8 —2A **116**
Middlemarch Rd. CV10 —5F **137**
Middle Meadow Av. B32 —2F **87**
Middlemist Gro. B43 —5E **47**
Middlemore Av. B66 —5A **58**
Middlemore Ind. Est. B66 & B21 —4B **58**
Middlemore La. WS9 —3E **25**
Middlemore La. W. WS9 —4D **24**
Middlemore Rd. B31 —5B **104**
Middlemore Rd. B66 & B21 —5B **58**
Middle Pk. Clo. B29 —1B **104**
Middle Pk. Rd. B29 —1B **104**
Middlepark Rd. DY1 —4B **54**
Middle Piece Dri. B97 —4A **144**
Middle Ride. CV3 —3G **133** & 3H **133**
Middle Roundhay. B33 —2D **76**
Middleton Clo. B98 —3H **145**
Middleton Clo. WS5 —5H **33**
Middleton Gdns. B30 —4C **104**
Middleton Grange. B31 —4B **104**
Middleton Hall Rd. B30 —4C **104**
Middleton La. B78 —4G **39**
Middleton M. B98 —3H **145**
Middleton Rd. B14 —1A **106**
Middleton Rd. B61 —2D **142**
Middleton Rd. B74 —2C **36**
Middleton Rd. B90 —5G **107**
Middleton Rd. DY11 —1C **140**
Middleton Rd. WS8 —5F **9**
Middletree Rd. B63 —1D **84**
Middle Vauxhall. WV1 —1F **29**
Middleway. WS12 —2H **5**
Middleway Av. DY8 —3C **66**
Middleway End. WS12 —2H **5**
Middleway Grn. WV14 —3E **31**
Middleway Rd. WV14 —3E **31**
Middleway View. B18 —3F **73**
Middol Clo. WS5 —5H **33**
Midford Gro. B15 —5H **73**
Midgley Dri. B74 —1G **37**
Midhill Dri. B65 —1A **70**
Midhurst Dri. WS12 —1F **5**
Midhurst Gro. WV10 —4C **18**
Midhurst Rd. B30 —4G **105**
Midland Clo. B21 —5E **59**
Midland Dri. B72 —5A **38**
Midland Rd. B30 —3E **105**
Midland Rd. B74 —4G **37**
Midland Rd. CV6 —3D **116**
Midland Rd. CV11 —2E **137**
Midland Rd. WS1 —2G **33**
Midland Rd. WS10 —3A **32**
Midland Rd. WS12 —2A **4**
Midland St. B9 —3D **74**
Midpoint Bus. Pk. B76 —1E **63**
Midvale Dri. B14 —5H **105**
Milburn Rd. B44 —1B **48**
Milcote Clo. B98 —5D **144**
Milcote Dri. B73 —1D **48**
Milcote Dri. WV13 —2E **31**
Milcote Rd. B29 —1A **104**
Milcote Rd. B67 —4A **72**
Milcote Rd. B91 —3E **109**
Milcote Way. DY6 —5B **52**
Mildenhall. B79 —1D **34**
Mildenhall Rd. B42 —3E **47**
Mildred Rd. B64 —3F **69**
Mildred Way. B65 —1A **70**
Milebrook Gro. B32 —5E **87**
Mile Flat. DY6 —5A **52**
Mile La. CV1 & CV3 —5B **116**
Mile Oak Ct. B66 —1B **72**
Milesbush Av. B36 —3G **63**
Miles Gro. DY2 —5G **55**
Miles Meadow. CV6 —5F **101**
Miles Meadow Clo. WV12 —2A **22**
Milestone Ct. WV6 —1B **128**
Milestone La. B21 —4D **58**
Milestone Way. WV12 —2A **22**
Mile Tree La. CV2 —1H **101**
Milford Av. B12 —2C **90**
Milford Av. WV12 —4H **21**
Milford Clo. B65 —1G **69**
Milford Clo. B97 —5A **144**
Milford Clo. CV5 —2D **114**
Milford Clo. DY8 —3D **66**
Milford Gro. B90 —2F **125**
Milford Pl. B14 —5A **90**
Milford Rd. B17 —2B **88**
Milford Rd. WV2 —3H **29**
Milford St. CV10 —4E **137**
Milholme Grn. B92 —1F **109**
Milking Bank. DY1 —3A **54**
Milk St. B5 —4B **74**
Millais Clo. CV12 —2E **81**
Millard Rd. WV14 —3C **42**
Millards Ind. Est. B70 —3D **56**
Millbank. CV34 —2G **147**
Millbank. DY3 —3A **42**
Mill Bank Gro. B23 —5C **48**
Millbank M. CV8 —2C **150**
Millbank St. WV11 —1G **21**
Millbrook Clo. WS11 —4D **4**
Mill Brook Dri. B31 —1H **119**
Millbrook Rd. B14 —2G **105**
Millbrook Way. DY5 —5G **67**
Millburn Hill Rd. CV4 —3D **130**
Mill Burn Way. B9 —3C **74**
Mill Clo. B47 —2B **122**
Mill Clo. B60 —5D **142**
Mill Clo. CV2 —3F **101**
Mill Clo. CV11 —5H **137**
Mill Croft. WV14 —4F **31**
Millcroft Clo. B32 —4H **87**
Millcroft Rd. B74 —3C **36**
Milldale Clo. DY10 —1E **141**
Milldale Cres. WV10 —4A **12** & 5A **12**
Milldale Rd. WV10 —4H **11**
Mill Dri. B66 —2B **72**
Mill End. CV8 —2C **150**
Miller Clo. B60 —5C **142**
Miller Cres. WV14 —3C **42**
Millers Clo. WS2 —2D **32**
Millers Ct. B66 —1B 72
(off Corbett St.)
Millersdale Dri. B71 —2H **45**
Millers Grn. LE10 —4G **139**
Millers Grn. Dri. DY6 —4B **52**
Millers Rd. CV34 —3D **146**
Miller St. B6 —1A **74**
Millers Vale. WS12 —5F **5**
Mill Farm Rd. B17 —3B **88**
Millfield. B31 —3A **104**
Millfield Av. WS3 —5F **15**
Millfield Av. WS4 —1B **24**
Millfield Ct. DY1 —3C 54
(off Pelham Dri.)
Millfield Gdns. DY11 —2D **140**
Millfield Rd. B20 —5E **47**
Millfield Rd. B61 —4C **142**
Millfield Rd. WS8 —2F **17**
Millfields. B33 —2G **77**
Millfields Clo. B71 —3E **45**
Millfields Rd. B71 —3E **45**
Millfields Rd. WV2 & WV14 —5C **30**
Millfield View. B63 —2F **85**
Millford Clo. B28 —3G **107**
Mill Gdns. B14 —3E **107**
Mill Gdns. B67 —3H **71**
Mill Gdns. CV10 —4E **137**
Mill Grn. WV10 —4H **11**
Mill Gro. WV8 —5C **10**
Millhaven Av. B30 —2G **105**

Mill Hill—Mossvale Gro.

Mill Hill. B67 —3H 71
Mill Hill. CV8 —5C 132
Millhill Rd. B98 —4H 145
Mill Hill Rd. LE10 —2E 139
Mill Ho. Clo. CV32 —3H 147
Mill Ho. Ct. CV6 —1D 116
Mill Ho. Dri. CV32 —3H 147
Millhouse Rd. B25 —5H 75
Mill Ho. Ter. CV32 —3H 147
Millicent Clo. WS12 —1E 5
Millicent Pl. B12 —2C 90
Millichip Rd. WV13 —2F 31
Millington Rd. B36 —5B 62
Millington Rd. DY4 —3G 43
Millington Rd. WV10 —3A 20
Millison Gro. B90 —2D 124
Mill La. B5 —4A 74 & 4D 152
Mill La. B31 —1H 119
Mill La. B32 —4G 87
Mill La. B61 —3D 142
Mill La. B63 —3A 86
Mill La. B69 —2E 71
Mill La. B79 —3D 134
Mill La. B91 —4F 109
Mill La. B93 —4G 125
Mill La. CV3 —5H 117
Mill La. CV12 —1A 80
Mill La. CV32 —1E 148
Mill La. DY10 —5E 141
Mill La. DY11 —2D 140
Mill La. WS3 & WS4 —5H 23
Mill La. WS7 —4H 9
Mill La. WS9 —3B 26
Mill La. WV5 —5B 40
Mill La. WV6 —5B 18
Mill La. WV8 —3A 10
Mill La. WV11 —2C 20
Mill La. WV12 —4A 22
Millmead Rd. B32 —4H 87
Mill Pk. WS11 —4D 4
Mill Pl. WS3 —5H 23
Mill Pond, The. WS13 —1H 151
Millpool Gdns. B14 —4B 106
Millpool Hill. B14 —4B 106
Millpool Rd. WS12 —1E 5
Millpool Way. B67 —2A 72
Mill Race La. CV6 —4E 101
Mill Race La. DY8 —1F 83
Millrace Rd. B98 —1C 144
Mill Rd. B25 —1G 91
Mill Rd. B64 —1F 85
Mill Rd. CV31 —5B 149
Mill Rd. WS4 —1B 24
Mill Rd. WS8 —2F 17
Mills Av. B76 —1B 50
Millsbro' Rd. B98 —3C 144 (in two parts)
Mills Clo. WV11 —2D 20
Mills Cres. WV2 —3A 30
Millside. B28 —4E 107
Mills Rd. WV2 —3A 30
Mill Stream Clo. WV8 —4B 10
Mill St. B6 —2B 74 & 1D 152
Mill St. B63 —5D 68
Mill St. B70 —1F 57
Mill St. B72 —5A 38
Mill St. B97 —2B 144
Mill St. CV1 —4A 116
Mill St. CV11 —3F 137
Mill St. CV12 —3F 81
Mill St. CV31 —5B 149
Mill St. CV34 —4E 147
Mill St. DY4 —5B 44
Mill St. DY5 —3A 68
Mill St. DY8 —4E 67
Mill St. DY10 —2D 140
Mill St. WS2 —5H 23
Mill St. WS10 —4C 32 (Butcroft)
Mill St. WS10 —4A 32 (Woods Bank)
Mill St. WS11 —5C 4
Mill St. WV13 —2A 32
Mill St. WV14 —5D 30
Mill St. Chambers. WS11 (off Mill St.) —5C 4
Mills Wlk. DY4 —4G 43
Mill Ter. CV12 —1F 81
Millthorpe Clo. B8 —2G 75
Mill Tower. B66 —2B 72
Mill View. B33 —2E 77
Mill View. LE10 —2F 139
Mill Wlk. CV11 —3F 137
Millwalk Dri. WV9 —5G 11
Mill Wlk., The. B31 —5H 103
Millward St. B9 —4D 74
Millward St. B70 —2D 56
Millwright Clo. DY4 —1A 56
Milner Clo. CV12 —1C 80
Milner Cres. CV2 —5H 101
Milner Rd. B29 —5F 89
Milner Way. B13 —1D 106
Milo Cres. B78 —5C 134
Milrose Way. CV4 —1C 130
Milsom Gro. B34 —5F 63
Milstead Rd. B26 —4D 76
Milston Clo. B14 —5A 106
Milton Av. B12 —2C 90
Milton Av. B79 —1C 134
Milton Av. CV34 —5C 146
Milton Clo. B93 —4H 125
Milton Clo. B97 —5B 144
Milton Clo. CV12 —4G 81
Milton Clo. DY8 —5F 67
Milton Clo. DY11 —2A 140
Milton Clo. LE10 —2E 139
Milton Clo. WS1 —4G 33
Milton Clo. WV12 —2C 22
Milton Ct. WV6 —5A 18
Milton Cres. B25 —1B 92
Milton Cres. DY3 —5F 41
Milton Gro. B29 —4E 89
Milton Pl. WS1 —4G 33
Milton Rd. B67 —2G 71
Milton Rd. B93 —4H 125
Milton Rd. WS11 —3C 4
Milton Rd. WV10 —4C 20
Milton Rd. WV14 —4E 43
Milton St. B19 —1A 74
Milton St. B71 —1E 57
Milton St. CV2 —3E 117
Milton St. DY5 —5A 54
Milton St. WS1 —4G 33
Milton Ter. B66 —4A 72
Milverton Clo. B63 —1H 85
Milverton Clo. B76 —4C 50
Milverton Ct. CV32 —4A 148
Milverton Cres. CV32 —4A 148
Milverton Cres. W. CV32 —4A 148
Milverton Hill. CV32 —4A 148
Milverton Rd. B23 —1F 61
Milverton Rd. B93 —3B 126
Milverton Rd. CV2 —4G 101
Milverton Ter. CV32 —4A 148
Milward Sq. B97 —2C 144
Mimosa Clo. B29 —1B 104
Mimosa Wlk. DY6 —4E 53
Mincing La. B65 —3B 70
Mindelson Way. B15 —3D 88
Minden Gro. B29 —5B 88
Minehead Rd. DY1 —4A 54
Minehead Rd. WV10 —1G 19
Miner St. WS2 —5F 23
Minerva Clo. B77 —1E 135
Minerva Clo. WV12 —5C 22
Minerva La. WV1 —2A 30
Minewood Clo. WS3 —5D 14
Minith Rd. WV14 —3F 43
Miniva Dri. B76 —2D 50
Minivet Dri. B12 —2A 90
Minley Av. B17 —1H 87
Minories. B4 —3A 74 & 2C 152
Minories, The. DY2 —4E 55
Minors Hill. WS14 —4H 151
Minstead Rd. B24 —4E 61
Minster Clo. B65 —3C 70
Minster Clo. B93 —1A 126
Minster Clo. CV35 —4A 146
Minster Ct. B13 —3B 90
Minster Dri. B10 —5E 75
Minsterley Clo. WV3 —3E 29
Minsterpool Wlk. WS13 —3F 151
Minster Rd. CV1 —4A 116
Minster, The. WV3 —4F 29
Mintern Rd. B25 —5A 76
Minton Clo. WV1 —2C 30
Minton Rd. B32 —3H 87
Minworth Ind. Pk. B76 —5D 50 & 5E 51
Minworth Rd. B46 —2A 64
Miranda Clo. B45 —5E 103
Miranda Clo. CV3 —2G 133
Mirfield Clo. WV9 —5F 11
Mirfield Rd. B33 —3E 77
Mirfield Rd. B91 —2D 108
Mission Clo. B64 —4H 69
Mission Dri. DY4 —2G 55
Mitcham Clo. WS12 —1D 4
Mitcham Gro. B44 —3C 48
Mitcheldean Clo. B98 —5C 144
Mitcheldean Covert. B14 —5H 105
Mitchell Av. CV4 —2D 130 (in two parts)
Mitchell Av. WV14 —3D 42
Mitchell Rd. CV12 —3G 81
Mitchel Rd. DY6 —2F 67
Mitford Dri. B92 —2G 109
Mitre Clo. WV11 —5H 13
Mitre Clo. WV12 —2B 22
Mitre Ct. B74 —4A 38
Mitre Fold. WV1 —1H 29
Mitre Rd. DY9 —2A 84
Mitre Rd. WS6 —5B 6
Mitten Av. B45 —1D 118
Mitton Rd. B20 —3E 59
Moat Av. CV3 —4G 131
Moat Coppice. B32 —5E 87
Moat Croft. B37 —4A 78
Moat Croft. B76 —4D 50
Moat Dri. B62 —4C 70
Moat Farm Dri. B32 —5D 86
Moat Farm Dri. CV12 —5B 80
Moat Farm Way. WS3 —3A 16
Moatfield Ter. WS10 —1D 44
Moatgreen Av. WV11 —3F 21
Moat Ho. Dri. CV6 —1D 100
Moat Ho. La. CV4 —2E 131
Moat Ho. La. E. WV11 —3F 21
Moat Ho. La. W. WV11 —3E 21
Moat Ho. Rd. B8 —2G 75
Moat La. B5 —4A 74 & 4D 152
Moat La. B26 —1B 92
Moat La. B91 —2F 109
Moat La. WS6 —5D 6
Moat Meadows. B32 —3G 87
Moatmead Wlk. B36 —4C 62
Moat Mill La. B61 —4D 142
Moat Rd. B68 —3E 71
Moat Rd. DY4 —4G 43
Moat Rd. WS2 —1E 33
Moatside Clo. WS3 —3A 16
Moat St. WV13 —1H 31
Moatway, The. B38 —2D 120
Mobberley Rd. WV14 —2C 42
Mob La. WS4 —5C 16
Mockley Wood Rd. B93 —2B 126
Modbury Av. B32 —5G 87
Modbury Clo. CV3 —4C 132
Moden Clo. DY3 —5A 42
Moden Hill. DY3 —5H 41
Mogul La. B63 —5C 68
Moilliet Ct. B66 —1C 72
Moilliett St. B18 —2C 72
Moira Cres. B14 —3D 106
Moises Hall Rd. WV5 —4B 40
Moland St. B4 —2A 74 & 1D 152
Mole St. B12 —1C 90
Molesworth Av. CV3 —1E 133
Molineux All. WV1 —1H 29 (in two parts)
Molineux Fold. WV1 —1H 29
Molineux Way. WV1 —1H 29
Mollington Cres. B90 —4A 108
Mollington Rd. CV31 —8C 149
Molyneux Rd. DY2 —3F 69
Momus Boulevd. CV2 —5F 117 & 5G 117
Mona Rd. B23 —1G 61
Monastery Dri. B91 —2B 108
Monckton Rd. B68 —1E 87
Moncrieff Dri. CV31 —7D 149
Moncrieffe Clo. DY2 —4F 55
Moncrieffe St. WS1 —2A 34
Monica Rd. B10 —5G 75
Monins Av. DY4 —2H 55
Monk Clo. DY4 —2H 55
Monk Rd. B8 —2H 75
Monk's Croft, The. CV3 —2B 132
Monkseaton Rd. B72 —2H 49
Monksfield Av. B43 —3C 46
Monkshood Retreat. B38 —1E 121
Monks Kirby Rd. B76 —1C 50
Monkspath. B76 —3C 50
Monkspath Bus. Pk. B90 —1C 124
Monkspath Clo. B90 —2B 124
Monkspath Hall Rd. B90 —3C 124
Monkspath Ind. Pk. B90 —2C 124
Monks Rd. CV1 —5D 116
Monksway. B38 —5F 105
Monks Way. B77 —1G 135
Monks Way. CV34 —4D 146
Monkswell Clo. B10 —5E 75
Monkswell Clo. DY5 —4A 68
Monkswood Cres. CV2 —1G 117
Monkswood Rd. B31 —5C 104
Monkton Rd. B29 —4A 88
Monmer Clo. WV13 —1A 32 & 5A 22
Monmer La. WV13 —5H 21
Monmore Pk. Ind. Est. WV2 —4C 30
Monmore Rd. WV1 —3C 30
Monmouth Clo. CV5 —4D 114
Monmouth Dri. B71 —4E 45
Monmouth Dri. B73 —1D 48 to 1G 49
Monmouth Gdns. CV10 —3C 136
Monmouth Ho. B33 —3G 77
Monmouth Rd. B32 —5G 87
Monmouth Rd. B67 —5H 71
Monmouth Rd. WS2 —5C 22
Monsal Av. WV10 —5A 20
Monsal Rd. B42 —4G 47
Mons Rd. DY2 —3F 55
Montague Rd. B16 —4D 72
Montague Rd. B21 —4E 59
Montague Rd. B24 —3G 61
Montague Rd. B66 —3B 72
Montague Rd. CV34 —2F 147
Montague St. B6 —4C 60
Montague St. B9 —3C 74
Montalt Rd. CV3 —2C 132
Montana Av. B42 —5F 47
Monteagle Dri. DY6 —4D 52
Montepelier Gdns. DY1 —3A 54
Montford Gro. DY3 —4A 42
Montfort Rd. B46 —1E 79
Montfort Rd. WS2 —4E 33
Montfort Wlk. B32 —4D 86
Montgomery Clo. CV3 —4G 133
Montgomery Cres. DY5 (in two parts) —5B 68
Montgomery Croft. B11 —1D 90
Montgomery Rd. WS2 —1C 32
Montgomery St. B11 —1D 90
Montgomery Wlk. B71 —1F 57
Montgomery Way. B8 —2G 75
Montjoy Clo. CV3 —2G 133
Montley. B77 —4H 135
Montpelier Rd. B24 —3G 61
Montpellier Clo. CV3 —3A 132
Montpellier St. B12 —1B 90
Montrose Av. CV32 —1C 148
Montrose Clo. WS11 —2D 4
Montrose Dri. B35 —2D 62
Montrose Dri. CV10 —4D 136
Montrose Dri. DY1 —4C 54
Montrose St. WV1 —1A 30
Montsford Clo. B93 —3H 125
Monument Av. DY9 —3B 84
Monument Dri. WV10 —1E 13
Monument La. B45 —4C 118
Monument La. DY3 —3B 42
Monument La. DY9 —3B 84
Monument Rd. B16 —4E 73
Monway Ter. WS10 —2C 44
Monwood Gro. B91 —5C 108
Monyhull Hall Rd. B30 —5G 105
Moodyscroft Rd. B33 —3E 77
Moon's La. WS6 —5B 6
Moons Moat Dri. B98 —2G 145
Moons Moat N. Ind. Area. B98 —2H 145
Moons Moat S. Ind. Area. B98 —2H 145
Moor Cen., The. DY5 —3A 68
Moorcroft. WV14 —1H 43
Moorcroft Dri. WS10 —2B 44
Moorcroft Pl. B7 —2B 74
Moorcroft Rd. B13 —4A 90
Moordown Av. B92 —4D 92
Moore Clo. B74 —4F 27
Moore Clo. CV34 —1D 146
Moore Clo. WV6 —5A 18
Moore Cres. B68 —3F 71
Moorend Av. B37 —5H 77 to 3B 78
Moor End La. B24 —1G 61
Moore Rd. WV12 —2B 22
Moore's Row. B5 —4B 74
Moore St. WS12 —1F 5
Moore St. WV1 —2B 30
Moore St. S. WV2 —4H 29
Moore Wlk. CV34 —4G 147
Moorfield Av. B93 —3G 125
Moorfield Dri. B61 —2D 142
Moorfield Dri. B63 —2G 85
Moorfield Dri. B73 —4G 49
Moorfield Rd. B34 —5D 62
Moorfield Rd. WV2 —4G 29
Moorfield, The. CV3 —2F 133
Moorfoot Av. B63 —5E 85
Moorgate. B79 —2C 134
Moorgate Clo. B98 —1G 145
Moor Grn. La. B13 —5G 89 to 4A 90
Moorgrove Av. B93 —3H 125
Moor Hall Dri. B75 —2A 38
Moorhill Rd. CV31 —8B 149
Moorhills Croft. B90 —1H 123
Moorings, The. B69 —4C 56
Moorings, The. DY5 —2C 68
Moorings, The. WV9 —5F 11
Moorland Av. WV10 —3H 19
Moorland Rd. B16 —4C 72
Moorland Rd. WS3 —2D 22
Moorland Rd. WS11 —2C 4
Moorlands Av. CV8 —4B 150
Moorlands Ct. B65 —2B 70
Moorlands Dri. B90 —5A 108
Moorlands Rd. B71 —3F 45
Moorlands, The. B74 —2F 37
Moor La. B6 —5B 48
Moor La. B65 —3H 69 to 3A 70
Moor La. B77 —1E 135 & 1G 135
Moor La. WS14 —1E 27
Moor La. Ind. Est. B23 —1B 60
Moor Leasow. B31 —5C 104
Moormeadow Rd. B75 —3B 38
Moor Pk. WS3 —5E 15
Moor Pk. WV6 —1A 18
Moorpark Rd. B31 —1A 120
Moor Pool Av. B17 —1B 88
Moorpool Ter. B17 —2B 88
Moors Croft. B32 —5E 87
Moorside Gdns. WS2 —1E 33
Moorside Rd. B14 —4D 106
Moor's La. B31 —1G 103
Moors Mill La. DY4 —4B 44
Moorsom St. B6 —1A 74
Moorsom Way. B60 —5F 143
Moors, The. B36 —4C 62
Moor St. B70 —3F 57
Moor St. B79 —3B 134
Moor St. CV5 —1H 131
Moor St. DY5 —3F 67 to 3H 67
Moor St. WS10 —2E 45
Moor St. WV14 —1E 43
Moor St. Ind. Est. DY5 —3H 67
Moor St. Queensway. B4 —3A 74 & 3D 152
Moor, The. B76 —4D 50
Moorville Wlk. B11 —1C 90
Moorwood Clo. CV11 —5H 137
Morar Clo. B35 —2E 63
Moray Clo. B62 —5C 70
Moray Clo. LE10 —2C 138
Morcom Rd. B11 —2F 91
Mordaunt Dri. B75 —1B 38
Morden Rd. B33 —3A 76
Mordiford Clo. B98 —2G 145
Moreall Meadows. CV4 —5F 131
Moreland Croft. B76 —5E 51
Morelands, The. B31 —1B 120
Morestead Av. B26 —2E 93
Moreton Av. B43 —2G 47
Moreton Av. WV4 —5A 30
Moreton Clo. B32 —2H 87
Moreton Clo. CV6 —5H 99
Moreton Clo. DY4 —2H 43
Moreton Rd. B90 —5A 108
Moreton Rd. WV10 —1A 20
Moreton St. B1 —2G 73
Moreton St. WS11 —2D 4
Morfa Gdns. CV6 —3F 115
Morford Rd. WS9 —3F 25
Morgan Clo. WV12 —5H 21
Morgan Dri. WV14 —3D 42
Morgan Gro. B36 —4H 63
Morgan Rd. B78 —5C 134
Morgans Rd. CV5 —3H 113
Morjon Dri. B43 —2E 47
Morland Clo. CV12 —1C 80
Morland Rd. B43 —5G 35
Morland Rd. CV6 —4A 100
Morley Gro. WV6 —5H 19
Morley Rd. B8 —1H 75
Morley Rd. WS7 —1F 9
Morlich Rise. DY5 —5G 67
Morlings Dri. WS7 —1F 9
Morning Pines. DY8 —3D 82
Morningside. B73 —4H 37
Morningside. CV5 —1A 132
Mornington Rd. B66 —5B 58
Morrell St. CV32 —4B 148
Morris Av. CV2 —3G 117
Morris Av. WS2 —1C 32
Morris Clo. B27 —3B 92
Morris Croft. B36 —4G 63
Morris Dri. CV11 —5G 137
Morris Field Croft. B28 —3F 107
Morrison Av. WV10 —2A 20
Morrison Rd. DY4 —1A 56
Morris Rd. B8 —1H 75
Morris St. B70 —3F 57
Morris Wlk. B60 —5C 142
Morsefield La. B98 —4G 145
Morse Rd. CV31 —8C 149
Mortimer Rd. CV8 —4B 150
Mortimers Clo. B14 —5C 106
Morton La. B97 —5A 144
Morton Rd. DY5 —5A 68
Morton St. CV32 —4B 148
Morvale Gdns. DY9 —2A 84
Morvale St. DY9 —2A 84
Morven Rd. B73 —2G 49
Morville Clo. B93 —5F 125
Morville Rd. DY2 —2F 69
Morville St. B16 —4F 73
Mosborough Cres. B19 —1H 73
Mosedale Dri. WV11 —4G 21
Moseley Av. CV6 —3H 115
Moseley Ct. WV11 —4G 13
Moseley Ct. WV13 —2E 31
Moseley Dri. B37 —5H 77
Moseley Rd. B12 —5B 74 to 2B 90
Moseley Rd. CV8 —4C 150
Moseley Rd. WV10 —4B 12
Moseley Rd. WV13 & WV14 —2E 31
Moseley St. B5 & B12 —4A 74 & 5D 152
Moseley St. DY4 —4A 44
Moseley St. WV10 —5H 19
Mossbank Av. WS7 —2F 9
Moss Clo. WS4 —5A 24
Moss Clo. WS9 —4E 25
Moss Cres. WS12 —2B 4
Mossdale. B77 —4H 135
Mossdale Clo. CV6 —2H 115
Mossdale Cres. CV10 —4D 136
Mossdale Way. DY3 —4A 42
Moss Dri. B72 —1A 50
Mossfield Rd. B14 —1A 106
Moss Gdns. WV14 —1D 42
Moss Gro. B14 —2H 105
Moss Gro. DY6 —5D 52
Moss Ho. Clo. B15 —4G 73 & 5A 152
Mossley Clo. WS3 —1D 22
Mossley La. WS3 —1D 22
Mosspaul Clo. CV32 —3A 148
Moss Rd. WS11 —3D 4
Moss St. CV31 —5C 149
Moss St. WS11 —3D 4
Mossvale Clo. B64 —4G 69
Mossvale Gro. B8 —1F 75

New John St.—Oakcroft Rd.

New John St. B62 —4A 70
New John St. W. B19 —1G 73
New King St. DY2 —4E 55
Newland Clo. B98 —5E 145
Newland Clo. WS4 —1C 24
Newland Gro. DY2 —5B 54
Newland La. CV7 —1A 100
Newland Rd. B9 —4F 75
Newland Rd. CV1 —3C 116
Newland Rd. CV32 —2D 148
Newlands Clo. DY11 —2C 140
Newlands Clo. WV13 —2G 31
Newlands Ct. WS12 —5H 5
Newlands Dri. B62 —5C 70
Newlands Grn. B66 —2A 72
Newlands La. B37 —1A 94
Newlands La. WS11 & WS12 —1F 7 & 5G 5
Newlands Rd. B30 —1G 105
Newlands Rd. B93 —4G 125
Newlands, The. B34 —5F 63
New Landywood La. WV11 —3B 14
New Leasow. B76 —4D 50
Newlyn Clo. CV11 —3H 137
Newlyn Clo. WS14 —3H 151
Newlyn Rd. B31 —4H 103
Newlyn Rd. B64 —5E 69
Newman Av. WV4 —1B 42
Newman Clo. CV12 —2F 81
Newman College Clo. B32 —1F 103
Newman Ct. B21 —3E 59
Newman Pl. WV14 —3G 31
Newman Rd. B24 —2G 61
Newman Rd. DY4 —3A 44
Newman Rd. WV10 —1C 20
Newmans Clo. B66 —2C 72
Newman Way. B45 —2D 118
Newmarket Clo. CV6 —3F 101
New Market St. B3 —3H 73 & 2B 152
Newmarket Way. B36 —4H 61
Newmarsh Rd. B76 —5D 50
New Meadow Clo. B31 —5B 104
New Meadow Rd. B98 —2E 145
New Meeting St. B4 —3A 74 & 3D 152
New Meeting St. B69 —4D 56
New Mills St. WS1 —3G 33
New Mill St. DY2 —4E 55
Newmore Gdns. WS5 —5C 34
Newnham Gro. B23 —5F 49
Newnham Rise. B90 —4A 108
Newnham Rd. B16 —3C 72
Newnham Rd. CV1 —3D 116
Newnham Rd. CV32 —2D 148
New Penkridge Rd. WS11 —4A 4
New Pool Rd. B64 —5D 68
Newport Clo. B97 —5A 144
Newport Rd. B12 —3B 90
Newport Rd. B36 —4C 62
Newport Rd. CV6 —5B 100
Newport St. WS1 —2G 33
Newport St. WV10 —5A 20
Newport Ter. DY11 —5D 140
Newquay Clo. CV11 —2H 137
Newquay Clo. WS5 —3D 34
Newquay Rd. WS5 —3D 34
New River Wlk. CV31 —5A 149
New Rd. B45 —3C 118 & 2C 118
New Rd. B46 —2A 64
New Rd. B47 —1B 122
New Rd. B60 —3E 143
New Rd. B61 —3C 142
New Rd. B63 —3H 85
New Rd. B77 —5F 135
New Rd. B91 —4F 109
New Rd. CV6 —5H 99
New Rd. CV7 —1B 100
New Rd. DY2 —5D 54
New Rd. DY4 —5B 44
New Rd. DY8 —2F 83
New Rd. DY10 —3D 140
New Rd. LE10 —4H 139
New Rd. WS7 —2G 9
New Rd. WS8 —2E 17
New Rd. WS9 —4F 25
New Rd. WS10 —4B 32
New Rd. WV6 —5E 19
New Rd. WV10 —2C 20 (Bushbury)
New Rd. WV10 —1A 12 to 2D 12 (Featherstone)
New Rd. WV13 —2G 31
New Rowley Rd. DY2 —5F 55
Newsholme Clo. CV34 (in two parts) —2E 147
New Spring St. B18 —2F 73
New Spring St. N. B18 —2F 73
Newstead. B79 —2A 134
Newstead Av. LE10 —5F 139
Newstead Clo. CV11 —5H 137
Newstead Rd. B44 —2C 48
New St. B2 —3H 73 & 3B 152
New St. B23 —1G 61
New St. B36 —4E 63
New St. B45 —5D 102
New St. B66 —1A 72
New St. B69 —5D 56
New St. B70 —4D 44 (Hill Top)
New St. B70 —2F 57 & 2G 57 (West Bromwich)
New St. B77 —2E 135 (Glascote)
New St. B77 —5D 134 (Two Gates)
New St. CV8 —2B 150
New St. CV12 —3G 81 (Bedworth)
New St. CV12 —1B 80 (Bulkington)
New St. CV31 —5C 149
New St. CV32 —1E 148
New St. CV34 —4D 146
New St. DY1 —3E 55
New St. DY3 —2G 53
New St. DY4 —1G 55
New St. DY5 —5C 68
New St. DY6 —2C 66 (Kingswinford)
New St. DY6 —4C 52 (Wall Heath)
New St. DY8 —2F 83 (Stourbridge)
New St. DY8 —3D 66 (Wordsley)
New St. LE10 —2F 139
New St. WS1 —2H 33
New St. WS3 —1E 23
New St. WS4 —3B 24 (Rushall)
New St. WS4 —1C 24 (Shelfield)
New St. WS6 —5D 6
New St. WS7 —1D 8 (Chase Terrace)
New St. WS7 —2D 8 (Chasetown)
New St. WS10 —4B 32 (Darlaston)
New St. WS10 —2D 44 (Wednesbury)
New St. WS11 —2B 6 (Bridgtown)
New St. WS11 —5C 4 (Cannock)
New St. WS12 —2F 5
New St. WV2 —4C 30
New St. WV3 —4D 28
New St. WV4 —4A 30
New St. WV11 —5G 13
New St. WV13 —2F 31
New St. N. B71 —2G 57
New Summer St. B19 —2H 73 & 1B 152
Newton Clo. B43 —3B 46
Newton Clo. CV2 —1H 117
Newton Gdns. B43 —3B 46
Newton Gro. B29 —4E 89
Newton Ho. WV13 —2A 32
Newton Mnr. Clo. B43 —3D 46
Newton Pl. B18 —5E 59
Newton Pl. WS2 —4E 23
Newton Rd. B11 —2C 90
Newton Rd. B60 —5E 143
Newton Rd. B71 & B43 —5H 45 to 3E 47
Newton Rd. B93 —2A 126
Newton Rd. LE10 —3B 138
Newton Rd. WS2 —4E 23
Newton Rd. WS13 —1E 151
Newton Sq. B43 —3E 47
Newton St. B4 —3A 74 & 2C 152
Newton St. B71 —4H 45
Newton Town. DY5 —2G 67 (in two parts)
Newtown. DY2 —4E 69
Newtown Dri. B19 —1G 73
Newtown Gro. B29 —4E 89
Newtown La. B62 —5A 102
Newtown La. B64 —4E 69
Newtown Middleway. B6 —1A 74
Newtown Rd. CV11 —2F 137 (in two parts)
Newtown Rd. CV12 —3D 80 & 3E 81
New Town Row. B6 —1A 74 & 1C 152
Newtown Shopping Cen. B19 —5A 60
Newtown St. B64 —4E 69
New Union St. CV1 —5B 116
New Village. DY2 —4D 68
New Wlk. B97 —2C 144
New Walsall Rd. WS10 —2H 45
New Wood Clo. DY7 —5C 66
Ney Ct. DY4 —3G 55
Niall Clo. B15 —5D 72
Nicholas Rd. B74 —3A 36
Nicholls Rd. DY4 —3F 43
Nicholls St. B70 —3G 57
Nicholls St. CV2 —4D 116
Nicholls Way. WS12 —5H 5
Nichols Clo. B92 —1H 109
Nicholson Clo. CV34 —2F 147
Nickson Rd. CV4 —1B 130
Nigel Av. B31 —3A 104
Nigel Rd. B8 —1F 75
Nigel Rd. DY1 —2C 54
Nightingale. B77 —5G 135
Nightingale Av. B36 —4A 64
Nightingale Clo. WS12 —1A 4
Nightingale Cres. DY5 —5H 67
Nightingale Cres. WV12 —2A 22
Nightingale Dri. DY4 —1A 56
Nightingale Dri. DY10 —5G 141
Nightingale La. CV5 —2F 131
Nightingale Pl. WV14 —4E 31
Nightingale Wlk. B15 —5H 73
Nighwood Dri. B74 —3B 36
Nijon Clo. B21 —4C 58
Nimmings Clo. B31 —3A 120
Nimmings Rd. B62 —5B 70
Nineacres Dri. B37 —3A 78
Nine Elms La. WV10 —4A 20
Ninefoot La. B77 —4F 135 (in two parts)
Nineleasowes. B66 —5G 57
Nine Pails Wlk. B70 —3G 57
Nineveh Av. B21 —5E 59
Nineveh Rd. B21 —5D 58
Ninfield Rd. B27 —3H 91
Ninian Way. B77 —5E 135
Nirvana Clo. WS11 —4A 4
Nith Pl. DY1 —2C 54
Niton Rd. CV10 —1G 137
Niven Clo. CV5 —2D 114
Noakes Ct. WS10 —3C 32
Noble Clo. CV34 —5D 146
Nocke Rd. WV11 —1G 21
Nock St. DY4 —4A 44
Noddy Pk. WS9 —3G 25
Noddy Pk. Rd. WS9 —3G 25
Nod Rise. CV5 —4D 114
Noel Av. B12 —2B 90
Noel Rd. B16 —4E 73
Nolton Clo. B43 —3C 46
Nooklands Croft. B33 —3D 76
Nook, The. CV11 —5H 137
Nook, The. DY5 —1G 67
Nook, The. WS6 —5A 6
Noose Cres. WV13 —1F 31
Noose La. WV13 —2F 31
Nora Rd. B11 —4D 90
Norbiton Rd. B44 —4C 48
Norbreck Clo. B43 —3D 46
Norbury Av. WS3 —5A 16
Norbury Clo. B98 —1E 145
Norbury Cres. WV4 —1C 42
Norbury Dri. DY5 —4H 67
Norbury Gro. B92 —4D 92
Norbury Rd. B44 —1B 48
Norbury Rd. B70 —4D 44
Norbury Rd. WV10 —4B 20
Norbury Rd. WV14 —4G 31
Norcombe Gro. B90 —3D 124
Nordley Rd. WV11 —4D 20
Norfolk Av. B71 —4F 45
Norfolk Clo. B30 —2G 105
Norfolk Clo. LE10 —5F 139
Norfolk Cres. CV10 —3C 136
Norfolk Cres. WS9 —2F 25
Norfolk Dri. B78 —5B 134
Norfolk Dri. WS10 —5G 33
Norfolk Gro. WS6 —1D 14
Norfolk Pl. WS2 —4G 23
Norfolk Rd. B15 —5D 72
Norfolk Rd. B23 —5F 49
Norfolk Rd. B45 —5C 102
Norfolk Rd. B68 —5E 71
Norfolk Rd. B75 —3H 37
Norfolk Rd. DY2 —5C 54
Norfolk Rd. DY8 —5D 66
Norfolk Rd. WV3 —3F 29
Norfolk St. CV1 —4A 116
Norfolk St. CV32 —4B 148
Norfolk Tower. B18 —1F 73
Norgrave Rd. B92 —4E 93
Norlan Dri. B14 —4B 106
Norland Rd. B27 —5H 91
Norley Gro. B13 —2D 106
Norley Trading Est. B33 —4E 77
Norman Av. B32 —1G 87
Norman Av. CV11 —3E 137
Norman Clo. B79 —1A 134
Normandy Clo. CV35 —4A 146
Normandy Rd. B20 —3A 60
Norman Pl. Rd. CV6 —1G 115
Norman Rd. B31 —4B 104
Norman Rd. B67 —4F 71
Norman Rd. WS5 —3C 34
Norman St. B18 —2D 72
Norman St. DY2 —5F 55
Norman Ter. B65 —2A 70
Normanton Av. B26 —2F 93
Normanton Tower. B23 —5G 49
Norrington Gro. B31 —4F 103
Norrington Rd. B31 —4F 103
Norris Dri. B33 —3C 76
Norris Rd. B6 —3A 60
Norris Way. B75 —5A 38
Northampton St. B18 —2G 73 & 1A 152
Northam Wlk. WV6 —5G 19
Northanger Rd. B27 —4H 91
North Av. CV2 —5E 117
North Av. CV12 —3G 81
North Av. WV11 —3D 20
Northbrook Rd. B90 —3A 108
N. Brook Rd. CV5 & CV6 —1F 115
Northbrook St. B16 —2E 73
Northcliffe Heights. DY11 —2C 140
North Clo. CV32 —1E 148
North Clo. LE10 —4F 139
Northcote Rd. B33 —2B 76
Northcote St. CV31 —5C 149
Northcote St. WS2 —5G 23
Northcott Rd. DY2 —2E 69
Northcott Rd. WV14 —1G 43
North Cres. WV10 —2D 12
Northdale. WV6 —5C 18
Northdown Rd. B91 —1C 124
North Dri. B5 —2G 89
North Dri. B20 —4G 59
North Dri. B75 —4A 38
Northern Perimeter Rd. W. LE10 —2B 138
Northey Rd. CV6 —1C 116
Northfield Clo. B98 —1G 145
Northfield Gro. WV3 —3C 28
Northfield Rd. B17 —3A 88
Northfield Rd. B30 —3C 104
Northfield Rd. CV1 —5D 116
Northfield Rd. DY2 —2E 69
Northfield Rd. LE10 —3D 138
Northfleet Tower. B31 —5F 103
Northfolk Ter. CV4 —2E 131
North Ga. B17 —1B 88
Northgate. B64 —5E 69
Northgate. CV34 —4D 146
Northgate. WS9 —1F 25 to 3F 25
Northgate Clo. DY11 —4A 140
Northgate St. CV34 —4D 146
Northgate Way. WS9 —2F 25
North Grn. WV4 —4C 28
N. Holme. B9 —4D 74
Northland Rd. B90 —1B 124
Northlands Rd. B13 —5C 90
Northleach Av. B14 —5H 105
Northleach Clo. B98 —1F 145
Northleigh Rd. B8 —5G 61 & 1G 75
Northmead. B33 —3D 76
North Moons Moat Ind. Area. B98 —1H 145
Northolt Gro. B42 —3E 47
Northolt Tower. B35 —2D 62
N. Oval. DY3 —5B 42
Northover Clo. WV9 —5G 11
N. Park Rd. B23 —2C 60
N. Pathway. B17 —1B 88
North Rd. B17 —1D 88 (in two parts)
North Rd. B20 —3A 60
North Rd. B29 —4E 89
North Rd. B60 —3E 143
North Rd. DY4 —3H 43
North Rd. WV1 —5H 19
N. Roundhay. B33 —2D 76
Northside. B98 —5C 144
Northside Dri. B74 —3A 36
N. Springe Rd. DY3 —3A 42
N. Springfield. DY3 —2A 42
North St. B67 —1H 71
North St. CV2 —3E 117
North St. CV10 —3D 136
North St. DY2 —4E 55
North St. DY5 —3H 67
North St. WS2 —5G 23
North St. WS10 —1D 44
North St. WS11 —2B 6
North St. WV1 —1H 29 (in two parts)
North St. Ind. Est. DY5 —3H 67
Northumberland Av. CV10 —3C 136
Northumberland Av. DY11 —4C 140
Northumberland Clo. B78 —5B 134
Northumberland Rd. CV1 —4H 115
Northumberland Rd. CV32 —2A 148 & 3A 148
Northumberland St. B7 —3C 74
Northvale Clo. CV8 —2C 150
N. View Dri. DY5 —1A 68
N. Villiers St. CV32 —3B 148
North Wlk. B31 —5B 104
N. Warwick St. B9 —4E 75
Northway. B37 —1D 94
Northway. CV31 —6C 149
Northway. DY3 —4G 41 to 1H 41
N. Western Arc. B2 —3A 74 & 3C 152
N. Western Rd. B66 —5A 58
N. Western Ter. B18 —5E 59
Northwick Cres. B91 —5D 108
Northwood Ct. DY5 —4A 68
Northwood Pk. Clo. WV10 —5A 12
Northwood Pk. Rd. WV10 —5A 12
Northwood St. B3 —2G 73 & 2A 152
Northycote La. WV10 —4B 12
Norton Clo. B31 —4A 104
Norton Clo. B66 —1B 72
Norton Clo. B79 —1D 134
Norton Clo. B98 —4H 145
Norton Clo. WV4 —1C 40
Norton Cres. B9 —3H 75
Norton Cres. DY2 —3F 69
Norton Cres. WV14 —2F 43 & 3F 43
Norton Dri. CV34 —1D 146
Norton E. Rd. WS11 —3A 8
Norton Grange. WS11 —3H 7
Norton Grange Cres. WS11 —3H 7
Norton Grn. La. B93 —5B 126
Norton Grn. La. WS11 —3H 7
Norton Hall La. WS11 —4G 7
Norton Hill Dri. CV2 —2H 117
Norton La. B47 & B90 —4D 122
Norton La. WS6 —4D 6
Norton La. WS7 —2G 9
Norton La. WS11 —1E 7
Norton Rd. B46 —4D 64
Norton Rd. DY8 —5D 82
Norton Rd. DY10 —3G 141
Norton Rd. WS3 —3A 16
Norton Rd. WS11 —5H 5
Norton Springs. WS11 —2H 7
Norton St. B18 —1E 73
Norton Ter. WS11 —2H 7
Norton View. B14 —2H 105
Norton Wlk. B23 —2D 60
Nortune Clo. B38 —5D 104
Norwich Av. DY11 —2A 140
Norwich Clo. WS13 —1G 151
Norwich Croft. B37 —4H 77
Norwich Dri. B17 —5A 72
Norwich Dri. CV3 —3A 132
Norwich Rd. DY2 —3E 69
Norwich Rd. WS2 —2E 33
Norwood Av. B64 —1F 85
Norwood Clo. LE10 —1F 139
Norwood Gro. B19 —5F 59
Norwood Gro. CV2 —4H 101
Norwood Rd. B9 —4E 75
Norwood Rd. DY5 —3H 67
Nottingham Dri. WV12 —3A 22
Nottingham Way. DY5 —4B 68
Nova Ct. B43 —3F 47
Nova Croft. CV5 —3H 113
Nova Scotia St. B4 —3B 74
Nowell St. WS10 —5C 32
Nuffield Rd. CV6 —5E 101 & 1E 117
Nuffield Rd. LE10 —3B 138
Nugent Clo. B6 —5A 60
Nugent Gro. B90 —4B 124
Nuneaton Rd. CV12 —1F 81 (Bedworth)
Nuneaton Rd. CV12 —1B 80 (Bulkington)
Nunts La. CV6 —3A 100
Nunts Pk. Av. CV6 —3A 100
Nursery Av. B12 —2B 90
Nursery Av. WS9 —4F 25
Nursery Clo. B30 —3E 105
Nursery Clo. DY11 —1C 140
Nursery Croft. WS13 —2E 151
Nursery Dri. B30 —3E 105
Nursery Dri. WV5 —1A 52
Nursery Gdns. DY8 —4E 67
Nursery Gdns. WV8 —4A 10
Nursery Gro. DY11 —1C 140
Nursery La. CV31 —7C 149
Nursery Rd. B15 —1D 88
Nursery Rd. B19 —5G 59
Nursery Rd. WS3 —2E 23
Nursery St. WV1 —1H 29
Nursery View Clo. WS9 —1A 36
Nursery Wlk. WV6 —5D 18
Nutbrook Av. CV4 —5B 114
Nutbush Dri. B31 —2G 103
Nutfield Wlk. B32 —2H 87
Nutgrove Clo. B14 —1B 106
Nuthatch Dri. DY5 —1G 83
Nuthurst. B75 —5D 38
Nuthurst Dri. WS11 —3D 6
Nuthurst Gro. B14 —5B 106
Nuthurst Gro. B93 —4H 125
Nuthurst Rd. B31 —3H 119
Nuthurst Rd. B94 —5C 124
Nuttall Gro. B21 —5C 58
Nutt's La. LE10 —4C 138
Nymet. B77 —4F 135

Oakalls Av. B60 —3F 143
Oak Av. B12 —2B 90
Oak Av. B70 —2E 57
Oak Av. WS2 —1C 32
Oak Av. WS6 —5D 6
Oak Bank. B18 —5F 59
Oak Barn Rd. B62 —5B 70
Oak Clo. B17 —1A 88
Oak Clo. CV12 —2G 81
Oak Clo. DY4 —2H 43
Oak Clo. LE10 —5F 139
Oak Cotts. B7 —3C 74
Oak Ct. B63 —4G 85
Oak Ct. B66 —4F 57
Oak Ct. DY8 —3F 83
Oak Cres. B69 —4A 56
Oak Cres. WS3 —3G 23
Oak Croft. B37 —3G 77
Oakcroft Rd. B13 —1D 106

Oakdale Clo.—Orchard, The

Oakdale Clo. B68 —4D 70
Oakdale Clo. DY5 —5G 53
Oakdale Rd. B36 —4D 62
Oakdale Rd. B68 —4D 70
Oakdale Trading Est. DY6 —4D 52
Oakdene Clo. WS6 —5B 6
Oakdene Cres. CV10 —1G 137
Oakdene Rd. WS7 —2E 9
Oak Dri. B23 —4D 48
Oaken Covert. WV8 —5A 10
Oaken Dri. B91 —3C 108
Oaken Dri. WV12 —3B 22
Oakenfield. WS13 —1E 151
Oaken Gdns. WS7 —1E 9
Oaken Gro. WV8 —5A 10
Oakenhayes Cres. B76 —5F 51
Oakenhayes Cres. WS8 —5E 9
Oakenhayes Dri. WS8 —5E 9
Oaken Lanes. WV8 —5A 10
Oaken Pk. WV8 —5A 10
Oakenshaw Rd. B90 —1A 124
Oakenshaw Rd. B98 —5D 144
Oakeswell St. WS10 —2D 44
Oakey Clo. CV6 —3D 100
Oakeywell St. DY2 —4E 55
Oak Farm Clo. B76 —4D 50
Oak Farm Rd. B30 —3D 104
Oakfield Av. B11 —1D 90
Oakfield Av. B12 —2C 90
Oakfield Av. B21 —5C 58
Oakfield Av. DY1 —4D 42
Oakfield Av. DY6 —2D 66
Oakfield Clo. B66 —1B 72
Oakfield Clo. DY8 —4F 67
Oakfield Ct. DY5 —3A 68 (off Promenade, The.)
Oakfield Dri. B45 —4G 119
Oakfield Dri. WS3 —3B 16
Oakfield Ho. CV32 —3B 148
Oakfield Rd. B12 —2A 90
Oakfield Rd. B24 —2F 61
Oakfield Rd. B29 —4F 89
Oakfield Rd. B66 —1B 72
Oakfield Rd. CV6 —3H 115
Oakfield Rd. DY8 —4F 67
Oakfield Rd. DY9 —4B 84 (in two parts)
Oakfield Rd. DY11 —3B 140
Oakfield Rd. WV8 —1C 18
Oakfields Way. B91 —3A 110
Oakford Dri. CV5 —2C 114
Oak Grn. DY1 —1C 54
Oak Grn. WV6 —5B 18
Oak Gro. B31 —1H 119
Oak Gro. DY10 —4F 141
Oak Gro. WV11 —2D 20
Oakhall Dri. B93 —4G 125
Oakham Av. DY2 —5F 55
Oakham Cen. B69 —5H 55
Oakham Ct. DY2 —4F 55
Oakham Cres. CV12 —1C 80
Oakham Cres. DY2 —5F 55
Oakham Dri. DY2 —4G 55
Oakham Rd. B17 —1B 88
Oakham Rd. DY2 & B69 —5F 55 to 5H 55
Oakham Way. B92 —5D 92
Oak Hill. WV3 —2C 28
Oakhill Av. DY10 —4E 141
Oakhill Cres. B27 —5H 91
Oak Hill Dri. B15 —5D 72
Oakhill Dri. DY5 —1G 83
Oakhill Rd. WS11 —4D 4
Oakhurst. WS14 —3H 151
Oakhurst Dri. B61 —3E 143
Oakhurst Rd. B27 —5H 91
Oakhurst Rd. B72 —3H 49
Oakington Ho. B35 —2D 62
Oakland Clo. B91 —3G 109
Oakland Dri. DY3 —3G 53
Oakland Rd. B13 —3B 90
Oakland Rd. B21 —4D 58 (in two parts)
Oakland Rd. WS3 —3G 23
Oaklands. B62 —3D 86
Oaklands. B76 —1A 64
Oaklands Av. B17 —2A 88
Oaklands Clo. WS12 —1A 4
Oaklands Ct. CV8 —5B 150
Oaklands Croft. B76 —4D 50
Oaklands Dri. B20 —3E 59
Oaklands Dri. B74 —2B 36
Oaklands Grn. WV14 —3E 31
Oaklands Ind. Est. WS12 —3E 15
Oaklands Rd. B74 —3H 37
Oaklands Rd. WV3 —3G 29
Oaklands, The. B37 —1A 94
Oaklands, The. CV4 —5C 114
Oaklands, The. DY10 —2F 141
Oaklands Way. WS3 —5A 16
Oak La. B70 —2E 57 (in two parts)
Oak La. B92 —1F 127
Oak La. CV5 —5H 97 to 4C 98
Oak La. DY6 —3E 53
Oak La. Pk. Homes. CV5 —5A 98
Oaklea Dri. B64 —3G 69
Oakleaf Clo. B32 —4F 87
Oak Leasow. B32 —3E 87
Oakleigh Dri. DY3 —4H 41
Oakleigh Dri. WV8 —5B 10
Oakleigh Rd. DY8 —4F 83
Oakleighs. DY8 —4C 66
Oakleigh Wlk. DY6 —4D 52
Oakley Av. DY4 —5H 43
Oakley Av. WS9 —4F 25
Oakley Clo. WS13 —1G 151
Oakley Ct. CV12 —4B 80
Oakley Gro. WV4 —5D 28
Oakley Rd. B10 —5D 74
Oakley Rd. B30 —2F 105
Oakley Rd. WV4 —5D 28
Oak Leys. WV3 —2C 28
Oakley Wood Dri. B91 —4G 109
Oakly Rd. B97 —3B 144
Oakmoor Rd. CV6 —3E 101
Oakmount Clo. WS3 —5H 15
Oakmount Rd. B74 —3C 36
Oak Pk. Rd. DY8 —4E 67
Oakridge Clo. WV12 —5B 22
Oakridge Dri. WV12 —5A 22
Oakridge Rd. CV32 —1D 148
Oak Rise. B46 —1E 79
Oak Rd. B68 —1F 87
Oak Rd. B70 —3E 57
Oak Rd. DY1 —2E 55
Oak Rd. DY4 —4F 43
Oak Rd. WS3 —4H 15
Oak Rd. WS4 —2B 24
Oak Rd. WS9 —5F 17
Oak Rd. WV13 —1F 31
Oakroyd Cres. CV10 —1B 136
Oaks Cres. WV3 —2F 29 & 2G 29
Oaks Dri. WS11 —5A 4
Oaks Dri. WV3 —2G 29
Oaks Dri. WV5 —5B 40
Oaks Dri. WV10 —1B 12
Oakslade Dri. B92 —1G 109
Oak's Pl. CV6 —3E 101
Oaks Precinct. CV8 —4A 150
Oaks Rd. CV8 —5A 150
Oaks, The. B17 —5B 72
Oaks, The. B34 —5D 62
Oaks, The. B38 —2E 121
Oaks, The. B67 —1H 71
Oaks, The. B76 —1D 50
Oaks, The. CV12 —4D 80
Oaks, The. CV32 —4A 148
Oak St. B64 —4F 69
Oak St. DY2 —2F 69
Oak St. DY5 —4B 68
Oak St. DY6 —1C 66 (in two parts)
Oak St. WV2 —4C 30
Oak St. WV3 —2F 29 (in two parts)
Oak St. WV14 —4D 42
Oak St. Trading Est. DY5 —4B 68
Oakthorpe Dri. B37 —2H 77
Oakthorpe Gdns. B69 —3G 55
Oak Tree Av. B97 —2A 144
Oak Tree Av. CV3 —3H 131
Oak Tree Clo. B93 —4G 125
Oak Tree Clo. CV32 —3B 148
Oaktree Cres. B62 —1C 86
Oak Tree Gdns. DY8 —4F 67
Oak Tree La. B29 & B30 —5D 88 to 1D 104
Oak Tree La. B47 —3C 122
Oaktree Rd. WS10 —1E 45
Oak Tree Wlk. B79 —1A 134
Oak Wlk., The. B31 —1A 120
Oakwood Clo. WS9 —4D 16
Oakwood Clo. WV11 —5H 13
Oakwood Cres. DY2 —1B 68
Oakwood Croft. B91 —1E 125
Oakwood Dri. B14 —3H 105
Oakwood Dri. B74 —3A 36
Oakwood Gro. CV34 —2F 147
Oakwood Rd. B11 —4D 90
Oakwood Rd. B47 —3B 122
Oakwood Rd. B67 —2H 71
Oakwood Rd. B73 —2F 49
Oakwood Rd. WS3 —3H 23
Oakwood St. B70 —1E 57
Oakworth Clo. CV2 —1H 117
Oasthouse Clo. DY6 —5B 52
Oaston Rd. B36 —4F 63
Oaston Rd. CV11 —3G 137
Oatfield Clo. WS7 —3F 9
Oatlands Wlk. B14 —5G 105
Oatlands Way. WV6 —2A 18
Oat Mill Clo. WS10 —5C 32
Oban Dri. CV10 —4D 136
Oban Rd. B92 —5C 92
Oban Rd. CV6 —2D 100
Oban Rd. LE10 —3C 138
Oberon Clo. B45 —5E 103
Oberon Dri. B90 —5H 107
Occupation Rd. CV2 —4F 117
Occupation Rd. WS8 —4F 17
Occupation St. DY1 —3C 54
Ockam Croft. B31 —5B 104
Ocker Hill Rd. DY4 —3A 44
O'Connor Dri. DY4 —3A 44
Oddicombe Croft. CV3 —3C 132
Oddingley Rd. B31 —5C 104
Odell Cres. WS3 —3F 23
Odell Pl. B5 —2G 89
Odell Rd. WS3 —3E 23
Odell Way. WS3 —3E 23
Odensil Grn. B92 —4E 93
Odiham Clo. B79 —1D 134
Odin Clo. WS11 —2D 4
Offadrive. B79 —2D 134
Offa Dri. CV8 —3B 150
Offa Rd. CV31 —6C 149
Offa's Dri. WV6 —1A 18
Offa St. B79 —3C 134
Offchurch Rd. CV31 —6E 149
Offchurch Rd. CV32 —1E 148
Offenham Clo. B98 —1E 145
Offenham Covert. B38 (in two parts) —2D 120
Offini Clo. B70 —3H 57
Offmoor Rd. B32 —1E 103
Offmore Farm Clo. DY10 —2H 141
Offmore La. DY10 —2F 141 & 2G 141
Offmore Rd. DY10 —3E 141
Ogbury Clo. B14 —5G 105
Ogley Cres. WS8 —2F 17
Ogley Dri. B75 —5C 38
Ogley Hay Rd. WS7 —1F 9
Ogley Hay Rd. WS8 & WS7 —5F 9
Ogley Rd. WS8 —2F 17
Ogmore Rd. CV31 —6D 149
O'Keefe Clo. B11 —1C 90
Okehampton Rd. CV3 —3C 132
Okement Dri. WV11 —4D 20
Oken Ct. CV34 —4D 146
Oken Rd. CV34 —3D 146
Old Abbey Gdns. B17 —3C 88
Oldacre Clo. B76 —5B 50
Oldacre Rd. B68 —5E 71
Oldany Way. CV10 —4D 136
Old Bank Pl. B72 —5A 38
Old Bank Top. B31 —5B 104
Old Barn Rd. B30 —2C 104
Old Barn Rd. DY8 —4F 67
Old Beeches. B23 —4D 48
Old Bell Rd. B23 —5H 49
Oldberrow Clo. B90 —3D 124
Old Birmingham Rd. B45 & B60 —5C 118 to 4E 119
Old Bridge St. B19 —1G 73
Old Bridge Wlk. B65 —2G 69
Old Bromford La. B8 —5H 61
Old Brookside. B33 —3B 76
Old Budbrooke Rd. CV35 —4A 146
Oldbury Clo. B98 —1F 145
Oldbury Ho. B68 —3F 71
Oldbury Ringway. B69 —4D 56 & 5D 56
Oldbury Rd. B65 —4B 70
Oldbury Rd. B66 —5F 57
Oldbury Rd. B70 —2C 56
Oldbury Rd. CV10 —1A 136
Oldbury Rd. Ind. Est. B66 —5G 57
Oldbury Rd. Ind. Est. B70 —3C 56
Oldbury St. WS10 —1E 45
Old Bush St. DY5 —3A 68
Old Camp Hill. B12 —5C 74
Old Canal Wlk. DY4 —1H 55
Old Cannock Rd. WV11 —2H 13
Old Castle Gro. WS8 —5E 9
Old Chapel Rd. B67 —3H 71
Old Chapel Wlk. B68 —2E 71
Old Chester Rd. WS9 & B74 —4A 26
Old Chester Rd. S. DY10 —5E 141
Old Church Av. B17 —2B 88
Old Church Grn. B33 —4B 76
Old Church Rd. B17 —2B 88
Old Church Rd. B46 —2A 64
Old Church Rd. CV6 —5D 100
Old Coton La. B79 —2B 134
Old Ct. Croft. B9 —4D 74
Old Crest Av. B98 —3C 144
Old Croft La. B36 & B34 —5E 63
Old Cross St. B4 —3A 74 & 2D 152
Old Cross St. DY4 —5F 43
Old Crown Clo. B32 —5E 87
Old Crown M. CV2 —2G 101
Old Damson La. B92 —4H 93
Olde Hall Ct. WV10 —2D 12
Olde Hall La. WS6 —4C 6
Olde Hall Rd. WV10 —2D 12
Old End La. WV14 —4D 42
Old Fallings Cres. WV10 —3B 20
Old Fallings La. WV10 —2B 20
Old Fallow Av. WS11 —3C 4
Old Fallow Rd. WS11 —3C 4
Old Falls Clo. WS6 —4B 6
Old Farm Gro. B14 —3E 107
Old Farm Meadow. WV3 —3C 28
Old Farm Rd. B33 —2B 76
Oldfield Dri. DY8 —4F 83
Oldfield Rd. B12 —2B 90
Oldfield Rd. CV5 —4F 115
Oldfield Rd. WS10 —2C 44
Oldfield Rd. WV14 —3C 42
Oldfields. B64 —5E 69
Old Fordrove. B76 —1B 50
Old Forest Way. B34 —1E 77
Old Forge Dri. B98 —4F 145
Old Forge Trading Est. DY9 —1A 84
Old Grange Rd. B11 —2D 90
Old Hall Clo. DY8 —5F 67
Old Hall La. WS9 —5G 35
Old Hall La. WS11 —1E 7
Old Hall St. WV1 —2H 29
Oldham Av. CV2 —3H 117
Old Ham La. DY9 —4H 83
Old Hampton La. WV10 —1D 20
Old Hawne La. B63 —2G 85
Old Heath Cres. WV1 —2C 30
Old Heath Rd. WV1 —2C 30
Old Hednesford Rd. WS11 & WS12 —4C 4
Old Hill. WV6 —4D 18
Old Hill By-Pass. B64 —4G 69
Old Hinckley Rd. CV10 —2G 137
Old Hobicus La. B68 —2E 71
Old Horns Cres. B43 —2G 47
Oldhouse Farm Clo. B28 —2F 107
Old Ho. La. B62 —5A 102
Old Ho. La. CV7 —1D 98
Oldington Gro. B91 —1D 124
Old Kingsbury Rd. B76 —5F 51
Oldknow Rd. B10 —1F 91
Old Landywood La. WV11 —2A 14
Old La. WS3 —2F 23
Old La. WV6 —1A 28
Old Level Way. DY2 —2E 69
Old Lime Gdn. B38 —2D 120
Old Lindens Clo. B74 —3A 36
Old Lode La. B92 —3E 93 to 5E 93
Old Manor, The. WV6 —4D 18
Old Meadow Rd. B31 —2B 120
Old Meeting Rd. WV14 —3E 43
Old Meeting St. B70 —1E 57
Old Meeting Yd. CV12 —3F 81
Old Mill Av. CV4 —4F 131
Old Mill Clo. B90 —5E 107
Old Mill Gdns. B33 —3C 76
Old Mill Gdns. WS4 —5C 16
Old Mill Rd. B46 —5D 64
Old Milverton La. CV32 —1G 147 to 1A 148
Old Milverton Rd. CV32 —1G 147
Old Moat Dri. B31 —4B 104
Old Moat Way. B8 —1H 75
Oldnall Clo. DY9 —3B 84
Oldnall Rd. DY9 & B63 —3C 84
Oldnall Rd. DY10 —4F 141
Old Oak Rd. B38 —5F 105
Old Oscott Hill. B44 —2A 48
Old Oscott La. B44 —4A 48
Old Pk. B29 —3A 104
Old Park Ind. Est. WS10 —1C 44
Old Pk. La. B69 —1D 70
Old Pk. Rd. DY1 —1B 54
Old Pk. Rd. WS10 —5C 32
Old Park Wlk. B6 —5A 60
Old Penkridge Rd. WS11 —4A 4
Old Pl. WS3 —2F 23
Old Pleck Rd. WS2 —3F 33
Old Port Clo. DY4 —2H 55
Old Portway. B38 —2D 120
Old Postway. B19 —5H 59 (in two parts)
Old Pound. CV34 —4E 147
Old Quarry Clo. B45 —1D 118
Old Quarry Dri. DY3 —5A 42
Old Rectory Gdns. WS9 —3G 25
Old Rd. CV7 —5E 97
Old School Clo. WV13 —1H 31
Old School M. CV32 —2C 148
Old Scott Clo. B33 —4E 77
Old Smithy Pl. B18 —1F 73
Old Snow Hill. B4 —2H 73 & 1B 152
Old Sq. CV34 —4D 146
Old Sq. Shopping Precinct. WS1 —2H 33
Old Sq., The. B4 —3A 74 & 2C 152
Old Stables Wlk. B7 —5D 60
Old Stafford Rd. WV10 —1H 11
Old Station Rd. B33 —2B 76
Old Station Rd. B60 (in two parts) —4D 142
Old Station Rd. B92 —4E 95
Old Stone Clo. B45 —1C 118
Oldstone Dri. LE10 —2B 138
Old Stow Heath La. WV1 —2E 31
Old Tokengate. B17 —1D 88
Old Town Clo. B38 —5E 105
Old Town La. WS3 —5H 15
Old Vicarage Clo. WS3 —5A 16
Old Vicarage Clo. WV5 —4B 40
Old Walsall Rd. B42 —5E 47
Old Warstone La. WV11 —2A 14
Old Warwick Rd. B92 —5B 92
Old Warwick Rd. CV31 —5A 149
Oldway Dri. B91 —5G 109
Old Wharf Rd. DY8 —1E 83
Oldwich La. CV8 —5F 127
Old Winnings Rd. CV7 —1H 99
Olga Dri. DY4 —3H 43
Olinthus Av. WV11 —3F 21
Olive Av. CV2 —3G 117
Olive Av. WV4 —5A 30
Olive Dri. B62 —5A 70
Olive Hill Rd. B62 —5B 70
Olive La. B62 —5B 70
Olive Mt. B69 —4B 56
Olive Pl. B14 —1A 106
Oliver Clo. DY2 —4F 55
Oliver Ct. B65 —4A 70
Oliver Cres. WV14 —2F 43
Oliver Rd. B16 —4E 73
Oliver Rd. B23 —5G 49
Oliver Rd. B66 —3C 72
Oliver St. B7 —1C 74
Oliver St. CV6 —2D 116
Ollerton Rd. B26 —1C 92
Ollison Dri. B74 —1B 36
Olliver Clo. B62 —4D 86
Olorenshaw Rd. B26 —2F 93
Olton Av. CV5 —4B 114
Olton Boulevd. E. B27 —4G 91
Olton Boulevd. W. B11 —3F 91
Olton Croft. B27 —4B 92
Olton Mere. B92 —5C 92
Olton Pl. CV11 —3D 136
Olton Rd. B90 —3H 107
Olton Wharf. B92 —4B 92
Olympus Av. CV34 —4H 147
Olympus Clo. CV5 —1G 113
Omar Rd. CV2 —5G 117
Ombersley Clo. B69 —2B 70
Ombersley Clo. B98 —5F 145
Ombersley Ho. B31 —5C 104
Ombersley Rd. B12 —1B 90
Ombersley Rd. B63 —4G 85
One Stop Shopping Cen. B42 —2H 59
Onibury Rd. B21 —4D 58
Onley Ter. CV4 —2E 131
Onslow Cres. B92 —5D 92
Onslow Croft. CV32 —3B 148
Onslow Rd. B11 —3G 91
Ontario Clo. B38 —1E 121
Open Field Clo. B31 —5B 104
Openfield Croft. B46 —3B 64
Orbital Way. WS11 —2D 6
Orchard Abbey Courts. CV3 —2H 133
Orchard Av. B91 —2F 109
Orchard Av. WS11 —4A 4
Orchard Clo. B21 —3E 59
Orchard Clo. B46 —5E 65
Orchard Clo. B63 —2D 84
Orchard Clo. B65 —3H 69
Orchard Clo. B73 —3G 49
Orchard Clo. CV10 —1A 136
Orchard Clo. LE10 —5H 139
Orchard Clo. WS4 —4B 24
Orchard Clo. WS6 —4C 6
Orchard Clo. WS13 —2E 151
Orchard Clo. WV9 —1G 11
Orchard Clo. WV13 —2A 32
Orchard Ct. B65 —3A 70
Orchard Ct. CV32 —3B 148
Orchard Ct. DY6 —5D 52
Orchard Cres. CV3 —1B 132
Orchard Cres. WV3 —3C 28
Orchard Dri. CV5 —3H 113
Orchard Gro. B74 —1G 37
Orchard Gro. DY3 —2G 53
Orchard Gro. WS9 —5G 25
Orchard Gro. WV4 —1F 41
Orchard La. CV8 —4D 150
Orchard La. DY9 —2A 84
Orchard La. WV8 —4B 10 & 5B 10
Orchard Meadow Wlk. B35 —2E 63
Orchard Pl. B80 —5H 145
Orchard Rise. B26 —1C 92
Orchard Rd. B12 —1B 90
Orchard Rd. B24 —1G 61 & 1H 61
Orchard Rd. B61 —1D 142
Orchard Rd. B94 —5C 124
Orchard Rd. DY2 —4D 68
Orchard Rd. WS5 —1B 46
Orchard Rd. WV11 —3E 21
Orchard Rd. WV13 —2A 32
Orchards, The. B47 —2B 122
Orchards, The. B90 —4B 124
Orchards, The. DY11 —1B 140
Orchard St. B69 —4D 56
Orchard St. B77 —4D 134
Orchard St. B79 —3C 134
Orchard St. B98 —3C 144
Orchard St. CV11 —3G 137
Orchard St. CV12 —2F 81
Orchard St. DY4 —3G 55
Orchard St. DY5 —2H 67
Orchard St. DY10 —2E 141
Orchard St. LE10 —2F 139
Orchards Way. B12 —1A 90
Orchard, The. B37 —5H 77
Orchard, The. B68 —2F 71
Orchard, The. CV34 —5E 147
Orchard, The. WS3 —5F 15
Orchard, The. WV6 —4D 18

Pershore Rd.—Potter's La.

Pershore Rd. B63 —4G 85
Pershore Rd. DY11 —3A 140
Pershore Rd. WS3 —5C 14
Pershore Rd. S. B30 —4E 105
Pershore St. B5 —4A 74 & 4C 152
Pershore Tower. B31 —5F 103
Pershore Way. WS3 —5C 14
Perth Rise. CV5 —3C 114
Perth Rd. WV12 —4H 21
Perton Brook Vale. WV6 —1A 28
Perton Gro. B29 —5A 88
Perton Gro. WV6 —1A 28
Perton Rd. WV6 —1A 28
Peter Av. WV14 —2G 43
Peterborough Dri. WS12 —5F 5
Peterbrook Clo. B98 —5C 144
Peterbrook Rise. B90 —1E 123
Peterbrook Rd. B90 —5D 106 to 2E 123
Peterdale Dri. WV4 —1E 41
Peters Av. B31 —5A 104
Petersfield. WS11 —3D 4
Petersfield Ct. B28 —1F 107
Petersfield Dri. B65 —3C 70
Petersfield Rd. B28 —1F 107
Peter's Finger. B61 —4D 142
Petersham Pl. B15 —1D 88
Petersham Rd. B44 —2D 48
Peter's Hill. DY5 —1G 83 (in two parts)
Peter's Hill Rd. DY5 —1G 83
Petershouse Dri. B74 —4G 27
Peters St. B70 —4D 44
Peter's Wlk. WS13 —1E 151
Petford St. B64 —4F 69
Petitor Cres. CV2 —5G 101
Pettitt Clo. B14 —5A 106
Petton Clo. B98 —2H 145
Pettyfield Clo. B26 —2D 92
Pettyfields Clo. B93 —4H 125
Petworth Clo. WV13 —3G 31
Petworth Gro. B26 —1B 92
Pevensey Clo. B69 —4G 55
Peverell Dri. B28 —1G 107
Peveril Dri. CV3 —4A 132
Peveril Gro. B76 —1B 50
Peverill Rd. WV4 —1B 42
Peverill Rd. WV6 —5A 18
Peveril Way. B43 —2E 47
Peyto Clo. CV6 —4A 100
Pheasant Clo. CV12 —4B 80
Pheasant Clo. DY10 —5F 141
Pheasant Croft. B36 —4A 64
Pheasant La. B98 —5C 144
Pheasant Rd. B67 —4G 71
Pheasant St. DY5 —2G 67
Philip Ct. B76 —1C 50
Philip Gro. WS11 —1C 4
Philip Rd. B63 —4G 85
Philip Rd. DY4 —1B 56
Philip Sidney Rd. B11 —4D 90
Philip St. WV14 —3E 43
Philip Victor Rd. B20 —3E 59
Phillimore Rd. B8 —1E 75
Phillippes Rd. CV34 —2E 147
Phillip Rd. WS2 —4F 33
Phillips Av. WV11 —1F 21
Phillips St. B6 —1A 74
Phillips St. Ind. Est. B6 —1A 74
Phillip's Ter. B98 —2D 144
Phipson Rd. B11 —3C 90
Phoenix Bus. Pk. LE10 —3B 138
Phoenix Cen. DY8 —3D 66
Phoenix Dri. WS9 —2F 25
Phoenix Grn. B15 —5D 72
Phoenix Ind. Est. B70 —1C 56
Phoenix Ind. Est. WV14 —1G 43
Phoenix Pas. DY2 —4E 55
Phoenix Rise. B23 —4D 48
Phoenix Rise. WS10 —5B 32
Phoenix Rd. DY4 —5G 43
Phoenix Rd. WS11 —4E 5
Phoenix Rd. WV11 —5E 21
Phoenix Rd. Ind. Est. WV11 —5E 21
Phoenix St. B70 —1C 56
Phoenix St. WV2 —4A 30
Phoenix Way. CV6 —3C 100
Picasso Clo. WS11 —4F 5
Piccadilly Arc. B2 —3H 73 (off Stephenson St.)
Piccadilly Clo. B37 —4B 78
Pickard St. CV34 —3F 147
Pickenham Rd. B14 —1C 122
Pickering Croft. B32 —5F 87
Pickering Rd. WV11 —4E 21
Pickersleigh Clo. B63 —4H 85
Pickford Grange La. CV5 —1H 113
Pickford Grn. La. CV5 —3A 114
Pickford St. B5 —4B 74
Pickford Way. CV5 —2D 114
Pickrell Rd. WV14 —3D 42
Pickwick Gro. B13 —4D 90
Pickwick Pl. WV14 —1F 43
Picton Croft. B37 —4C 78
Picton Gro. B13 —2C 106
Picturedome Way. WS10 —4B 32
Piddock Rd. B66 —1A 72
Pierce Av. B92 —4B 92
Piercy St. B70 —2D 56
Piercy St. WS10 —2E 45
Piers Clo. CV34 —2E 147
Piers Rd. B21 —5F 59
Pier St. WS8 —2E 17
Piggots Croft. B37 —3H 77
Pike Clo. LE10 —5F 139
Pike Dri. B37 —3B 78
Pikehelve St. B70 —4C 44
Pikehorne Croft. B36 —3F 63
Piker's La. CV7 —3C 98
Pikes Pool La. B60 —4G 143 to 2H 143
Pikes, The. B45 —2D 118
Pikewater Rd. B9 —4E 75
Pilgrims Ga. LE10 —4H 139
Pilkington Av. B72 —1H 49
Pilkington Rd. CV5 —1F 131
Pillar Box Cotts. CV7 —1A 98
Pilling Clo. CV2 —1H 117
Pilson Clo. B36 —4C 62
Pimbury Rd. WV12 —3B 22
Pimlico Ct. DY3 —2A 54
Pimpernel Dri. WS5 —1A 46
Pinbury Croft. B37 —5A 78
Pineapple Gro. B30 —1H 105
Pineapple Rd. B30 —2G 105
Pine Av. B66 —5G 57
Pine Av. WS10 —5D 32
Pine Clo. B79 —1D 134
Pine Clo. B91 —5C 108
Pine Clo. DY6 —1D 66
Pine Clo. WS6 —3C 6
Pine Clo. WV3 —2F 29
Pine Ct. CV32 —2C 148
Pine Grn. DY1 —5C 42
Pine Gro. B14 —3C 106
Pine Gro. B45 —5D 118
Pine Gro. WS7 —2E 9
Pine Ho. B36 —4C 62
Pinehurst. CV32 —1E 148
Pinehurst Dri. B38 —4E 105
Pine Leigh. B74 —2H 37
Pine Needle Croft. WV12 —5C 22
Pineridge Dri. DY11 —3B 140
Pine Rd. B69 —4H 55
Pine Rd. DY1 —1E 55
Pine Sq. B37 —3A 78
Pines, The. B90 —4B 124
Pines, The. CV4 —2A 130
Pines, The. CV12 —3C 80
Pines, The. WS1 —3H 33
Pines, The. WV3 —2D 28
Pine St. WS3 —1F 23
Pine Tree Av. CV4 —5C 114
Pine Tree Ct. CV12 —2G 81
Pine Tree Dri. B74 —2H 35
Pine Tree Rd. CV12 —2G 81
Pineview. B31 —5H 103
Pine Wlk. B31 —4B 104
Pine Wlk. DY9 —3H 83
Pine Wlk. WV8 —5A 10
Pinewall Av. B38 —5E 105
Pineways. B74 —1D 36
Pineways. DY8 —4C 66
Pineways Dri. WV6 —5E 19
Pineways, The. B69 —1A 70
Pinewood Av. WS11 —3B 4
Pinewood Clo. B44 —4A 48
Pinewood Clo. B45 —2B 118
Pinewood Clo. DY11 —1C 140
Pinewood Clo. WS5 —5A 34
Pinewood Clo. WS8 —5D 8
Pinewood Clo. WV3 —3B 28
Pinewood Clo. WV5 —5B 40
Pinewood Clo. WV12 —3B 22
Pinewood Dri. B32 —5D 86
Pinewood Gro. B91 —5C 108
Pinewood Gro. CV5 —1A 132
Pinewoods. B32 —4E 87
Pinewoods. B62 —1D 86
Pinewood Wlk. DY6 —4E 53
Pinfold Ct. WS10 —5A 32
Pinfold Cres. WV4 —4D 28
Pinfold Gdns. WV11 —4E 21
Pinfold Gro. WV4 —4D 28
Pinfold La. WS6 —5A 6
Pinfold La. WS9 —5F 35 to 3G 35
Pinfold La. WS11 —3G 7
Pinfold La. WV4 —4D 28
Pinfold Rd. B91 —3G 109
Pinfold Rd. WS13 —2E 151
Pinfold St. B2 —3H 73 & 3B 152
Pinfold St. B69 —5D 56
Pinfold St. WS10 —5A 32
Pinfold St. WV14 —5E 31
Pinfold St. Extension. WS10 —5A 32
Pinfold, The. WS3 —2F 23
Pingle Clo. B71 —3H 45
Pingle Ct. CV11 —4G 137
Pingle La. WS7 —3H 9
Pinkney Pl. B68 —3F 71
Pink Pas. B66 —2B 72
Pinley Fields. CV3 —1E 133
Pinley Gdns. CV3 —1E 133
Pinley Gro. B43 —1G 47
Pinley Way. B91 —1D 124
Pinner Gro. B32 —3G 87
Pinner's Croft. CV2 —3E 117
Pinnock Pl. CV4 —5B 114
Pinson Rd. WV13 —2G 31
Pintail Dri. B23 —2D 60
Pintail Gro. DY10 —5G 141
Pinto Clo. B16 —4E 73
Pinza Croft. B36 —4B 62
Pioli Pl. WS2 —4G 23
Pioneer Ho. B35 —2E 63
Piper Clo. WV6 —5A 18
Piper Pl. DY8 —5E 67
Piper Rd. WV3 —3C 28
Pipers Clo. B60 —5C 142
Pipers Croft. WS13 —1F 151
Pipers Grn. B28 —3F 107
Pipers La. CV8 —3C 150
Pipers Rd. B98 —5G 145
Piper's Row. WV1 —1A 30
Pipes Meadow. WV14 —5F 31
Pipit Ct. DY10 —5F 141
Pippin Av. B63 —1C 84
Pirbright Clo. WV14 —1F 43
Pitcairn Clo. B30 —2G 105
Pitcairn Dri. B62 —2A 86
Pitcairn Rd. B67 —4G 71
Pitclose Rd. B31 —1B 120
Pitfield Rd. B33 —4G 77
Pitfield Row. DY1 —4D 54
Pitfields Clo. B68 —5D 70
Pitfields Rd. B68 —5D 70
Pitfield St. DY1 —4D 54
Pithall Rd. B34 —1F 77
Pit Leasow Clo. B30 —1G 105
Pitman Rd. B32 —2F 87
Pitmaston Rd. B28 —2H 107
Pitney St. B7 —2C 74
Pitsford St. B18 —2F 73 & 1A 152
Pitt La. B92 —4C 94
Pitts Farm Rd. B24 —5A 50
Pitts La. DY11 —3D 140
Pitt St. B4 —3B 74
Pitt St. DY10 —1F 141
Pitt St. WV3 —2H 29
Pixall Dri. B15 —1G 89
Pixhall Wlk. B35 —2E 63
Plainview Clo. WS9 —1A 36
Plaistow Av. B36 —5A 62
Plane Gro. B37 —4B 78
Planetary Ind. Est. WV13 —5D 20
Planetary Rd. WV13 —5D 20 (in two parts)
Planetree Clo. B60 —3E 143
Plane Tree Clo. DY10 —2E 141
Plane Tree Rd. B74 —2H 35
Plane Tree Rd. WS5 —1B 46
Planet Rd. DY5 —2A 68
Plank La. B46 —3A 64
Planks La. WV5 —5A 40
Plantation La. B78 —5A 134
Plantation La. DY3 —1B 52
Plantation Rd. WS5 —1A 46
Plantation, The. DY5 —5G 53
Plant Ct. DY5 —4H 67 (off Hill St.)
Plants Brook Rd. B76 —5C 50
Plant's Clo. B73 —2E 49
Plants Clo. WS6 —1D 14
Plants Gro. B24 —5A 50
Plants Hill Cres. CV4 —1B 130
Plants Hollow. DY5 —4A 68
Plant St. B64 —4F 69 (in two parts)
Plant St. DY8 —4E 67
Plant Way. WS3 —4H 15
Plascom Rd. WV1 —2C 30
Platts Cres. DY8 —5E 67
Platts Dri. DY8 —5E 67
Platts Rd. DY8 —5E 67
Platt St. WS10 —5B 32
Platt St. WS11 —2D 4
Playdon Gro. B14 —4B 106
Pleasant Clo. DY6 —2C 66
Pleasant Mead. WS9 —4D 24
Pleasant St. B70 —4D 44 (Hill Top)
Pleasant St. B70 —3F 57 (West Bromwich)
Pleasant St. DY10 —2D 140
Pleasant View. DY3 —3H 53
Pleasant Way. CV32 —3C 148
Pleck Rd. WS2 —3F 33
Pleck, The. B18 —5E 59
Pleck Wlk. B38 —1F 121
Plestowes Clo. B90 —3H 107
Pleydell Clo. CV3 —4G 133
Plimsoll Gro. B32 —2F 87
Plimsoll St. DY11 —3D 140
Plough Av. B32 —4F 87
Plough & Harrow Rd. B16 —4E 73
Ploughmans Wlk. DY6 —5B 52
Ploughman's Wlk. WS13 —1G 151
Ploughmans Wlk. WV8 —1E 19
Plover Clo. WV10 —2C 12
Ploverdale Cres. DY6 —5F 53
Plover Gro. DY10 —5G 141
Plowden Rd. B33 —2C 76
Plume St. B6 —4D 60
Plumstead Rd. B44 —4C 48
Plym Clo. WV11 —4D 20
Plymouth Clo. B31 —2A 120
Plymouth Clo. B97 —4A 144
Plymouth Clo. CV2 —1G 117
Plymouth Ct. B97 —4B 144
Plymouth Pl. CV31 —5C 149
Plymouth Rd. B30 —2F 105
Plymouth Rd. B97 —4B 144
Plymouth Rd. N. B97 —4B 144
Plymouth Rd. S. B97 —4B 144
Pocklington Pl. B31 —2B 104
Poets Corner. B10 —1E 91
Pointon Clo. WV14 —2C 42
Poitiers Rd. CV3 —3C 132
Polden Clo. B63 —5E 85
Polesworth Clo. B98 —4G 145
Polesworth Gro. B34 —5E 63
Pollard Rd. B27 —5A 92
Pollards, The. B23 —4F 49
Polo Fields. DY9 —5G 83
Polperro Dri. CV5 —3C 114
Pomeroy Clo. CV4 —2A 130
Pomeroy Rd. B32 —5F 87
Pomeroy Rd. B43 —1H 47
Pommel Clo. WS5 —1H 45
Pond Cres. WV2 —3A 30
Pond Gro. WV2 —3A 30
Pond La. WV2 —3A 30
Pondthorpe. CV3 —3H 133
Ponesfield Rd. WS13 —1G 151
Ponesgreen. WS13 —1G 151
Pontypool Av. CV3 —2H 133
Pool Av. WS11 —3B 8
Pool Bank. B98 —4B 144
Pool Bank St. CV11 —3E 137
Pool Clo. WV10 —1E 13
Pool Cotts. WS7 —3D 8
Poole Cres. B17 —3C 88
Poole Cres. WS8 —5C 8
Poole Cres. WV14 —2E 43
Poole Ho. Rd. B43 —1D 46
Pool End Clo. B93 —3H 125
Poole Rd. CV6 —2H 115
Pooles Ct. DY10 —2D 140
Pooles La. WV12 —2B 22
Poole St. DY8 —3D 82
Poole's Way. WS7 —1G 9
Pool Farm Rd. B27 —5H 91
Pool Field Av. B31 —2G 103
Poolfield Dri. B91 —4C 108
Pool Grn. WS9 —4F 25
Pool Grn. Ter. WS9 —4F 25
Pool Hall Cres. WV3 —2A 28
Pool Hall Rd. WV3 —2A 28
Pool Hayes La. WV12 —4H 21
Pool La. B69 —2C 70
Poolmeadow. B76 —3D 50
Pool Meadow Clo. B13 —5D 90
Pool Meadow Clo. B91 —5H 109
Pool Pl. B98 —2C 144
Pool Rd. B63 —3H 85
Pool Rd. B66 —1B 72
Pool Rd. CV10 —2C 136
Pool Rd. WS8 & WS7 —5D 8
Pool Rd. WV11 —3G 21
Pools Cotts. CV8 —4B 130
Poolside Gdns. CV3 —4H 131
Pool St. B6 —1B 74
Pool St. DY1 —5C 42
Pool St. WS1 —2H 33
Pool St. WV2 —2H 29
Pooltail Wlk. B31 —1G 119
Pool View. WS6 —3D 6
Pool Way. B33 —4D 76
Pope Gro. WS12 —1C 4
Pope Rd. WV10 —2C 20
Popes La. B30 & B38 —4C 104
Pope's La. B69 —5E 57
Pope St. B1 —2G 73
Pope St. B66 —5B 58
Poplar Av. B11 —1D 90
Poplar Av. B12 —2C 90
Poplar Av. B14 —5A 90
Poplar Av. B17 —4A 72
Poplar Av. B19 —4H 59
Poplar Av. B23 —1F 61
Poplar Av. B37 —5B 78
Poplar Av. B69 —4A 56 (Brades Village)
Poplar Av. B69 —2D 70 (Langley)
Poplar Av. B70 —2G 57
Poplar Av. B75 —3C 38
Poplar Av. CV12 —4G 81
Poplar Av. DY4 —5E 43
Poplar Av. WS2 —5B 22
Poplar Av. WS5 —5A 34
Poplar Av. WS7 —2E 9
Poplar Av. WS8 —1E 17 & 1F 17
Poplar Av. WS11 —3D 4
Poplar Av. WV11 —2D 20
Poplar Clo. B69 —4A 56
Poplar Clo. WS2 —5C 22
Poplar Cres. DY1 —2D 54
Poplar Cres. DY8 —3D 82
Poplar Dri. B6 —1B 60
Poplar Grn. DY1 —5C 42
Poplar Gro. B19 —4H 59
Poplar Gro. B66 —2B 72
Poplar Ho. CV12 —4G 81
Poplar La. WS11 —5A 4
Poplar Rise. B69 —4A 56
Poplar Rise. B74 —4E 27
Poplar Rd. B11 —2D 90
Poplar Rd. B14 —5A 90
Poplar Rd. B66 —4A 72
Poplar Rd. B69 —4D 56
Poplar Rd. B91 —4E 109
Poplar Rd. B93 —5H 125
Poplar Rd. B97 —3A 144
Poplar Rd. CV5 —1H 131
Poplar Rd. DY6 —1D 66
Poplar Rd. DY8 —3D 82
Poplar Rd. DY11 —4C 140
Poplar Rd. WS6 —1D 14
Poplar Rd. WS8 —1F 17 (in two parts)
Poplar Rd. WS10 —4D 32
Poplar Rd. WV3 —4F 29
Poplar Rd. WV14 —4G 31
Poplars Clo. WV5 —5B 40
Poplars Dri. B36 —4E 63
Poplars Dri. WV8 —5A 10
Poplars Ind Est., The. B6 —1B 60
Poplars, The. B11 —1E 91 (Small Heath)
Poplars, The. B11 —1D 90 (Sparkbrook)
Poplars, The. B16 —2E 73
Poplars, The. B66 —2C 72
Poplars, The. CV10 —4B 136
Poplars, The. DY8 —3E 67
Poplars, The. WS11 —3C 4
Poplar St. B66 —1B 72
Poplar St. WS11 —2A 8
Poplar St. WV2 —4H 29
Poplar Way Shopping Cen. B91 —4E 109
Poplarwoods. B32 —4E 87
Poppy Dri. WS5 —1A 46
Poppyfield Ct. CV4 —5F 131
Poppy La. B24 —1A 62
Porchester Dri. B19 —5H 59
Porchester St. B19 —5H 59
Porlock Clo. CV3 —3C 132
Porlock Cres. B31 —4G 103
Porlock Rd. DY6 —1F 83
Portal Rd. WS2 —1C 32
Portchester Dri. WV11 —4E 21
Porter Clo. B72 —4H 49
Porter Clo. CV4 —1B 130
Porters Croft. B17 —5A 72
Porter's Field. DY2 —3E 55
Portersfield Ind. Est. B64 —5E 69
Portersfield Rd. B64 —5E 69
Portershill Dri. B90 —1H 123
Porter St. DY2 —3E 55
Porters Way. B9 —4F 75
Portfield Gro. B23 —5G 49
Porthkerry Gro. DY3 —4G 41
Port Hope Rd. B11 —5C 74
Porthouse Gro. WV14 —1C 42
Portia Av. B90 —5H 107
Portland Av. B79 —1B 134
Portland Av. WS9 —4G 25
Portland Ct. CV32 —4B 14 (off Portland St.)
Portland Cres. DY9 —5G 83
Portland Dri. CV10 —3A 136
Portland Dri. DY9 —5G 83
Portland Dri. LE10 —1F 139
Portland M. CV32 —4B 148
Portland Pl. CV32 —5B 149
Portland Pl. WS11 —1A 6
Portland Pl. WV14 —4D 42
Portland Pl. W. CV32 —4A 148
Portland Rd. B17 & B16 —3B 72
Portland Rd. WS9 —4F 25
Portland Row. CV32 —5A 149
Portland St. B6 —5C 60
Portland St. CV32 —4B 148
Portland St. WS2 —1G 33
Portland St. WV14 —4F 31
Port La. WV9 —3B 10
Portman Rd. B13 —1B 106
Portobello Clo. WV13 —2E 31
Portobello Rd. B70 —3D 44
Portrush Av. B38 —1C 120
Portrush Rd. WV6 —1A 18
Portsdown Clo. WV10 —2B 20
Portsdown Rd. B63 —5E 85
Portsea Clo. CV3 —3C 132
Portsea St. WS3 —3F 23 (in two parts)
Port St. WS1 —3G 33
Portswood Clo. WV9 —1F 19
Portway Clo. B91 —1B 124
Portway Clo. CV31 —6E 149
Portway Clo. DY6 —1E 67
Portway Hill. B65 —5A 56
Portway La. WS10 —2B 44
Portway Rd. B65 —2A 70
Portway Rd. B69 —5C 56
Portway Rd. WS10 —2B 44
Portway Rd. WV14 —3F 31
Portway, The. DY6 —1E 67
Portway Wlk. B65 —1A 70
Portwrinkle Av. CV6 —2E 117
Posey Clo. B21 —2C 58
Postbridge Rd. CV3 —4C 132
Poston Croft. B14 —4H 105
Potter Clo. B23 —3E 49
Potter Ct. DY5 —4A 68 (off Chapel St.)
Potter's Grn. Rd. CV2 —5H 101
Potters La. B6 —5A 60
Potter's La. WS10 —2C 44

Queensway Clo.—Regent Pl.

Queensway Clo. B68 —4E 71
Queensway Light Ind. Est. CV31 —6A 149
Queensway Mall. B63 —3H 85
Queenswood Ct. CV7 —3F 99
Queenswood Rd. B13 —3C 90
Queenswood Rd. B75 —2H 37
Queen Victoria Rd. CV1 (in two parts) —5A 116
Quentin Dri. DY1 —4B 54
Queslade Clo. B43 —3E 47
Queslett Rd. B43 —3E 47 to 5A 36
Queslett Rd. E. B43 & B74 —5A 36
Quibury Clo. B98 —3H 145
Quicksand La. WS9 —5E 25
Quigley Av. B9 —4C 74
Quilletts Clo. CV6 —5E 101
Quilletts Rd. DY8 —3C 66
Quilter Clo. WS2 —5C 22
Quilter Clo. WV14 —3C 42
Quilter Rd. B24 —3H 61
Quince. B77 —2H 135
Quincey Dri. B24 —2H 61
Quincy Rise. DY5 —5H 67
Quinn Clo. CV3 —2E 133
Quinton Av. WS6 —4C 6
Quinton Clo. B92 —3F 93
Quinton Clo. B98 —4G 145
Quintondale. B90 —1A 124
Quinton Expressway. B32 —3E 87
Quinton La. B32 —1F 87
Quinton Pde. CV3 —2B 132
Quinton Pk. CV3 —2B 132
Quinton Rd. B17 —3A 88
Quinton Rd. CV3 & CV1 —1B 132
Quinton Rd. W. B32 —2E 87
Quonians La. WS13 —3G 151
Quorn Cres. DY8 —3C 66
Quorn Gro. B24 —3H 61
Quorn Ho. B20 —2E 59
Quorn Way. CV3 —2H 133

Rabbit La. CV12 —2B 80
Rabbit La. WV10 —2C 12
Rabone La. B66 —1B 72 to 5C 58
Raby Clo. B69 —4G 55
Raby St. WV2 —3A 30
Racecourse La. DY8 —5E 83
Racecourse Rd. WV6 —4F 19
Rachael Gdns. WS10 —1F 45
Rachel Clo. DY4 —3A 44
Rachel Gdns. B29 —4D 88
Rackfield. DY10 —2D 140
Rack Hill. DY10 —2E 141
Radbourn Dri. B74 —4A 38
Radbourne Rd. B90 —4B 108
Radbrook Way. CV31 —6E 149
Radcliffe Dri. B62 —1C 86
Radcliffe Gdns. CV31 —6B 149
Radcliffe Ho. CV4 —4D 130
Radcliffe Rd. CV5 —1G 131
Raddens Rd. B62 —3C 86
Raddington Dri. B92 —1B 108
Raddlebarn Farm Dri. B29 —5E 89
Raddlebarn Rd. B29 —5D 88 to 5F 89
Radford Av. DY10 —2E 141
Radford Circle. CV6 —3A 116
Radford Clo. WS5 —1A 46
Radford Dri. WS4 —1C 24
Radford Hall. CV31 —6E 149
Radford La. WV4 & WV3 —4A 28
Radford Radial. CV1 —4A 116
Radford Rise. B91 —3G 109
Radford Rd. B29 —2A 104
Radford Rd. CV6 & CV1 —2H 115
Radford Rd. CV31 —5C 149
Radley Dri. CV10 —5E 137
Radley Gro. B29 —4A 88
Radley Rd. DY9 —3B 84
Radley Rd. WS4 —3C 24
Radleys, The. B33 —5G 77
Radleys, The. WS4 —3C 24
Radley's Wlk. B33 —5F 77
Radmore Clo. WS7 —1D 8
Radmore Rd. LE10 —1E 139
Radnall Ho. B69 —1B 70
Radnor Clo. B45 —5E 103
Radnor Ct. WS9 —4E 17
Radnor Dri. CV10 —4C 136
Radnor Grn. B71 —4F 45
Radnor Rise. WS12 —2E 5
Radnor Rd. B20 —4F 59
Radnor Rd. B68 —1E 87
Radnor Rd. DY3 —3H 41
Radnor St. B18 —1E 73
Radstock Av. B36 —5A 62
Radstock Rd. WV12 —1A 22
Radway Clo. B98 —1E 145
Radway Rd. B90 —2C 124
Raeburn Rd. B43 —1G 47
Raford Rd. B23 —5E 49
Ragees Rd. DY6 —3E 67
Raglan Av. B66 —2C 72
Raglan Av. WV6 —1A 28
Raglan Clo. CV11 —3G 137
Raglan Clo. DY3 —4G 41
Raglan Clo. WS9 —5B 26
Raglan Gro. CV8 —2D 150
Raglan Rd. B5 —2H 89
Raglan Rd. B21 —4C 58
Raglan Rd. B66 —2B 72
Raglan St. CV1 —4C 116
Raglan St. DY5 —2G 67
Raglan St. WV3 —2G 29
Raglan Way. B37 —4C 78
Ragley Clo. B93 —2B 126
Ragley Clo. WS3 —1E 23
Ragley Cres. B60 —4D 142
Ragley Dri. B26 —2E 93
Ragley Dri. B43 —2D 46
Ragley Dri. WV13 —2G 31
Ragley Wlk. B65 —2A 70
Ragley Way. CV11 —5H 137
Ragnall Av. B33 —5F 77
Railswood Dri. WS3 —5A 16
Railway Dri. WV1 —1A 30
Railway Dri. WV14 —5F 31
Railway La. WV13 —2H 31
Railway Rd. B20 —3A 60
Railway Rd. B73 —5H 37
Railway St. B70 —2E 57
Railway St. DY4 —5A 44
Railway St. WS11 —5C 4 (Cannock)
Railway St. WS11 —2A 8 (Norton Canes)
Railway St. WV1 —1A 30
Railway St. WV13 —2H 31
Railway St. WV14 —5F 31
Railway Ter. B7 —5D 60
Railway Ter. B42 —5E 47
Railway Ter. CV12 —4H 5
Railway Ter. WS10 —2D 44
Railway Wlk. WS8 —4A 8
Railway Wlk. WS11 —5C 4
Rainbow St. WV2 —3H 29
Rainbow St. WV14 —1E 43
Rainford Way. B38 —1C 120
Rainham Clo. DY4 —1E 55
Rainsbrook Dri. B90 —3C 124
Rainscar. B77 —4H 135
Raison Av. CV11 —1H 137
Rake Hill. WS7 —1F 9
Rake Way. B15 —4G 73 & 4A 152
Raleigh Clo. B21 —3B 58
Raleigh Croft. B43 —2D 46
Raleigh Rd. B9 —3E 75
Raleigh Rd. CV2 —5F 117
Raleigh Rd. WV14 —1G 43
Raleigh St. B71 —1F 57
Raleigh St. WS2 —1F 33
Ralph Barlow Gdns. B44 —3C 48
Ralph Rd. B8 —2E 75
Ralph Rd. B90 —4H 107
Ralph Rd. CV6 —3G 115
Ralphs Meadow. B32 —4G 87
Ramillies Cres. WS6 —5D 6
Ramsay Cres. CV5 —2E 115
Ramsay Rd. B68 —4F 71
Ramsden Av. CV10 —1B 136
Ramsden Clo. B29 —2B 104
Ramsey Clo. B45 —1C 118
Ramsey Clo. B71 —3H 45
Ramsey Clo. LE10 —2D 138
Ramsey Rd. B7 —5D 60
Ramsey Rd. CV31 —6C 149
Ramsey Rd. DY4 —4F 43
Ramsey Rd. WS2 —4E 23
Ranby Rd. CV2 —4D 116
Randall Clo. DY6 —2E 67
Randall Rd. CV8 —4B 150
Randle Dri. B75 —1A 38
Randle Rd. CV10 —3B 136
Randle Rd. DY9 —3H 83
Randle St. CV6 —3A 116
Randolph Clo. CV31 —6D 149
Randwick Gro. B44 —3H 47
Ranelagh Rd. WV2 —4H 29
Ranelagh St. CV31 —6B 149
Ranelagh Ter. CV31 —6B 149
Range Meadow Clo. CV32 —1H 147
Rangemoor. CV3 —3G 133
Rangeways Rd. DY6 —2E 67
Rangeways Rd. DY11 —1A 140
Rangeworthy Clo. B97 —5A 144
Rangifer Rd. B78 —5B 134
Rangoon Rd. B92 —3G 93
Ranleigh Av. DY6 —2E 67
Rannoch Clo. DY5 —5G 67
Rannoch Clo. LE10 —2D 138
Ranscombe Dri. DY3 —2H 53
Ransom Rd. B23 —1D 60
Ransom Rd. CV6 —5C 100
Ranulf Croft. CV3 —2B 132
Ranulf St. CV3 —2B 132
Ranworth Rise. WV4 —5H 29
Raphael Clo. CV5 —4E 115
Ratcliffe Clo. DY3 —4B 42
Ratcliffe Rd. B91 —1E 109
Ratcliffe Rd. LE10 —4G 139
Ratcliffe Rd. WV11 —3G 21
Ratcliff Wlk. B69 —5D 56
Rathbone Clo. B5 —1A 90
Rathbone Clo. CV7 —1H 99
Rathbone Clo. WV14 —5E 31
Rathbone Rd. B67 —4H 71
Rathlin Clo. WV9 —5F 11
Rathlin Ct. B66 —5G 57
Rathlin Croft. B36 —1A 78
Rathmore Clo. DY8 —4D 82
Rathwell Clo. WV9 —1F 19
Rattle Croft. B33 —3C 76
Raveloe Dri. CV11 —5G 137
Ravenall Clo. B34 —5E 63
Raven Clo. WS6 —5B 6
Raven Clo. WS12 —3G 5 (Hednesford)
Raven Clo. WS12 —1B 4 (Huntington)
Raven Ct. DY5 —4H 67
Raven Cragg Rd. CV5 —1G 131
Raven Cres. WV11 —2G 21
Ravenfield Clo. B8 —2G 75
Ravenhayes La. B32 —1D 102
Raven Hays Rd. B31 —5F 103
Ravenhill Dri. WV8 —4A 10
Ravenhurst Dri. B43 —1D 46
Ravenhurst M. B23 —2F 61
Ravenhurst Rd. B17 —1B 88 to 2B 88
Ravenhurst St. B12 —5B 74
Raven Rd. WS5 —4B 34
Ravensbank Bus. Pk. B98 —1H 145
Ravensbank Dri. B98 —1H 145
Ravensbourne Gro. WV13 —1B 32
Ravensbury Ho. B15 —5E 73
Ravens Ct. WS8 —2E 17
Ravenscroft. DY8 —1C 82
Ravenscroft Rd. B92 —1D 108
Ravenscroft Rd. WV12 (in two parts) —4H 21
Ravensdale Av. CV32 —1H 147
Ravensdale Clo. WS5 —4B 34
Ravensdale Gdns. WS5 —4B 34
Ravensdale Rd. B10 —5G 75
Ravensdale Rd. CV2 —4G 117
Ravenshaw. B91 —4A 110
Ravenshaw La. B91 —3H 109
Ravenshaw Rd. B16 —3C 72
Ravenshaw Way. B91 —5H 109
Ravenshill Rd. B14 —4D 106
Ravensholme. WV6 —1A 28
Ravenside Retail Pk. B24 —2C 62
Ravensitch Wlk. DY5 —4A 68
Ravensmere Rd. B98 —4E 145
Ravensthorpe Clo. CV3 —1H 133
Ravenstone. B77 —4H 135
Ravenswood. B15 —5D 72
Ravenswood Clo. B74 —3H 37
Ravenswood Dri. B91 —5C 108
Ravenswood Dri. S. B91 —1C 124
Ravenswood Hill. B46 —5D 64
Raven Wlk. B15 —5H 73
Raven Way. CV11 —4H 137
Rawdon Gro. B44 —3C 48
Rawlings Rd. B67 —3A 72
Rawlins Croft. B35 —2E 63
Rawlinson Rd. CV32 —3C 148
Rawlins St. B16 —4F 73
Rawnsley Dri. CV8 —2D 150
Rawnsley Rd. WS12 —1G 5
Raybon Croft. B45 —3D 118
Rayboulds Bri. Rd. WS3 —5F 23
Rayboulds Fold. DY2 —1E 69
Rayford Dri. B71 —2A 46
Raygill. B77 —4H 135
Ray Hall La. B43 —3B 46
Rayleigh Rd. WV3 —3F 29
Raymond Av. B42 —5G 47
Raymond Clo. CV6 —2D 100
Raymond Clo. WS2 —4G 23
Raymond Gdns. WV11 —4F 21
Raymond Rd. B8 —2F 75
Raymont Gro. B43 —1G 47
Rayners Croft. B26 —4C 76
Raynor Cres. CV12 —4B 80
Raynor Rd. WV10 —3B 20
Raynsford Wlk. CV34 —2D 146
Raywoods, The. CV10 —4D 136
Rea Av. B45 —1C 118
Reabrook Rd. B31 —1H 119
Rea Clo. B31 —2A 120
Readers Wlk. B43 —3E 47
Reading Av. CV11 —1H 137
Reading Clo. CV2 —3F 101
Read St. CV1 —4C 116
Rea Fordway. B45 —1D 118
Reansway Sq. WV6 —5F 19
Reapers Clo. WV12 —4B 22
Reapers Wlk. WV8 —1E 19
Reardon Ct. CV34 —2E 147
Reaside Cres. B14 —3G 105
Reaside Croft. B12 —2A 90
Rea St. B5 —4A 74 & 5D 152
Rea St. S. B5 —5A 74 & 5D 152
Rea Ter. B5 —4B 74
Rea Valley Dri. B31 —5B 104
Reaview Dri. B29 —4G 89
Reaymer Clo. WS2 —3E 23
Reay Nadin Dri. B73 —1C 48
Rebecca Dri. B29 —4D 88
Recreation Rd. B61 —3D 142
Recreation Rd. CV6 —4E 101
Recreation St. DY2 —2E 69
Rectory Av. WS10 —4B 32
Rectory Clo. CV5 —2E 115
Rectory Clo. CV7 —4E 81
Rectory Clo. CV31 —8C 149
Rectory Clo. DY8 —4G 83
Rectory Dri. CV7 —4E 81
Rectory Fields. DY8 —3E 67
Rectory Gdns. B36 —4D 62
Rectory Gdns. B68 —1F 71
Rectory Gdns. B91 —4F 109
Rectory Gdns. DY8 —4G 83
Rectory Gro. B18 —1D 72
Rectory La. B36 —4D 62
Rectory La. CV5 —2E 115
Rectory Pk. Av. B75 —5B 38
Rectory Pk. Clo. B75 —5B 38
Rectory Pk. Rd. B26 —2E 93
Rectory Rd. B31 —4B 104
Rectory Rd. B75 —5A 38 to 4D 38
Rectory Rd. B91 —4F 109
Rectory Rd. B97 —4B 144
Rectory Rd. DY8 —4G 83
Rectory St. DY8 —3D 66
Redacre Rd. B73 —2F 49
Redacres. WV6 —4E 19
Redbank Av. B23 —2D 60
Red Brick Clo. B64 —1E 85
Redbrook Clo. WS12 —4G 5
Redbrook Covert. B38 —2D 120
Redbrooks Clo. B91 —1D 124
Redburn Dri. B14 —5H 105
Redcap Croft. CV6 —3C 100
Redcar Clo. CV32 —2D 148
Redcar Croft. B36 —4H 61
Redcar Rd. CV1 —3C 116
Redcar Rd. WV10 —4A 12
Redcliffe Dri. WV5 —5B 40 (in two parts)
Redcott's Clo. WV10 —2C 20
Redcroft Dri. B24 —5H 49
Redcroft Rd. DY2 —5F 55
Redcroft Rd. WS13 —3G 151
Reddal Hill Rd. B64 —4F 69
Red Deeps. CV11 —5G 137
Reddicap Heath Rd. B75 —5C 38
Reddicap Hill. B75 —5B 38
Reddicap Trading Est. B75 —5B 38
Reddicroft. B73 —5H 37
Reddings La. B11 & B28 —4F 91
Reddings Rd. B13 —4H 89
Reddings, The. B47 —3B 122
Redditch Ho. B33 —3G 77
Redditch Ringway. B97 & B98 —2B 144
Redditch Rd. B38 —3B 120 to 5E 105
Redditch Rd. B48 —5B 120
Redditch Rd. B98 —5F 145
Redesdale Av. CV6 —3G 115
Redfern Av. CV8 —2C 150
Redfern Clo. B92 —5D 92
Redfern Dri. WS7 —3F 9
Redfern Rd. B11 —2G 91
Redfly La. DY5 —5H 53
Redford Clo. B13 —4C 90
Redgate Clo. B38 —5D 104
Redhall Rd. B32 —1G 87
Redhall Rd. DY3 —3H 53
Red Hill. B98 —3D 144
Redhill. DY2 —4E 55
Red Hill. DY8 —3G 83
Redhill Av. WV5 —5A 40
Redhill Clo. B79 —1B 134
Red Hill Clo. DY8 —3G 83
Red Hill Gro. B38 —2E 121
Redhill La. B61 & B45 —3A 118
Redhill Rd. B25 —1G 91
Redhill Rd. B31 & B38 —1B 120 to 4F 121
Redhill Rd. WS11 —2C 4
Red Hill St. WV1 —5H 19
Redhill Ter. B25 —1H 91
Redholme Ct. DY8 —3G 83
Red Ho. Av. WS10 —1E 45
Redhouse Clo. B93 —4G 125
Redhouse Ind. Est. WS9 —4D 24
Redhouse La. WS9 —4D 24
Red Ho. Pk. Rd. B43 —2D 46
Red Ho. Rd. B33 —3C 76
Redhouse Rd. WV6 —4B 18
Redhouse St. WS1 —4H 33
Redhurst Dri. WV10 —4G 11 & 5G 11
Redlake. B77 —4F 135
Redlake Dri. DY9 —5G 83
Redlake Rd. DY9 —5G 83
Redland Clo. CV2 —4H 101
Redland Rd. CV31 —7C 149
Redlands Clo. B91 —2F 109 (in two parts)
Redlands Rd. B91 —3F 109 (in two parts)
Redlands Way. B74 —2C 36
Red La. CV6 —3D 116
Red La. CV8 —4H 129 to 5A 130
Red La. DY3 —3G 41
Red La. Ind. Est. CV6 —2D 116
Red Leasowes Rd. B63 —4G 85
Redliff Av. B36 —3F 63
Red Lion Av. WS11 —3A 8
Red Lion Clo. B69 —4G 55
Red Lion Cres. WS11 —3A 8
Red Lion La. WS11 —3A 8
Red Lion St. B98 —2C 144
Red Lion St. WS2 —1G 33
Red Lion St. WV1 —1H 29
Redlock Field. WS14 —5F 151
Redmead Clo. B30 —4C 104
Redmoor Gdns. WV4 —5F 29
Redmoor Way. B76 —5F 51
Rednall Dri. B75 —1A 38
Rednall Hill La. B45 —3D 118
Rednal Mill Dri. B45 —2F 119
Rednal Rd. B38 —1B 120
Redpine Cres. WV12 —4B 22
Red Rock Dri. WV8 —5A 10
Redruth Clo. CV6 —1E 117
Redruth Clo. CV11 —5B 136
Redruth Clo. DY6 —4D 52
Redruth Clo. WS5 —3D 34
Redruth Rd. WS5 —3C 34
Red Sands Rd. DY10 —1D 140
Redstart Av. DY10 —5G 141
Redstone Clo. B98 —1F 145
Redstone Dri. WV11 —4G 21
Redstone Farm Rd. B28 —2H 107
Redthorn Gro. B33 —3B 76
Redvers Rd. B9 —4F 75
Redwell Clo. B77 —1E 135
Redwing. B77 —5G 135
Redwing Clo. WS7 —3H 9
Redwing Dri. WS12 —1B 4
Red Wing Wlk. B36 —4A 64
Redwood Av. DY1 —1B 54
Redwood Bus. Pk. B66 —5F 57
Redwood Clo. B30 —4D 104
Redwood Clo. B74 —1B 36
Redwood Croft. B14 —1A 106
Redwood Croft. CV10 —5E 137
Redwood Dri. B69 —3A 56
Redwood Dri. WS7 —1E 9
Redwood Dri. WS11 —4D 4
Redwood Gdns. B27 —2H 91
Redwood Ho. B37 —1H 77
Redwood Rd. B30 —4D 104
Redwood Rd. WS5 —1B 46
Redwood Rd. WV14 —2E 43
Redwood Way. WV12 —2H 21
Redworth Ho. B45 —2D 11 (off Deelands Rd.)
Reedham Gdns. WV4 —5D 28
Reedly Rd. WV12 —1A 22
Reedmace Clo. B38 —2E 121
Reed Sq. B35 —2E 63
Reedswood Clo. WS2 —5F 23
Reedswood Gdns. WS2 —5F 23
Reedswood La. WS2 —5F 23
Rees Dri. CV3 —4B 132
Rees Dri. WV5 —4B 40
Reeves Gdns. WV8 —4A 10
Reeves La. WS13 —2F 151
Reeves Rd. B14 —2G 105
Reeves Rd. LE10 —4G 139
Reeves St. WS3 —2E 23
Reform St. B70 —2G 57
Regal Croft. B36 —4H 61
Regan Av. B90 —1G 123
Regan Cres. B23 —5E 49
Regency Arc. CV32 —5B 149
Regency Clo. CV10 —2G 137
Regency Ct. LE10 —4H 139
Regency Dri. B38 —5E 105
Regency Dri. CV3 —3G 131
Regency Dri. CV8 —4B 150
Regency Gdns. B14 —4D 106
Regency Wlk. B74 —4E 27
Regent Arc. LE10 —3E 13 (off Regent St.)
Regent Av. B69 —3H 55
Regent Clo. B63 —3H 85
Regent Clo. B69 —4H 55
Regent Clo. DY6 —5C 52
Regent Ct. B66 —1A 72
Regent Ct. LE10 —2E 139
Regent Dri. B69 —3H 55
Regent Gro. CV32 —4B 148
Regent Pde. B1 —2G 73 & 1A 152
Regent Pk. Rd. B10 —5D 74
Regent Pl. B1 —2G 73 & 2A 152
Regent Pl. B69 —3H 55

Romsley Rd.—Rylston Av.

Romsley Rd. B32 —5E 87
Romsley Rd. B68 —4E 71
Romsley Rd. DY9 —2H 83
Romulus Clo. B20 —2G 59
Ronald Gro. B36 —4F 63
Ronald Pl. B9 —3E 75
Ronald Rd. B9 —3E 75
Ro-Oak Rd. CV6 —3H 115
Rood End Rd. B69 & B68 —5F 57 to 1F 71
Rooker Av. WV2 —4B 30
Rooker Cres. WV2 —4B 30
Rookery Av. DY5 —3F 67
Rookery Av. WV4 —1C 42
Rookery Clo. B97 —4B 144
Rookery La. B32 —4D 86
Rookery La. CV6 —3A 100
Rookery La. WS9 —4G 25
Rookery La. WV2 —4G 29
Rookery Pde. WS9 —3G 25
Rookery Pk. DY5 —1G 67
Rookery Rise. WV5 —5B 40
Rookery Rd. B21 —4D 58
Rookery Rd. B29 —4E 89
Rookery Rd. WV4 & WV14 —2C 42
Rookery Rd. WV5 —5B 40
Rookery St. WV11 —4D 20
Rookery, The. B62 —4D 86
Rookwood Dri. WV6 —2A 28
Rookwood Rd. B27 —3H 91
Roosevelt Dri. CV4 —5B 114
Rootes Halls. CV4 —4E 131
Rooth St. WS10 —5E 33
Roper Wlk. DY3 —5B 42
Roper Way. DY3 —5B 42
Rope Wlk. WS1 —2A 34
Rosafield Av. B62 —1C 86
Rosalind Av. DY1 —4D 42
Rosalind Gro. WV11 —4G 21
Rosamond St. WS1 —3G 33
Rosary Rd. B23 —2E 61
Rosary Vs. B11 —2D 90
Rosaville Cres. CV5 —2D 114
Rose Av. B68 —5F 71
Rose Av. CV6 —3G 115
Rose Av. DY6 —1E 67
Rosebay Av. B38 —2E 121
Rosebay Meadow. WS11 —4F 5
Roseberry Av. CV2 —5F 101
Rosebery Rd. B66 —2B 72
Rosebery St. B18 —2F 73
Rosebery St. WV3 —2G 29
Rose Clo. B66 —1C 72
Rose Cotts. B29 —4E 89
Rose Ct. CV7 —1C 128
Rose Croft. CV8 —2A 150
Rosecroft Rd. B26 —1E 93
Rosedale Av. B23 —2F 61
Rosedale Av. B66 —1C 72
Rosedale Gro. B25 —5H 75
Rosedale Pl. WV13 —2H 31
Rosedale Rd. B25 —5A 76
Rosedale Wlk. DY6 —4E 53
Rosedene Dri. B20 —3E 59
Rose Dri. WS8 —3D 16
Rosefield Ct. B67 —2A 72
Rosefield Croft. B6 —5A 60
Rosefield Pl. CV32 —5B 149
Rosefield Rd. B67 —2A 72
Rosefield St. CV32 —5B 149 (in two parts)
Rosefield Wlk. CV32 —5B 14 (off Hamilton Ter.)
Rosegreen Clo. CV3 —3C 132
Rosehall Clo. B91 —5C 108
Rose Hill. B45 —5E 119
Rose Hill. DY5 —4C 68
Rosehill. WS12 —1D 4
Rose Hill. WV13 —2H 31
Rose Hill Clo. B36 —4E 63
Rose Hill Gdns. WV13 —2H 31
Rose Hill Rd. B21 —5F 59
Rosehip Clo. WS5 —1A 46
Rosehip Dri. CV2 —2F 117
Roseland Av. DY2 —4F 55
Roseland Rd. CV8 —4B 150
Roselands Av. CV2 —1G 117
Roseland Way. B15 —4G 73 & 5A 152
Rose La. B69 —3A 56
Rose La. B70 —2B 56
Rose La. CV11 —4F 137
Rose La. WS7 —1G 9
Roseleigh Rd. B45 —3E 119
Rosemary Av. WS6 —4B 6
Rosemary Av. WV4 —4H 29
Rosemary Av. WV14 —4G 31
Rosemary Clo. CV4 —4B 114
Rosemary Cres. DY1 —5C 42
Rosemary Cres. WV4 —5H 29
Rosemary Cres. W. WV4 —5G 29
Rosemary Dri. B74 —5D 26
Rosemary Hill. CV8 —3B 150
Rosemary Hill Rd. B74 —1D 36
Rosemary La. DY8 —3D 82
Rosemary M. CV8 —3B 150
Rosemary Nook. B74 —4E 27
Rosemary Rd. B33 —3C 76
Rosemary Rd. B63 —4F 85
Rosemary Rd. B77 —1F 135
Rosemary Rd. DY4 —5H 43
Rosemary Rd. DY10 —2G 141
Rosemary Rd. WS6 —3B 6
Rosemary Way. LE10 —3D 138
Rosemoor Dri. DY5 —5G 67
Rosemount. B32 —2G 87
Rosemount Clo. CV2 —1H 117
Rosemullion Clo. CV7 —5F 81
Rosendale Clo. B63 —2E 85
Rose Pl. B1 —2G 73 & 1A 152
Rose Rd. B17 —1C 88
Rose Rd. B46 —4D 64
Rose St. WV14 —2G 43
Rosetti Clo. DY10 —2H 141
Roseville Ct. DY3 —3D 42 (off Green St.)
Roseville Gdns. WV8 —4A 10
Roseville Precinct. DY3 (off Castle St.) —4D 42
Rosewood. CV11 —5H 137
Rosewood Clo. B77 —1E 135
Rose Wood Clo. LE10 —4G 139
Rosewood Cres. CV32 —3C 148
Rosewood Dri. B23 —3E 61
Rosewood Dri. WV12 —2A 22
Rosewood Gdns. WV11 —5H 13
Rosewood Pk. WS6 —5B 6
Rosewood Rd. DY1 —1D 54
Roshven Av. B12 —2C 90
Roshven Rd. B12 —2C 90
Roslin Clo. B60 —4F 143
Roslin Gro. B19 —5H 59
Roslyn Clo. B66 —1A 72
Ross. B65 —3A 70
Ross Clo. CV5 —3D 114
Ross Clo. WV3 —1E 29
Ross Dri. DY6 —5C 52
Rosse Ct. B92 —5H 93
Rossendale Clo. B63 —2E 85
Rossendale Way. CV10 —4C 136
Ross Heights. B65 —3H 69
Rosslyn Av. CV6 —2G 115
Rosslyn Rd. B76 —5C 50
Ross Rd. WS3 —3H 23
Roston Dri. LE10 —2B 138
Rostrevor Rd. B10 —4G 75
Rosy Cross. B79 —2D 134
Rothay. B77 —4F 135
Rothbury Grn. WS12 —4H 5
Rotherfield Clo. CV31 —5C 149
Rotherfield Rd. B26 —5E 77
Rotherham Rd. CV6 —4A 100
Rothesay Av. CV4 —5D 114
Rothesay Croft. B32 —1E 103
Rothesay Dri. DY8 —3C 66
Rothesay Way. WV12 —3A 22
Rothley Wlk. B38 —1B 120
Rothsay Clo. CV10 —4D 136
Rothwell Rd. CV34 —2C 146
Rotten Row. WS13 —3G 151
Rotton Pk. Rd. B16 —2C 72
Rotton Pk. St. B16 —3E 73
Rough Coppice Wlk. B35 —2D 62 & 3D 62
Rough Hay Pl. WS10 —4A 32
Rough Hay Rd. WS10 —3A 32
Rough Hill Dri. B65 —1G 69
Rough Hills Clo. WV2 —4B 30
Rough Hills Rd. WV2 —4B 30
Roughknowles Rd. CV4 —3A 130
Roughlea Av. B36 —5C 62
Roughley Dri. B75 —1A 38
Rough Rd. B44 —2B 48
Rough, The. B97 —5B 144
Rouncil Clo. B92 —1G 109
Rouncil La. CV8 —5A 150
Roundabout, The. B31 —1G 119
Round Croft. WV13 —1G 31
Round Hill. DY3 —2A 42
Round Hill Av. DY9 —5H 83
Roundhill Clo. B76 —1B 50
Roundhill Ho. DY6 —3D 52
Roundhills Rd. B62 —5D 70
Roundhill Ter. B62 —4C 70
Roundhill Way. WS8 —5E 9
Round Ho. Rd. CV3 —1E 133
Roundhouse Rd. DY3 —1A 54
Roundlea Clo. WV12 —2A 22
Roundlea Rd. B31 —1H 103
Round Moor Wlk. B35 (in two parts) —2D 62
Round Oak Rd. WS10 —1C 44
Round Rd. B24 —3H 61
Roundsaw Croft. B45 —1C 118
Round's Grn. Rd. B69 —5C 56
Rounds Hill. CV8 —5A 150
Rounds Hill Rd. WV14 —3E 43
Rounds Rd. WV14 —1E 43
Round St. DY2 —1E 69
Roundway Down. WV6 —1A 28
Rousay Clo. B45 —1C 118
Rousdon Gro. B43 —4C 46
Rover Dri. B27 —3B 92
Rover Dri. B36 —3H 63
Rover Rd. CV1 —5A 116
Rovex Bus. Pk. B11 —2G 91
Rowallan Rd. B75 —2A 38
Rowan Clo. B47 —3C 122
Rowan Clo. WS13 —2H 151
Rowan Ct. B66 —4F 57 (Crystal Dri.)
Rowan Ct. B66 —5G 57 (Forest Clo.)
Rowan Cres. WV3 —4D 28
Rowan Cres. WV14 —3C 42
Rowan Dri. B28 —3G 107
Rowan Dri. WV11 —5H 13
Rowan Gro. CV2 —4H 101
Rowan Gro. WS7 —1E 9
Rowan Ho. DY11 —1B 140
Rowan Rise. DY6 —1E 67
Rowan Rd. B72 —2A 50
Rowan Rd. CV10 —2B 136
Rowan Rd. DY3 —3B 42
Rowan Rd. WS5 —5A 34
Rowan Rd. WS11 —4A 4
Rowans, The. CV12 —3B 80
Rowantrees. B45 —3E 119
Rowan Way. B31 —1A 120
Rowan Way. B37 —4B 78
Roway La. B69 —3C 56
Rowbrook Clo. B90 —1F 123
Rowcroft Covert. B14 —5H 105
Rowdale Rd. B42 —4G 47
Rowden Dri. B23 —5G 49
Rowden Dri. B91 —5B 108
Rowena Gdns. DY3 —2H 41
Rowheath Rd. B30 —3E 105
Rowington Av. B65 —3B 70
Rowington Clo. CV6 —3F 115
Rowington Rd. B34 —1G 77
Rowland Gdns. WS2 —1F 33
Rowland Hill Av. DY11 —3B 140
Rowland Hill Cen. DY10 —3E 141
Rowlands Av. WS2 —5C 22
Rowlands Av. WV1 —1D 30
Rowlands Clo. WS2 —5C 22
Rowlands Cres. B91 —1E 109
Rowlands Rd. B26 —1B 92
Rowland St. WS2 —1F 33
Rowland Way. DY11 —5E 141
Rowley Dri. CV3 —4E 133 & 5E 133
Rowley Gro. B33 —3F 77
Rowley Hall Av. B65 —2A 70
Rowley La. CV3 —5G 133
Rowley Pl. WS4 —3B 24
Rowley Rd. CV8 & CV3 —5D 132
Rowley Rd. CV31 —8C 149
Rowley's Grn. CV6 —3C 100
Rowleys Grn. Ind. Est. CV6 —3C 100
Rowley's Grn. La. CV6 —3C 100
Rowley St. WS1 —1A 34
Rowley View. B70 —2E 57
Rowley View. WS10 —1B 44
Rowley View. WV14 —2G 43
Rowley Village. B65 —3A 70
Rowney Croft. B28 —3E 107
Rowood Dri. B91 & B92 —1F 109
Rowthorn Clo. B74 —3C 36
Rowthorn Dri. B90 —3D 124
Rowton Av. WV6 —2A 18
Roxborough Ho. B97 —3B 144
Roxburgh Croft. CV32 —1D 148
Roxburgh Gro. B43 —1G 47
Roxburgh Rd. B73 —1G 49
Roxburgh Rd. CV11 —5H 137
Roxby Gdns. WV6 —4F 19
Royal Clo. B65 —1A 70
Royal Clo. DY5 —5H 67
Royal Ct. LE10 —3E 139
Royal Cres. CV3 —4F 133
Royal Mail St. B1 —4H 73 & 4B 152
Royal Oak La. CV7 & CV12 —5B 80
Royal Oak Rd. B62 —2D 86
Royal Oak Rd. B65 —1G 69
Royal Oak Yd. CV12 —2F 81
Royal Priors. CV32 —4B 148
Royal Priors Shopping Cen. CV32 —4B 148
Royal Rd. B72 —5A 38
Royal Scot Gro. WS1 —5G 33
Royal Sq. B97 —2C 144
Royal Star Clo. B33 —4F 77
Royal Way. DY4 —3G 55
Roydon Rd. B27 —1A 108
Roylesden Cres. B73 —2D 48
Royston Chase. B74 —5C 26
Royston Croft. B12 —1A 90
Royston Way. DY3 —3H 41
Rozel Av. DY10 —1G 141
Rubens Clo. CV5 —4E 115
Rubens Clo. DY3 —1A 54
Rubery By-Pass. B45 —2C 118
Rubery Farm Gro. B45 —2D 118
Rubery La. B45 —1D 118
Rubery La. S. B45 —1D 118
Rubery St. WS10 —3B 32
Ruckley Av. B19 —5H 59
Ruckley Rd. B29 —5A 88
Ruddington Way. B19 —1A 74
Rudge Av. WV1 —1D 30
Rudge Clo. WV12 —5A 22
Rudge Croft. B33 —2D 76
Rudge St. WV14 —2F 43
Rudge Wlk. B18 —3F 73
Rudgewick Croft. B6 —5A 60
Rudyard Clo. WV10 —4A 12
Rudyard Gro. B33 —3E 77
Rudyngfield Dri. B33 —2C 76
Rufford. B79 —2A 134
Rufford Clo. B23 —3E 49
Rufford Rd. DY9 —3H 83
Rufford St. DY9 —2A 84
Rufford Way. WS9 —3D 24
Rugby Rd. CV12 —1B 80
Rugby Rd. CV32 —1D 148 (Cubbington)
Rugby Rd. CV32 —2H 147 (Leamington Spa)
Rugby Rd. DY8 —1D 82
Rugby Rd. LE10 —3E 139 to 5F 139
Rugby St. WV1 —5G 19
Rugeley Av. WV12 —2B 22
Rugeley Rd. WS7 —1H 9 (Burntwood)
Rugeley Rd. WS7 —1E 9 (Chase Terrace)
Rugeley Rd. WS12 —1H 5 (Hazelslade)
Rugeley Rd. WS12 —2F 5 (Hednesford)
Rugeley St. B7 —1C 74
Ruislip Clo. B35 —1D 62
Ruiton St. DY3 —1H 53
Rumbow. B63 —3H 85
Rumbush La. B94 & B90 —5E 123 to 3G 123
Rumer Hill Bus. Est. WS11 —1C 6
Rumer Hill Rd. WS11 —1C 6
Runcorn Clo. B37 —2B 78
Runcorn Clo. B98 —4D 144
Runcorn Rd. B12 —2B 90
Runnymede Dri. CV7 —3D 128
Runnymede Rd. B11 —4F 91
Rupert Rd. CV6 —1A 116
Rupert St. B7 —1C 74
Rupert St. WV3 —1F 29
Rushall Clo. DY8 —5D 66
Rushall Clo. WS4 —5B 24
Rushall Ct. B43 —4D 46 (off West Rd.)
Rushall Manor Clo. WS4 —5B 24
Rushall Manor Rd. WS4 —5B 24
Rushall Path. CV4 —2D 130
Rushall Rd. WV10 —1A 20
Rushbrook Clo. B92 —4B 92
Rushbrooke Clo. B13 —2B 90
Rushbrooke Dri. B73 —1D 48
Rushbrook Gro. B14 —4G 105
Rushden Croft. B44 —3B 48
Rushey La. B11 —2G 91
Rushford Av. WV5 —5B 40
Rushford Clo. B90 —2D 124
Rush Grn. B32 —4G 87
Rushlake Grn. B34 —1E 77
Rush La. B98 —1E 145
Rushleigh Rd. B90 —2F 123
Rushmead Gro. B45 —2D 118
Rushmere Rd. DY4 —3H 43
Rushmoor Clo. B74 —4H 37
Rushmoor Dri. CV5 —4H 115
Rushmore Ho. B45 —2D 118
Rushmore St. CV31 —6C 149
Rushmore Ter. CV31 —6C 149
Rushock Clo. B98 —5F 145
Rushton Clo. CV7 —2D 128
Rushwick Croft. B34 —5G 63
Rushwick Gro. B90 —3D 124
Rushwood Clo. WS4 —5A 24
Rushy Piece. B32 —4G 87
Ruskin Av. B65 —3B 70
Ruskin Av. DY3 —1F 53
Ruskin Av. DY10 —3H 141
Ruskin Av. WV4 —2B 42
Ruskin Clo. B6 —5A 60
Ruskin Clo. CV6 —2F 115
Ruskin Ct. B68 —5E 71
Ruskin Gro. B27 —4H 91
Ruskin Pl. B66 —5F 57
Ruskin Rd. WV10 —2B 20
Ruskin St. B71 —1F 57
Russell Bank Rd. B74 —5E 27
Russell Clo. B69 —3B 56
Russell Clo. DY4 —3A 44
Russell Clo. WV11 —1G 21
Russell Croft. B60 —5E 143
Russell Ho. WV8 —4A 10
Russell Rd. B13 —4H 89
Russell Rd. B28 —4F 91
Russell Rd. DY10 —4F 141
Russell Rd. WV14 —3G 31
Russells Hall Rd. DY1 —4A 54
Russells, The. B13 —3H 89
Russell St. CV1 —3B 116
Russell St. CV32 —4B 148
Russell St. DY1 —3C 54
Russell St. WS10 —2C 44
Russell St. WV3 —2G 29
Russell St. WV13 —1A 32
Russell St. N. CV1 —3B 116
Russell Ter. CV31 —5C 149
Russett Clo. WS5 —3D 34
Russett Clo. WS7 —2F 9
Russett Way. DY5 —5G 53
Russet Wlk. WV8 —1E 19
Russet Way. B31 —2G 103
Ruston St. B16 —4F 73
Ruthall Clo. B29 —1B 104
Ruth Chamberlain Ct. DY11 —2D 14 (off Paternoster Row.)
Ruth Clo. DY4 —2A 44
Rutherford Glen. CV11 —5H 137
Rutherford Rd. B23 —4F 49
Rutherford Rd. B60 —5F 143
Rutherford Rd. WS2 —4D 22
Rutherglen Av. CV3 —3E 133
Rutland Av. CV10 —3D 136
Rutland Av. LE10 —3E 139
Rutland Av. WV4 —5D 28
Rutland Ct. B29 —1B 104
Rutland Cres. WS9 —2F 25
Rutland Cres. WV14 —3F 31
Rutland Dri. B26 —1B 92
Rutland Dri. B60 —5E 143
Rutland Dri. B78 —5B 134
Rutland Pas. DY2 —4E 55
Rutland Pl. DY8 —5D 66
Rutland Rd. B66 —4A 72
Rutland Rd. B71 —4F 45
Rutland Rd. WS10 —5F 33
Rutland Rd. WS12 —5H 5
Rutland St. WS3 —4G 23
Rutley Gro. B32 —3H 87
Rutters Meadow. B32 —3F 87
Rutter St. WS1 —3G 33
Ryan Av. WV11 —2H 21
Ryan Pl. DY2 —5D 54 & 1E 69 (in two parts)
Rycroft Gro. B33 —3E 77
Rydal. B77 —5H 135
Rydal Av. CV11 —5B 136 & 2H 137 (in two parts)
Rydal Clo. CV5 —1D 114
Rydal Clo. LE10 —3C 138
Rydal Clo. WV11 —2D 20
Rydal Dri. WV6 —5A 18
Rydal Ho. B69 —1B 70
Rydal Way. B28 —1F 107
Rydding La. B71 —3E 45
Rydding Sq. B71 —4E 45
Ryde Av. CV10 —1G 137
Ryde Gro. B27 —5G 91
Ryde Pk. Rd. B45 —3F 119
Ryder Clo. CV35 —4A 146
Ryder Ho. B70 —2C 56
Ryders Grn. Rd. B70 —1C 56
Ryders Hayes La. WS3 —4A 16
Ryders Hill Cres. CV10 —1A 136
Ryder St. B4 —3A 74 & 2D 152
Ryder St. B70 —1C 56
Ryder St. DY8 —3D 66
Ryebank Clo. B30 —2C 104
Ryeclose Croft. B37 —3C 78
Rye Croft. B27 —2H 91
Rye Croft. B47 —3C 122
Rye Croft. DY9 —4A 84
Ryecroft Av. WV4 —5G 29
Ryecroft Clo. DY3 —3H 41
Ryecroft Dri. WS7 —1F 9
Ryecroft Pl. WS2 —5G 23
Ryecroft Pl. WS3 —3H 23 (in two parts)
Ryecroft Shopping Cen. WS7 —1E 9
Ryefield. WV8 —1E 19 (in two parts)
Ryefield Clo. B91 —3B 108
Rye Grass Wlk. B35 —2D 62
Rye Gro. B11 —3G 91
Rye Hill. CV5 —2C 114
Ryemarket. DY8 —2F 83
Rye Piece Ringway. CV12 —3F 81
Ryhope Clo. CV12 —4B 80
Ryhope Wlk. WV9 —5F 11
Ryknield St. WS14 —4H 151
Ryknild Clo. B74 —4F 27
Ryknild St. WS14 —5G 151
Ryland Clo. B63 —5F 85
Ryland Clo. CV31 —6D 149
Ryland Clo. DY4 —1H 55
Ryland Rd. B11 —3E 91
Ryland Rd. B15 —5G 73 & 5A 152
Ryland Rd. B24 —3F 61
Rylands Dri. WV4 —1F 41
Ryland St. B16 —4F 73
Ryle St. WS3 —1F 23
Ryley St. CV1 —4A 116
Rylston Av. CV6 —5H 99

Rylstone Way—St Paul's Rd.

Rylstone Way. CV34 —2E 147
Rymond Rd. B34 —1C 76
Ryton. B77 —4F 135
Ryton Clo. B73 —5H 37
Ryton Clo. B98 —4G 145
Ryton Clo. CV4 —2D 130
Ryton Clo. WV10 —4C 20
Ryton End. B92 —1G 127
Ryton Gro. B34 —5F 63

Sabell Rd. B67 —1H 71
Sabrina Rd. WV6 —2A 28
Saddington Rd. CV3 —1H 133
Saddle Dri. B32 —4A 88
Saddler Cen. WS1 —2G 33
Saddler's Clo. LE10 —4G 139
Saddlers Ct. WS2 —3E 33
Saddlers M. B91 —1E 125
Saddlestone, The. WV6 —2A 18
Sadler Rd. B75 —3C 38
Sadler Rd. CV6 —1H 115 to 5H 99
Sadler Rd. WS8 —2F 17
Sadlers Mill. WS8 —2F 17
Sadlers Wlk. B16 —4F 73
Saffron. B77 —1H 135
Saffron Gdns. WV4 —1F 41
Sage Croft. B31 —3H 103
St Agatha's Rd. B8 —2H 75
St Agatha's Rd. CV2 —4E 117
St Agnes Clo. B13 —4C 90
St Agnes Rd. B13 —4C 90
St Agnes Way. CV11 —3H 137
St Aidan's Rd. WS11 —2B 4
St Aidan's Wlk. B10 —5D 74
St Alban's Av. DY11 —2A 140
St Albans Clo. B67 —1H 71
St Alban's Clo. CV32 —2H 147
St Albans Clo. WV11 —2H 21
St Alban's Rd. B13 —3B 90
St Alban's Rd. B66 —5H 57
St Alphege Clo. B91 —4F 109
St Andrew's. B77 —1H 135
St Andrews. WV1 —1G 29
St Andrew's Av. WS3 —4B 16
St Andrew's Clo. B32 —3A 88
St Andrew's Clo. DY3 —2G 53
St Andrews Clo. DY8 —4F 83
St Andrew's Clo. WV6 —5F 19
St Andrew's Cres. B69 —5H 55
St Andrew's Dri. WV6 —1A 18
St Andrew's Grn. DY10 —4E 141
St Andrew's Ho. WV6 —5G 19
St Andrews Ind. Est. B9 —3D 74
St Andrew's Rd. B9 —4C 74
St Andrews Rd. B75 —3A 38
St Andrew's Rd. CV5 —1G 131
St Andrew's Rd. CV32 —1C 148
St Andrew's St. B9 —4C 74
St Andrew's St. DY2 —2D 68
St Anne's Clo. B20 —1E 59
St Anne's Clo. WS7 —3D 8
St Anne's Ct. B13 —3A 90
St Annes Ct. B44 —4C 48
St Anne's Gro. B93 —3A 126
St Anne's Rd. B64 —4D 68
St Anne's Rd. WS13 —1F 151
St Anne's Rd. WV10 —1G 19 (in two parts)
St Annes Rd. WV13 —5H 21
St Anne's Way. B44 —4C 48
St Ann's Clo. CV31 —6D 149
St Ann's Rd. CV2 —4E 117
St Ann's Ter. WV13 —5H 21
St Anthony's Dri. WS3 —3B 16
St Athan Croft. B35 —2E 63
St Audries Ct. B91 —5C 108
St Augustine's Rd. B16 —4C 72
St Augustus Clo. B70 —2H 57
St Austell Clo. B79 —2C 134
St Austell Clo. CV11 —5B 136
St Austell Rd. CV2 —4H 117
St Austell Rd. WS5 —3D 34
St Bartholomew's Ter. WS10 —1D 44
St Benedict's Clo. B70 —3H 57
St Benedict's Rd. B10 —5F 75
St Benedicts Rd. WS7 —2G 9
St Benedict's Rd. WV5 —5B 40
St Bernard's Rd. B72 —2A 50
St Bernard's Rd. B92 —2B 108
St Bernard's Wlk. CV3 —2G 133
St Blaise Av. B46 —3B 64
St Blaise Rd. B75 —1A 38
St Brades Clo. B69 —5A 56
St Bride's Clo. CV31 —6D 149
St Bride's Clo. DY3 —3H 41
Saintbury Dri. B91 —2E 125
St Caroline Clo. B70 —2H 57
St Catharine's Clo. B75 —4C 38
St Catherine's Clo. CV3 —1F 133
St Catherine's Clo. DY2 —3G 55
St Catherine's Clo. LE10 —3G 139
St Catherine's Cres. CV31 —8B 149
St Catherine's Cres. WV4 —1F 41
St Catherines Lodge. CV6 —4H 115
St Catherine's Rd. WS13 —1F 151
St Cecilia Clo. DY10 —5E 141
St Chad's Cir. Queensway. B4 —2H 73 & 2C 152
St Chad's Clo. DY3 —2G 53
St Chad's Clo. WS11 —2D 4
St Chad's Clo. WS13 —2G 151
St Chad's Queensway. B4 —2A 74 & 2C 152
St Chad's Rd. B45 —2D 118
St Chad's Rd. B75 —5C 38
St Chad's Rd. WS13 —2G 151
St Chad's Rd. WV10 —2B 2
St Chad's Rd. WV14 —4G 31
St Christian's Croft. CV3 —1C 132
St Christian's Rd. CV3 —1C 132
St Christopher Clo. B70 —3H 57
St Christopher's. B20 —1E 59
St Christopher's Clo. CV34 —3D 146
St Christopher's Dri. B77 —5D 134
St Clement's Av. WS3 —2F 23
St Clements Ct. B63 —4G 85
St Clements Ct. CV2 —1G 117
St Clement's La. B71 —1G 57
St Clement's Rd. B7 —1D 74
St Columbas Clo. CV1 —4B 116
St Columbas Dri. B45 —2F 119
St Cuthbert's Clo. B70 —3H 57
St Davids. WV1 —1A 30
St David's Clo. B70 —3H 57
St David's Clo. CV3 —2H 133
St David's Clo. CV31 —6D 149
St David's Clo. DY11 —2A 140
St David's Clo. WS3 —3B 16
St David's Dri. B32 —2E 87
St David's Gro. B20 —1E 59
St David's Pl. WS3 —1F 23
St Denis Rd. B29 —2B 104
St Dominic's Rd. B24 —3F 61
St Edburgh's Rd. B25 —4B 76
St Editha's Clo. B79 —3C 134
St Ediths Grn. CV34 —3G 147
St Edmund's Clo. B70 —3H 57
St Edmund's Clo. WV6 —5F 19
St Edward's Rd. B29 —4E 89
St Eleanors Clo. B70 —2H 57
St Elizabeth's Rd. CV6 —1D 116
St Francis' Clo. WS3 —4B 16
St Francis Factory Est. B70 —3G 57
St George Dri. B46 —5A 58
St Georges. WV2 —2H 29 & 2A 30
St George's Av. B23 —1G 61
St George's Av. LE10 —2E 139
St George's Clo. B15 —5F 73
St George's Clo. B75 —4C 38
St George's Clo. WS10 —3B 32
St George's Ct. B30 —1D 104
St Georges Ct. B74 —4F 27
St George's Ct. DY10 —2E 141
St Georges Gdns. B98 —2D 144
St George's Pde. WV1 —2H 29
St Georges Pl. B70 —1F 57
St George's Pl. DY10 —2E 141
St Georges Pl. WS1 —1H 33
St George's Ringway. DY10 —2E 141
St George's Rd. B90 —2A 124
St George's Rd. B98 —2D 144
St George's Rd. CV1 —5D 116
St George's Rd. CV31 —6B 149
St George's Rd. DY2 —1F 69
St George's Rd. DY8 —4D 82
St George's St. B19 —2H 73 & 1B 152
St George's St. WS10 —3B 32
St George's Ter. DY10 —3E 141
St George's Way. B77 —1F 135
St George's Way. CV10 —5E 137
St Gerards Ct. B91 —5C 108
St Gerard's Rd. B91 —5B 108
St Giles Av. B65 —2H 69
St Giles Clo. B65 —2A 70
St Giles Ct. B65 —2B 70
St Giles Cres. WV1 —2C 30
St Giles Rd. B33 —3F 77
St Giles Rd. CV7 —2B 100
St Giles Rd. WS7 —2G 9
St Giles Rd. WV1 —1C 30
St Giles Rd. WV13 —2H 31
St Giles St. DY2 —1E 69
St Godwald's Cres. B60 —5F 143
St Godwald's Rd. B60 —5F 143
St Govan's Clo. CV31 —6D 149
St Helen's Pas. B1 —2G 73 & 2A 152
St Helen's Rd. B91 —2D 108
St Helen's Rd. CV31 —7B 149
St Helen's Rd. WS13 —1F 151
St Helen's Way. CV5 —1D 114
St Heliers Rd. B31 —4H 103
St Ives Clo. B79 —2C 134
St Ives Rd. CV2 —4H 117
St Ives Rd. WS5 —3D 34
St Ives Way. CV11 —2H 137
St James Av. B65 —2H 69
St James Clo. B70 —3H 57
St James' Clo. WS3 —3B 16
St James Ct. CV3 —3H 133
St James Gdns. CV12 —1B 80
St James La. CV3 —3G 133
St James Pl. B7 —3C 74
St James Pl. B90 —5H 107
St James' Rd. B15 —5F 73 & 5A 152
St James' Rd. B21 —4C 58
St James Rd. B69 —4B 56
St James Rd. B75 —1H 37
St James Rd. WS11 —5A 4 (Cannock)
St James Rd. WS11 —2B 8 (Norton Canes)
St James's Clo. LE10 —5E 139
St James's Rd. DY1 —3D 54
St James's St. DY3 —2A 54
St James's Ter. DY1 —3C 54
St James St. WS10 —2C 44
St James St. WV1 —2A 30
St James Wlk. WS8 —2E 17
St John Bosco Clo. B71 —4E 45
St John Clo. B75 —1A 38
St John's. CV34 —4E 147
St Johns. WV2 —2H 29
St John's Arc. WV1 —2H 29
St John's Av. B65 —2H 69
St John's Av. CV8 —4B 150
St John's Av. DY11 —2B 140
St John's Clo. B70 —2H 57
St John's Clo. B93 —3B 126
St John's Clo. DY11 —2C 140
St John's Clo. WS9 —5E 17
St John's Clo. WS11 —1B 6
St John's Clo. WS13 —4F 151
St John's Ct. CV34 —4E 147
St Johns Ct. DY5 —4H 67 (off Hill St.)
St Johns Ct. WS3 —1F 23
St John's Flats. CV8 —4B 150
St Johns Gro. B37 —3H 77
St John's Ho. B70 —3F 57
St John's Rd. B11 —2D 90
St John's Rd. B17 —1C 88
St John's Rd. B63 —3F 85
St John's Rd. B68 —1F 71
St John's Rd. CV31 —6B 149
St John's Rd. DY2 —4F 55
St John's Rd. DY4 —4G 43
St John's Rd. DY8 —2F 83
St John's Rd. WS2 —3E 33
St John's Rd. WS3 —3B 16
St John's Rd. WS8 —3F 17
St John's Rd. WS10 —5A 32
St John's Rd. WS11 —1B 6 (in two parts)
St John's Rd. WV11 —5G 13
St John's Sq. WV2 —2H 29
St John's St. B79 —3C 134
St John's St. CV1 —5B 116
St John's St. CV8 —4B 150
St John's St. DY11 —2C 140
St Johns St. WV1 —2H 29 (off St Johns Arc.)
St John's Ter. WS2 —3F 33
St John St. B61 —3D 142
St John St. DY2 —1D 68
St John St. WS13 —3F 151
St Johns Wlk. B42 —1H 59
St John's Way. B93 —3B 126
St Johns Wood. B45 —3E 119
St Joseph's Av. B31 —3B 104
St Joseph's Clo. WS3 —4A 16
St Joseph's Ct. WV4 —4C 28
St Joseph's Rd. B8 —1H 75
St Joseph St. DY2 —3E 55
St Jude's Clo. B14 —5A 106
St Jude's Clo. B75 —4C 38
St Jude's Cres. CV3 —2G 133
St Judes Pas. B5 —4H 73 & 4C 152
St Jude's Rd. WV6 —5E 19
St Jude's Rd. W. WV6 —5E 19
St Just's Rd. CV2 —3H 117
St Katherine's Rd. B68 —3F 71
St Kenelm's Av. B63 —5F 85
St Kenelm's Clo. B70 —3H 57
St Kilda's Rd. B8 —2F 75
St Laurence Av. CV34 —5D 146
St Laurence Rd. B31 —3B 104
St Lawrence Clo. B93 —3A 126
St Lawrence Dri. WS11 —4E 5
St Lawrence M. B31 —4A 104
St Lawrence's Rd. CV6 —5D 100
St Lawrence St. B4 —2B 74 & 2D 152
St Lawrence Way. WS10 —4B 32
St Leonard's Clo. B37 —1A 94
St Loge's Clo. B62 —5B 70
St Luke's Clo. B65 —2H 69
St Luke's Clo. WS11 —5B 4
St Luke's Rd. B5 —5H 73 & 5B 152
St Luke's Rd. CV6 —3B 100
St Luke's Rd. WS7 —2G 9
St Luke's Rd. WS10 —2E 45
St Luke's St. B64 —4E 69
St Luke's Ter. DY1 —4C 54
St Margaret Rd. CV1 —5D 116
St Margaret's. B74 —1D 36
St Margaret's Av. B8 —1H 75
St Margaret's Dri. B63 —4G 85
St Margaret's Rd. B8 —1H 75
St Margaret's Rd. B43 —2E 47
St Margaret's Rd. B79 —1C 134
St Margaret's Rd. B92 —5B 92
St Margaret's Rd. CV31 —7C 149
St Margaret's Rd. WS3 —4A 16
St Margaret's Rd. WS13 —1F 151
St Marks. WV3 —2G 29
St Mark's Cres. B1 —3F 73
St Mark's Factory Cen. DY9 —2H 83
St Mark's La. CV32 —4A 148
St Marks M. CV32 —4A 148
St Mark's Rd. B67 —2G 71
St Mark's Rd. CV32 —4A 148
St Mark's Rd. DY2 —3G 55
St Mark's Rd. DY4 —4G 43 to 3A 44
St Mark's Rd. DY9 —2H 83
St Mark's Rd. WS3 —4A 16
St Mark's Rd. WS7 —2G 9
St Mark's Rd. WS8 —3F 17
St Mark's Rd. WV3 —2G 29 (in two parts)
St Mark's St. B1 —3F 73
St Mark's St. WV3 —2G 29
St Martin's. LE10 —4F 139
St Martin's Cir. Queensway. B2 —4A 74 & 3C 152
St Martin's Clo. B70 —3H 57
St Martin's Clo. WV2 —4A 30
St Martins Dri. DY4 —5H 43
St Martin's Ho. DY4 —1H 55
St Martin's La. B5 —4A 74 & 4D 152
St Martin's Rd. B75 —5C 38
St Martin's Rd. CV3 —5A 132
St Martin's St. B15 —4G 73
St Martin's Ter. WV14 —1F 43
St Mary's Clo. B27 —3H 91
St Mary's Clo. CV34 —3C 146
St Mary's Clo. DY3 —3B 42
St Mary's Clo. DY10 —2D 140
St Mary's Clo. WV10 —1E 13
St Marys Ct. DY5 —4A 68 (off Hill St.)
St Mary's Cres. CV31 —5C 149
St Mary's La. DY8 —4G 83
St Mary's Pk. B47 —5A 122
St Mary's Ringway. DY10 —2D 140
St Mary's Rd. B17 —2C 88
St Mary's Rd. B67 —4A 72
St Mary's Rd. CV11 —2F 137
St Mary's Rd. CV31 —5C 149 to 6D 149
St Mary's Rd. LE10 —3E 139
St Mary's Rd. WS10 —1D 44
St Mary's Rd. WS13 —1F 151
St Mary's Row. B4 —2A 74 & 2C 152
St Mary's Row. B13 —4B 90
St Mary's St. WV1 —1H 29
St Mary's Ter. CV31 —5C 149
St Mary St. CV1 —5B 116
St Mary's View. B23 —3E 49
St Mary's Way. B77 —1F 135
St Mary's Way. WS9 —4F 25
St Matthew's Clo. WS1 —2H 33
St Matthew's Clo. WS3 —3B 16
St Matthew's Rd. B66 —2B 72
St Matthew's Rd. B68 —3D 70 & 4D 70 (in two parts)
St Matthews St. WV1 —2B 30
St Mawes Rd. WV6 —5A 18
St Mawgan Clo. B35 —1E 63
St Michael Rd. WS13 (in three parts) —2G 151
St Michael's Clo. WS3 —5A 16
St Michaels Ct. B70 —2F 57
St Michael's Ct. DY5 —4A 68
St Michael's Ct. WV6 —4E 19
St Michael's Cres. B69 —2D 70
St Michael's Dri. WS12 —2H 5
St Michael's Gro. DY2 —3G 55
St Michael's Hill. B18 —5F 59
St Michael's M. B69 —3H 55
St Michael's Rd. B18 —5F 59
St Michael's Rd. B73 —3F 49
St Michael's Rd. CV2 —4E 117
St Michael's Rd. CV34 —3C 146
St Michael's Rd. DY3 —1F 53
St Michael St. B70 —2F 57
St Michael St. WS1 —3H 33
St Michael's Way. CV10 —3A 136
St Michaels Way. DY4 —2H 55
St Nicholas Av. CV8 —4B 150
St Nicholas Church St. CV34 —4E 147
St Nicholas Clo. WS3 —4A 16
St Nicholas Ct. CV6 —1D 116
St Nicholas Pk. Dri. CV11 —1H 137
St Nicholas Rd. CV11 —2G 137
St Nicholas Rd. CV31 —7E 149
St Nicholas St. CV1 —3A 116
St Nicholas Ter. CV31 —7E 149
St Nicolas Ct. B38 —5E 105
St Nicolas Gdns. B38 (in two parts) —5E 105
St Osburg's Rd. CV2 —4E 117
St Oswalds Clo. DY10 —1F 141
St Oswald's Rd. B10 —5E 75
St Patricks. WV1 —1H 29
St Patrick's Clo. B14 —2A 106
St Patrick's Ct. DY11 —5B 140
St Patrick's Rd. CV1 —5B 116
St Paul's Av. B12 —2B 90
St Paul's Av. DY11 —2A 140
St Paul's Clo. CV34 —4D 146
St Paul's Clo. WS1 —1H 33
St Paul's Clo. WS11 —5E 5
St Paul's Clo. WV9 —1H 11
St Paul's Ct. B3 —2H 73 & 1B 152
St Paul's Cres. B46 —5E 65
St Paul's Cres. B70 —4C 44
St Paul's Cres. WS3 —4B 16
St Paul's Dri. B62 —4B 70
St Paul's Dri. DY4 —1H 55
St Paul's Rd. B12 —2B 90

Sedgeford Clo.—Shoreham Clo.

Sedgeford Clo. DY5 —5H 67
Sedgehill Av. B17 —3B 88
Sedgemere Gro. CV7 —3D 128
Sedgemere Gro. WS4 —2C 24
Sedgemere Rd. B26 —4C 76
Sedgemoor Rd. CV3 —4F 133
Sedgemore Av. WS7 —2G 9
Sedgley Clo. B98 —2D 144
Sedgley Gro. B20 —1D 58
Sedgley Hall Av. DY3 —4H 41
Sedgley Hall Est. DY3 —3G 41
Sedgley Rd. DY1 & DY4 —5D 42
Sedgley Rd. WV4 —1E 41
Sedgley Rd. E. DY4 —2G 55
Sedgley Rd. W. DY4 —5E 43
Sedgley St. WV2 —3H 29
Seedfield Croft. CV3 —2C 132
Seedhouse Ct. B64 —5H 69
Seeds La. WS8 —1E 17
Seekings, The. CV31 —8C 149
Seeleys Rd. B11 —2E 91
Sefton Dri. B65 —1G 69
Sefton Gro. DY4 —2A 44
Sefton Rd. B16 —4E 73
Sefton Rd. CV4 —3F 131
Segbourne Rd. B45 —1C 118
Segundo Clo. WS5 —5H 33
Segundo Rd. WS5 —5H 33
Selba Dri. DY11 —3A 140
Selborne Clo. WS1 —2A 34
Selborne Gro. B13 —2D 106
Selborne Rd. B20 —3F 59
Selborne Rd. DY2 —5E 55
Selborne St. WS1 —2A 34
Selbourne Cres. WV1 —2D 30
Selby Clo. B26 —4C 76
Selby Gro. B13 —2D 106
Selby Ho. B69 —1B 70
Selby Way. CV10 —2A 136
Selby Way. WS3 —5C 14
Selcombe Way. B38 —2E 121
Selcroft Av. B32 —2H 87
Selkirk Clo. B71 —5F 45
Selly Av. B29 —4F 89
Selly Clo. B29 —4F 89
Selly Hall Croft. B30 —2E 105
Selly Hill Rd. B29 —4E 89
Selly Oak Rd. B30 —2D 104
Selly Pk. Rd. B29 —4F 89
Selly Wharf. B29 —5D 88
Selly Wick Dri. B29 —4F 89
Selly Wick Rd. B29 —4F 89
Sellywood Rd. B30 —1D 104
Selma Gro. B14 —3D 106
Selman's Hill. WS3 —5F 15
Selsdon Clo. B47 —4D 122
Selsdon Clo. DY11 —3C 140
Selsdon Rd. WS3 —5D 14
Selsey Av. B17 —3B 72
Selsey Clo. CV3 —4F 133
Selsey Rd. B17 —3B 72
Selston Rd. B6 —5A 60
Selvey Av. B43 —1G 47
Selworthy Rd. B36 —5G 63
Selworthy Rd. CV6 —4C 100
Selwyn Clo. WV2 —3H 29
Selwyn Rd. B16 —3D 72
Selwyn Rd. WV14 —4G 31
Semele Clo. CV31 —7E 149
Senate Ho. CV4 —4E 131
Senator Ho. B90 —1B 124
Seneschal Rd. CV3 —2C 132
Senior Clo. WV11 —5G 13
Senneley's Pk. Rd. B31 —5H 87
Sennen Clo. CV11 —5B 136
Sennen Clo. WV13 —2G 31
Sensall Rd. DY9 —3B 84
Serin Clo. DY10 —5F 141
Serpentine Rd. B6 —4B 60
Serpentine Rd. B17 —2B 88
Serpentine Rd. B29 —4F 89
Serpentine, The. DY11 —4C 140
Servite Ct. B14 —5C 106
Servite Ho. CV8 —4B 150
Settle Av. B34 —1D 76
Settle Croft. B37 —4H 77
Setton Dri. DY3 —4B 42
Seven Acres. WS9 —4F 25
Sevenacres La. B98 —1F 145
Seven Acres Rd. B31 —5B 104
Seven Acres Rd. B62 —2D 86
Seven Dwellings. DY5 —4H 67
Seven Star Rd. B91 —2D 108
Seven Stars Ind. Est. CV3 —2E 133
Seven Stars Rd. B69 —5D 56
Seventh Av. B42 —1A 60
Severn Av. LE10 —3C 138
Severn Clo. B36 —5H 63
Severn Clo. CV32 —2D 148
Severn Clo. WV12 —3H 21
Severn Dri. DY5 —5G 53
Severn Dri. WS7 —2H 9
Severn Dri. WV6 —2A 18 & 5A 18
Severne Gro. B27 —5A 92
Severne Rd. B27 —5A 92 & 1A 108
Severn Gro. B11 —1D 90
Severn Gro. B19 —5G 59
Severn Gro. DY11 —5B 140
Severn Rd. B63 —2D 84
Severn Rd. CV1 —1D 132
Severn Rd. CV12 —1A 80
Severn Rd. DY8 —4E 83
Severn Rd. WS3 —1G 23 & 2G 23
Severn Rd. WS8 —5C 8
Severn St. B1 —4H 73 & 4B 152
Severn Tower. B7 —1C 74
Sevington Clo. B91 —1F 125
Sewall Highway. CV6 & CV2 —1E 117 to 3G 117
Seward Clo. WS14 —4H 151
Seymour Clo. B29 —4F 89
Seymour Clo. CV3 —4F 133
Seymour Clo. CV35 —4A 146
Seymour Clo. WS6 —5B 6
Seymour Dri. B98 —1D 144
Seymour Gdns. B74 —1F 37
Seymour Gro. CV34 —4H 147
Seymour Pl. CV8 —2A 150
Seymour Rd. B69 —5F 57
Seymour Rd. CV11 —4G 137
Seymour Rd. DY4 —3A 44
Seymour Rd. DY9 —2B 84
Seymour Rd. DY11 —1B 140
Seymour St. B4 —3A 74 & 3D 152
Seymour St. B12 —1A 90
Shackleton Dri. WV6 —1A 18
Shackleton Rd. WS3 —1G 23
Shadowbrook La. B92 —1C 110
Shadowbrook Rd. CV6 —3H 115
Shadwell Dri. DY3 —2A 54
Shadwell St. B4 —2H 73 & 2C 152
Shady La. B44 —2H 47
Shadymoor Dri. DY5 —5H 67
Shaftesbury Av. B63 —5D 68
Shaftesbury Av. CV7 —1H 99
Shaftesbury Av. DY9 —4H 83
Shaftesbury Clo. B60 —3F 143
Shaftesbury Dri. WS12 —1F 5
Shaftesbury Rd. CV5 —1G 131
Shaftesbury Rd. WS10 —2E 45
Shaftesbury Sq. B71 —1F 57
Shaftesbury St. B70 & B71 —1F 57
Shaft La. CV7 —3F 97
Shaftmoor Ind. Est. B11 —4G 91
Shaftmoor La. B28 & B27 —4F 91
Shaftsbury Rd. B26 —2E 93
Shakespeare Av. B98 —3D 144
Shakespeare Av. CV12 —4G 81
Shakespeare Av. CV34 —5C 146
Shakespeare Av. WS14 —4G 151
Shakespeare Clo. B79 —2C 134
Shakespeare Clo. WV14 —2E 43
Shakespeare Cres. WS3 —2H 23
Shakespeare Dri. B90 —1H 123
Shakespeare Dri. DY10 —2G 141
Shakespeare Dri. LE10 —2E 139
Shakespeare Gro. WS11 —3B 4
Shakespeare Pl. WS3 —3H 23
Shakespeare Rd. B23 —2C 60
Shakespeare Rd. B67 —2G 71
Shakespeare Rd. B90 —1B 124
Shakespeare Rd. DY3 —1F 53
Shakespeare Rd. DY4 —4H 43
Shakespeare Rd. WS7 —1E 9
Shakespeare St. B11 —2D 90
Shakespeare St. CV2 —3E 117 & 4E 117
Shakespeare St. WV1 —2A 30
Shakleton Rd. CV5 —5H 115
Shaldon Wlk. B66 —1B 72
Shale St. WV14 —5E 31
Shalford Rd. B92 —3B 92
Shallcross La. DY3 —2H 53
Shalnecote Gro. B14 —3G 105
Shambles. WS10 —2D 44
Shandon Clo. B32 —4H 87
Shanklin Dri. CV10 —2G 137
Shanklin Rd. CV3 —4F 133
Shanklyn Clo. WS6 —4D 6
Shannon. B77 —4G 135
Shannon Dri. WS8 —5B 8
Shannon Rd. B38 —2D 120 to 1E 121
Shannon Rd. WS8 —5B 8 & 5C 8
(in three parts)
Shannon Wlk. WS8 —5B 8
Shapinsay Dri. B45 —1C 118
Shard End Cres. B34 —1E 77 & 1F 77
Shardlow Rd. WV11 —2F 21
Shardway, The. B34 —1F 77
Sharesacre St. WV13 —5H 21
Sharman Rd. WV10 —3A 20
Sharmans Cross Rd. B91 —4B 108
Sharon Clo. WV4 —5B 30
Sharon Way. WS12 —3F 5
Sharp Clo. CV6 —4A 100
Sharpe Clo. CV34 —3E 147
Sharpe St. B77 —1G 135
Sharpless Rd. LE10 —4G 139
Sharps Clo. B45 —2D 118
Sharp St. DY4 —2H 55
Sharrat Field. B75 —1B 38
Sharratt Rd. CV12 —4D 80
Sharrocks St. WV1 —2A 30
Shaw Av. DY10 —2G 141
Shawbank Rd. B98 —3E 145
Shawberry Rd. B37 —1H 77
Shawbrook Gro. B14 —4C 106
Shawbury Clo. B98 —3H 145
Shawbury Gro. B12 —5B 74
Shawbury Gro. WV6 —1A 18
Shawbury Rd. WV10 —4B 20
Shawbury Tower. B35 —2D 62
Shaw Dri. B33 —4C 76
Shawe Av. CV10 —1F 137
Shawfield. B47 —3B 122
Shaw Hall La. WV9 —2G 11
Shawhellier Av. DY5 —4A 68
Shaw Hill Gro. B8 —2G 75
Shaw Hill Rd. B8 —2G 75
Shawhurst Croft. B47 —2C 122
Shawhurst La. B47 —3B 122
Shaw La. WS13 —2F 151
Shaw La. WV6 —1B 28
Shawley Croft. B27 —3B 92
Shaw Pk. Bus. Village. WV10 —3H 19
Shaw Rd. DY2 —5D 54
Shaw Rd. DY4 —1A 56
Shaw Rd. WV2 —4H 29
Shaw Rd. WV10 —3H 19
Shaw Rd. WV14 —3C 42
Shawsdale Rd. B36 —5C 62
Shaws La. WS6 —5D 6
Shaw's Pas. B5 —3A 74 & 3D 152
Shaw St. B70 —4C 44
Shaw St. WS2 —1G 33
Shayler Gro. WV2 —3A 30
Sheaf La. B26 —2E 93
Shearwater Clo. DY10 —5G 141
Shearwater Dri. DY5 —1G 83
Sheaves Clo. WV14 —1C 42
Shedden St. DY2 —4E 55
Sheddington Rd. B23 —4E 49
Sheen Rd. B44 —1A 48
Sheepclose Dri. B37 —3A 78
Sheepcote Clo. CV32 —3C 148
Sheepcote Grange. B61 —1D 142
Sheepcote La. B77 —2F 135
Sheepcote St. B16 —3F 73
Sheepfold Clo. B65 —2H 69
Sheepmoor Clo. B17 —5H 71
Sheep St. B4 —2B 74
Sheepwash La. DY4 —1B 56
Sheffield Rd. B73 —4G 49
Sheffield St. DY5 —4C 68
Shefford Rd. B6 —1A 74
Sheila Av. WV11 —2F 21
Shelah Rd. B63 —1G 85
Shelbourne Clo. B69 —3B 56
Sheldon Av. WS10 —1D 44
Sheldon Clo. WV14 —1E 43
Sheldon Dri. B31 —5F 103
Sheldonfield Rd. B26 —2F 93
Sheldon Gro. B26 —2E 93
Sheldon Gro. CV34 —2E 147
Sheldon Hall Av. B33 —3F 77 & 3G 77
Sheldon Heath Rd. B26 —4D 76 to 5E 77
Sheldon Rd. B71 —3G 45
Sheldon Rd. B98 —4E 145
Sheldon Rd. WV10 —1F 19
Sheldon Wlk. B33 —4E 77
Shelduck Clo. DY10 —5G 141
Shelfield Clo. CV5 —4D 114
Shelfield Rd. B14 —4H 105
Shelley Av. CV34 —5C 146
Shelley Av. DY4 —4H 43
Shelley Av. DY10 —1D 140
Shelley Clo. B97 —4A 144
Shelley Clo. CV12 —4G 81
Shelley Clo. DY3 —5F 41
Shelley Clo. DY8 —5F 67
Shelley Croft. B33 —2D 76
Shelley Dri. B23 —2C 60
Shelley Dri. B74 —3F 27
Shelley Gdns. LE10 —1F 139
Shelley Ho. B68 —2F 71
Shelley La. B90 —3D 124
Shelley Rd. B79 —1B 134
Shelley Rd. CV2 —4G 117
Shelley Rd. WS7 —1F 9
Shelley Rd. WS11 —2C 4
Shelley Rd. WV10 —1H 19
Shelley Rd. WV12 —3C 22
Shelley Tower. B31 —4B 104
Shelly Clo. B37 —3H 77
Shelly Cres. B90 —2E 125
Shelsley Av. B69 —1B 70 & 2B 70
Shelsley Dri. B13 —5C 90
Shelsley Way. B91 —1E 125
Shelton Clo. WS10 —5F 33
Shelton La. B63 —2F 85
Shelton Sq. CV1 —5B 116
Shelton St. B77 —5G 135
Shelwick Gro. B93 —4G 125
Shenley Av. DY1 —5D 42
Shenley Fields. Dri. B31 —1H 103
Shenley Fields Rd. B29 —1A 104
Shenley Gdns. B29 —2A 104
Shenley Grn. B29 —2H 103
Shenley Hill. B31 —2H 103
Shenley La. B29 —1H 103
Shenstone Av. B62 —2C 86
Shenstone Av. DY8 —3D 82 & 4D 82
Shenstone Clo. B60 —2E 143
Shenstone Clo. B74 —4F 27
Shenstone Ct. B90 —5E 107
Shenstone Ct. WV3 —4F 29
Shenstone Dri. CV7 —3B 128
Shenstone Dri. WS9 —2F 25
Shenstone Flats. B62 —2C 86
Shenstone Rd. B14 —1B 122
Shenstone Rd. B16 —3C 72
Shenstone Rd. B43 —3D 46
Shenstone Trading Est. B63 —3A 86
Shenstone Valley Rd. B62 —1C 86
Shenstone Wlk. B62 —2B 86
Shenton Wlk. B37 —1H 77
Shepheard Rd. B26 —2F 93
Shepherd Clo. CV4 —4C 114
Shepherd Clo. WS13 —1G 151
Shepherd Dri. WV12 —4A 22
Shepherds Brook Rd. DY9 —2A 84
Shepherds Fold. B65 —4A 70
Shepherds Gdns. B15 —4G 73 & 5A 152
Shepherds Grn. Rd. B24 —3F 61
Shepherds La. CV7 —4B 96
Shepherds Pool Rd. B75 —1B 38
Shepherds Standing. B34 —1E 77
Shepherds Wlk. B60 —5D 142
Shepherds Wlk. WV8 —1E 19
Shepherds Way. B23 —3D 48
Shepley Rd. B45 —2E 119
Shepperton Ct. CV11 —5F 137
Shepperton St. CV11 —5F 137
Sheppey Ct. B66 —4G 57
Sheppey Dri. B36 —1B 78
Shepwell Gdns. WV10 —2D 12
Shepwell Grn. WV13 —2A 32
Sherard Croft. B36 —1A 78
Sheraton Clo. WS9 —3F 25
Sheraton Clo. WS12 —1D 4
Sheraton Dri. DY10 —2G 141
Sheraton Grange. DY8 —4F 83
Sherborne Av. CV10 —2A 136
Sherborne Av. WS12 —3G 5
Sherborne Clo. B46 —2E 79
Sherborne Clo. B98 —4G 145
Sherborne Clo. WS3 —3F 23
Sherborne Gdns. WV8 —5A 10
Sherborne Gro. B1 —3F 73
Sherborne Rd. LE10 —3H 139
Sherborne Rd. WV10 —1A 20
Sherborne St. B16 —4F 73
Sherbourne Ct. B27 —3A 92
Sherbourne Cres. CV5 —3G 115
Sherbourne Dri. B27 —3A 92
Sherbourne Ho. CV3 —2E 133
Sherbourne Pl. CV32 —3B 148
Sherbourne Rd. B12 —1A 90
Sherbourne Rd. B27 —3A 92
Sherbourne Rd. B64 —5H 69
Sherbourne Rd. DY8 —3G 83
Sherbourne Rd. E. B12 —1B 90
Sherbourne St. CV1 —5A 116
Sherbourne Ter. CV32 —4B 148
Sherbrooke Av. B77 —5F 135
Sherbrook Rd. WS11 —5A 4
Sherdmore Croft. B90 —3D 124
Sheridan Clo. WS2 —4E 33
Sheridan Gdns. DY3 —1F 53
Sheridan St. B71 —1G 57
Sheridan St. WS2 —3E 33
Sheridan Wlk. B35 —2D 62
Sheriff Av. CV4 —2D 130
Sheriff Dri. DY5 —3B 68
Sherifoot La. B75 —5H 27
Sheringham. B15 —5D 72
Sheringham Clo. CV11 —5H 137
Sheringham Dri. WV11 —1A 22
Sheringham Rd. B30 —4G 105
Sherington Av. CV5 —4E 115
Sherington Dri. WV4 —5A 30
Sherlock Clo. WV12 —4B 22
Sherlock Rd. CV5 —4F 115
Sherlock St. B5 —5A 74 & 5C 152
Sherrans Dell. WV4 —1A 42
Sherratt Clo. B76 —4C 50
Sherron Gdns. B12 —2B 90
Sherston Covert. B30 —5G 105
Shervale Clo. WV4 —4F 29
Sherwin Av. WV14 —2C 42
Sherwood Av. DY4 —1G 55
Sherwood Clo. B28 —3F 107
Sherwood Clo. B92 —1C 108
Sherwood Dri. DY5 —4B 68
Sherwood Dri. WS11 —3E 5
Sherwood Jones Clo. CV6 —2A 116
Sherwood Rd. B28 —1F 107
Sherwood Rd. B60 —5D 142 & 5E 143
(in two parts)
Sherwood Rd. B67 —4A 72
Sherwood Rd. DY8 —1E 83
Sherwood St. WV1 —5G 19
Sherwood Wlk. B45 —5E 103
Sherwood Wlk. CV32 —2D 148
Sherwood Wlk. WS9 —3D 24
Shetland Clo. B16 —3E 73
Shetland Clo. CV5 —3C 114
Shetland Dri. B66 —5G 57
Shetland Dri. CV10 —4D 136
Shetland Rd. CV3 —4F 133
Shetland Wlk. B36 —1A 78
Shevlock Way. CV6 —2E 117
Shidas La. B69 —5C 56
Shifnal Wlk. B31 —1H 119
Shillcock Gro. B19 —1A 74 & 1C 152
Shilton Clo. B90 —3C 124
Shilton Gro. B29 —1H 103
Shilton La. CV2 & CV7 —4H 101
Shilton La. CV12 —2C 80
Shinwell Cres. B69 —3B 56
Shipbourne Clo. B32 —2H 87
Shipley Fields. B24 —2G 61
Shipley Gro. B29 —5A 88
Shipston Rd. B31 —5B 104
Shipston Rd. CV2 —2G 117
Shipton Rd. B72 —1A 50
Shipway Rd. B25 —1G 91
Shire Brook Clo. B6 —4A 60
Shire Clo. B16 —3E 73
Shire Clo. B68 —4E 71
Shire Clo. CV6 —5F 101
Shirehall Pl. WS11 —4E 5
Shireland Brook Gdns. B18 —2D 72
Shireland Clo. B20 —2D 58
Shireland Rd. B66 —2B 72
Shire Ridge. WS9 —4F 17
Shires Ind. Est. WS14 —4B 134
Shirestone Rd. B33 —3G 77
Shireview Gdns. WS3 —4B 16
Shireview Rd. WS3 —4A 16
Shirlea Clo. WS7 —1G 9
Shirlett Clo. CV2 —3E 101
Shirley Dri. B72 —1A 50
Shirley La. CV7 —3G 113
Shirley Pk. Rd. B90 —5H 107
Shirley Rd. B28 & B27 —2G 107 to 4H 91
Shirley Rd. B30 —3F 105
Shirley Rd. B68 —2F 71
Shirley Rd. DY2 —4F 55
Shirley Wlk. B79 —1B 134
Shirrall Gro. B37 —2H 77
Shoal Hill Clo. WS11 —4A 4
Sholing Clo. WV8 —1E 19
Shooters Clo. B5 —1H 89
Shooters Hill. B72 —2A 50
Shopping Pde. WV8 —5B 10
Shopton Rd. B34 —5D 62
Shoreham Clo. WV13 —2E 31

Southcrest Gdns.—Starbold Cres.

Southcrest Gdns. B98 —4B 144
Southcrest Rd. B98 —3D 144
S. Dene. B67 —1H 71
Southdown Av. B18 —5F 59
South Dri. B5 —2G 89
South Dri. B46 —5B 64
South Dri. B75 —4A 38
S. Eastern Arc. B2 —3A 74 (off Corporation St.)
Southern Clo. DY6 —2E 67
Southern Cross. WS13 —3H 151
Southerndown Rd. DY3 —4G 41
Southern Rd. B8 —1H 75
Southern Way. WS10 —1A 44
Southey Clo. B91 —1E 125
Southey Clo. WV12 —2C 22
Southfield Av. B16 —3C 72
Southfield Av. B36 —4D 62
Southfield Clo. CV10 —2G 137
Southfield Dri. B28 —3G 107
Southfield Dri. CV8 —2B 150
Southfield Gro. WV3 —3C 28
Southfield Rd. B16 —3C 72
Southfield Rd. LE10 —3F 139
Southfield Rd. WV11 —4G 21
Southfields. CV32 —2B 148
Southfields Clo. B46 —2E 79
Southfields Rd. B91 —1C 124
Southfield Way. WS6 —5D 6
Southgate. B64 —5E 69
South Ga. WS11 —1A 6
Southgate. WV1 —1G 29
Southgate Clo. DY11 —4A 140
South Ga. End. WS11 —1A 6
Southgate Rd. B44 —2A 48
South Grn. WV4 —5D 28
South Gro. B6 —4H 59
South Gro. B19 —4G 59
South Gro. B23 —5F 49
S. Holme. B9 —4D 74
Southlands Rd. B13 —5B 90
Southlea Av. CV31 —6A 149
Southlea Clo. CV31 —6A 149
Southleigh Av. CV5 —2G 131
Southmead Clo. B30 —4D 104
Southmead Cres. B98 —3C 144
Southmead Dri. B60 —1F 143
Southminster Dri. B14 —2A 106
South Moons Moat Ind. Area. B98 —2G 145
Southorn Ct. CV32 —2D 148
S. Oval. DY3 —5B 42
South Pde. B72 —5A 38
Southport Clo. CV3 —4F 133
South Range. B12 —1C 90
S. Ridge. CV5 —3D 114
South Rd. B11 —5C 74
South Rd. B14 —1A 106
South Rd. B18 —5F 59
South Rd. B23 —1F 61
South Rd. B31 —5H 103
South Rd. B60 —5F 143
South Rd. B67 —1H 71
South Rd. DY4 —3A 44
South Rd. DY8 —3D 82
South Rd. Av. B18 —5F 59
S. Roundhay. B33 —2D 76
South St. B17 —2C 88
South St. B98 —3C 144
South St. CV1 —4D 116
South St. DY5 —4H 67
South St. DY10 —3E 141
South St. WS1 —3G 33
South St. WV10 —4H 19
South St. WV13 —2G 31
South St. WV14 —3D 42
South St. Gdns. WS1 —3G 33
South Ter. CV31 —8C 149
South Tower. B7 —2C 74
S. View. B43 —4D 46
S. View. CV35 —4A 146
South View Clo. WV8 —1C 18
S. View Rd. CV32 —1D 148
S. View Rd. DY3 —4G 41
Southville Bungalows. B14 —4C 106
South Wlk. B31 —1B 120
Southwark Clo. WS13 —1G 151
Southway. B40 —3D 94
Southway. CV31 —7C 149
Southway Ct. DY6 —2E 67
Southwick Pl. WV14 —3E 31
Southwick Rd. B62 —5B 70
Southwold Av. B30 —4G 105
Southwood Av. B34 —5D 62
Southwood Clo. DY6 —2E 67
Southwood Covert. B14 —5H 105
Sovereign Clo. CV8 —5D 150
Sovereign Ct. B1 —2G 73 (off Graham St.)
Sovereign Dri. DY1 —3A 54
Sovereign Rd. B30 —4E 105
Sovereign Rd. CV5 —5H 115
Sovereign Row. CV1 —5H 115
Sovereign Wlk. WS1 —1A 34
Sovereign Way. B12 —3B 90
Sowers Clo. WV12 —4B 22
Sowers Gdns. WV12 —4B 22
Spa Clo. LE10 —2F 139
Spadesbourne Rd. B60 —1F 143
Spa Gro. B30 —1H 105
Spa La. LE10 —2F 139
Sparkbrook St. CV1 —4D 116
Spark St. B11 —1C 90
Sparrey Dri. B30 —1E 105
Sparrow Clo. WS10 —5E 33
Spartan Clo. CV34 —7A 149
Spartan Ind. Cen. B70 —5C 44
Spa View. CV31 —7C 149
Spearhill. WS14 —3H 151
Speed Rd. DY4 —4F 43
Speedwell Clo. B25 —1G 91
Speedwell Clo. WS9 —4E 25
Speedwell Clo. WV11 —4F 21
Speedwell Gdns. DY5 —1G 83
Speedwell Gdns. WV10 —2D 12
Speedwell Rd. B5 —1H 89
Speedwell Rd. B25 —1G 91
Speedy Clo. WS11 —2C 4
Spencer Av. CV5 —1H 131
Spencer Av. WV14 —3E 43
Spencer Clo. B71 —4A 46
Spencer Clo. DY3 —1G 53
Spencer Dri. WS7 —1D 8
Spencer Rd. CV5 —1A 132
Spencer Rd. WS14 —4G 151
Spencer's La. CV7 —5D 112 to 2G 129
Spencer St. B18 —2G 73 & 1A 152
Spencer St. CV31 —5B 149
Spencer St. DY11 —4C 140
Spencer St. LE10 —2E 139
Spencer Yd. CV31 —5B 149
Spennells Valley Rd. DY10 —5F 141
Spenser Av. WV6 —5A 18
Spenser Clo. B79 —2C 134
Spernall Gro. B29 —5A 88
Spey Clo. B5 —1H 89
Spiceland Rd. B31 —2H 103
Spiers Clo. B93 —3H 125
Spies Clo. B62 —2D 86
Spies La. B62 —2C 86
Spills Meadow. DY3 —1A 54
Spilsbury Clo. CV32 —3A 148
Spilsbury Croft. B91 —1D 124
Spindle Clo. DY11 —1D 140
Spindle St. CV1 —2B 116
Spindlewood Clo. WS12 —5F 5
Spinney Clo. B31 —4A 104
Spinney Clo. DY8 —3C 66
Spinney Clo. DY11 —2B 140
Spinney Clo. WS3 —5A 16
Spinney Clo. WS11 —3H 7
Spinney Dri. B90 —4B 124
Spinney Farm Rd. WS11 —1A 6
Spinney Hill. CV34 —2F 147
Spinney La. CV10 —3A 136
Spinney La. WS7 —1E 9
Spinney M. B97 —4A 144
Spinney Path. CV3 —3G 131
Spinney Rd. LE10 —4E 139
Spinney, The. B20 —2D 58
Spinney, The. B47 —4D 122
Spinney, The. B74 —4D 26
Spinney, The. CV4 —5F 131
Spinney, The. CV32 —2H 147
Spinney, The. DY8 —3H 53
Spinney, The. WV3 —2D 28
Spinney Wlk. B76 —4C 50
Spinney Wlk. B97 —4A 144
Spinning School La. B79 —3D 134
Spiral Clo. B62 —5C 70
Spiral Ct. B76 —1C 50 (off Monks Kirby Rd.)
Spiral Ct. DY8 —3F 83
Spiral Grn. B24 —1A 62
Spirehouse La. B60 —1G 143
Spires, The. CV10 —3A 136
Spires, The. WS14 —4H 151
Spire View. B61 —3D 142
Spitalfields. CV12 —3F 81
Spitfire Rd. B24 —3A 62
Splash La. WS12 —3F 5
Spode Pl. WS11 —4E 5
Spon Causeway. CV1 —4H 115
Spondon Gro. B34 —1F 77
Spondon Rd. WV11 —2F 21
Spon End. CV1 —5H 115
Spon La. B70 —3F 57
Spon La. Ind. Est. B66 —4G 57
Spon La. S. B70 & B66 —4G 57
Spon St. CV1 —5A 116
Spoon Dri. B38 —5C 104
Spooner Croft. B5 —5A 74 & 5C 152
Spooners Clo. B92 —2H 109
Spot La. WS8 —2E 17
Spouthouse La. B43 —4E 47
Spout La. WS1 —3G 33 (in two parts)
Spreadbury Clo. B17 —5H 71
Sprig Croft. B36 —4H 61
Spring Av. B65 —4B 70
Spring Avon Croft. B17 —1B 88
Springbank Rd. B15 —1H 89
Springbrook Clo. B36 —3F 63
Spring Clo. CV1 —4C 116
Spring Clo. WS4 —1C 24
Spring Coppice Dri. B93 —5A 126
Spring Ct. B66 —1C 72
Spring Ct. WS1 —3A 34
Spring Cres. B64 —1G 85
Springcroft Rd. B11 —4F 91
Springdale Ct. CV11 —4G 137
Spring Dri. WS6 —5D 6
Springfield. B23 —2E 61
Springfield Av. B12 —1B 90
Springfield Av. B60 —5E 143
Springfield Av. B68 —2F 71
Springfield Av. DY3 —3A 42
Springfield Av. DY9 —3B 84
Springfield Clo. B65 —2G 69
Springfield Ct. B28 —1F 107
Springfield Cres. B70 —3G 57
Springfield Cres. B76 —1D 50
Springfield Cres. B92 —3F 93
Springfield Cres. CV12 —4F 81
Springfield Cres. DY2 —4F 55
Springfield Dri. B14 —5A 90
Springfield Dri. B62 —1B 86
Springfield Grn. DY3 —3A 42
Springfield Gro. DY3 (in two parts) —3A 42
Springfield La. B65 —2G 69
Springfield La. DY10 —1E 141
Springfield La. WV10 —4A 12
Springfield Pk. LE10 —1C 138
Springfield Pl. CV1 —3B 116
Springfield Rise. WS12 —1F 5
Springfield Rd. B13 —5E 91
Springfield Rd. B14 —5B 90
Springfield Rd. B36 —4F 63
Springfield Rd. B62 —5B 70
Springfield Rd. B68 —2F 71
Springfield Rd. B75 —2C 50 to 5E 39
Springfield Rd. B77 —4E 135
Springfield Rd. CV1 —3B 116
Springfield Rd. CV11 —4H 137
Springfield Rd. LE10 —3F 139
Springfield Rd. WV10 —5A 20
Springfield Rd. WV14 —3F 31
Springfields. B46 —2E 79
Springfields. WS4 —3B 24
Springfields Rd. DY5 —4G 67
Springfield St. B18 —3F 73
Springfield Ter. B65 —1G 69
Spring Gdns. B21 —5E 59
Spring Gdns. B66 —3B 72
Spring Gdns. DY5 —5G 53
Spring Gro. B19 —5G 59
Spring Gro. Cres. DY11 —5B 140
Spring Gro. Gdns. B18 —1E 73
Spring Gro. Rd. DY11 —5C 140
Spring Head. WS10 —2D 44
Spring Hill. B18 —2F 73
Spring Hill. B24 —2G 61
Springhill Av. WV4 —1C 40
Springhill Clo. WS4 —1C 24
Springhill Clo. WV12 —3B 22
Springhill Ct. WS1 —2A 34
Springhill Gro. WV4 —1C 40
Springhill La. WV4 —5A 28 to 1C 40
Springhill Pk. WV4 —1B 40 & 1C 40
Spring Hill Pas. B18 —2F 73
Spring Hill Rd. CV10 —1B 136
Springhill Rd. WS1 —2H 33
Springhill Rd. WS7 —2F 9
Springhill Rd. WS8 —2F 17
Springhill Rd. WV11 —2F 21
Spring Hill Ter. WV4 —4F 29
Spring La. B24 —2G 61
Spring La. B94 —5B 124
Spring La. CV8 —3B 150
Spring La. CV31 —7E 149
Spring La. WS4 —5B 16
Spring La. WV12 —5A 22
Spring Meadow. B63 —4G 85
Spring Meadow. B64 —4G 69
Spring Meadow. WS6 —5B 6
Springmeadow Rd. DY2 —3D 68
Spring Parklands. DY1 —4C 54
Spring Pool. CV34 —3D 146
Spring Rd. B11 —4F 91
Spring Rd. B15 —1H 89
Spring Rd. B66 —4G 57
Spring Rd. CV6 —5D 100
Spring Rd. DY2 —1E 69
Spring Rd. WS4 —1C 24
Spring Rd. WS13 —1H 151
Spring Rd. WV4 —5C 30
Springs, The. B64 —4H 69
Spring St. B15 —5H 73
Spring St. B63 —1E 85
Spring St. CV1 —4C 116
Spring St. DY4 —3A 44 (Ocker Hill)
Spring St. DY4 —5H 43 (Tipton)
Spring St. DY9 —2A 84
Spring St. WS11 —5C 4
Springthorpe Grn. B24 —1A 62
Springthorpe Rd. B24 —2A 62 & 1A 62
Springvale Av. WS5 —4B 34
Spring Vale Clo. WV14 —3B 42
Spring Vale Ind. Pk. WV14 —5E 31
Springvale Rd. B65 —1H 69
Springvale St. WV13 —5H 21
Spring Vs. B63 —4H 85
Spring Wlk. B63 —5F 85
Spring Wlk. B69 —1D 70
Spring Wlk. WS2 —1E 33
Springwell Rd. CV31 —6D 149
Sproat Av. WS10 —5A 32
Spruce. B77 —1H 135
Spruce Gro. B24 —3H 61
Spruce Rd. CV2 —4F 101
Spruce Rd. WS5 —1B 46
Spruce Way. WV3 —2D 28
Spur Tree Av. WV3 —2B 28
Square Clo. B32 —4F 87
Square La. CV7 —1E 99
Square St. CV32 —4B 148
Square, The. B16 —4F 73
Square, The. B17 —1B 88
Square, The. B91 —4F 109
Square, The. CV8 —3B 150
Square, The. CV11 —4G 137
Square, The. DY2 —1B 68
Square, The. WV2 —3A 30
Square, The. WV8 —4A 10
Square, The. WV12 —2B 22
Squires Ct. DY5 —5H 67
Squires Croft. B76 —2D 50
Squires Ga. WS7 —1G 9
Squires Ga. Wlk. B35 —2D 62
Squires Grn. LE10 —4G 139
Squires Wlk. WS10 —1D 44
Squirhill Pl. CV31 —5C 149
Squirrel Clo. WS12 —4F 5
Squirrels Hollow. B68 —5F 71
Squirrel Wlk. B74 —4D 26
Squirrel Wlk. WV4 —5F 29
Stable Ct. DY3 —5A 42
Stable Croft. B71 —4H 45
Stableford Clo. B32 —4A 88
Stableford Clo. B97 —5B 144
Stables, The. B29 —4F 89
Stable Wlk. CV11 —4H 137
Stable Way. B60 —5C 142
Stacey Clo. B64 —4F 69
Stacey Dri. B13 —3C 106
Stackhouse Clo. WS9 —4F 17
Stackhouse Dri. WS3 —4A 16
Stadium Clo. CV6 —4C 100
Stadium Clo. DY10 —4E 141
Stadium Clo. WV13 —1H 31
Stadium Trading Est. CV6 —4C 100
Stafford Clo. CV12 —1B 80
Stafford Clo. WS3 —5E 15
Stafford Ct. B43 —4D 43 (off West Rd.)
Stafford Dri. B71 —5E 45
Stafford Ho. B33 —3G 77
Stafford La. WS12 —2E 5
Stafford Rd. B21 —4E 59
Stafford Rd. WS3 —4E 15
Stafford Rd. WS10 —4A 32
Stafford Rd. WS12 & WS11 —1A 4 to 5B 4
Stafford Rd. WS13 —2E 151
Stafford Rd. WV10 & WV9 —4H 19 to 1H 11
Stafford St. DY1 —3D 54
Stafford St. WS2 —5G 23
Stafford St. WS10 —2C 44
Stafford St. WS12 —5H 5
Stafford St. WV1 —1H 29
Stafford St. WV13 —1H 31
Stafford St. WV14 —5F 31
Stafford Way. B43 —4D 46
Stagborough Way. WS12 —3E 5
Stag Cres. WS3 —3H 23
Stag Cres. WS11 —2A 8
Stag Hill Rd. WS3 —3G 23
Stag Wlk. B76 —4B 50
Staines Clo. CV11 —1H 137
Stainsby Av. B19 —1G 73
Stainsby Croft. B90 —3E 125
Staircase La. CV5 —2E 115
Staley Croft. WS12 —3A 4
Stalling's La. DY6 & DY5 —4D 52
Stambermill Clo. DY9 —2H 83
Stambermill Ho. DY9 —2A 84
Stambermill Ind. Est. DY9 —2H 83
Stamford Av. CV3 —3B 132
Stamford Cres. WS7 —1F 9
Stamford Gdns. CV32 —4A 148
Stamford Gro. B20 —3G 59
Stamford Rd. B20 —3G 59
Stamford Rd. DY5 —1G 83
Stamford Rd. DY8 —2G 83
Stamford St. DY8 —1E 83
Stamford Way. WS9 —1G 25
Stanbrook Rd. B90 —3D 124
Stanbury Av. WS10 —4H 31
Stanbury Rd. B14 —4C 106
Stancroft Gro. B26 —5D 76
Standard Av. CV4 —1D 130
Standard Way. B24 —4F 61
Standbridge Way. DY4 —5H 43
Standedge. B77 —4H 135
Standhills Rd. DY6 —5E 53 & 2E 67
Standish Clo. CV2 —5H 117
Standlake Av. B36 —5B 62
Standlake M. CV31 —6D 149
Stand St. CV34 —4D 146
Stanfield Rd. B32 —1G 87
Stanfield Rd. B43 —5H 35
Stanford Av. B42 —4E 47
Stanford Clo. B97 —5A 144
Stanford Dri. B65 —2A 70
Stanford Gro. B63 —5E 85
Stanford Rd. WV2 —3H 29
Stanford Way. B69 —2B 70
Stanhoe Clo. DY5 —5H 67
Stanhope Ho. B79 —3C 134
Stanhope Rd. B67 —3H 71
Stanhope St. B12 —5B 74
Stanhope St. DY2 —2F 69
Stanhope St. WV3 —2G 29
Stanhope Way. B43 —5H 35
Stanhurst Way. B71 —2A 46
Stanier Av. CV1 —4A 116
Stanier Clo. WS4 —3B 24
Stanier Gro. B20 —3G 59
Stanier Ho. B1 —4H 73 & 4B 152
Staniforth St. B4 —2A 74 & 1D 152
Stanklyn La. DY10 —5H 141
Stanley Av. B32 —1G 87
Stanley Av. B75 —5C 38
Stanley Av. B90 —3H 107
Stanley Clo. B28 —3G 107
Stanley Clo. B98 —1D 144
Stanley Clo. WV11 —2G 21
Stanley Ct. CV31 —6D 149
Stanley Ct. WV6 —1A 18
Stanley Dri. DY3 —3A 52
Stanley Gro. B12 —1C 90
Stanley Pl. B13 —4B 90
Stanley Pl. WS4 —3B 24
Stanley Pl. WV14 —5D 30
Stanley Rd. B7 —5D 60
Stanley Rd. B14 —2H 105
Stanley Rd. B68 —5F 71
Stanley Rd. B71 —4G 45
Stanley Rd. CV5 —1H 131
Stanley Rd. CV11 —2E 137
Stanley Rd. DY8 —3E 83
Stanley Rd. LE10 —1E 139
Stanley Rd. WS4 —3B 24
Stanley Rd. WS10 —5B 32
Stanley Rd. WS12 —2D 4
Stanley Rd. WV10 —2A 20
Stanley St. WS3 —2F 23
Stanmore Gro. B62 —4D 86
Stanmore Rd. B16 —4C 72
Stanton Av. DY1 —5B 42
Stanton Gro. B26 —5C 76
Stanton Gro. B90 —4G 107
Stanton Ho. B71 —2A 46
Stanton Rd. B43 —4C 46
Stanton Rd. B90 —4G 107
Stanton Rd. CV31 —6D 149
Stanton Rd. WV1 —1B 30
Stanton Wlk. CV34 —2D 146
Stanville Rd. B26 —1E 93
Stanway Gdns. B71 —5G 45
Stanway Gro. B44 —1B 48
Stanway Rd. B71 —5G 45
Stanway Rd. B90 —4H 107
Stanway Rd. CV5 —1H 131
Stanwell Gro. B23 —5F 49
Stanwick Av. B33 —2G 77
Stan Williams Ct. CV11 —3G 137
Stapenhall Rd. B90 —3D 124
Stapleford Croft. B14 —5G 105
Stapleford Gdns. WS7 —2H 9
Stapleford Gro. DY8 —3E 67
Staplehall Rd. B31 —5B 104
Staplehurst Rd. B28 —1F 107
Staple Lodge Rd. B31 —5B 104
Staples Clo. CV12 —1B 80
Stapleton Clo. B76 —5D 50
Stapleton Clo. B98 —3G 145
Stapleton Dri. B37 —2A 78
Stapleton Rd. WS9 —4E 25
Stapylton Av. B17 —2B 88
Stapylton Ct. B17 —2B 88 (off Old Church Rd.)
Starbank Rd. B10 —5G 75
Starbold Ct. B93 —3A 126
Starbold Cres. B93 —3A 126

Star Clo.—Suffolk St.

Star Clo. WS2 —5D 22
Starcross Clo. CV2 —1G 117
Starcross Rd. B27 —4A 92
Stare Grn. CV4 —3F 131
Stareton Clo. CV4 —3G 131
Star Hill. B15 —5G 73
Starkey Croft. B37 —4C 78
Starkie Dri. B68 —2F 71
Starley Rd. CV1 —5A 116
Star St. DY9 —2B 84
Star St. WV3 —3E 29
Startin Clo. CV7 —5D 80
Statham Dri. B16 —3C 72
Station App. B73 —4H 37
Station App. B74 —3F 27
Station App. B91 —4D 108
Station App. B93 —5H 125
Station App. CV31 —5B 149
Station App. DY10 —3F 141
Station Av. B16 —4C 72
Station Av. CV4 —1A 130
Station Av. CV34 —3E 147
Station Clo. WS3 —2E 23
Station Clo. WV8 —5A 10
Station Dri. B28 —5F 91
Station Dri. B74 —2H 37
Station Dri. DY2 —3F 55
Station Dri. DY4 —1H 55
Station Dri. DY5 —4B 68 (Merry Hill)
Station Dri. DY5 —4G 67 (Silver End)
Station Fields Caravan Pk. B79 —2D 135
Station Hill. B73 —5H 37
Station Pl. WS3 —2E 23
Station Rd. B6 —3B 60
Station Rd. B14 —5H 89
Station Rd. B17 —2C 88
Station Rd. B21 —4C 58
Station Rd. B23 —1G 61
Station Rd. B27 —3A 92
Station Rd. B30 & B38 —3E 105
Station Rd. B31 —5A 104
Station Rd. B33 —2B 76
Station Rd. B37 —5H 77
Station Rd. B46 —4E 65 (Coleshill)
Station Rd. B46 —1H 65 to 3G 65 (Hoggrill's End)
Station Rd. B47 —5B 122
Station Rd. B64 —5G 69
Station Rd. B65 —4B 70
Station Rd. B69 —1D 70
Station Rd. B73 —3G 49
Station Rd. B91 —4E 109
Station Rd. B92 —1F 111
Station Rd. B93 —5H 125
Station Rd. CV7 —3B 128
Station Rd. CV8 —3B 150
Station Rd. CV34 —3E 147
Station Rd. DY5 —2H 67
Station Rd. DY9 —2A 84
Station Rd. LE10 —3E 139
Station Rd. WS3 —5A 16
Station Rd. WS4 —3A 24
Station Rd. WS6 —3C 6
Station Rd. WS9 —4E 25
Station Rd. WS12 —1F 5
Station Rd. WS13 —3G 151
Station Rd. WV5 —4A 40
Station Rd. WV8 —5A 10
Station Rd. WV10 —5B 20
Station Rd. WV14 —5F 31
Station Rd. Ind. Est. B46 —3D 64
Station Rd. Ind. Est. B65 —4B 70
Station Sq. CV1 —1B 132
Station St. B5 —4H 73 & 4C 152
Station St. B60 —3D 142
Station St. B64 —5E 69
Station St. B73 —5H 37
Station St. DY4 —1H 55
Station St. WS2 —2G 33
Station St. WS3 —2E 23
Station St. WS6 —4C 6
Station St. WS10 —4C 32
Station St. E. CV6 —1C 116
Station St. W. CV6 —1C 116
Station Ter. WV14 —3D 42
Station Way. B40 —3C 94
Station Way. B97 —2B 144
Station Yd. LE10 —3E 139
Staulton Grn. B69 —2C 70
Staunton Rd. CV31 —7C 149
Staunton Rd. WS3 —5D 14
Staveley Rd. B14 —2H 105
Staveley Rd. WV1 —5G 19
Staverton Clo. CV5 —4C 114
Stead Clo. DY4 —3A 44
Stead Clo. WS2 —4F 23
Stechford La. B8 —1A 76
Stechford Rd. B34 —1B 76
Stechford Trading Est. B33 —3B 76
Steel Bright Rd. B66 —1B 72
Steel Dri. WV10 —2H 19
Steel Gro. B25 —1H 91
Steelhouse La. B4 —3A 74 & 2C 152
Steelhouse La. WV2 —2A 30
Steel Rd. B31 —5H 103
Steene Gro. B31 —4F 103
Steeplefield Rd. CV6 —3H 115
Steeples, The. DY8 —4G 83
Steepwood Croft. B30 —4C 104
Steere Av. B79 —1D 134
Stella Croft. B37 —4B 78
Stella Gro. B43 —4B 46
Stella Rd. DY4 —5G 43
Stenbury Clo. WV10 —4B 12
Stencills Dri. WS4 —5B 24
Stencills Rd. WS4 —5B 24
Stennels Av. B62 —3C 86
Stennels Clo. CV6 —5H 99
Stennels Cres. B62 —3C 86
Stephens Clo. WV11 —2G 21
Stephenson Av. WS2 —3D 22
Stephenson Clo. B77 —2G 135
Stephenson Clo. CV32 —2H 147
Stephenson Dri. B37 —3A 78
Stephenson Pl. B2 —3A 74 & 3C 152
Stephenson Rd. CV7 —5F 81
Stephenson Rd. LE10 —3B 138
Stephenson Sq. WS2 —4E 23
Stephenson St. B2 —3H 73 & 3C 152
Stephenson St. WV3 —2G 29
Stephens Rd. B76 —1D 50
Stephen's Wlk. WS13 —1F 151
Stepney Rd. CV2 —4E 117
Stepping Stone Clo. WS2 —5D 22
Stepping Stones. DY8 —2G 83
Stepping Stones Rd. CV5 —4G 115
Steppingstone St. DY1 —4D 54
Sterling Pk. DY5 —2B 68
Sterling Way. CV11 —5H 137
Sterndale Rd. B42 —5G 47
Steven Dri. WV14 —3F 43
Stevens Av. B32 —4G 87
Stevens Dri. WS12 —1F 5
Stevens Ga. WV2 —3H 29
Stevenson Av. B98 —2D 144
Stevenson Rd. B79 —2C 134
Stevenson Rd. CV6 —5H 99
Stevenson Wlk. WS14 —4G 151
Stevens Rd. B63 —2D 84
Stevens Rd. DY9 —4H 83
Steward Rd. WS9 —5F 17
Steward St. B18 —3F 73
Stewart Clo. CV4 —5F 115
Stewart Ct. DY10 —3F 141
Stewart Rd. DY6 —2D 66
Stewarts Rd. B62 —5B 70
Stewart St. CV11 —4F 137
Stewart St. WV2 —2H 29
Stewkins. DY8 —5E 67
Steyning Rd. B26 —2B 92
Stickley La. DY3 —1H 53
Stidfall Gro. CV31 —6E 149
Stilehouse Cres. B65 —3A 70
Stilthouse Gro. B45 —2D 118
Stirling Av. CV32 —1C 148
Stirling Av. LE10 —2C 138
Stirling Cres. WV12 —4H 21
Stirling Pl. WS11 —5A 4
Stirling Rd. B16 —4E 73
Stirling Rd. B73 —2E 49
Stirling Rd. B90 —1B 124
Stirling Rd. DY2 —1F 69
Stirling Rd. WV14 —2G 43
Stirrup Clo. WS5 —1H 45
Stivichall & Cheylesmore By-Pass. CV3 —4C 132
Stivichall Croft. CV3 —3A 132
Stockbridge Clo. WV6 —1A 28
Stockdale Pde. DY4 —5F 43
Stockdale Pl. B15 —5C 72
Stockfield Rd. B27 & B25 —3H 91
Stockhay La. WS7 —2H 9
Stockhill Dri. B45 —3D 118
Stockholm Ct. B66 —5G 57
Stocking St. DY9 —2B 84
Stockland Rd. B23 —1D 60
Stockmans Clo. B38 —2D 120
Stocks Wood. B30 —1E 105
Stockton Clo. B76 —5E 51
Stockton Clo. WS2 —5F 23
Stockton Ct. WV14 —4D 42
Stockton Gro. B33 —4F 77
Stockton Gro. CV32 —3C 148
Stockton Rd. CV1 —3C 116
Stockwell Av. DY5 —5A 68
Stockwell End. WV6 —4D 18
Stockwell Head. LE10 (in two parts) —2E 139
Stockwell Rise. B92 —1G 109
Stockwell Rd. B21 —3D 58
Stockwell Rd. WV6 —4D 18
Stoke Grn. CV3 —5E 117
Stoke Grn. Cres. CV3 —1E 133
Stoke La. B98 —1E 145
Stoke La. LE10 —1B 138
Stoke Rd. B60 —5D 142
Stoke Rd. LE10 —1D 138
Stoke Row. CV2 —3E 117
Stokes Av. DY4 —4H 43
Stokes Av. WV13 —3F 31
Stokesay Av. WV6 —5A 18
Stokesay Clo. B69 —4G 55
Stokesay Clo. CV11 —3E 137
Stokesay Clo. DY11 —5E 141
Stokesay Gro. B31 —2H 119
Stokesay Ho. B23 —5G 49
Stokes La. WS11 —3H 7 to 1H 7
Stokes St. WS3 —2E 23
Stoke Way. B15 —4G 73 & 4A 152
Stom Rd. WV14 —5D 30
Stonall Ga. WS9 —2G 25
Stoneacre Clo. WV3 —2B 28
Stone Av. B75 —5D 38
Stonebow Av. B91 —1E 125
Stonebridge Cres. B37 —2H 77
Stonebridge Highway. CV3 —4B 132
Stonebridge Ind. Est. CV3 —5E 133
Stonebridge Rd. B46 —5D 64 to 3E 79
Stonebrook Way. B29 —4H 87
Stonebrook Way. CV6 —3D 100
Stonebury Av. CV5 —4A 114
Stonechat Clo. DY10 —5G 141
Stonechat Dri. B23 —3D 60
Stone Clo. B38 —5E 105
Stonecroft Av. B45 —2E 119
Stonecrop Clo. B38 —1E 121
Stonedown Clo. WV14 —1C 42
Stonefield Dri. DY5 —5G 53
Stonefield Rd. WV14 —5E 31
Stonefield Wlk. WV14 (in two parts) —3E 31
Stoneford Rd. B90 —4G 107
Stonehaven Dri. CV3 —5A 132
Stonehaven Gro. B28 —1H 107
Stonehenge Croft. B14 —5H 105
Stone Hill Croft. B90 —3C 124
Stonehill Wlk. B77 —5G 135
Stonehouse Av. WV13 —5G 21
Stonehouse Clo. B97 —4B 144
Stonehouse Clo. CV32 —1E 148
Stonehouse Cres. WS10 —2E 45
Stonehouse Dri. B74 —5D 26
Stonehouse Gro. B32 —4G 87
Stonehouse Hill. B29 —4A 88
Stonehouse La. B32 —4G 87
Stonehouse La. CV3 —4F 133
Stonehouse Rd. B60 —4E 143
Stonehouse Rd. B73 —1F 49
Stonehurst Rd. B43 —1G 57
Stone Lea. WS9 —4F 25
Stonelea Clo. B71 —3G 45
Stoneleigh Av. CV5 —2H 131
Stoneleigh Av. CV8 —2C 150
Stoneleigh Clo. B74 —3F 37
Stoneleigh Ct. CV11 —4F 137
Stoneleigh Gdns. WV8 —4A 10
Stoneleigh Rd. B20 —3A 60
Stoneleigh Rd. B91 —2B 108
Stoneleigh Rd. CV4 —5F 131
Stoneleigh Rd. CV8 —2C 150
Stoneleigh Way. DY3 —5A 42
Stonepit. B77 —5D 134
Stone Rd. B15 —5H 73
Stonerwood Av. B28 —1F 107
Stones Grn. B23 —5F 49
Stone St. B69 —5D 56
Stone St. DY1 —3E 55
Stone St. DY3 —1A 54
Stone St. WV14 —5F 31
Stoneton Cres. CV7 —3B 128
Stoneton Gro. B29 —5A 88
Stoneway Gro. CV31 —6D 149
Stone Yd. B12 —4B 74
Stone Yd. B64 —5E 69
Stoney Clo. B92 —2G 109
Stoney Croft. WS11 —5D 4
Stoneycroft Tower. B36 —4B 62
Stoneyfields Clo. WS11 —4D 4
Stoneyford Gro. B14 —3C 106
Stoneygate Dri. LE10 —1F 139
Stoneyhurst Rd. B24 —4F 61
Stoney La. B12 —2C 90
Stoney La. B25 —5B 76
Stoney La. B32 —1E 87
Stoney La. B71 —1G 57
Stoney La. DY2 —3E 69
Stoney La. DY10 —1D 140
Stoney La. WS3 —5F 15 (in two parts)
Stoney La. WV4 —5G 29
Stoney Lea Rd. WS11 —4D 4
Stoneymoor Dri. B36 —3F 63
Stoney Rd. CV3 & CV1 —1B 132
Stoney Rd. CV10 —2E 137
Stoney Stanton Rd. CV1 & CV6 —4B 116 to 1D 116
Stoneythorpe Clo. B91 —1E 125
Stoneywood Rd. CV2 —1H 117
Stonnal Gro. B23 —5G 49
Stonor Pk. Rd. B91 —2C 108
Stonor Rd. B28 —3G 107
Stonydelph La. B77 —5G 135
Stony La. B67 —1H 71
Stony St. B67 —1H 71
Stornoway Rd. B35 —1E 63
Storrs Clo. B9 —4D 74
Storrs Pl. B10 —4D 74
Storrs Way, The. B32 —1E 103
Stotfold Rd. B14 —5B 106
Stourbridge Ind. Est. DY8 —1F 83
Stourbridge Rd. B61 —1D 142
Stourbridge Rd. B63 —2F 85
Stourbridge Rd. DY1 & DY5 —1A 68
Stourbridge Rd. DY3, WV5 & WV4 —2C 52 to 1C 40
Stourbridge Rd. DY9 —2H 83
Stourbridge Rd. DY10 —1E 141
Stour Clo. B63 —2F 85
Stour Clo. WS7 —2H 9
Stourdale Rd. B64 —5E 69
Stourdell Rd. B63 —1F 85 & 2F 85
Stour Hill. DY5 —5C 68
Stourmore Clo. WV12 —4B 22
Stourport Rd. DY11 & DY10 —5C 140 to 4D 140
Stour St. B18 —3F 73
Stour St. B70 —2C 56
Stourton Clo. B76 —1C 50
Stourton Clo. B93 —2B 126
Stourton Cres. DY7 —1A 82
Stourton Dri. WV4 —5C 28
Stourton Rd. B32 —2E 87
Stour Vale Rd. DY9 —1B 84
Stour Valley Clo. DY5 —1A 84
Stow Dri. DY5 —1G 83
Stowecroft. WS13 —1G 151
Stowe Hill Gdns. WS13 —2H 151
Stowell Rd. B44 —4B 48
Stowe Pl. CV4 —1A 130
Stowe Rd. WS13 —2G 151
Stowe St. WS3 —3F 23
Stowe St. WS13 —2G 151
Stow Gro. B36 —5B 62
Stowheath La. WV1 —3D 30
Stowheath Pl. WV1 —3D 30
Stowmans Clo. WV14 —1D 42
Strachey Av. CV32 —3A 148
Straight Rd. WV12 —4B 22
Straits Est. DY3 —1G 53
Straits Grn. DY3 —2G 53
Straits Rd. DY3 —2G 53
Straits, The. DY3 —1F 53
Strand, The. B61 —3E 143
Stratford Clo. DY1 —2B 54
Stratford Ct. B72 —1H 49
Stratford Dri. WS9 —2G 25
Stratford Pl. B12 —5B 74
Stratford Rd. B11, B28 & B90 —1C 90 to 4D 12
Stratford Rd. B60 —3E 143 & 3F 143 (in two parts)
Stratford Rd. B94 —5E 125 & 5C 124
Stratford Rd. CV34 —5C 146
Stratford St. B11 —2D 90
Stratford St. CV2 —3E 117
Stratford St. CV11 —3F 137
Stratford St. N. B11 —5C 74
Stratford Wlk. B36 —5A 62
Stratford Way. WS11 —2D 4
Strathdene Gdns. B29 —5C 88
Strathdene Rd. B29 —4C 88
Strathearn M. CV32 —4A 62 (off Beauchamp Hill.)
Strathearn Rd. CV32 —4A 148
Strathern Dri. WV14 —3C 42
Strathfield Wlk. WV4 —4C 28
Strathmore Av. CV1 —5C 116
Strathmore Cres. WV5 —3A 40
Strathmore Pl. WS11 —4D 4
Strathmore Rd. DY4 —3H 43
Strathmore Rd. LE10 —3C 138
Stratton St. WV10 —4A 20
Strawberry Clo. B69 —5A 56
Strawberry La. WS6 —2B 14
Strawberry La. WV13 —1D 30
Strawberry Wlk. CV2 —5G 101
Stray, The. DY5 —1H 67
Stream Meadow. WS4 —2C 24
Stream Pk. DY6 —2D 66
Stream Rd. DY6 & DY8 —1D 66 & 2D 66
Streamside Clo. CV5 —1D 114
Streamside Way. B92 —3F 93
Streamside Way. WS4 —2C 24
Streatham Gro. B44 —2B 48
Streather Rd. B75 —2A 38
Streetly Cres. B74 —1E 37
Streetly Dri. B74 —5E 27
Streetly La. B74 —1D 36
Streetly Rd. B23 —1E 61
Streetly Wood. B74 —1C 36
Streetsbrook Rd. B90 & B91 —2H 107 to 3D 108
Streets Corner Gdns. WS9 —4F 17
Streets La. WS6 —1C 14
Strensham Hill. B13 —3A 90
Strensham Rd. B12 —2A 90
Stretton Av. CV3 —3F 133
Stretton Clo. LE10 —4E 139
Stretton Cres. CV31 —7C 149
Stretton Dri. B45 —5D 118
Stretton Gdns. WV8 —4A 10
Stretton Gro. B8 —1H 75
Stretton Gro. B11 —1D 90
Stretton Gro. B12 —2C 90
Stretton Gro. B19 —5G 59
Stretton Lodge. CV3 —3G 133
Stretton Pl. DY2 —2E 69
Stretton Pl. WV14 —2C 42
Stretton Rd. B6 —1B 74
Stretton Rd. B90 —1H 123
Stretton Rd. CV10 —3D 136
Stretton Rd. DY11 —4C 140
Stretton Rd. WV12 —2A 22
Stretton St. B77 —2E 135
Strichley Trading Est. B30 —2F 105
Stringer Clo. B75 —5G 75
Stringers Hill. WS12 —1G 5
Stringes Clo. WV13 —5A 22
Stringes La. WV13 —1A 32
Strode Ho. B79 —3C 134
Strode Rd. WV2 —4H 29
Stroma Way. CV10 —4D 136
Stronsay Clo. B45 —1C 118
Stroud Av. WV12 —5A 22 to 5C 22
Stroud Clo. WV12 —5A 22
Stroud Rd. B90 —5F 107
Strutt Clo. B15 —5C 72
Strutt Rd. LE10 —5H 139
Stuart Clo. CV34 —5D 146
Stuart Ct. CV6 —1E 117
Stuart Ct. CV32 —4A 148
Stuart Cres. DY2 —3F 55
Stuart Ho. B46 —5E 65
Stuart Rd. B62 —2D 86
Stuart Rd. B65 —2A 70
Stuarts Dri. B33 —4B 76
Stuarts Grn. DY9 —5G 83
Stuarts Rd. B33 —4B 76
Stuart St. B7 —5D 60
Stuart St. WS3 —2E 23
Stuarts Way. B32 —2E 103
Stubbers Grn. Rd. WS9 —2D 25
Stubbington Clo. WV13 —2E 31
Stubbs Clo. CV12 —2E 81
Stubbs Gro. CV2 —3E 117
Stubbs' Rd. WV3 —4F 29
Stubby La. WV11 —3G 21
Stubley Dri. WV10 —4B 20
Studland Rd. B28 —1G 107
Stud La. B33 —2C 76
Studley Croft. B92 —3F 93
Studley Dri. DY5 —5H 67
Studley Ga. DY8 —2D 82
Studley Rd. B98 —3D 144 to 5F 145
Studley Rd. WV3 —2C 28
Studley St. B12 —2C 90
Sturgeon's Hill. WS14 —3H 151
Sturley Clo. CV8 —2D 150
Sturman Dri. B65 —4A 70
Stychbrook Gdns. WS13 —1G 151
Styles Clo. CV31 —6C 149
Styvechale Av. CV5 —2H 131
Suckling Green La. WV8 —5A 10
Sudbury Clo. CV32 —3D 148
Sudbury Clo. WV11 —2F 21
Sudbury Gro. B44 —2C 48
Sudeley Clo. B36 —4E 63
Sudeley Rd. CV10 —5F 137
Suffield Gro. B23 —5C 48
Suffolk Clo. B68 —2E 71
Suffolk Clo. CV5 —4D 114
Suffolk Clo. CV10 —4C 136
Suffolk Clo. CV12 —2D 80
Suffolk Dri. DY5 —5G 67
Suffolk Gro. WS9 —2F 25
Suffolk Pl. B1 —4H 73 & 4B 152
Suffolk Pl. WS2 —4G 23
Suffolk Rd. DY2 —5C 54
Suffolk Rd. WS10 —1F 45
Suffolk St. CV32 —4C 148

Tanyards—Tintern Rd.

Tanyards. B27 —3A **92**
Tapestries Av. B70 —1E **57**
Tappinger Gro. CV8 —3D **150**
Tapplow Pl. WS11 —3D **4**
Tapton Clo. WS3 —5F **15**
Tarlington Rd. CV6 —2F **115**
Tarmac Rd. WV4 —5D **30**
Tarn Clo. CV12 —3E **81**
Tarquin Clo. CV3 —2G **133**
Tarragon Clo. CV2 —5G **101**
Tarrant. B77 —4F **135**
Tarrant Gro. B32 —2H **87**
Tarrington Covert. B38 —2D **120**
Tarry Hollow Rd. DY5 —5G **53**
Tarry Rd. B8 —2F **75**
Tarvin M. DY5 —4H **67**
Taryn Dri. WS10 —4B **32**
Tasker St. B70 —1C **56**
Tasker St. WS1 —2G **33**
Tasman Gro. WV6 —1A **18**
Tat Bank Rd. B69 & B68 —5E **57**
Tatnall Gro. CV34 —3D **146**
Taunton Av. WV10 —4A **12**
Taunton Rd. B12 —3C **90**
Taunton Tower. B31 —5F **103**
Taunton Way. CV6 —5H **99**
Taverners Clo. WV12 —1A **22**
Taverners Grn. B20 —2E **59**
Tavistock Clo. B79 —1D **134**
Tavistock Rd. B27 —1A **108**
Tavistock St. CV32 —4B **148**
Tavistock Wlk. CV2 —1F **117**
Tavistock Way. CV11 —2H **137**
Taw Clo. B36 —4H **63**
Tay Croft. B37 —2B **78**
Tay Gro. B38 —1D **120**
Tay Gro. B62 —5C **70**
Taylor Av. CV32 —3C **148**
Taylor Av. WS3 —2G **23**
Taylor Clo. CV8 —2C **150**
Taylor Ct. CV34 —4D **146**
Taylor Rd. B13 —2A **106**
Taylor Rd. DY2 —3F **69**
Taylor Rd. WV4 —5B **30**
Taylors La. B67 —2H **71**
Taylor's La. B69 —5C **56**
Taylor's La. B71 —1G **57**
Taylors Orchard. B23 —1C **60**
Taylor St. WV11 —4E **21**
Taynton Covert. B30 —5G **105**
Tay Rd. B45 —5E **103**
Tay Rd. CV6 —2A **116**
Taysfield Rd. B31 —2G **103**
Taywood Dri. B10 —5D **74**
Teachers Clo. CV6 —3H **115**
Teal Bus. Cen. LE10 —3A **138**
Tealby Gro. B29 —5F **89**
Teal Cres. DY10 —5G **141**
Teal Dri. B23 —2C **60**
Teall Clo. B27 —3A **92**
Teall Rd. B8 —1E **75**
Tean Clo. B11 —3G **91**
Tean Clo. WS7 —2H **9**
Teasdale Way. DY9 —3A **84**
Teasel Gro. WV10 —2D **12**
Teasel Rd. WV11 —4F **21**
Teazel Av. B30 —2D **104**
Tebworth Clo. WV9 —5E **11**
Tedbury Cres. B23 —5E **49**
Tedder Rd. WS2 —1C **32**
Teddesley Ct. WS11 —4B **4**
Teddesley Gro. B33 —2E **77**
Teddesley St. WS4 —1H **33**
Teddington Clo. B73 —2G **49**
Teddington Gro. B42 —2H **59**
Ted Pitts La. CV5 —4D **98**
Tedstone Rd. B32 —2G **87**
Teesdale Av. B34 —5C **62**
Teesdale Clo. WV1 —1C **30**
Tees Gro. B38 —1E **121**
Teeswater Clo. B60 —5C **142**
Teignbank Clo. LE10 —1E **139**
Teignbank Rd. LE10 —1E **139**
Teignmouth Rd. B29 —4E **89**
Telephone Rd. CV3 —5F **117**
Telfer Rd. CV6 —2A **116** to 1A **116**
Telford Av. CV32 —1C **148**
Telford Av. WS6 —4D **6**
Telford Clo. B67 —4G **71**
Telford Clo. B71 —3E **45**
Telford Clo. WS2 —4D **22**
Telford Clo. WS7 —1G **9**
Telford Gdns. WV3 —4D **28**
Telford Gro. WS12 —1E **5**
Telford Rd. B79 —1B **134**
Telford Rd. CV7 —5F **81**
Telford Rd. WS2 —4D **22**
Telford Way. B66 —5H **57**
Teme Av. DY11 —5B **140**
Teme Rd. B63 —2D **84**
Teme Rd. DY8 —4E **83**
Tempest St. B79 —3C **134**
Tempest St. WV2 —2H **29**
Templar Av. CV4 —1C **130**
Templar Ct. CV11 —3F **137**
Templars' Fields. CV4 —2D **130**
Templars, The. B69 —1B **70**
Templars, The. CV34 —5E **147**
Temple Av. B28 —2G **107**
Temple Av. CV7 —3B **128**
Temple Bar. WV13 —1H **31**
Temple Clo. B98 —2D **144**
Templefield Gdns. B9 —4D **74**
Templefield Sq. B15 —1G **89**
Templefield St. B9 —4D **74**
Temple Gro. CV34 —5D **146**
Temple La. B93 —5E **127**
Temple Meadows Rd. B71 —5G **45**
Templemore Dri. B43 —4D **46**
Temple Pas. B2 —3H **73** & 3C **152**
Temple Rd. B93 —5A **126**
Temple Rd. WV13 —1H **31**
Temple Row. B2 —3A **74** & 3C **152**
Temple Row West. B2 —3H **73** & 3C **152**
Temple Sq. WV13 —1H **31**
Temple St. B2 —3H **73** & 3C **152**
Temple St. B70 —1F **57**
Temple St. DY3 —2H **53**
Temple St. WV2 —2H **29**
Temple St. WV14 —5F **31**
Templeton Clo. B93 —5H **125**
Templeton Rd. B44 —2A **48**
Temple Way. B46 —3D **64**
Temple Way. B69 —2A **56** & 3B **56**
Tenacre La. DY3 —5B **42**
Tenacres La. B98 —3H **145**
Ten Ashes La. B45 —4F **119**
Tenbury Clo. B98 —1F **145**
Tenbury Clo. WS2 —5B **22**
Tenbury Clo. WS9 —2G **25**
Tenbury Ct. WV4 —5D **28**
Tenbury Gdns. WV4 —5D **28**
Tenbury Rd. B14 —2H **105**
Tenby Clo. CV12 —4B **80**
Tenby Rd. B13 —5E **91**
Tenby St. B1 —2G **73** & 2A **152**
Tenby St. N. B1 —2G **73** & 1A **152**
Tenby Tower. B31 —5A **104**
Teneriffe Rd. CV6 —5D **100**
Tenlands Rd. B63 —4G **85**
Tenlons Rd. CV10 —5D **136**
Tennal Dri. B32 —1H **87**
Tennal Gro. B32 —2H **87**
Tennal La. B32 —2H **87**
Tennal Rd. B32 —1H **87** to 2A **88**
Tennant St. B15 —4G **73** & 4A **152**
Tennant St. CV11 —4G **137**
Tennis Ct., The. B15 —2F **89**
Tennscore Av. WS6 —4C **6**
Tennyson Av. B74 —3G **27**
Tennyson Av. B79 —2C **134**
Tennyson Av. CV34 —5C **146**
Tennyson Av. WS7 —1F **9**
Tennyson Clo. CV8 —3D **150**
Tennyson Ho. B68 —2F **71**
Tennyson Rd. B10 —1E **91**
Tennyson Rd. B97 —5A **144**
Tennyson Rd. CV2 —4F **117**
Tennyson Rd. DY3 —1F **53**
Tennyson Rd. LE10 —2D **138**
Tennyson Rd. WS3 —2G **23**
Tennyson Rd. WV10 —1C **20**
Tennyson Rd. WV12 —2C **22**
Tennyson St. DY5 —5A **54**
Tennyson Way. DY10 —3G **141**
Tenter Ct. B63 —3A **86**
Tenter Dri. B63 —3A **86**
Tenterfields. B63 —3A **86**
Terminus Shopping Cen. B73 —4H **49**
Tern Clo. WV4 —1A **42**
Tern Gro. B38 —1E **121**
Terrace Rd. B19 —5F **59**
Terrace St. B65 —4H **69**
Terrace St. DY5 —1A **68**
Terrace St. WS10 —1D **44**
Terrace, The. B64 —5F **69**
Terrace, The. WV3 —2C **28**
Terry Av. CV32 —2H **147**
Terry Clo. WS13 —1E **151**
Terry Dri. B76 —2C **50**
Terry Rd. CV1 —5D **116**
Terry's Clo. B98 —1D **144**
Terry St. DY2 —4F **55**
Tessall La. B31 —5E **103** to 2H **119**
Tetbury Gro. B31 —4G **103**
Tetley Av. WS4 —5A **24**
Tetley Rd. B11 —3F **91**
Tetnall St. DY2 —4E **55**
Tettenhall Rd. WV6, WV3 & WV1 —5E **19**
Teviot Gdns. DY5 —5F **53**
Teviot Gro. B38 —1E **121**
Tewkesbury Dri. CV12 —3G **81**
Tewkesbury Dri. DY2 —3E **69**
Tewkesbury Rd. B20 —3A **60**
Tewkesbury Rd. WS3 —5C **14**
Tew Pk. Rd. B21 —5D **58**
Thackeray Dri. B79 —1C **134**
Thackeray Rd. B30 —3C **104**
Thackhall St. CV2 —4D **116**
Thames Clo. CV12 —1A **80**
Thames Clo. DY5 —5G **53**
Thames Ct. B66 —5G **57**
Thames Ct. B73 —5H **27**
Thames Gdns. WV14 —3C **42**
Thameside Dri. B6 —1B **60**
Thames Rd. WS3 —2G **23**
Thamley Rd. CV6 —3H **115**
Thanet Clo. DY6 —5C **52**
Thanet Gro. B42 —1H **59**
Thatchway Gdns. B38 —2D **120**
Thaxted Rd. B33 —2G **77**
Theatre App. B5 —4A **74** & 4C **152**
Theatre St. CV34 —4D **146**
Thebes Clo. CV5 —1H **113**
Theddingworth Clo. CV3 —1H **133**
Thelbridge Rd. B31 —3G **119**
Thelma Rd. DY4 —5F **43**
Thelma St. WS1 —3G **33**
Thelsford Way. B92 —1G **109**
Theodore Clo. B17 —3C **88**
Theodore Clo. B69 —3C **56**
Theresa Rd. B11 —5C **74**
Thetford Clo. DY4 —1E **55**
Thetford Gdns. WV11 —3E **21**
Thetford Rd. B42 —4G **47**
Thickett Clo. WS2 —3E **33**
Thicknall Dri. DY9 —4G **83**
Thickthorn Clo. CV8 —4C **150**
Thickthorn M. CV8 —5C **150**
Thickthorn Orchards. CV8 —5C **150**
Thimble End Rd. B76 —2D **50**
Thimble Mill La. B6 & B7 —5C **60**
Thimblemill Rd. B67 —2G **71** to 4H **71**
Thimbler Rd. CV4 —2F **131**
Third Av. B6 —2B **60**
Third Av. B9 —4F **75**
Third Av. B29 —4G **89**
Third Av. DY6 —4E **53**
Third Av. WS8 —1F **17**
Third Av. WV10 —3B **20**
Thirlestane Clo. CV8 —2D **150**
Thirlmere Av. CV11 —2H **137**
Thirlmere Clo. CV4 —4B **114**
Thirlmere Clo. WS11 —5C **4**
Thirlmere Clo. WV6 —2D **18**
Thirlmere Dri. B13 —5D **90**
Thirlmere Dri. WV11 —5H **13**
Thirlmere Gro. WV6 —5A **18**
Thirlmere Rd. CV12 —4E **81**
Thirlmere Rd. LE10 —3C **138**
Thirlmere Rd. WV6 —2D **18**
Thirlmere Wlk. DY5 —5G **67**
Thirsk Croft. B36 —4A **62**
Thirsk Rd. CV3 —4A **132**
Thirston Clo. WV11 —4G **21**
Thistle Clo. DY3 —4B **52**
Thistledown Av. WS7 —2F **9**
Thistle Down Clo. B74 —1B **36**
Thistledown Dri. WS12 —5F **5**
Thistledown Dri. WV10 —2C **12**
Thistledown Rd. B34 —5E **63**
Thistledown Wlk. DY3 —2H **41**
Thistle Grn. B38 —2E **121**
Thistlegreen Clo. B65 —1G **69**
Thistlegreen Rd. DY2 —2F **69**
Thistle Ho. B36 —4B **62**
Thistle La. B32 —1E **103**
Thistley Field E. CV6 —2H **115**
Thistley Field N. CV6 —2H **115**
Thistley Field S. CV6 —2H **115**
Thistley Field W. CV6 —2H **115**
Thistley Nook. WS13 —2F **151**
Thomas Greenway. WS13 —1E **151**
Thomas Guy Rd. B70 —5C **44**
Thomas Ho. WS3 —5F **15**
Thomas La. St. CV6 —5E **101**
Thomas Lansdail St. CV3 —1B **132**
Thomas Mason Clo. WV11 —3E **21**
Thomas Naul Croft. CV4 —4C **114**
Thomas Sharp St. CV4 —2C **130**
Thomas St. B6 —1B **74**
Thomas St. B66 —1B **72**
Thomas St. B70 —3G **57**
Thomas St. B77 —1E **135**
Thomas St. CV12 —3E **81**
Thomas St. CV32 —4B **148**
Thomas St. WS2 —1F **33**
Thomas St. WV2 —3H **29**
Thomas Wlk. B35 —2E **63**
Thompson Av. WV2 —4A **30**
Thompson Clo. DY2 —3D **68**
Thompson Clo. WV13 —1G **31**
Thompson Dri. B24 —4F **61**
Thompson Gdns. B67 —2H **71**
Thompson Ho. DY4 —3A **44**
Thompson Rd. B67 —2H **71**
Thompson Rd. B68 —2E **71**
Thompsons Rd. CV7 —2F **9**
Thompson St. WV13 —1G **31**
Thompson St. WV14 —5E **31**
Thomson Av. B38 —1C **120**
Thor Clo. WS11 —2D **4**
Thoresby. B79 —2A **134**
Thornberry Dri. DY1 —4A **54**
Thornberry Wlk. B7 —5D **60**
Thornbridge Av. B42 —4G **47**
Thornbury Ct. WV6 —1A **28**
Thornbury Rd. B20 —3H **59**
Thornby. B79 —2A **134**
Thornby Av. B77 —4E **135**
Thornby Av. B91 —3E **109**
Thornby Av. CV8 —4C **150**
Thornby Rd. B23 —4D **48**
Thorncliffe Rd. B44 —2A **48**
Thorn Clo. WS10 —1C **44**
Thorncroft Way. WS5 —1B **46**
Thorne Av. WV10 —2A **20**
Thorne Pl. B65 —3A **70**
Thorne Rd. WV13 —5G **21**
Thorne St. WV2 —4C **30**
Thorneycroft La. WV10 —4C **20**
Thorneycroft Pl. WV14 —1H **43**
Thorneycroft Rd. WV14 —1H **43**
Thorney Rd. B74 —2B **36**
Thorney Rd. CV2 —2F **117**
Thornfield Cres. WS7 —1F **9**
Thornfield Croft. DY3 —4A **42**
Thornfield Rd. B27 —4A **92**
Thornfield Way. LE10 —3F **139**
Thorngrove Av. B91 —1E **125**
Thornham Way. B14 —5H **105**
Thornhill Gro. B21 —4E **59**
Thornhill Pk. B74 —3B **36**
Thornhill Rd. B11 —3E **91**
Thornhill Rd. B21 —5E **59**
Thornhill Rd. B63 —3F **85**
Thornhill Rd. B74 —4C **36**
Thornhill Rd. B91 —1E **109**
Thornhill Rd. B98 —1H **145**
Thornhill Rd. CV1 —3C **116**
Thornhill Rd. DY1 —1E **55**
Thornhill Rd. DY5 —5B **68** (in two parts)
Thornhill Rd. WS12 —1D **4**
Thornhurst Av. B32 —1G **87**
Thornleigh. DY3 —1H **53**
Thornleigh Trading Est. DY2 —5C **54**
Thornley Clo. B13 —5B **90**
Thornley Clo. CV31 —7E **149**
Thornley Clo. WV11 —1G **21**
Thornley Gro. B76 —5F **51**
Thornley Rd. WV11 —1G **21**
Thornley St. WV1 —1H **29**
Thorn Rd. B30 —1D **104**
Thorns Av. DY5 —4A **68** & 4B **68**
Thornsett Gro. B90 —2H **107**
Thorns Rd. DY5 —1A **84**
Thornthwaite Clo. B45 —5E **103**
Thornton Clo. B69 —3A **56**
Thornton Clo. CV5 —3A **114**
Thornton Clo. CV34 —2E **147**
Thornton Dri. DY5 —4A **68**
Thornton Rd. B8 —1H **75**
Thornton Rd. B90 —2C **124**
Thornton Rd. WV1 —2D **30**
Thorntons Way. CV10 —3A **136**
Thornwood Clo. B68 —2F **71**
Thornycroft Rd. LE10 —3F **139**
Thornyfield Clo. B90 —4A **108**
Thornyfield Rd. B90 —4A **108**
Thorpe Av. WS7 —1C **8** & 1D **8**
Thorpe Clo. B75 —3A **38**
Thorpe Clo. WS7 —1C **8**
Thorpe Rd. WS1 —3G **33**
Thorpe St. WS7 —1D **8**
Thorp St. B5 —4H **73** & 4C **152**
Threadneedle St. CV1 —2B **116**
Three Corner Clo. B90 —1F **123**
Three Oaks Rd. B47 —4D **122**
Three Pots Rd. LE10 —5F **139**
Three Shires Oak Rd. B67 —4A **72**
Three Spires Av. CV6 —3H **115**
Three Spires Junction. CV6 —5C **100**
Three Tuns La. WV10 —1H **19**
Three Tuns Pde. WV10 —1H **19**
Threshers Dri. WV12 —4B **22**
Threshers Way. WV12 —4B **22**
Throckmorton Rd. B98 —5D **144**
Throne Clo. B65 —2B **70**
Throne Cres. B65 —2B **70**
Throne Rd. B65 —1A **70**
Thrushel Wlk. WV11 —4D **20**
Thrush Rd. B68 —3D **70**
Thruxton Clo. B14 —5A **106**
Thruxton Clo. B98 —3G **145**
Thurcroft Clo. B8 —2G **75**
Thuree Rd. B67 —4G **71**
Thurlestone Rd. CV6 —1H **115**
Thurleston Rd. B31 —2H **119**
Thurloe Cres. B45 —1C **118**
Thurlston Av. B92 —3C **92**
Thurlstone Dri. WV4 —1E **41**
Thurlstone Rd. WS3 —5E **15**
Thurmaston Ct. CV32 —3B **148**
Thurne. B77 —4F **135**
Thursfield Rd. B71 —4G **45**
Thursfield Rd. CV32 —3D **148**
Thursfield Rd. DY4 —5H **43**
Thurston Av. B69 —1C **70**
Thynne St. B70 —3G **57**
Tibbatts Clo. B32 —4F **87**
Tibberton Clo. B63 —3A **86**
Tibberton Clo. B91 —1D **124**
Tibberton Clo. WV3 —3D **28**
Tibbets La. B17 —2A **88**
Tibbington Rd. DY4 —4F **43**
Tibbington Ter. DY4 —4F **43**
Tiber Clo. CV5 —4C **114**
Tiberius Clo. B46 —4D **64**
Tibland Rd. B27 —5A **92**
Tiddington Clo. B36 —4E **63**
Tideswell Rd. B42 —5G **47**
Tidmarsh Clo. CV7 —3B **128**
Tidworth Croft. B14 —5B **106**
Tiffany La. WS9 —5F **11**
Tiffield Rd. B25 —2A **92**
Tigley Av. B32 —5G **87**
Tilbury Clo. WV3 —3A **28**
Tilbury Gro. B13 —5H **89**
Tildasley St. B70 —1E **57**
Tildesley Dri. WV12 —4A **22**
Tile Cross Rd. B33 —4G **77**
Tile Cross Trading Est. B33 —4G **77**
Tiled Ho. La. DY5 —1G **67**
Tile Gro. B37 —1A **78**
Tile Hill La. CV4 & CV5 —1A **130** to 5G **115**
Tilehouse. B97 —4B **144**
Tilehouse Grn. La. B93 —2H **125**
Tilehouse La. B90 —4E **123**
Tilesford Clo. B90 —3D **124**
Tilewood Av. CV5 —4B **114**
Tilia Rd. B77 —1H **135**
Tilley St. WS10 —4C **32**
Tillington Clo. B98 —3H **145**
Tillyard Croft. B29 —5C **88**
Tilshead Clo. B14 —4A **106**
Tilsley Gro. B23 —1C **60**
Tilston Dri. DY5 —4H **67**
Tilton Rd. B9 —4D **74**
Tilton Rd. LE10 —4F **139**
Timbercombe Way. B21 —4C **58**
Timberdine Clo. B63 —1E **85**
Timberhonger La. B61 —3A **142**
Timberlake Clo. B90 —3E **125**
Timberley La. B34 —5F **63** (in two parts)
Timber Mill Ct. B17 —2B **88**
Timbers Way. B11 —1B **90**
Timbers Way. B24 —1C **62**
Timbertree Cres. B64 —1F **85**
Timbertree Rd. B64 —1F **85**
Times Sq. Av. DY5 —3B **68**
Timmins Clo. B91 —2G **109**
Timmis Clo. WV14 —1C **42**
Timmis Rd. DY9 —2H **83**
Timothy Gro. CV4 —1D **130**
Timothy Rd. B69 —5B **56**
Tinacre Hill. WV6 —1A **28**
Tinchbourne St. DY1 —3D **54**
Tindal St. B12 —2A **90**
Tink-a-Tank. CV34 —4D **146**
Tinker's Farm Gro. B31 —4G **103**
Tinker's Farm Rd. B31 —4H **103**
Tinkers Grn. Rd. B77 —5F **135**
Tinmeadow Cres. B45 —2F **119**
Tinsley St. DY4 —1B **56**
Tintagel Clo. CV3 —3G **133**
Tintagel Clo. WV6 —5A **18**
Tintagel Dri. DY1 —3A **54**
Tintagel Gro. CV8 —3D **150**
Tintagel Way. CV11 —5B **136**
Tintern Clo. B61 —4C **142**
Tintern Clo. B74 —3C **36**
Tintern Clo. DY11 —2A **140**
Tintern Ct. WV6 —2A **18**
Tintern Cres. WS3 —1D **22**
Tintern Rd. B20 —3A **60**

Tintern Way—Underley Clo.

Tintern Way. CV12 —3G 81
Tintern Way. WS3 —5C 14
Tipperary Clo. B36 —4B 62
Tipperary Wlk. B69 —5D 56
Tipper Trading Est. DY9 —2C 84
Tippity Grn. B65 —2H 69
Tipton Ind. Est. WV14 —4E 43
Tipton Rd. DY1 —2F 55
Tipton Rd. DY3 —4B 42
Tipton Rd. DY4 & B69 —2H 55
Tipton St. DY3 —4A 42
Tipton Trading Est. DY4 —4F 43
Tipton Trading Est. DY4 —5E 43 & 4F 43
Tirley Rd. B33 —2D 76
Tisdale Rise. CV8 —2D 150
Titan Bus. Cen. CV34 —8A 149
Titania Clo. B45 —5E 103
Titchfield Clo. WV10 —4B 12
Titford Clo. B69 —2D 70
Titford La. B65 —2C 70
Titford Rd. B69 —2C 70 to 1D 70
Tithe Barn Clo. CV35 —4A 146
Tithe Croft. WV10 —5B 20
Tithe Rd. WV11 —4E 21
Titterstone Rd. B31 —1A 120
Tiverton Clo. DY6 —3F 67
Tiverton Dri. CV11 —2H 137
Tiverton Gro. CV2 —3G 117
Tiverton Rd. B29 —4E 89
Tiverton Rd. B66 —1B 72
Tiverton Rd. CV2 —3G 117
Tiveycourt Rd. CV6 —4E 101
Tividale Ho. B69 —4B 56
Tividale Rd. DY4 & B69 —3G 55
Tividale St. DY4 —2H 55
Tixall Rd. B28 —3E 107
Tobruk Wlk. DY5 —3H 67
Tobruk Wlk. WV13 —2F 31
Tocil Croft. CV4 —4F 131
Toler Rd. CV11 —2E 137
Toll End Rd. DY4 —3A 44
Tolley Rd. DY11 —5B 140
Tollgate Clo. B31 —1H 119
Tollgate Dri. B20 —5F 59
Tollgate Precinct. B67 —1A 72
Toll Ho. Rd. B45 —2F 119
Tollhouse Way. B66 —5H 57
Tolman Dri. B77 —2E 135
Tolworth Gdns. WV2 —3A 30
Tolworth Hall Rd. B24 —2H 61
Tomey Rd. B11 —2E 91
Tom Henderson Clo. CV3 —2H 133
Tomkinson Dri. DY11 —4B 140
Tomkinson Rd. CV10 —3C 136
Tomlan Rd. B31 —2B 120
Tomlinson Rd. B36 —4G 63
Tompstone Rd. B71 —3A 46
Tomson Av. CV6 —3A 116
Tom Ward Clo. CV3 —2H 133
Tonadine Clo. WV11 —1H 21
Tonbridge Rd. B24 —3G 61
Tonbridge Rd. CV3 —2E 133
Tong St. WS1 —2A 34
Topcroft Rd. B23 —4F 49
Top Field Wlk. B14 —5H 105
Topland Gro. B31 —5F 103
Topp Heath. CV12 —4C 80
Topp's Dri. CV12 —4C 80
Topsham Croft. B14 —2H 105
Topsham Rd. B67 —5G 57
Torbay Rd. CV5 —3E 115
Torcastle Clo. CV6 —1D 116
Torc Av. B77 —1F 135
Torcross Av. CV2 —3F 117
Torfield. WV8 —1E 19
Tor Lodge Dri. WV6 —1B 28
Toronto Gdns. B32 —1H 87
Torpoint Clo. CV2 —2F 117
Torre Av. B31 —5H 103
Torrey Gro. B8 —2A 76
Torridge Dri. WV11 —4D 20
Torridon Croft. B13 —3H 89
Torridon Rd. WV12 —1H 21
Torridon Way. LE10 —2D 138
Torrington Av. CV4 —1A 130
Torrs Clo. B98 —4B 144
Torside. B77 —5H 135
Torvale Rd. WV6 —1B 28
Tor Way. WS3 —5H 15
Torwood Clo. CV4 —3C 130
Totnes Clo. CV2 —1G 117
Totnes Gro. B29 —4E 89
Totnes Rd. B67 —1H 71
Tottenham Cres. B44 —2C 48
Touchwood Hall Clo. B91 —3E 109
Towcester Croft. B36 —4B 62
Tower Bldgs. DY10 —2E 141
Tower Croft. B37 —2A 78
Tower Hill. B42 —5F 47
Tower Rise. B69 —5A 56
Tower Rd. B6 —5B 60
(in two parts)
Tower Rd. B69 —5A 56
Tower Rd. B75 —1H 37
Tower Rd. CV12 —4E 81
Towers Clo. CV8 —5B 150
Towers Clo. DY10 —3G 141
Tower St. B19 —2H 73 & 1B 152
Tower St. CV1 —4B 116
Tower St. CV31 —6B 149
Tower St. DY1 —3E 55
Tower St. DY3 —3A 42
Tower St. WS1 —1H 33
Tower St. WV1 —2H 29
Tower View Cres. CV10 —4A 136
Tower View Rd. WS6 —1D 14
Townend. WS2 —1G 33
Townend Bank. WS2 —1G 33
Townend Sq. WS1 —1G 33
Townfields. WS13 —3F 151
(in two parts)
Townfields Clo. CV5 —2D 114
Town Fold. WS3 —4A 16
Townley Gdns. B6 —4A 60
Townsend Av. B60 —2F 143
Townsend Av. DY3 —3H 41
Townsend Clo. CV34 —2E 147
Townsend Croft. CV3 —2B 132
Townsend Dri. B76 —4C 50
Townsend Dri. CV11 —4H 137
Townsend Pl. DY6 —1D 66
Townsend Rd. CV3 —2A 132
Townsend Way. B1 —3G 73 & 3A 152
Townshend Gro. B37 —2H 77
Townshend Ho. B79 —3C 134
Townson Rd. WV11 —2G 21
Town Wall. B77 —5F 135
Townwell Fold. WV1 —2H 29
Town Yd. WV13 —2H 31
Towyn Rd. B13 —5E 91
Toy's La. B63 —2D 84
Tozer St. DY4 —4G 43
Traceys Meadow. B45 —2E 119
Trafalgar Clo. WS12 —2H 5
Trafalgar Ct. B69 —4A 56
Trafalgar Gro. B25 —1G 91
Trafalgar Rd. B13 —3B 90
Trafalgar Rd. B21 —4D 58
Trafalgar Rd. B24 —2G 61
Trafalgar Rd. B66 —2B 72
Trafalgar Rd. B69 —4A 56
Trafalgar Ter. B66 —2B 72
Trafford Dri. CV10 —2A 136
Trafford Rd. LE10 —1G 139
Trajan Hill. B46 —4D 64
Tram St. DY10 —3D 140
Tram Way. B66 —5F 57
Tranter Cres. WS11 —4E 5
Tranter Rd. B8 —2G 75
Tranwell Clo. WV9 —5E 11
Travellers Clo. WS7 —2F 9
Travellers Way. B37 —3C 78
Trayamon Rd. WS5 —4C 34
Treaford La. B8 —2H 75
Treasure Clo. B77 —1E 135
Treaton Croft. B33 —3D 76
Treddles La. B70 —2G 57
Tredington Clo. B29 —1A 104
Tredington Clo. B98 —5E 145
Tredington Rd. CV5 —4C 114
Tree Acre Gro. B63 —3D 84
Treedale Clo. CV4 —1A 130
Treeford Clo. B91 —5C 108
Trees Rd. WS1 —4H 33
Treeton Croft. B33 —3D 76
Treetops Dri. WV12 —4C 22
Trefoil. B77 —1H 135
Trefoil Clo. B29 —2A 104
Treforest Rd. CV3 —1F 133
Tregarron Rd. B63 —2D 84
Tregea Rise. B43 —4C 46
Tregony Rise. WS14 —4H 151
Tregorrick Rd. CV7 —5E 81
Tregullan Rd. CV7 —5E 81
Trehern Clo. B93 —3H 125
Treherne Rd. CV6 —5A 100
Trehernes Dri. DY9 —5G 83
Trehurst Av. B42 —4G 47
Trejon Rd. B64 —5F 69
Trelawney Rd. CV7 —5E 81
Tremaine Gdns. WV10 —5A 20
Tremont St. WV10 —1B 30
Trenance Clo. WS14 —4H 151
Trenance Rd. CV7 —5E 81
Trenchard Clo. B75 —5C 38
Treneere Rd. CV7 —5E 81
Trensale Av. CV6 —3G 115
Trent Clo. DY8 —3F 83
Trent Clo. WS7 —2H 9
Trent Clo. WV6 —2A 18
Trent Ct. B66 —5G 57
Trent Dri. B36 —4H 63
Trentham Av. WV12 —4H 21
Trentham Clo. WS11 —4E 5
Trentham Gdns. CV8 —2D 150
Trentham Gro. B26 —2B 92
Trentham Rise. WV2 —4B 30
Trentham Rd. CV1 —3D 116
Trent Pl. WS3 —2G 23
Trent Rd. CV11 —2G 137
Trent Rd. CV12 —1A 80
Trent Rd. LE10 —3C 138
Trent Rd. WS3 —1A 24
Trent Rd. WS11 —2C 4
Trent St. B5 —4B 74
Trent Tower. B7 —2C 74
Trent Valley Ind. Est. WS13 —1D 134
Trent Valley Rd. WS13 —3H 151
Trenville Av. B11 —2C 90
Trenville Av. B12 —2C 90
Tresco Clo. B45 —1C 118
Trescott Rd. B31 —4F 103
Tresham Rd. B44 —3A 48
Tresham Rd. DY6 —4D 52
Tresillian Rd. CV7 —5E 81
Trevanie Av. B32 —1F 87
Trevelyan Ho. B37 —4B 78
Treville Clo. B98 —3H 145
Treviscoe Clo. CV7 —5E 81
Trevithick Clo. WS7 —1G 9
Trevor Av. WS6 —4E 7
Trevor Clo. CV4 —1A 130
Trevorne Clo. B12 —2B 90
Trevor Rd. LE10 —2G 139
Trevor Rd. WS3 —4H 15
Trevor St. B7 —5D 60
Trevor St. W. B7 —5D 60
Trevose Av. CV7 —5E 81
Trevose Clo. WS3 —5D 14
Trevose Retreat. B12 —2B 90
Trewern Dri. WS7 —2E 9
Trewint Clo. CV7 —5E 81
Trewman Clo. B76 —4C 50
Treynham Clo. WV1 —2E 31
Triangle, The. CV5 —3D 114
Trident Bus. Pk. CV11 —4G 137
Trident Clo. B23 —4G 49
Trident Clo. B76 —4C 50
Trident Ct. B20 —2F 59
Trident Dri. B68 —1E 71
Trident Ho. B35 —2E 63
Trigo Croft. B36 —4C 62
Trimpley Dri. DY11 —2B 140
Trimpley Gdns. WV4 —1E 41
Trimpley Rd. B32 —5E 87
Trinder Rd. B67 —4G 71
Trindle Clo. DY2 —3E 55
Trindle Rd. DY2 —3E 55
Tring Ct. WV6 —5F 19
Trinity Cen. B64 —4F 69
Trinity Clo. B92 —5D 92
Trinity Clo. DY8 —4D 66
Trinity Clo. WS11 —1C 6
Trinity Ct. B60 —5F 143
Trinity Ct. B64 —4F 69
Trinity Ct. WV3 —1F 29
Trinity Fields. DY10 —2F 141
Trinity Grange. DY10 —2F 141
Trinity Gro. WS10 —2D 44
Trinity Hill. B72 —5A 38
Trinity Ho. WV13 —2F 31
Trinity La. CV1 —4B 116
Trinity La. LE10 —2E 139
Trinity M. CV34 —4E 147
Trinity Pk. B37 —3C 94
Trinity Pl. B72 —5A 38
(off Midland Dri.)
Trinity Rd. B6 —4H 59
Trinity Rd. B70 —4G 57
Trinity Rd. B75 —2H 37
Trinity Rd. DY1 —3D 54
Trinity Rd. DY8 —5F 67
Trinity Rd. WV12 —3B 22
Trinity Rd. WV14 —5G 31
Trinity Rd. N. B70 —3G 57
(in two parts)
Trinity Rd. S. B70 —3G 57
Trinity St. B64 —4F 69
Trinity St. B67 —1A 72
Trinity St. B69 —1D 70
Trinity St. B70 —3G 57
Trinity St. CV1 —4B 116
Trinity St. CV32 —3B 148
Trinity St. DY5 —3H 67
Trinity Ter. B11 —5C 74
Trinity Vicarage Rd. LE10 —2E 139
Trinity Wlk. CV11 —4G 137
Trinity Way. B70 —3G 57
Trippleton Av. B32 —1E 103
Tristram Av. B31 —1B 120
Triton Clo. WS6 —1D 14
Trittiford Rd. B13 —2D 106
Triumph. B77 —2F 135
Triumph Clo. CV2 —4H 117
Triumph Wlk. B36 —3H 63
Trojan. B77 —2F 135
Troon. B77 —1H 135
Troon Clo. B75 —3A 38
Troon Clo. WS3 —5E 15
Troon Ct. WV6 —1A 18
Troon Pl. DY8 —3C 66
Trossachs Rd. CV5 —4C 114
Trotter's La. B71 —4E 45
Troughton Cres. CV6 —3H 115
Trouse La. WS10 —1C 44
Troutbeck Av. CV32 —2H 147
Troutbeck Dri. DY5 —5G 67
Troutbeck Rd. CV5 —4C 114
Troyes Clo. CV3 —2C 132
Troy Gro. B14 —3H 105
Truda St. WS1 —3G 33
Trueman Clo. CV34 —3E 147
Trueman's Heath La. B47 & B90 —2D 122
Truggist La. CV7 —1D 128
Truro Clo. B65 —2C 60
Truro Clo. CV11 —2H 137
Truro Clo. WS13 —1G 151
Truro Dri. DY11 —3A 140
Truro Pl. WS12 —5F 5
Truro Rd. WS5 —3C 34
Truro Tower. B16 —4F 73
Truro Wlk. B37 —4A 78
Trustin Cres. B92 —1G 109
Tryan Rd. CV10 —3C 136
Tryon Pl. WV14 —4F 31
Trysull Av. B26 —2F 93
Trysull Gdns. WV3 —3D 28
Trysull Rd. WV3 —4D 28
Trysull Rd. WV5 —3A 40
Trysull Way. DY2 —2D 68
Tudbury Rd. B31 —4G 103
Tudman Clo. B76 —4D 50
Tudor Av. CV5 —4C 114
Tudor Clo. B13 —2A 106
Tudor Clo. B14 —1B 122
Tudor Clo. CV7 —3B 128
Tudor Clo. WS6 —4C 6
Tudor Clo. WS7 —2G 9
Tudor Ct. B72 —5A 38
Tudor Ct. CV34 —5D 146
Tudor Ct. DY4 —1H 55
Tudor Ct. WV11 —4G 13
Tudor Cres. B77 —1F 135
Tudor Cres. WV2 —4G 29
Tudor Croft. B37 —4H 77
Tudor Gdns. DY8 —2D 82
Tudor Gro. B74 —3B 36
Tudor Hill. B73 —4H 37
Tudor Pl. DY3 —5A 42
(in two parts)
Tudor Rd. B13 —4B 90
Tudor Rd. B65 —1A 70
Tudor Rd. B68 —2F 71
Tudor Rd. B73 —5H 37
Tudor Rd. CV10 —1B 136
Tudor Rd. DY3 —5A 42
Tudor Rd. LE10 —1D 138
Tudor Rd. WS7 —2G 9
Tudor Rd. WV10 —5C 20
Tudor Rd. WV14 —1H 43
Tudors Clo. B10 —5D 74
Tudor St. B18 —2D 72
Tudor St. DY4 —2H 55
Tudor Ter. B17 —2B 88
Tudor Ter. DY2 —3F 55
Tudor Vale. DY3 —5B 42
Tudor Way. WS6 —5B 6
Tufnell Gro. B8 —5H 61
Tugford Rd. B29 —1B 104
Tulip Tree Av. CV8 —3C 150
Tulip Tree Ct. CV8 —3C 150
Tulip Wlk. B37 —5B 78
Tulliver Clo. CV12 —2E 81
Tulliver Rd. CV10 —5F 137
Tulliver St. CV6 —3A 116
Tulyar Clo. B36 —4H 61
Tunnel Dri. B98 —3C 144
Tunnel La. B30 & B14 —4F 105
Tunnel Rd. B70 —4D 44
Tunnel St. WV14 —3D 42
Tunstall Rd. DY6 —1F 67
Turchill Dri. B76 —4D 50
Turfpits La. B23 —5E 49
Turf Pits La. B75 —1C 38
Turfton Gro. B24 —2A 62
Turley St. DY1 —5C 42
Turls Hill Rd. DY3 & WV14 —4A 42
Turls St. DY3 —4A 42
Turnberry. B77 —1H 135
Turnberry Clo. WV6 —1A 18
Turnberry Rd. B42 —3G 47
Turnberry Rd. WS3 —5D 14 & 4E 15
Turner Av. WV14 —2B 42
Turner Clo. CV12 —2E 81
Turner Clo. WS11 —4F 5
Turner Dri. DY5 —5A 68
Turner Dri. LE10 —1C 138
Turner Gro. WV6 —5A 18
Turner Rd. CV5 —4F 115
Turners Bldgs. B18 —1E 73
Turners Croft. B71 —4A 46
Turners Gro. DY3 —1H 53
Turner's Hill. B65 —2H 69
Turner's Hill Rd. DY3 —1H 53
Turner's La. DY5 —5H 67
Turner St. B12 —1C 90
Turner St. B70 —1D 56
Turner St. DY1 —4D 54
Turner St. DY3 —2A 54
Turner St. DY4 —4G 43
Turney Rd. DY8 —2E 83
(in two parts)
Turnham Grn. WV6 —1A 28
Turnhouse Rd. B35 —1E 63
Turnley Rd. B34 —5F 63
Turnpike Clo. B11 —1C 90
Turnpike Dri. B46 —2B 64
Turnstone Dri. WV10 —2D 12
Turnstone Rd. DY10 —5F 141
Turpin Ct. CV31 —6B 149
Turquoise Dri. WS11 —3F 5
Turton Rd. B70 —3E 57
Turton Rd. DY4 —3G 43
Turtons Croft. WV14 —1D 42
Turton St. DY10 —1F 141
Turton Way. CV8 —3D 150
Turves Grn. B31 —2H 119 to 5A 104
Turville Rd. B20 —4G 59
Tustin Gro. B27 —1A 108
Tutbury Av. CV4 —3F 131
Tutbury Av. WV6 —5A 18
Tutbury Clo. WS11 —4F 5
Tutehill. B77 —5H 135
Tuttle Hill. CV10 —1C 136
Tuxford Clo. WV10 —5A 20
Twatling Rd. B45 —5E 119
Tweedside Clo. LE10 —1G 139
Tweeds Well. B32 —1E 103
Twelve Row. B12 —1B 90
Twickenham Ct. DY8 —1C 82
Twickenham Rd. B44 —2D 48
Twiners Rd. B98 —4C 144
Two Gates. B63 —2D 84
Two Locks. DY5 —2C 68
Two Woods La. DY5 —4B 68
Two Woods Trading Est. DY5 —4B 68
Twycross Gro. B36 —5A 62
Twycross Rd. LE10 —4G 139
Twycross Wlk. CV34 —2D 146
Twydale Av. B69 —3A 56
Twyford Clo. WS9 —4G 25
Twyford Gro. WV11 —2G 21
Twyford Rd. B8 —1A 76
Twyning Rd. B16 —2D 72
Twyning Rd. B30 —1F 105
Tybalt Clo. CV3 —4F 133
Tyber Dri. B20 —2G 59
Tyberry Clo. B90 —1G 123
Tyburn Rd. B24 —4E 61 to 1B 62
Tyburn Rd. WV1 —2D 30
Tyburn Sq. B24 —2B 62
Tyburn Trading Est. B24 —3B 62
Tyebeams. B34 —1E 77
Tye Gdns. DY9 —5G 83
Tyler Ct. B24 —2F 61
Tyler Gdns. WV13 —2H 31
Tyler Gro. B43 —3F 47
Tyler Rd. WV13 —2H 31
Tylers Grn. B38 —5G 105
Tylers Gro. B90 —3C 124
Tylney Clo. B5 —1H 89
Tyndale Cres. B43 —1G 47
Tyndall Wlk. B32 —4D 86
Tyne Clo. B37 —2B 78
Tyne Clo. WS8 —5B 8
Tynedale Cres. WV4 —1A 42
Tynedale Rd. B11 —3G 91
Tyne Gro. B25 —5A 76
Tynemouth Clo. CV2 —2G 101
Tyne Pl. DY5 —4B 68
Tynes, The. B60 —5C 142
Tyning Clo. WV9 —5F 11
Tyninghame Av. WV6 —3D 18
Tynings Clo. DY11 —1B 140
Tynings La. WS9 —4F 25
Tynward Clo. CV3 —4A 132
Tyrley Clo. WV6 —1C 28
Tyrol Clo. DY8 —2D 82
Tyseley Hill Rd. B11 —2G 91
Tyseley Ind. Est. B10 —1F 91
Tyseley La. B11 —3G 91
Tysoe Clo. B94 —5C 124
Tysoe Clo. B98 —4G 145
Tysoe Croft. CV3 —1H 133
Tysoe Dri. B76 —1C 50
Tysoe Rd. B44 —4B 48
Tythe Barn Clo. B60 —5C 142
Tythebarn Dri. DY6 —5B 52
Tythe Barn La. B90 —2F 123
Tyzack Clo. DY5 —3H 67

Udall Rd. WV14 —1E 43
Uffculme Rd. B30 —5H 89
Uffmoor Est. B63 —5F 85
Uffmoor La. B62 & B63 —5F 85
Ufton Clo. B90 —4B 108
Ufton Cres. B90 —4B 108
Ufton Croft. CV5 —4D 114
Ullenhall Rd. B76 —3C 50
Ullenhall Rd. B93 —3A 126
Ullenwood. B21 —5C 58
Ulleries Rd. B92 —4C 92
Ullrik Grn. B24 —3F 61
Ullswater. B77 —5H 135
Ullswater Av. CV11 —1H 137
Ullswater Av. CV32 —2H 147
Ullswater Clo. B32 —4A 88
Ullswater Gdns. DY6 —1D 66
Ullswater Ho. B69 —1B 70
Ullswater Pl. WS11 —5C 4
Ullswater Rise. DY5 —1A 68
Ullswater Rd. CV3 —1H 133
Ullswater Rd. CV12 —4E 81
Ulster Clo. WS11 —3D 4
Ulster Dri. DY6 —2D 66
Ulswater Rd. WV12 —1H 21
Ulverley Cres. B92 —5C 92
Ulverley Grn. Rd. B92 —5C 92
Ulverscroft Rd. CV3 —2B 132
Ulwine Dri. B31 —3A 104
Umberslade Rd. B29 & B30 —5E 89
Underhill La. WV10 —5C 12
Underhill Rd. B8 —3F 75
Underhill Rd. DY4 —5A 44
Underhill St. B69 —1E 71
Underhill Wlk. B69 —1E 71
Underley Clo. DY6 —5C 52

Underwood Clo.—Vyse St.

Underwood Clo. B15 —3D **88**
Underwood Clo. B23 —2C **60**
Underwood Rd. B20 —1D **58**
Unett Ct. B66 —1B **72**
Unett St. B19 —1G **73** & 1H **73**
Unett St. B66 —2C **72**
Unett Wlk. B19 —1G **73** & 1A **152**
Unicorn Av. CV5 —3B **114**
Unicorn Hill. B97 —2B **144**
Unicorn La. CV5 —3C **114**
Union Cen. WS10 —2C **44**
Union Clo. B77 —4D **134**
Union Dri. B73 —2G **49**
Union Mill St. WV1 —1A **30**
Union Pas. B2 —3A **74** & 3C **152**
Union Pas. B10 —5D **74**
Union Pl. CV6 —2D **100**
Union Rd. B6 —4D **60**
Union Rd. B70 & B69 —2C **56** & 3C **56**
Union Rd. B90 —5A **108**
Union Rd. B91 —3F **109**
Union Rd. CV32 —4A **148**
Union Row. B21 —5E **59**
Union St. B2 —3A **74** & 3C **152**
Union St. B65 —4A **70**
Union St. B66 —1A **72**
Union St. B70 —4G **57**
Union St. B98 —3C **144**
Union St. DY2 —4E **55**
Union St. DY4 —3G **43**
(Princes End)
Union St. DY4 —5F **43**
(Tipton)
Union St. DY8 —2F **83**
Union St. DY9 —2A **84**
Union St. DY10 —2E **141**
Union St. WS1 —2H **33**
Union St. WS7 —2D **8**
Union St. WS10 —2C **44**
Union St. WS11 —2C **6**
Union St. WV1 —2A **30**
Union St. WV13 —1H **31**
Union St. WV14 —5D **30**
Union Wlk. CV31 —5B **149**
Unity Pl. B29 —4E **89**
Unity Pl. B69 —4D **56**
University Rd. CV4 —4D **130**
University Rd. E. B15 —3E **89**
University Rd. W. B15 —3D **88**
Unketts Rd. B67 —2G **71**
Unwin Cres. DY8 —2E **83**
Upavon Clo. B35 —1D **62**
Upfield Cotts. WS7 —1H **9**
Upland Gro. B61 —1E **143**
Upland Rd. B29 —4F **89**
Upland Rd. B61 —2E **143**
Uplands. B63 —4F **85**
Uplands. CV2 —3E **117**
Uplands Av. B65 —3B **70**
Uplands Av. WV3 —3D **28**
Uplands Av. WV13 —2E **31**
Uplands Clo. DY2 —5F **55**
Uplands Dri. WV3 —3D **28**
Uplands Dri. WV5 —5B **40**
Uplands Gro. WV13 —2E **31**
Uplands Rd. B21 —3C **58**
Uplands Rd. DY2 —5F **55**
Uplands Rd. DY3 —3H **41**
Uplands Rd. WV13 —2E **31**
Uplands, The. B67 —2H **71** to 2A **72**
Up. Abbey St. CV11 —2E **137**
Up. Ashley St. B62 —4A **70**
Up. Balsall Heath Rd. B12 —1B **90**
Up. Bond St. LE10 —2E **139**
Up. Brook St. WS2 —2G **33**
Up. Cape. CV34 —2C **146**
Up. Castle St. WS10 —3B **32**
Up. Chapel St. B69 —3A **56**
Up. Church La. DY4 —4G **43**
Up. Clifton Rd. B73 —5H **37**
Upper Clo. B32 —4G **87**
Up. Conybeare St. B12 —1B **90**
Up. Crossgate Rd. B98 —5F **145**
Up. Dean St. B5 —4A **74** & 4C **152**
Up. Eastern Grn. La. CV5 —3A **114**
Up. Ettingshall Rd. WV14 —3C **42**
Upperfield Clo. B98 —1F **145**
Up. Forster St. WS4 —1H **33**
Up. Gough St. B1 —4H **73** & 4B **152**
Upper Grn. WV6 —4D **18**
Up. Grosvenor Rd. B20 —3G **59**
Up. Grove St. CV32 —4A **148**
Up. Gungate. B79 —2C **134**
Up. Hagley Rd. B66 —4A **72**
Up. Hall Clo. B98 —4G **145**
Up. Hall La. WS1 —2H **33**
Up. Highgate St. B12 —1B **90**
Up. High St. B64 —4E **69**
Up. High St. WS10 —2C **44**
Up. Hill St. CV1 —4A **116**
Up. Hll St. CV32 —3B **148**
Up. Holland Rd. B72 —5A **38** & 1A **50**
Up. Holly Wlk. CV32 —4C **148**
Up. Ladyes Hills. CV8 —2B **150**
Up. Landywood La. WS6 —1B **14** & 5B **6**
Up. Lichfield St. WV13 —1H **31**
Up. Marshall St. B1 —4H **73** & 4B **152**
Up. Meadow Rd. B32 —2F **87**
Up. Navigation St. WS2 —1G **33**
Upper Pk. CV3 —3G **133**
Up. Portland St. B6 —5B **60**
Up. Ride. CV3 —3G **133**
Up. Rosemary Hill. CV8 —3B **150**
Up. Rushall St. WS1 —2H **33**
Up. Russell St. WS10 —2D **44**
Up. St John St. WS14 —4G **151**
Up. St Mary's Rd. B67 —4H **71**
Up. Short St. WS2 —2G **33**
Up. Sneyd Rd. WV11 —1H **21**
Up. Spoon St. CV1 —5H **115**
Up. Spring La. CV8 —1B **150**
Up. Stone Clo. B76 —5B **38**
Upper St. WV6 —4D **18**
Up. Sutton St. B6 —5B **60**
Up. Thomas St. B6 —5B **60**
Up. Trinity St. B9 —4C **74**
Up. Vauxhall. WV1 —1F **29**
Up. Villiers St. WV2 —4G **29**
Up. Well St. CV1 —4B **116**
Up. William St. B1 —4G **73** & 4A **152**
Up. York St. CV1 —5A **116**
Up. Zoar St. WV3 —2G **29**
Upton Clo. B98 —3H **145**
Upton Gro. B33 —4A **76**
Upton Rd. B33 —4A **76**
Upton Rd. DY10 —1E **141**
Upton St. DY2 —1E **69**
Upwey Av. B91 —3D **108**
Usk Way. B36 —4H **63**
Usmere Rd. DY10 —1E **141**
U.S.A.M. Trading Est. WV10 —5A **12**
Utrillo Clo. CV5 —4E **115**
Uxbridge Av. CV3 —5F **117**
Uxbridge Clo. DY3 —2A **54**
Uxbridge Ct. DY11 —3C **140**
Uxbridge St. B19 —1H **73**
Uxbridge St. WS12 —2F **5**
Valbourne Rd. B14 —3H **105**
Vale Av. DY3 —5A **42**
Vale Av. WS9 —1H **35**
Vale Clo. B32 —3H **87**
Vale Clo. WS13 —2F **151**
Vale Ct. B64 —1F **85**
Vale Head Dri. WV6 —1B **28**
Vale Ind. Est. DY11 —5C **140**
Valencia Croft. B35 —2E **63**
Valentine Clo. B74 —4B **36**
Valentine Ct. B14 —5A **90**
Valentine Rd. B14 —5A **90**
Valentine Rd. B68 —4F **71**
Valepits Rd. B33 —4E **77**
Valerie Gro. B43 —4C **46**
Vale Rd. DY2 —2F **69**
Vale Row. DY3 —5A **42**
Vales Clo. B76 —4B **50**
Vale St. B71 —5G **45**
Vale St. DY3 —5A **42**
Vale St. DY8 —5F **67**
Vale St. WV2 —4C **30**
Vale, The. B11 —4D **90**
Vale, The. B15 —1F **89**
Vale, The. CV3 —1F **133**
Vale Trading Est., The. DY11 —5C **140**
Vale View. CV10 —3C **136**
Vale View. WS9 —5G **25**
(Aldridge)
Vale View. WS9 —1G **35**
(Barr Common)
Valiant Ho. B35 —1E **63**
Valiant Way. B92 —5E **93**
Valley Clo. DY11 —1A **140**
Valley Farm Rd. B45 —3D **118**
Valley La. B77 —5F **135**
Valley La. WS13 —2H **151**
Valley Rd. B43 —4C **46**
Valley Rd. B62 —5D **70**
Valley Rd. B64 —5G **69** & 1F **85**
Valley Rd. B67 —2A **72**
Valley Rd. B74 —3B **36**
Valley Rd. B92 —3F **93**
Valley Rd. CV2 —2E **117**
Valley Rd. CV31 —7E **149**
Valley Rd. CV32 —3C **148**
Valley Rd. DY3 —5A **42**
Valley Rd. DY9 —2B **84**
Valley Rd. WS3 —2F **23**
Valley Rd. WS12 —1F **5**
Valley Rd. WV10 —4B **20**
Valleyside. WS3 —1A **24**
Valley, The. CV31 —8E **149**
Valley View. WS8 —2F **17**
Vallian Croft. B36 —5C **62**
Vanborough Wlk. DY1 —2C **54**
Vanbrugh Ct. WV6 —2A **18**
Van Diemans Rd. WV5 —1A **52**
Van Dyke Clo. CV5 —4E **115**
Van Gogh Clo. WS11 —4F **5**
Vanguard. B77 —5E **135**
Vanguard Clo. B36 —4B **62**
Vanguard Ho. B35 —2D **62**
Vann Clo. B10 —5D **74**
Varden Croft. B5 —1H **89**
Vardon Dri. CV3 —5B **132**
Vardon Way. B38 —5C **104** & 1C **120**
Varley Rd. B24 —2A **62**
Varley Vale. B24 —1B **62**
Varlins Way. B38 —2D **120**
Varney Av. B70 —3F **57**
Vaughan Clo. B74 —3G **27**
Vaughan Gdns. WV8 —4A **10**
Vaughan Rd. WV13 —2F **31**
Vaughan Trading Est. DY4 —2H **55**
Vaughton Dri. B75 —4B **38**
Vaughton St. B12 —5A **74** & 5D **152**
Vaughton St. S. B12 —5A **74** & 5D **152**
Vauxhall Av. WV1 —1F **29**
Vauxhall Clo. CV1 —4D **116**
Vauxhall Cres. B36 —4H **63**
Vauxhall Gdns. DY2 —5F **55**
Vauxhall Gro. B7 —2C **74**
Vauxhall Pl. B7 —3C **74**
Vauxhall Rd. B7 —3C **74**
Vauxhall Rd. DY8 —2F **83**
Vauxhall St. CV1 —4D **116**
Vauxhall St. DY1 —4D **54**
Vauxhall Ter. B7 —2C **74**
Vauxhall Trading Est. B7 —2D **74**
Vaynor Dri. B97 —5B **144**
Veasey Clo. CV11 —4H **137**
Vecqueray St. CV1 —5C **116**
Velsheda Rd. B90 —5G **107**
Venetia Rd. B9 —4D **74**
Venning Gro. B43 —4D **46**
Ventnor Av. B19 —5H **59**
Ventnor Av. B36 —5B **62**
Ventnor Clo. B68 —1F **87**
Ventnor Clo. CV2 —4H **117**
Ventnor Pl. B6 —3B **60**
Ventnor Rd. B90 —3F **93**
Ventnor St. CV10 —1G **137**
Ventura Pk. Rd. B78 —4B **134**
Ventura Shopping Cen. B78 —4B **134**
Venture Ct. LE10 —3A **138**
Venture Way. B7 —2B **74**
Vera Rd. B26 —5B **76**
Verbena Clo. CV2 —5F **101**
Verbena Gdns. B7 —2C **74**
Verbena Rd. B31 —2H **103**
Vercourt. B74 —5C **26**
Verden Av. CV34 —5B **146**
Verdi Ct. WS13 —1H **151**
Verdun Cres. DY2 —3G **55**
Vere St. B5 —5H **73** & 5C **152**
Verity Wlk. DY8 —4D **66**
Vermont Grn. WS11 —3D **4**
Vermont Gro. CV31 —6E **149**
Verney Av. B33 —5F **77**
Vernier Av. DY6 —1F **67**
Vernolds Croft. B5 —5A **74** & 5C **152**
Vernon Av. B20 —1E **59**
Vernon Av. DY4 —1F **55**
Vernon Av. WS8 —2E **17**
Vernon Clo. B62 —5B **70**
Vernon Clo. B74 —4E **27**
Vernon Clo. B98 —1D **144**
Vernon Clo. CV1 —4D **116**
Vernon Clo. CV32 —2A **148**
Vernon Clo. WV11 —4G **13**
Vernon Clo. WV13 —2F **31**
Vernon Ct. B68 —5E **71**
Vernon Ind. Est. B62 —5B **70**
Vernon Rd. B16 —4D **72**
Vernon Rd. B62 —5A **70**
Vernon Rd. B68 —1F **71**
Vernon Rd. WV14 —4G **31**
Vernons Ct. CV10 —3C **136**
Vernons La. CV10 & CV11 —3C **136**
Vernons Pl. WV10 —1E **13**
Vernon St. B70 —2C **56**
Vernon St. WV14 —2F **43**
Vernon Way. WS3 —1B **22**
Veronica Av. WV4 —5A **30**
Veronica Clo. B29 —2A **104**
Veronica Rd. DY6 —1F **67**
Verstone Croft. B31 —5A **104**
Verstone Rd. B90 —3A **108**
Verwood Clo. WV13 —2E **31**
Vesey Clo. B46 —3A **64**
Vesey Clo. B74 —1G **37**
Vesey Rd. B73 —2H **49**
Vesey St. B4 —2A **74** & 1C **152**
Vestry Clo. B64 —4G **49**
Vestry Ct. DY8 —1E **83**
Viaduct St. B7 —3C **74**
Vibart Rd. B26 —5C **76**
Vicarage Clo. B42 —4H **47**
Vicarage Clo. B60 —5F **143**
Vicarage Clo. DY4 —1F **55**
Vicarage Clo. DY5 —5H **67**
Vicarage Clo. WS8 —2E **17** & 2F **17**
(in two parts)
Vicarage Cres. B97 —2A **144** & 2B **144**
Vicarage Cres. DY10 —3E **141**
Vicarage Field. CV34 —3G **147**
Vicarage Gdns. B62 —4B **70**
Vicarage Gdns. B76 —4C **50**
Vicarage Gdns. CV8 —5B **150**
Vicarage La. B46 —3A **64**
Vicarage La. CV7 —1B **100**
Vicarage La. DY5 —5H **53**
Vicarage Pl. WS1 —2G **33**
Vicarage Prospect. DY1 —4C **54**
Vicarage Rd. B6 —5B **60**
Vicarage Rd. B14 —2H **105**
Vicarage Rd. B15 —5E **73**
Vicarage Rd. B17 —2B **88**
Vicarage Rd. B18 —5F **59**
Vicarage Rd. B33 —4B **76**
Vicarage Rd. B62 —4B **70**
Vicarage Rd. B67 —1H **71**
Vicarage Rd. B68 —2E **71**
Vicarage Rd. B71 —5F **45**
Vicarage Rd. B94 —5A **124**
Vicarage Rd. CV32 —2C **148**
Vicarage Rd. DY3 —1B **54**
Vicarage Rd. DY5 —5H **67**
Vicarage Rd. DY8 —1F **83**
(Amblecote)
Vicarage Rd. DY8 —1C **82**
(Wollaston)
Vicarage Rd. DY9 —2B **84**
Vicarage Rd. WS3 —5A **16**
Vicarage Rd. WS8 —2E **17**
Vicarage Rd. WS10 —1D **44**
Vicarage Rd. WV2 —3A **30**
Vicarage Rd. WV4 —1D **40**
Vicarage Rd. WV11 —4D **20**
Vicarage Rd. WV14 —4D **42**
Vicarage Rd. W. DY1 —5D **42**
Vicarage St. B68 —1E **71**
Vicarage St. CV11 —3F **137** & 3G **137**
Vicarage Ter. WS2 —3F **33**
Vicarage View. B97 —2B **144**
Vicarage Wlk. WS1 —2G **33**
Vicars Clo. WS13 —3F **151**
Vicar St. DY2 —4E **55**
Vicar St. DY3 —4A **42**
Vicar St. DY10 —3E **141**
Vicar St. WS10 —1D **44**
Vicars Wlk. DY9 —4A **84**
Viceroy Clo. B5 —1H **89**
Viceroy Clo. DY6 —1F **67**
Victor Clo. WV2 —4C **30**
Victoria Arc. WV1 —2H **29**
Victoria Av. B10 —5E **75**
Victoria Av. B21 —4E **59**
Victoria Av. B62 —1D **86**
Victoria Av. B66 —1A **72**
Victoria Av. WS3 —1E **23**
Victoria Bus. Pk. CV31 (off Neilston St.) —6C 14
Victoria Colonnade. CV31 (off Victoria Ter.) —5B 14
Victoria Ct. B66 —1B **72**
Victoria Ct. CV5 —3E **115**
Victoria Ct. DY5 —2A **68**
Victoria Ct. DY10 —2F **141**
Victoria Dri. B78 —5C **134**
Victoria Fold. WV1 —2H **29**
Victoria Gdns. WS13 —4E **151**
Victoria Gro. B18 —2D **72**
Victoria Gro. WV5 —3B **40**
Victoria M. CV34 —3D **146**
Victoria M. WS4 —5A **24**
Victoria Pk. Rd. B66 —1B **72**
Victoria Pas. DY8 —2F **83**
Victoria Pas. WV1 —2H **29**
Victoria Pl. DY11 —5B **140**
Victoria Rd. B6 —5A **60** to 5C **60**
Victoria Rd. B17 —2B **88**
Victoria Rd. B21 —5D **58**
Victoria Rd. B23 —2E **61**
Victoria Rd. B27 —4H **91** & 4A **92**
Victoria Rd. B30 —2F **105**
Victoria Rd. B33 —3A **76**
Victoria Rd. B61 —2E **143**
Victoria Rd. B62 —4B **70**
Victoria Rd. B64 —3G **69**
(in two parts)
Victoria Rd. B68 —1F **71**
Victoria Rd. B72 —5A **38**
Victoria Rd. B79 —3D **134**
Victoria Rd. CV10 —1A **136**
Victoria Rd. CV31 —5A **149**
Victoria Rd. DY3 —4A **42**
Victoria Rd. DY4 —1G **55**
Victoria Rd. DY5 —4C **68**
Victoria Rd. LE10 —5G **139**
Victoria Rd. WS3 —5A **16**
Victoria Rd. WS10 —4B **32**
(in two parts)
Victoria Rd. WV3 —4E **29**
Victoria Rd. WV6 —4E **19**
Victoria Rd. WV10 —4B **20**
Victoria Rd. WV11 —3D **20**
Victoria Sq. B3 & B1 —3H **73** & 3B **152**
Victoria Sq. WS13 —4F **151**
Victoria Sq. WV1 —1A **30**
Victoria St. B9 —4E **75**
Victoria St. B63 —3H **85**
Victoria St. B70 —1D **56**
(Swan Village)
Victoria St. B70 —2F **57**
(West Bromwich)
Victoria St. B98 —2C **144**
Victoria St. CV1 —4C **116**
Victoria St. CV11 —3F **137**
Victoria St. CV31 —5A **149**
Victoria St. CV34 —3D **146**
Victoria St. DY5 —2A **68**
(Brierley Hill)
Victoria St. DY5 —5G **53**
(Pensnett)
Victoria St. DY6 —4B **52**
Victoria St. DY8 —2F **83**
Victoria St. LE10 —2F **139**
Victoria St. WS10 —2C **44**
Victoria St. WS11 —3C **4**
(Broomhill)
Victoria St. WS11 —5B **4**
(Cannock)
Victoria St. WS12 —1F **5**
Victoria St. WV1 —2H **29**
Victoria St. WV13 —1H **31**
Victoria Ter. B21 —4E **59**
Victoria Ter. CV31 —5B **149**
Victoria Ter. WS4 —5A **24**
Victor Rd. B92 —3F **93**
Victor St. WS1 —3G **33**
Victor St. WS3 —1A **24**
Victor Tower. B7 —1C **74**
Victory Av. B65 —4H **69**
Victory Av. WS7 —1E **9**
Victory Av. WS10 —5A **32**
Victory Clo. WS12 —2H **5**
Victory La. WS2 —5E **23**
Victory Rise. B71 —1F **57**
Victory Rd. CV6 —5C **100**
Victory Ter. B78 —5C **134**
View Dri. DY2 —4F **55**
Viewfield Av. WS12 —1D **4**
Viewfield Cres. DY3 —5A **42**
Viewlands Dri. WV6 —1A **28**
View St. WS12 —1D **4**
Vigo Clo. WS9 —5E **17**
Vigo Pl. WS9 —2E **25**
Vigo Rd. WS9 —5E **17**
Vigo Ter. WS9 —5E **17**
Viking Rise. B65 —2A **70**
Vilia Clo. LE10 —5G **139**
Villa Clo. CV12 —2A **80**
Villa Clo. WV10 —1E **13**
Villa Cres. CV12 —2B **80**
Village Rd. B6 —3B **60**
Village, The. DY6 —5E **53**
Village Wlk. WS10 —1E **45**
Village Way. B76 —4C **50**
Villa Rd. B19 —5F **59**
Villa Rd. CV6 —2A **116**
Villa St. B19 —5G **59**
(in two parts)
Villa St. DY8 —5F **67**
Villa Wlk. B19 —1G **73**
Villette Gro. B14 —3D **106**
Villiers Av. WV14 —3E **31** & 4E **31**
Villiers Rd. B60 —5C **142**
Villiers Rd. CV8 —2C **150**
Villiers Sq. WV14 —4E **31**
Villiers St. B18 —1D **72**
Villiers St. CV2 —4E **117**
Villiers St. CV11 —4E **137**
Villiers St. CV32 —3B **148**
Villiers St. DY10 —3F **141**
Villiers St. WS1 —3G **33**
Villiers St. WV13 —1H **31**
Villiers Ter. B18 —1D **72**
Vimy Rd. B13 —1C **106**
Vimy Rd. WS10 —5D **32**
Vimy Ter. WS10 —5E **33**
Vincent Clo. B12 —2B **42**
Vincent Dri. B15 —3D **88**
(in two parts)
Vincent Pde. B12 —2B **90**
Vincent Rd. B75 —4B **38**
Vincent St. B12 —2A **90** & 2B **90**
Vincent St. CV1 —5A **116**
Vincent St. CV32 —4C **148**
Vincent St. WS1 —3H **33**
Vince St. B66 —3A **72**
Vine Av. B12 —2C **90**
Vinecote Rd. CV6 —3D **100**
Vine Cres. B71 —5G **45**
Vine La. B63 —3A **86**
Vine La. CV34 —3E **147**
Vine La. WS11 —2B **6**
Vineries, The. B27 —3B **92**
Vine St. B6 —5C **60**
Vine St. B97 —2B **144**
Vine St. CV1 —4C **116**
Vine St. DY5 —1B **68**
Vine St. DY8 —4E **67**
Vine St. DY10 —1F **141**
Vine Ter. B17 —2B **88**
Vineyard Clo. B18 —5E **59**
Vineyard Rd. B31 —3H **103**
Vinnall Gro. B32 —1E **103**
Vintage Clo. B34 —1D **76**
Violet Clo. CV2 —4F **101**
Violet Croft. DY4 —3A **44**
Virginia Rd. CV1 —4C **116**
Viscount Clo. CV31 —6B **149**
Viscount Ho. B35 —3D **62**
Vista Grn. B38 —5F **105**
Vista, The. DY3 —2A **42**
Vittle Dri. CV34 —3D **146**
Vittoria St. B1 —2G **73** & 1A **152**
Vittoria St. B66 —1D **72**
Vivian Clo. B17 —2C **88**
Vivian Rd. B17 —2C **88**
Vixen Clo. B76 —4B **50**
Vogue Clo. CV1 —4C **116**
Voyager Dri. WS11 —2D **6**
Vulcan Ho. B35 —2E **63**
Vulcan Rd. B91 —2F **109**
Vulcan Rd. WV14 —5G **31**
Vyrnwy Gro. B38 —1D **120**
Vyse St. B6 —5C **60**

Vyse St.—Watery La.

Vyse St. B18 —2G 73 & 1A 152
Wackrill Dri. CV32 —2D 148
Waddam's Pool. DY2 —4E 55
Waddell Clo. WV14 —2B 42
Waddens Brook La. WV11 —4F 21
Waddington Av. B43 —3D 46
Wade Av. CV3 —4A 132
Wadebridge Dri. CV11 —3H 137
Wade Gro. CV34 —1E 147
Wadesmill Lawns. WV10 —4B 12
Wade St. WS13 —3G 151
Wadham Clo. B65 —1B 70
Wadhurst Rd. B17 —4B 72
Wadley's Rd. B91 —2C 108
Waen Clo. DY4 —3A 44
Waggoners Clo. B60 —5C 142
Waggon St. B64 —4G 69
Waggon Wlk. B38 —2C 120 (in two parts)
Wagoners Clo. B8 —1F 75
Wagon La. B92 & B26 —3C 92
Wagstaff Clo. WV14 —3E 43
Wainbody Av. N. CV3 —3H 131
Wainbody Av. S. CV3 —4G 131
Wainrigg. B77 —5H 135
Wainwright St. B6 —5C 60
Waite Rd. WV13 —3F 31
Wakefield Clo. B73 —2G 49
Wakefield Ct. B13 —4D 90
Wakefield Gro. B46 —2B 64
Wakeford Rd. B31 —1B 120
Wake Grn. Pk. B13 —4C 90
Wake Grn. Rd. B13 —4B 90 to 1E 107
Wake Grn. Rd. DY4 —2H 43
Wakelam Gdns. B43 —3D 46
Wakelams Fold. DY3 —2G 53
Wakeley Hill. WV4 —1E 41
Wakelin Rd. B90 —2H 123
Wakeman Gro. B33 —1F 93
Wakes Clo. WV13 —2A 32
Wakes Rd. WS10 —2D 44
Walcot Clo. B75 —1H 37
Walcot Dri. B43 —5E 47
Walcote Clo. LE10 —2B 138
Walcot Grn. B93 —5A 126
Waldale Clo. WV11 —1A 22
Walden Gdns. WV4 —4D 28
Walden Rd. B11 —3G 91
Waldens Yd. CV6 —4E 101
Waldeve Gro. B92 —1H 109
Waldon Wlk. B36 —4H 63
Waldron Av. DY5 —3G 67 (in two parts)
Waldron Clo. WS10 —4C 32
Waldrons Moor. B14 —3G 105
Walford Av. WV3 —3F 29
Walford Dri. B92 —3G 93
Walford Grn. B32 —1E 103
Walford Gro. CV34 —2E 147
Walford Rd. B11 —2D 90
Walford St. B69 —3G 55
Walford Wlk. B97 —2C 144
Walhouse Clo. WS1 —1A 34
Walhouse Rd. WS1 —1H 33 to 1A 34
Walhouse St. WS11 —5C 4
Walker Av. B69 —5A 56
Walker Av. DY5 —5A 68
Walker Av. DY9 —4A 84
Walker Av. WV10 —2A 20
Walker Dri. B24 —4E 61
Walker Dri. DY10 —1F 141
Walker Pl. WS3 —2G 23
Walker Rd. WS3 —2G 23
Walker's Croft. WS13 —1G 151
Walker's Heath Rd. B38 —1F 121
Walkers Rd. B98 —1G 145
Walker St. DY2 —2D 68
Walker St. DY4 —4A 44
Walkers Way. B46 —1E 79
Walk La. WV5 —4B 40
Walkmill La. WS11 —3B 6
Walkmill Way. WS11 —3B 6
Walk, The. DY3 —3A 42
Wallace Clo. B69 —1B 70
Wallace Clo. WS11 —3H 7
Wallace Ct. CV34 —3D 146
Wallace Ho. B69 —1B 70
Wallace Rise. B64 —5F 69
Wallace Rd. B29 —4G 89
Wallace Rd. B69 —1B 70
Wallace Rd. CV6 —1H 115
Wallace Rd. WS8 —1D 16
Wallace Rd. WV14 —1H 43 & 2G 43
Wall Av. B46 —1E 79
Wallbank Rd. B8 —1G 75
Wallbrook St. WV14 —3E 43
Wall Croft. WS9 —3F 25
Wall Dri. B74 —5G 27
Wall End Clo. WS2 —3D 22
Waller St. CV32 —3B 148
Wallface. B71 —4E 45
Wall Hill Rd. CV7 & CV5 —1H 97 to 5F 99
Walling Croft. WV14 —1C 42
Wallingford Av. CV11 —1H 137
Wallington Clo. WS3 —5E 15
Wallington Heath. WS3 —5E 15
Wallows Cres. WS2 —4F 33
Wallows Ind. Est., The. DY5 —1A 68
Wallows La. WS2 & WS1 —4F 33
Wallows Pl. DY5 —2H 67
Wallows Rd. DY5 —2H 67 & 2A 68
Wallows Wood. DY3 —2F 53
Wall St. WV1 —1C 30
Wall Well. B63 —3G 85
Wall Well La. B63 —3G 85
Walmead Croft. B17 —5H 71
Walmer Gro. B23 —1C 60
Walmer Meadow. WS9 —3F 25
Walmers, The. WS9 —3F 25
Walmers Wlk., The. B31 —1G 119
Walmer Way. B37 —3B 78
Walmley Ash La. B76 —5E 51
Walmley Ash Rd. B76 —4C 50 to 5E 51
Walmley Clo. B63 —1D 84
Walmley Clo. B76 —4C 50
Walmley Rd. B76 —1C 50 to 3C 50
Walney Clo. LE10 —2D 138
Walnut Av. WV8 —5B 10
Walnut Clo. B37 —4B 78
Walnut Clo. CV10 —1C 136
Walnut Clo. DY9 —5G 83
Walnut Clo. WS11 —4D 4
Walnut Dri. B66 —1B 72
Walnut Dri. CV32 —2C 148
Walnut Dri. WS11 —4D 4
Walnut Dri. WV3 —2D 28
Walnut Ho. B20 —2E 59
Walnut La. B60 —4G 143
Walnut La. WS10 —2E 45
Walnut Rd. WS5 —1A 46
Walnut St. CV2 —4F 101
Walnut Tree Clo. CV8 —4C 150
Walnut Way. B31 —1H 119
Walpole St. WV6 —5F 19
Walpole Wlk. B70 —4G 57
Walsal End La. B92 —4D 110
Walsall Rd. B42 —3E 47 to 2H 59
Walsall Rd. B71 —4G 45 to 2H 45
Walsall Rd. B74 —4D 26 to 1F 37
Walsall Rd. WS3 —5A 16
Walsall Rd. WS4 & WS9 —1D 24
Walsall Rd. WS5 —1H 45
Walsall Rd. WS6 —3D 6 to 3E 15
Walsall Rd. WS9 —5D 24
Walsall Rd. WS10 —4B 32
Walsall Rd. WS11 —5C 4 (Cannock)
Walsall Rd. WS11 —4A 8 (Norton Canes)
Walsall Rd. WS13 —4E 151 to 3F 151
Walsall Rd. WS14 —2H 17
Walsall Rd. WV13 —1A 32
Walsall St. B70 —2G 57
Walsall St. CV4 —2D 130
Walsall St. WS10 —4B 32 (Darlaston)
Walsall St. WS10 —1D 44 & 2D 44 (Wednesbury)
Walsall St. WV1 —2A 30
Walsall St. WV13 —2H 31
Walsall St. WV14 —4F 31
Walsall Wood Rd. WS9 —1F 25 to 3G 25
Walsgrave Clo. B92 —2F 109
Walsgrave Dri. B92 —2F 109
Walsgrave Rd. CV2 —4D 116
Walsham Croft. B34 —2F 77
Walsh Dri. B76 —5C 38
Walsh Gro. B23 —4E 49
Walsh La. CV7 —4E 97
Walsingham St. WS1 —2A 34
Walstead Clo. WS5 —5C 34
Walstead Rd. WS5 —5G 33 to 5C 34
Walstead Rd. W. WS5 —5G 33
Waltdene Clo. B43 —2D 46
Walter Cobb Dri. B73 —2G 49
Walter Nash Rd. E. DY11 —5B 140
Walter Rd. B67 —1H 71
Walter Rd. WV14 —1F 43
Walters Clo. B31 —3A 120
Walter Scott Rd. CV12 —4G 81
Walters Rd. B68 —1E 87
Walters Row. DY1 —3C 54
Walter St. B7 —1C 74
Walter St. B70 —2G 57
Walter St. WS3 —1A 24
Waltham Clo. B61 —4C 142
Waltham Cres. CV10 —3A 136
Waltham Gro. B44 —2D 48
Waltham Ho. B70 —2G 57
Walthamstow Ct. DY5 —4H 67
Walton Av. B65 —5A 70
Walton Clo. B63 —4F 85
Walton Clo. B65 —2G 69
Walton Clo. B98 —1H 145
Walton Clo. CV3 —2H 133
Walton Clo. DY11 —5C 140
Walton Ct. B63 —4F 85
Walton Cres. WV4 —5B 30
Walton Croft. B91 —5E 109
Walton Dri. DY9 —2H 83
Walton Dri. WV14 —3D 42
Walton Gdns. WV8 —4A 10
Walton Gro. B30 —5F 105
Walton Heath. WS3 —5D 14
Walton Rd. B61 —2E 143
Walton Rd. B68 —4E 71
Walton Rd. DY8 —1F 83
Walton Rd. WS9 —1F 25
Walton Rd. WS10 —2F 45
Walton Rd. WV4 —5B 30
Walton St. DY4 —1G 55
Wanderers Av. WV2 —4H 29
Wanderer Wlk. B36 —4B 62
Wandle Gro. B11 —4G 91
Wandsbeck. B77 —4F 135
Wandsworth Rd. B44 —1A 48
Wanley Rd. CV3 —3C 132
Wansbeck Ct. B66 —4G 57
Wansbeck Gro. B38 —1D 120
Wansbeck Wlk. DY3 —5C 42
Wansfell Clo. CV4 —2C 130
Wanstead Gro. B44 —3B 48
Wantage Rd. B46 —3D 64
Wappenbury Clo. CV2 —4G 101
Wappenbury Rd. CV2 —4G 101
Warbler Pl. DY10 —5F 141
Ward Clo. B8 —2G 75
Warden Av. B73 —3F 49
Ward End Clo. B8 —1F 75
Ward End Hall Gro. B8 —1G 75
Ward End Pk. Rd. B8 —1F 75
Wardend Rd. B8 —5G 61
Warden Rd. B73 —3F 49
Warden Rd. CV6 —2A 116
Wardens Av., The. CV5 —2D 114
Wardens, The. CV8 —3D 150
Ward Gro. CV34 —4G 147
Ward Gro. WV4 —2B 42
Wardle Clo. B75 —4G 27
Wardle Pl. WS11 —2B 4
Wardles La. WS6 —5D 6
Wardle St. B79 —3C 134
Wardlow Clo. WV4 —4G 29
Wardlow Rd. B7 —2C 74
Wardour Dri. B37 —3B 78
Wardour Gro. B44 —3D 48
Ward Rd. WV4 —5H 29
Ward Rd. WV8 —5A 10
Ward St. B19 —2A 74 & 1C 152
Ward St. WS1 —1H 33
Ward St. WS12 —1D 4
Ward St. WV1 —2A 30
Ward St. WV2 —4D 30
Ward St. WV13 —5A 22
Ward St. WV14 —4D 42
Wareham Rd. B45 —5E 103
Wareing Dri. B23 —3E 49
Warewell St. WS1 —2H 33
Waring Clo. DY4 —3F 43
Waring Rd. DY4 —3H 43
Warings, The. WV5 —1A 52
War La. B17 —2B 88
Warley Croft. B68 —5G 71
Warley Hall Rd. B68 —5G 71
Warley Rd. B68 —1F 71
Warmington Clo. CV3 —2H 133
Warmington Dri. B73 —5H 37
Warmington Gro. CV34 —3B 146
Warmington Rd. B26 —2F 93
Warmington Rd. B47 —3C 122
Warmley Clo. B91 —3F 109
Warmley Clo. WV6 —4G 19
Warneford M. CV31 —5C 149
Warner Clo. CV34 —2D 146
Warner Dri. DY5 —4A 68
Warner Pl. WS3 —3H 23
Warner Rd. WS3 —3A 24
Warner Rd. WS10 —2F 45
Warner Rd. WV8 —5A 10
Warner Row. CV6 —1D 116
Warner St. B12 —5B 74
Warners Wlk. B10 —5D 74
Warnford Wlk. WV4 —4C 28
Warple Rd. B32 —2F 87
Warren Av. B13 —4B 90
Warren Av. WV10 —4B 20
Warren Clo. CV32 —2B 148
Warren Clo. DY4 —5G 43
Warren Clo. WS12 —2H 5
Warren Dri. B65 —1G 69
Warren Dri. B93 —5A 126
Warren Dri. DY3 —3H 41
Warren Farm Rd. B44 —3B 48
Warren Gdns. DY6 —1C 66
Warren Grn. CV4 —2B 130
Warren Gro. B8 —1F 75
Warren Hill Rd. B44 —4B 48
Warren La. B45 —5E 119
Warren Pl. WS8 —2E 17
Warren Rd. B8 —5F 61
Warren Rd. B30 —2F 105
Warren Rd. B44 —4B 48
Warren Rd. WS7 —3F 9
Warrens Croft. WS5 —5D 34
Warrens End. B38 —1E 121
Warrens Hall Rd. DY2 —5F 55
Warrington Clo. B76 —3D 50
Warrington Dri. B23 —4E 49
Warsash Clo. WV1 —3D 30
Warstock La. B14 —3C 106
Warstock Rd. B14 —4B 106
Warston Av. B32 —4F 87
Warstone Dri. B71 —1H 57
Warstone La. B18 —2G 73 & 1A 152
Warstone M. B18 —2G 73 (off Warstone La.)
Warstone Pde. E. B18 —2G 73 & 1A 152
Warstone Rd. WV11 —1H 13
Warstones Cres. WV4 —5D 28
Warstones Dri. WV4 —4C 28 & 5C 28
Warstones Gdns. WV4 —4C 28
Warstones Ho. WV4 —4D 28
Warstones Rd. WV4 —1C 40
Warstone Ter. B21 —4D 58
Warstone Tower. B36 —4A 62
Wartell Bank. DY6 —5D 52
Wartell Bank Ind. Est. DY6 —5D 52
Warton Clo. CV8 —4D 150
Warwards La. B29 —5F 89
Warwell La. B26 —1B 92
Warwick Av. B60 —5E 143
Warwick Av. CV5 —2H 131
Warwick Av. WS10 —1F 45
Warwick Av. WV6 —1A 28
Warwick Av. WV13 —1B 32
Warwick By-Pass. CV34 —4B 146
Warwick Clo. B36 —4A 62
Warwick Clo. B68 —3E 71
Warwick Clo. B70 —4C 44
Warwick Clo. DY3 —2A 54
Warwick Clo. WS11 —5D 4
Warwick Ct. B13 —4B 90
Warwick Ct. B29 —1B 104
Warwick Ct. B91 —5F 109
Warwick Ct. CV32 —4B 148
Warwick Cres. B15 —1G 89
Warwick Crest. B15 —1G 89
Warwick Gdns. B69 —2A 56
Warwick Gdns. CV10 —3C 136
Warwick Gdns. LE10 —1F 139
Warwick Grange. B91 —1C 108
Warwick Gro. B92 —5B 92
Warwick Hall Gdns. B60 —4E 143
Warwick Highway. B98 —4D 144 to 3H 145
Warwick La. CV1 —5B 116
Warwick New Rd. CV32 —3H 147 to 4A 148
Warwick Pas. B2 —3A 74 & 3C 152
Warwick Pl. CV32 —4A 148
Warwick Rd. B6 —3B 60
Warwick Rd. B11, B27, B92, B91 & B93 —2D 90 to 5D 12
Warwick Rd. B68 —5G 71
Warwick Rd. B77 —1F 135
Warwick Rd. CV1 —5B 116
Warwick Rd. CV3 & CV1 —1A 132
Warwick Rd. CV8 —4B 150 & 5B 150
Warwick Rd. DY2 —3F 69
Warwick Rd. DY8 —4C 66
Warwick Rd. Trading Est. B11 —2E 91
Warwick Row. CV1 —5B 116
Warwicks, The. CV35 —4A 146
Warwick St. B12 —4B 74
Warwick St. CV5 —1G 131
Warwick St. CV32 —4A 148
Warwick St. WS4 —1H 33
Warwick St. WV1 —2A 30
Warwick St. WV14 —5F 31
Warwick Technology Pk. CV34 —5G 147
Warwick Ter. CV32 —4A 148
Warwick Way. WS9 —2F 25
Wasdale Clo. CV32 —2H 147
Wasdale Dri. DY6 —1D 66
Wasdale Rd. B31 —3H 103
Waseley Rd. B45 —1C 118
Washbourne Rd. CV31 —8B 149
Washbrook La. CV5 —4C 98
Washbrook La. WS11 —3F 7
Washbrook Rd. B8 —1G 75
Washford Dri. B98 —5F 145
Washford Gro. B25 —5H 75
Washford Ind. Area. B98 —5H 145
Washford La. B98 —5G 145
Washington Dri. B20 —2F 59
Washington St. B1 —4H 73 & 4B 152
Washington St. DY2 —2E 69
Washington St. DY11 —3C 140
Wash La. B25 —5A 76
Washwood Heath Rd. B8 —1E 75
Wasperton Clo. B36 —4E 63
Wassell Ct. B63 —4F 85
Wassell Gro. Rd. DY9 —5B 84
Wassell Rd. B63 —4F 85
Wassell Rd. DY9 —4B 84
Wassell Rd. WV14 —4E 31
Waste La. CV6 —5G 99
Waste La. CV7 —3E 129
Wast Hill Gro. B38 —2E 121
Wasthills Rd. B38 & B48 —4C 120
Wastwater Ct. WV6 —5A 18
Watchbury Clo. B36 —3F 63
Watch Clo. CV1 —4A 116
Watchmaker Ct. CV1 —5A 116
Watchman Av. DY5 —5B 68 (in two parts)
Watcombe Rd. CV2 —1H 117
Watercall Av. CV3 —3B 132
Waterdale. B90 —4B 124
Water Dale. WV3 —1D 28
Waterfall Clo. CV7 —5D 96
Waterfall La. B64 & B65 —4H 69
Waterfall La. Trading Est. B64 —4G 69
Waterfall Rd. DY5 —1H 83
Waterfield Clo. DY4 —1E 55
Waterfield Ho. WV5 —4B 40
Waterfield Way. LE10 —5D 138
Waterford Rd. DY6 —5D 52
Waterfront, The. DY5 —2A 68
Waterfront Way. DY5 —2B 68
Waterfront W. DY5 —2A 68
Waterglade La. WV13 —2H 31
Waterhaynes Clo. B45 —3D 118
Waterhead Clo. WV10 —1C 20
Waterhead Dri. WV10 —5C 12
Water La. B71 —4H 45
Waterlinks Boulevd. B6 —5B 60
Waterloo Av. B37 —2A 78
Waterloo Ct. CV34 —3F 147
Waterloo Ind. Est. B37 —2A 78
Waterloo Pl. CV32 —4B 148
Waterloo Rd. B14 —1A 106
Waterloo Rd. B25 —1H 91
Waterloo Rd. B66 —3A 72
Waterloo Rd. LE10 —3E 139
Waterloo Rd. WV1 —1H 29
Waterloo St. B2 —3H 73 & 3B 152
Waterloo St. CV1 —4C 116
Waterloo St. CV31 —5C 149
Waterloo St. DY1 —4C 54
Waterloo St. DY4 —1F 55
Waterloo St. DY10 —2E 141
Waterloo St. E. DY4 —1G 55
Waterloo Ter. WV1 —5G 19
Waterman Rd. CV6 —2D 116
Watermeadow Dri. WS4 —2C 24
Watermere. WS4 —2C 24
Water Mill Clo. B29 —4C 88
Watermill Clo. WV10 —4A 12
Water Orton La. B76 —1F 63
Water Orton Rd. B36 —4F 63
Water Rd. DY3 —2H 53 (in two parts)
Waters Dri. B74 —1E 37
Watersfield Gdns. CV31 —6D 149
Waterside. B43 —4D 46
Waterside Clo. B24 —1D 62
Waterside Ind. Est. WV2 —4C 30
Waterside Trading Est. B65 —2G 69
Waterside View. B18 —1E 73
Waterside View. DY5 —5G 67
Waterside Way. WS8 —5C 8
Waterside Way. WV9 —5G 11
Watersmeet Gro. CV2 —2F 117
Watersmeet Rd. CV2 —2E 117
Waterson Croft. B37 —3C 78
Water St. B3 —2H 73 & 2B 152
Water St. B70 —3G 57
Water St. DY6 —5D 52
Water St. WS7 —1D 8
Water St. WV10 —5A 20
Waters View. WS3 —3B 16
Water Tower La. CV8 —2B 150
Waterward Clo. B17 —2C 88
Waterways Dri. B69 —4C 56
Waterways Gdns. DY8 —4D 66
Waterworks Cotts. B71 —4H 45
Water Works Dri. B31 —3G 103
Waterworks Rd. B16 —4E 73
Waterworks St. B6 —4C 60
Watery La. B32 —4D 86
Watery La. B46 —2G 65
Watery La. B48 —5E 121
Watery La. B67 —2A 72
Watery La. B93 —5D 126
Watery La. B94 —4A 124
Watery La. B98 —4E 145

Watery La.—Westmede Cen.

Watery La. CV7 —3B 98 (Corley)
Watery La. CV7 & CV6 (Keresley) —3H 99
Watery La. DY4 —1G 55
Watery La. DY8 —3E 67
Watery La. WS1 —3G 33 (in two parts)
Watery La. WS13 —1G 151
Watery La. WV8 —4B 10
Watery La. WV13 —1E 31
Watery La. Middleway. B9 —3C 74
Watford Gap Rd. WS14 —3G 27
Watford Rd. B30 —3E 105
Wathan Av. WV14 —2B 42
Wathen Rd. CV32 —3B 148
Wathen Rd. CV34 —3E 147
Watkins Gdns. B31 —4B 104
Watkins Rd. WV12 —4A 22
Watland Grn. B34 —1D 76
Watling Clo. LE10 —5D 138
Watling Dri. LE10 —5D 138
Watling Rd. CV8 —2C 150
Watling St. B77 —4E 135
Watling St. B78 —5A 134
Watling St. LE10 —3A 138 to 5E 139
Watling St. WS11, WS8 & WS14 —2A 6 to 5H 9
Watney Gro. B44 —3D 48
Watson Clo. B72 —2H 49
Watson Clo. CV34 —2E 147
Watson Clo. WS11 —4E 5
Watson Rd. B7 —5E 61
Watson Rd. B8 —2G 75
Watson Rd. CV5 —5F 115
Watson Rd. WS10 —5H 31
Watson Rd. WV10 —5G 11
Watson Rd. WV14 —2C 42
Watsons Clo. DY2 —4F 55
Watson's Grn. Fields. DY2 —4G 55
Watson's Grn. Rd. DY2 —3F 55
Watt Clo. B61 —4D 142
Wattisham Sq. B35 —1D 62
Wattis Rd. B67 —4A 72
Wattle Grn. B70 —2D 56
Wattle Rd. B70 —2D 56
Watton Clo. WV14 —2C 42
Watton Grn. B35 —2D 62
Watton La. B46 —2B 64
Watton St. B70 —3F 57
Watt Rd. B23 —1F 61
Watt Rd. DY4 —4H 43
Watts Clo. DY4 —1E 55
Watt's Rd. B10 —5E 75
Watt St. B21 —5C 58
Watt St. B66 —1B 72
Wattville Av. B21 —4C 58
Wattville Rd. B21 & B66 —5B 58
Watwood Rd. B90 —5F 107
Waugh Clo. B37 —3A 78
Waveley Rd. CV1 —4H 115
Wavell Rd. B8 —1F 75
Wavell Rd. DY5 —1B 84
Wavell Rd. WS2 —1C 32
Waveney. B77 —4F 135
Waveney Av. WV6 —2A 18
Waveney Croft. B36 —4H 63
Waveney Gro. WS11 —5A 4
Wavenham Clo. B74 —4E 27
Waverhill Rd. B21 —5E 59
Waverley Av. B43 —1G 47
Waverley Av. CV11 —5H 137
Waverley Clo. DY10 —1F 141
Waverley Cres. WV2 —4G 29
Waverley Cres. WV4 —1B 42
Waverley Gdns. WV5 —4B 40
Waverley Gro. B91 —4C 108
Waverley Rd. B10 —1E 91
Waverley Rd. CV8 —4B 150
Waverley Rd. CV31 —6C 149
Waverley Rd. WS3 —1C 22
Waverley Rd. WS10 —4B 32
Waverley Sq. CV11 —5H 137
Waverley St. DY2 —4C 54
Waverley Wlk. WS14 —4F 151
Waverton M. CV31 —6D 149
Wavytree Clo. CV34 —3D 146
Waxland Rd. B63 —4H 85
Wayfield Clo. B90 —4A 108
Wayfield Rd. B90 —4A 108
Wayford Dri. B72 —4A 50
Wayford Glade. WV13 —3G 31
Wayford Gro. B8 —2H 75
Waynecroft Rd. B43 —2D 46
Wayside. B37 —5H 77
Wayside. WV8 —1E 19
Wayside Acres. WV8 —5A 10
Wayside Dri. B74 —5D 26
Wayside Gdns. WV12 —4C 22
Wayside Wlk. WS2 —5E 23
Wealden Hatch. WV10 —4B 12
Wealdstone Dri. DY3 —3H 53
Weale Gro. CV34 —2E 147
Weaman St. B4 —2A 74 & 2C 152
Weatheroak Rd. B11 —2D 90
Weather Oaks. B17 —2B 88
Weatheroaks. WS9 —4F 17
Weatheroaks Hal B62 —5D 70
Weaver Av. B26 —1D 92
Weaver Av. B76 —3D 50
Weaver Clo. DY5 —5G 53
Weavers Rise. DY2 —3E 69
Weavers Wlk. CV6 —1F 117
Weaving Gdns. WS11 —5C 4
Webbcroft Rd. B33 —2C 76
Webb La. B28 —2E 107
Webb Rd. DY4 —4A 44
Webb St. CV10 —4B 136
Webb St. WV13 —1G 31
Webb St. WV14 —2E 43
Webley Rise. WV10 —4B 12
Webster Av. CV8 —2C 150
Webster Clo. B11 —1C 90
Webster Clo. B72 —4H 49
Webster Rd. WS2 —4G 23
Webster Rd. WV13 —5G 21
Webster St. CV6 —1C 116
Webster Wlk. WS11 —2E 5
Webster Way. B76 —3D 50
Weddell Wynd. WV14 —2F 43
Weddington Rd. CV10 —1F 137
Weddington Ter. CV10 —2G 137
Wedgewood Av. B70 —4C 44
Wedgewood Clo. WS7 —1G 9
Wedgewood Ho. B37 —2B 78
Wedgewood Pl. B70 —4C 44
Wedgewood Rd. B32 —2F 87
Wedgnock Grn. CV34 —3D 146
Wedgnock Ind. Est. CV34 —2C 146
Wedgnock La. CV35 & CV34 —1B 146 to 3C 146
Wedgwood Clo. WV1 —2C 30
Wedgwood Dri. B20 —3F 59
Wednesbury Cross. WS10 —2C 44
Wednesbury New Enterprise Cen. WS10 —1A 44
Wednesbury Oak Rd. DY4 —3H 43
Wednesbury Rd. WS2 & WS1 —3F 33
Wednesbury Trading Est. WS10 —1C 44
Wednesfield Rd. WV10 —1A 30
Wednesfield Rd. WV13 —5G 21
Weeford Dri. B20 —1E 59
Weeford Rd. B75 —2B 38 to 1C 38
Weirbrook Clo. B29 —2B 104
Weland Clo. B46 —3A 64
Welbeck Av. LE10 —5F 139
Welbeck Av. WV10 —3A 20
Welbeck Dri. DY11 —3B 140
Welbeck Dri. WS4 —3C 24
Welbeck Gro. B23 —1C 60
Welbury Gdns. WV6 —4F 19
Welby Rd. B28 —5F 91
Welches Clo. B31 —3B 104
Welcombe Dri. B76 —4C 50
Welcombe Gro. B91 —4C 108
Weldon Clo. CV4 —2B 130
Welford Av. B26 —5C 76
Welford Gro. B74 —1G 37
Welford Pl. CV6 —1C 116
Welford Rd. B20 —4F 59
Welford Rd. B73 —3E 49
Welford Rd. B90 —4H 107
Welgarth Av. CV6 —2G 115
Welham Croft. B90 —3D 124
Welland Dri. DY8 —5F 67
Welland Gro. B24 —2A 62
Welland Gro. WV13 —1A 32
Welland Rd. B63 —4H 85
Welland Rd. CV1 —5D 116
Welland Way. B76 —4D 50
Well Clo. B36 —4B 62
Wellcroft Rd. B34 —5D 62
Wellcroft St. WS10 —1C 44
Wellesbourne. B79 —1D 134
Wellesbourne Clo. WV3 —3B 28
Wellesbourne Dri. DY1 —4D 42
Wellesbourne Rd. B20 —4F 59
Wellesbourne Rd. CV5 —4C 114
Wellesley Dri. DY4 —5G 43
Wellesley Gdns. B13 —5E 91
Wellesley Rd. B68 —1E 71
Wellfield Clo. WS11 —1A 6
Wellfield Gdns. DY2 —1F 69
Wellfield Rd. B28 —2H 107
Wellfield Rd. WS9 —2F 25
Wellhead La. B42 —3A 60
Wellhead Way. B6 —3A 60
Wellington Av. WV3 —3E 29
Wellington Clo. DY6 —2E 67
Wellington Ct. B64 —4G 69 (off Best St.)
Wellington Ct. DY11 —3C 140
Wellington Dri. WS11 —5A 4
Wellington Gdns. CV1 —5A 116
Wellington Gro. B91 —2C 108
Wellington Ho. B32 —3H 87
Wellington Pl. WV13 —5G 21
Wellington Rd. B15 —1G 89
Wellington Rd. B20 —3F 59
Wellington Rd. B60 —4E 143
Wellington Rd. B67 —2A 72
Wellington Rd. CV32 —3C 148
Wellington Rd. DY1 —4C 54
Wellington Rd. DY4 —1H 55
Wellington Rd. WS5 —4C 34
Wellington Rd. WV14 —4D 30
Wellington St. B18 & B66 —1D 72
Wellington St. B64 —4G 69
Wellington St. B69 —5E 57
Wellington St. B71 —1F 57
Wellington St. B98 —2C 144
Wellington St. CV1 —4C 116
Wellington St. WS2 —3E 33
Wellington St. S. B70 —1F 57
Wellington Ter. B19 —5G 59
Wellington Tower. B31 —1A 120
Well La. B5 —4A 74 & 4D 152
Well La. B60 —3E 143
Well La. LE10 —2E 139
Well La. WS3 —3G 23 to 2H 23
Well La. WS6 —1D 14
Well La. WV11 —4E 21
Wellman Croft. B29 —5D 88
Wellman's Rd. WV13 —2A 32
Well Meadow. B45 —3D 118
Wellmeadow Gro. B92 —2E 111
Wellmead Wlk. B45 —1D 118
Well Pl. WS3 —2G 23
Wells Av. WS10 —4H 31
Wells Clo. DY4 —2H 43
Wells Clo. DY11 —2A 140
Wells Clo. WS11 —2C 4
Wells Clo. WV6 —2A 18
Wellsford Av. B92 —3D 92
Wells Grn. Rd. B92 —3C 92
Wells Rd. B65 —2C 70
Wells Rd. B92 —3F 93
Wells Rd. DY5 —3G 67
Wells Rd. WV4 —5E 29
Wells Rd. WV14 —2F 43
Wells Tower. B16 —3F 73
Well St. B19 —1G 73 & 1H 73
Well St. CV1 —4B 116
Well St. WS10 —4C 32
Wells Wlk. B37 —4H 77
Welney Gdns. WV9 —5F 11
Welsby Av. B43 —4D 46
Welsh Clo. CV34 —1D 146
Welsh Ho. Farm Rd. B32 —3H 87 & 2A 88
Welshmans Hill. B73 —2D 48
Welsh Rd. CV2 —4E 117
Welsh Rd. CV32 —2E 148
Welton Rd. CV34 —2C 146
Welwyndale Rd. B72 —5A 50
Welwyn Rd. LE10 —2G 139
Wembley Gro. B25 —5A 76
Wembrook Clo. CV11 —5G 137
Wem Gdns. WV11 —3F 21
Wendel Cres. WV10 —4B 12
Wendiburgh St. CV4 —2D 130
Wendover Dri. LE10 —1F 139
Wendover Ho. B31 —1H 119
Wendover Rise. CV5 —4E 115
Wendover Rd. B23 —4D 48
Wendover Rd. B65 —1H 69
Wendover Rd. WV4 —2B 42
Wendron Clo. B60 —3E 143
Wendron Gro. B14 —3H 105
Wenlock. B77 —2E 135
Wenlock Av. WV3 —3E 29
Wenlock Clo. B63 —4E 85
Wenlock Clo. DY3 —4H 41
Wenlock Dri. B61 —1E 143
Wenlock Gdns. WS3 —4H 23
Wenlock Rd. B20 —3A 60
Wenlock Rd. DY8 —1G 83
Wenlock Way. CV10 —3A 136
Wenman St. B12 —1A 90 & 2A 90
Wensley Croft. B90 —2H 107
Wensleydale Rd. B42 —5F 47
Wensley Rd. B26 —1C 92
Wensum Clo. LE10 —3D 138
Wentbridge Rd. WV1 —2D 30
Wentworth Av. B36 —4E 63
Wentworth Clo. LE10 —1E 139
Wentworth Clo. WS7 —1H 9
Wentworth Ct. B24 —3F 61
Wentworth Dri. B69 —5H 55
Wentworth Dri. WS14 —4H 151
Wentworth Ga. B17 —1B 88
Wentworth Gro. WV6 —1A 18
Wentworth Pk. Av. B17 —1B 88
Wentworth Rise. B62 —3B 86
Wentworth Rd. B17 —1B 88 (in two parts)
Wentworth Rd. B74 —3G 37
Wentworth Rd. B92 —3C 92
Wentworth Rd. CV31 —6D 149
Wentworth Rd. DY8 —5D 66
Wentworth Rd. WS3 —4C 14
Wentworth Rd. WV10 —5B 12
Wentworth Way. B32 —3H 87
Wenyon Clo. DY4 —1H 55
Weoley Av. B29 —4B 88
Weoley Castle Rd. B29 —5H 87
Weoley Hill. B29 —1B 104
Weoley Pk. Rd. B29 —5B 88 & 5C 88
Wergs Dri. WV6 —3A 18
Wergs Hall Rd. WV6 —3A 18
Wergs Rd. WV6 —3A 18 to 4D 18
Wesley Av. B63 —5D 68
Wesley Av. WS6 —4B 6
Wesley Av. WV8 —5C 10
Wesley Clo. WV5 —1A 52
Wesley Ct. B64 —5G 69
Wesley Ct. WS11 —5C 4
Wesley Ct. WV13 —2F 31
Wesley Gro. WS10 —1C 44
Wesley Pl. DY4 —4A 44
Wesley Pl. WS12 —1F 5
Wesley Rd. B23 —1G 61
Wesley Rd. DY5 —1G 67
Wesley Rd. WV8 —5B 10
Wesley Rd. WV12 —3A 22
Wesley's Fold. WS10 —4B 32
Wesley St. B69 —4D 56
Wesley St. B70 —2E 57
Wesley St. WV2 —4C 30
Wesley St. WV14 —2F 43
Wesley Wlk. B60 —5C 142
Wesley Wlk. LE10 —5H 139
Wesley Way. B77 —1F 135
Wessenden. B77 —5H 135
Wessex Clo. CV12 —2E 81
Wessex Clo. WS8 —2E 17
Wessex Dri. WS11 —4D 4
Wessex Rd. WV2 —4B 30
Wesson Gdns. B63 —3H 85
Wesson Rd. WS10 —3B 32
Westacre. WV13 —2G 31
Westacre Cres. WV3 —2C 28
West Acre Dri. DY5 —5B 68
Westacre Gdns. B33 —3C 76
West Av. B20 —1E 59
West Av. B36 —4F 63
West Av. B69 —5A 56
West Av. B98 —3C 144
West Av. CV2 —5E 117
West Av. CV12 —3G 81
West Av. WV11 —4D 20
West Boulevd. B32 —2H 87 & 3H 87
Westbourne Av. B34 —1B 76
Westbourne Av. WS6 —4C 6
Westbourne Av. WS11 —4B 4
Westbourne Clo. B61 —4D 142
Westbourne Cres. B15 —5F 73
Westbourne Cres. WS7 —1G 9
Westbourne Gdns. B15 —5F 73
Westbourne Gro. B21 —5E 59
Westbourne Rd. B15 —5E 73
Westbourne Rd. B21 —4C 58
Westbourne Rd. B62 —1C 86
Westbourne Rd. B70 —3E 57
Westbourne Rd. B92 —1C 108
Westbourne Rd. WS4 —5A 24
Westbourne Rd. WS10 —4C 32
Westbourne Rd. WV4 —5F 29
Westbourne St. WS4 —5A 24
Westbourne Ter. B61 —4D 14 (off Worcester Rd.)
W. Bromwich Ringway. B70 —2F 57
W. Bromwich Rd. WS1 —4H 33
W. Bromwich Rd. WS5 —5H 33
W. Bromwich St. B69 —3D 56
W. Bromwich St. WS1 —3H 33
Westbrook Av. WS9 —4D 24
Westbrook Ct. CV5 —3C 114
Westbrook Way. WV5 —5A 40
Westbury Av. WS10 —4D 32
Westbury Ct. CV34 —3F 147
Westbury Ct. DY5 —4H 67
Westbury Rd. B17 —3B 72
Westbury Rd. CV5 —3F 115
Westbury Rd. CV10 —4C 136
Westbury Rd. WS10 —4D 32
Westbury St. WV1 —1H 29
Westcliff Dri. CV34 —2E 147
Westcliffe Dri. CV3 —3A 132
Westcliffe Pl. B31 —3H 103
West Clo. LE10 —3E 139
Westcombe Gro. B32 —5D 86
W. Coppice Rd. WS8 —2C 16
Westcote Av. B31 —5F 103
Westcote Clo. B92 —4D 92
Westcotes. CV4 —1D 130
Westcott Clo. DY6 —3E 67
Westcott Rd. B26 —5D 76
Westcroft Av. WV10 —1C 20
Westcroft Gro. B38 —4C 104
Westcroft Rd. DY3 —2G 41
Westcroft Rd. WV6 —3A 18
Westcroft Way. B14 —5C 106
West Dean Clo. B62 —3A 86
West Dri. B5 —2G 89
West Dri. B20 —4G 59
West Dri. B78 —5A 134
W. End Av. B66 —5F 57
Westerdale Clo. WV14 —4C 42
Westerham Clo. B93 —3G 125
Westeria Clo. B36 —4E 63
Westering Parkway. WV10 —4B 12
Westerings. B20 —3G 59
Western Av. B62 —2C 86
Western Av. DY3 —3G 41
Western Av. DY5 —4G 67
Western Av. WS2 —5B 22
Western By-Pass. WS13 —2E 151
Western Clo. WS2 —5B 22
Western Rd. B18 —2E 73
Western Rd. B24 —2G 61
Western Rd. B64 —5F 69
Western Rd. B69 —1E 71
Western Rd. B73 —3G 49
Western Rd. DY8 —2E 83
Western Rd. WS12 —1E 5
Western Way. DY11 —3B 140
Western Way. WS10 —1A 44
Westfield Av. B14 —5C 106
Westfield Clo. B93 —5G 125
Westfield Clo. CV10 —2G 137
Westfield Ct. LE10 —4D 138
Westfield Dri. WV5 —4A 40
Westfield Gro. WV3 —3C 28
Westfield Mnr. B74 —5H 27
Westfield Rd. B14 —5H 89
Westfield Rd. B15 —5C 72
Westfield Rd. B27 —3H 91
Westfield Rd. B62 —4C 70
Westfield Rd. B67 —2A 72
Westfield Rd. DY2 —5E 55
Westfield Rd. DY3 —2A 42
Westfield Rd. DY5 —5B 68
Westfield Rd. LE10 —4D 138 & 3E 139
Westfield Rd. WV13 —3F 31
Westfield Rd. WV14 —3D 30
Westford Gro. B28 —4E 107
West Ga. B16 —3D 72
Westgate. B64 —5D 68
Westgate. B69 —2C 70
Westgate. WS9 —3D 24
Westgate. WS12 —1H 5
Westgate Clo. CV34 —4D 146
Westgate Clo. DY3 —4A 42
West Grn. WV4 —5C 28
West Grn. Clo. B15 —5G 73
W. Grove Av. B90 —3C 124
Westgrove Ter. CV32 —3H 147
Westham Ho. B37 —2A 78
Westhaven Dri. B31 —1H 103
Westhaven Rd. B72 —4A 38
Westhay Rd. B28 —2H 107
Westheath Rd. B18 —2D 72
W. Heath Rd. B31 —5B 104
Westhill. WV3 —1C 28
W. Hill Av. WS12 —2E 5
Westhill Clo. B92 —1B 108
Westhill Rd. B38 —4E 105
Westhill Rd. CV6 —2G 115
W. Holme. B9 —4D 74
Westholme Croft. B30 —1D 104
Westhouse Gro. B14 —3H 105
Westland Av. WV3 —1F 29
Westland Clo. B23 —5F 49
Westland Gdns. DY8 —1E 83
Westland Gdns. WV3 —1F 29
Westland Rd. WV3 —1F 29
Westlands Est. DY8 —4D 66
Westlands Rd. B13 —5C 90
Westlands Rd. B76 —5C 50
Westland Wlk. B35 —2C 62
Westlea Rd. CV31 —6A 149
Westleigh Av. CV5 —2H 131
Westleigh Dri. WV5 —1A 52
Westley Brook Clo. B26 —2E 93
Westley Clo. B28 —2H 107
Westley Rd. B27 —4H 91
Westley St. B9 —4C 74
Westley St. DY1 —4D 54
Westmead Cres. B24 —2A 62
W. Mead Dri. B14 —2A 106
Westmead Dri. B68 —2E 71
Westmede Cen. CV5 —4E 115

Wilkes Av.—Wollescote Dri.

Wilkes Av. WS2 —1C 32
Wilkes Clo. WS3 —5H 15
Wilkes Croft. DY3 —4H 41
Wilkes Rd. WV8 —4A 10
Wilkes St. B71 —4H 45
Wilkes St. WV13 —2H 31
Wilkin Rd. WS8 —5C 8
Wilkins Ho. WS3 —1E 23 (off Sandbank)
Wilkinson Av. WV14 —1F 43
Wilkinson Clo. B73 —2H 49
Wilkinson Clo. WS7 —1F 9
Wilkinson Croft. B8 —5A 62
Wilkinson Rd. WS10 —5H 31
Wilkins Rd. WV14 —4E 31
Wilkin, The. WS8 —4C 8
Wilks Grn. B21 —2C 58
Willard Rd. B25 —1A 92
Willaston Rd. B33 —5F 77
Willclare Rd. B26 —1D 92
Willcock Rd. WV2 —4A 30
Willenhall La. CV3 —2H 133
Willenhall La. WS2 & WS3 —2D 22
Willenhall Rd. WS10 —2B 32
Willenhall Rd. WV1 & WV13 —2C 30
Willenhall Rd. WV14 —4G 31
Willenhall St. WS10 —3A 32 & 4A 32
Willerby Fold. WV10 —4B 12
Willersey Rd. B13 —1E 107
Willes Rd. B18 —1D 72
Willes Rd. CV32 & CV31 —4B 148
Willes Ter. CV31 —5C 149
Willett Rd. B71 —4H 45
Willetts Dri. B63 —3D 84
Willetts Rd. B31 —5A 104
Willetts Way. B64 —3G 69
Willey Gro. B24 —3H 61
William Arnold Clo. CV2 —3E 117
William Booth La. B4 —2H 73 & 1C 152
William Bree Av. CV5 —3A 114
William Bristow Rd. CV3 —2C 132
William Cook Rd. B8 —1H 75
William Ct. B13 —3B 90
William Grn. Rd. WS10 —1F 45
William Groubb Clo. CV3 —2H 133
William Harper Rd. WV13 —2H 31
William Henry St. B7 —1C 74
William Iliffe St. LE10 —3D 138
William Kerr Rd. DY4 —1A 56
William McCool Clo. CV3 —2H 133
William McKee Clo. CV3 —2H 133
William Morris Gro. WS11 —3B 4
William Rd. B67 —3G 71
Williams Clo. WV12 —4A 22
Williamson St. WV3 —2G 29
Williams Rd. CV31 —7E 149
William St. B15 —4G 73 & 4A 152
William St. B70 —1C 56
William St. B97 —2C 144
William St. CV11 —4G 137
William St. CV12 —3G 81
William St. CV32 —4B 148
William St. DY5 —3H 67
William St. WS4 —5H 23
William St. N. B19 —2H 73 & 1B 152
William St. W. B66 —5B 58
William Tarver Clo. CV34 —3F 147
Willingsworth Rd. WS10 —3A 44
Willington Rd. B79 —1D 134
Willington St. CV11 —2E 137
Willingworth Clo. WV14 —1C 42
Willis Gro. CV12 —2F 81
Willis Pearson Av. WV14 —2G 43
Willis St. DY11 —3C 140
Willmore Gro. B38 —2E 121
Willmore Rd. B20 —3H 59
Willmott Clo. B75 —1B 38
Willmott Rd. B75 —1B 38
Willon Way. B97 —2A 144
Willoughby Av. CV8 —4A 150
Willoughby Clo. CV3 —1H 133
Willoughby Dri. B91 —1E 125
Willoughby Gro. B29 —5A 88
Willoughby Rd. B79 —1A 134
Willow Av. B17 —4A 72
Willow Av. WS7 —2G 9
Willow Av. WS10 —5C 32
Willow Av. WV11 —2C 20
Willowbank. B78 —5C 134
Willow Bank. WV3 —2C 28
Willowbank Rd. B93 —3H 125
Willow Bank Rd. LE10 —3E 139
Willow Clo. B21 —4C 58
Willow Clo. B61 —3C 142
Willow Clo. CV12 —2E 81
Willow Clo. LE10 —5G 139
Willow Coppice. B32 —5F 87
Willow Ct. B61 —3C 142
Willow Ct. B66 —4F 57
Willow Ct. WS14 —5G 151
Willow Dri. B21 —3B 58
Willow Dri. B69 —5A 56
Willow Dri. B90 —4B 124
Willow Dri. WV8 —5B 10
Willow End. DY9 —3H 83
Willowfield Dri. DY11 —1C 140
Willow Gdns. B16 —2E 73
Willow Gdns. B61 —3D 142
Willow Gro. CV4 —5E 115
Willow Gro. WV11 —5H 13
Willow Heights. B64 —5H 69
Willowherb Clo. WS5 —1A 46
Willowherb Clo. WS11 —4F 5
Willow Meer. CV8 —3C 150
Willow M. B29 —5B 88
Willow Pk. Dri. DY8 —4F 83
Willow Rise. DY5 —4H 67
Willow Rd. B30 —1E 105
Willow Rd. B43 —2E 47
Willow Rd. B61 —3C 142
Willow Rd. B91 —5B 108
Willow Rd. CV10 —2C 136
Willow Rd. DY1 —1C 54
Willow Rd. WV3 —3D 28
Willowsbrook Rd. B62 —5C 70
Willows Cres. B12 —2H 89
Willowside. WS4 —2C 24
Willows Rd. B12 —2A 90
Willows Rd. WS1 —2A 34
Willows Rd. WS4 —2B 24
Willows, The. B47 —3B 122
Willows, The. B74 —1G 37
Willows, The. CV12 —3C 80
Willows, The. WS11 —5A 4
Willow Tree Clo. WS13 —1F 151
Willow Wlk. B76 —4C 50
Willow Way. B37 —4A 78
Willow Way. B97 —2A 144
Wills Av. B71 —4E 45
Willsbridge Covert. B14 —5H 105
Wills Ho. B70 —3F 57
Willson Croft. B28 —4E 107
Wills St. B19 —5G 59
Wills Way. B66 —2C 72
Wilmcote Clo. B12 —2A 90
Wilmcote Dri. B75 —1H 37
Wilmcote Grn. CV5 —4C 114
Wilmcote Rd. B91 —2C 108
Wilmington Rd. B32 —1E 87
Wilmore La. B47 —4A 122
Wilmot Av. B46 —1E 79
Wilmot Dri. B23 —5G 49
Wilmott Clo. WS13 —3E 151
Wilnecote Gro. B42 —2H 59
Wilnecote Gro. CV31 —6D 149
Wilnecote La. B77 —3E 135
Wilner's View. WS3 —4H 15
Wilsford Clo. B14 —5H 105
Wilsford Clo. WS4 —2C 24
Wilson Dri. B75 —5D 38 (in two parts)
Wilson Gro. CV8 —3D 150
Wilson Gro. WS11 —4F 5
Wilson Ho. B69 —2B 70
Wilson Rd. B19 —4H 59
Wilson Rd. B66 —3B 72
Wilson Rd. B68 —5G 71
Wilson Rd. DY5 —2H 67
Wilson Rd. WV14 —4D 42
Wilsons La. CV6 —2D 100
Wilsons Rd. B93 —3B 126
Wilson St. DY4 —1H 55
Wilson St. WV1 —5H 19
Wiltell Rd. WS14 —4G 151
Wilton Av. DY11 —1B 140 (in two parts)
Wilton Clo. DY3 —4A 42
Wilton Pl. B6 —4A 60
Wilton Rd. B11 —2C 90
Wilton Rd. B20 —3G 59
Wilton Rd. B23 —1G 61
Wilton Rd. CV7 —3C 128
Wilton St. B19 —4H 59 & 5H 59
Wiltshire Av. B20 —2E 59
Wiltshire Clo. B71 —5F 45
Wiltshire Clo. CV5 —4D 114
Wiltshire Clo. CV12 —3E 81
Wiltshire Clo. WS2 —5G 23
Wiltshire Dri. B63 —1D 84
Wiltshire Way. B71 —4F 45
Wimblebury Rd. WS12 —2H 5 to 5H 5
Wimbledon Dri. DY8 —5G 83
Wimborne Rd. WV10 —4C 20
Wimbourne Clo. CV10 —2A 136
Wimbourne Rd. B16 —2D 72
Wimbourne Rd. B76 —1D 50
Wimperis Way. B43 —5G 35
Wimpole Gro. B44 —4C 48
Wimshurst Meadow. WV10 —4B 12
Wincanton Croft. B36 —4A 62
Winceby Pl. CV4 —1A 130
Winceby Rd. WV6 —1A 28
Winchat Clo. CV3 —1H 133
Winchcombe Clo. B92 —4D 92
Winchcombe Rd. B92 —4E 93
Winchester Av. CV10 —1F 137
Winchester Av. DY11 —2A 140
Winchester Clo. B65 —2C 70
Winchester Clo. WS13 —1G 151
Winchester Ct. B74 —1F 37 (off Vesey Clo.)
Winchester Dri. B37 —4A 78
Winchester Dri. DY8 —4F 83
Winchester Dri. LE10 —3H 139
Winchester Gdns. B31 —4A 104
Winchester Gro. B21 —4B 58
Winchester Rise. DY1 —3C 54
Winchester Rd. B20 —3H 59
Winchester Rd. B71 —3E 45
Winchester Rd. WS11 —3E 5
Winchester Rd. WV10 —5H 11
Winchester St. CV1 —4C 116
Winchfield Dri. B17 —5H 71
Wincote Dri. WV6 —5C 18
Wincrest Way. B34 —1E 77
Windemere. B77 —5G 135
Windermere Av. CV3 —1H 133
Windermere Av. CV5 —3B 114
Windermere Av. CV11 —1H 137
Windermere Dri. B74 —5B 26
Windermere Dri. CV32 —1H 147
Windermere Dri. DY6 —1D 66
Windermere Ho. B69 —1B 70
Windermere Ho. DY10 —2E 141
Windermere Pl. WS11 —5C 4
Windermere Rd. B13 —5D 90
Windermere Rd. B21 —3D 58
Windermere Rd. WV6 —2D 18
Winding Mill N. DY5 —5A 68
Winding Mill S. DY5 —1A 84
Windings, The. WS13 —2F 151
Windlass Croft. B31 —3A 104
Windleaves Rd. B36 —4G 63
Windley Clo. B19 —1H 73
Windmill Av. B45 —1C 118 (in two parts)
Windmill Av. B46 —5D 64
Windmill Bank. WV5 —4B 40
Windmill Clo. B31 —3B 104
Windmill Clo. B79 —1C 134
Windmill Clo. CV8 —2C 150
Windmill Clo. WS13 —1E 151
Windmill Cres. B66 —1B 72
Windmill Cres. WV3 —2B 28
Windmill Croft. CV32 —1E 148
Windmill Dri. B97 —5A 144
Windmill End. DY2 —2F 69
Windmill Gro. DY6 —4B 52
Windmill Hill. B31 —3B 104
Windmill Hill. B63 —2E 85
Windmill Hill. CV32 —1E 148
Windmill Hill, The. CV5 —1C 114
Windmill Ind. Est. CV5 —1C 114
Windmill La. B66 —2B 72
Windmill La. CV7 —1A 98
Windmill La. WS13 —1E 151
Windmill La. WV3 —2A 28
Windmill Precinct. B66 —1B 72
Windmill Rd. B90 —5E 107
Windmill Rd. CV6 —4D 100
Windmill Rd. CV7 —5D 80
Windmill Rd. CV10 —1B 136
Windmill Rd. CV31 —7B 149
Windmill St. B1 —4H 73 & 4B 152
Windmill St. DY1 —3C 54
Windmill St. DY3 —1A 54
Windmill St. WS1 —3H 33
Windmill St. WS10 —1D 44
Windmill Ter. WS10 —1D 44
Windmill View. DY1 —4D 42
Windridge Clo. CV3 —3G 133
Windridge Cres. B92 —5H 93
Windrow, The. WV6 —2A 18
Windrush Clo. B92 —4D 92
Windrush Dri. LE10 —3C 138 & 3D 138
Windrush Gro. B29 —1F 105
Windrush Rd. B47 —2C 122
Windrush Rd. WS11 —1C 4
Windsor Arc. B2 —3A 74 & 3C 152
Windsor Av. B68 —3D 70
Windsor Av. WS12 —1E 5
Windsor Av. WV4 —4E 29
Windsor Clo. B31 —3A 120
Windsor Clo. B45 —5D 102
Windsor Clo. B63 —3G 85
Windsor Clo. B65 —2A 70
Windsor Clo. B79 —1D 134
Windsor Clo. DY3 —3G 53
Windsor Clo. WS4 —5C 16
Windsor Ct. CV10 —2C 136
Windsor Ct. CV32 —4B 148
Windsor Ct. LE10 —5H 139
Windsor Ct. WS14 —4G 151
Windsor Cres. DY2 —5E 55
Windsor Dri. B24 —5A 50
Windsor Dri. B92 —4E 93
Windsor Dri. DY10 —2E 141
Windsor Gdns. B60 —3E 143
Windsor Gdns. WV3 —3B 28
Windsor Gdns. WV8 —5A 10
Windsor Ga. WV12 —5A 22
Windsor Gro. DY8 —4D 66
Windsor Ho. B23 —5F 49
Windsor Ind. Est. B7 —1C 74
Windsor Pl. B7 —2C 74
Windsor Pl. CV32 —4B 148
Windsor Rd. B30 —3F 105
Windsor Rd. B36 —5H 63
Windsor Rd. B63 —3G 85
Windsor Rd. B65 —2A 70
Windsor Rd. B68 —3D 70
Windsor Rd. B71 —3E 45
Windsor Rd. B73 —2E 49
Windsor Rd. B97 —1B 144
Windsor Rd. DY4 —3H 43
Windsor Rd. DY8 —4D 82
Windsor Rd. WS6 —3C 6
Windsor Rd. WV4 —5B 30
Windsor Rd. WV5 —5A 40
Windsor St. B7 —1B 74 & 2B 74
Windsor St. B60 —3D 142
Windsor St. B97 —2B 144
Windsor St. CV1 —5A 116
Windsor St. CV11 —3F 137
Windsor St. CV32 —4B 148
Windsor St. LE10 —5G 139
Windsor St. WS1 —3H 33
Windsor St. WV14 —4E 31
Windsor Ter. B16 —4E 73
Windsor View. B32 —1E 103
Windsor Wlk. WS10 —3B 32
Windsor Way. WS4 —3D 24
Windward Way. B36 —4H 63 to 1A 78
Windy Arbour. CV8 —3C 150 & 4C 150
Windyridge Rd. B76 —5C 50
Winfield Rd. CV11 —2F 137
Winford Av. DY6 —2E 67
Winforton Clo. B98 —3G 145
Wingate Clo. B30 —4E 105
Wingate Rd. WS2 —1C 32
Wing Clo. WS2 —5D 22
Wingfield Clo. B37 —3H 77
Wingfield Ho. B37 —2H 77
Wingfield Rd. B42 —4H 47
Wingfield Rd. B46 —1E 79
Wingfield Way. CV6 —4H 99
Wingfoot Av. WV10 —2A 20
Wingrave Clo. CV5 —2D 114
Winifred Av. CV5 —1H 131
Winifride Ct. B17 —2B 88
Winkle St. B70 —1E 57
Winleigh Rd. B20 —3E 59
Winnall St. WV14 —2F 43
Winnalthorpe. CV3 —3H 133
Winnie Rd. B29 —5D 88
Winnington Rd. B8 —5G 61
Winnipeg Rd. B38 —1E 121
Winsford Av. CV5 —3D 114
Winsford Clo. B63 —1H 85
Winsford Clo. B76 —1B 50
Winsham Gro. B21 —4D 58
Winsham Wlk. CV3 —5B 132
Winslow Av. B8 —2H 75
Winslow Clo. B98 —3H 145
Winslow Clo. CV5 —4E 115
Winslow Clo. CV32 —2H 147
Winslow Dri. WV6 —5E 19
Winson Grn. Rd. B18 —1D 72
Winson St. B18 —2D 72
Winspear Clo. CV7 —5C 96
Winstanley Rd. B33 —3B 76
Winster Av. B93 —4G 125
Winster Clo. CV7 —1H 99
Winster Gro. B44 —2H 47
Winster Rd. B43 —4C 46
Winster Rd. WV1 —2D 30
Winston Av. CV2 —5G 101
Winston Clo. CV2 —5G 101
Winston Cres. CV32 —2D 148
Winston Dri. B20 —4F 59
Winstone Clo. B98 —2D 144
Winterbourne Croft. B14 —5H 105
Winterbourne Rd. B91 —3C 108
Winter Clo. WS13 —1H 151
Winterfold Clo. DY10 —3G 141
Winterley Gdns. DY3 —5A 42
Winterley La. WS4 —3B 24
Winterton Rd. B44 —1B 48
Winterton Rd. CV12 —2B 80
Winthorpe Dri. B91 —1E 125
Wintney Clo. B17 —5A 72
Winton Gro. B76 —5D 50
Wintour Wlk. B60 —5C 142
Winward Rd. B98 —4H 145
Winwood Rd. B65 —3C 70
Winwoods Gro. B32 —5E 87
Winyate Hill. B98 —3D 144
Winyates Cen. B98 —3H 145
Winyates Way. B98 —1G 145
Wirehill Dri. B98 —4D 144
Wiremill Clo. B44 —5A 48
Wirral Rd. B31 —2H 103
Wiseacre Croft. B90 —5E 107
Wise Gro. CV34 —1D 146
Wiseman Gro. B23 —3E 49
Wisemore. WS1 —1G 33 (in three parts)
Wise St. CV31 —5B 149
Wise Ter. CV31 —6B 149
Wishaw Clo. B90 —5F 107
Wishaw Clo. B98 —5D 144
Wishaw Gro. B37 —1H 77
Wishaw La. B76 —5F 51
Wisley Gro. CV8 —3D 150
Wisley Way. B32 —2H 87
Wissage Ct. WS13 —3H 151
Wissage Croft. WS13 —2G 151
Wissage La. WS13 —2H 151
Wissage Rd. WS13 —2H 151
Wistaria Clo. B31 —2A 104
Wisteria Clo. CV2 —4F 101
Wisteria Gro. B44 —2A 48
Wistmans Clo. DY1 —3A 54
Wistwood Hayes. WV10 —4B 12
Witham Ct. B66 —5G 57
Witham Croft. B91 —1E 125
Withdean Clo. B11 —2E 91
Witherford Clo. B29 —1C 104
Witherford Croft. B91 —5B 108
Witherford Way. B29 —5C 88
Withern Way. DY3 —2H 53
Withers Rd. WV8 —5C 10
Withers Way. B71 —1G 57
Withington Covert. B14 —5H 105
Withington Gro. B93 —4G 125
Withybrook Rd. B90 —1H 123
Withybrook Rd. CV12 —1C 80
Withy Gro. B37 —1H 77
Withy Hill Rd. B75 —4C 38 to 3E 39
Withymere La. WV5 —3C 40
Withymoor Rd. DY2 —2F 69
Withymoor Rd. DY8 —5F 67
Withy Rd. WV14 —1D 42 (in two parts)
Withywood Clo. WV12 —1A 22
Witley Av. B63 —3F 85
Witley Av. B91 —5F 109
Witley Clo. DY11 —5B 140
Witley Cres. B69 —2C 70
Witley Farm Clo. B91 —5F 109
Witley Rd. B31 —5C 104
Witney Clo. B79 —1B 134
Witney Dri. B37 —3H 77
Witney Gro. WV10 —5G 11
Witton Bank. B62 —1C 86
Witton La. B6 —3B 60
Witton La. B71 —3D 44
Witton Lodge Rd. B23 —4C 48
Witton Rd. B6 —4A 60
Witton Rd. WV4 —4F 29
Witton St. B9 —3C 74
Witton St. DY8 —3E 83
Wixford Croft. B34 —5D 62
Wixford Gro. B90 —5A 108
Wobaston Rd. WV9 & WV10 —4D 10 to 5H 11
Woburn. B77 —2E 135
Woburn Av. WV12 —3H 21
Woburn Clo. B61 —4C 142
Woburn Clo. CV31 —6D 149
Woburn Clo. LE10 —1F 139
Woburn Cres. B43 —3C 46
Woburn Dri. B62 —5H 69 & 1H 85
Woburn Dri. CV10 —5E 137
Woburn Dri. DY5 —5G 67
Woburn Gro. B27 —5A 92
Wodehouse La. WV5 & DY3 —4C 40
Woden Av. WV11 —3D 20 & 4D 20
Woden Clo. WV5 —4A 40
Woden Cres. WV11 —3D 20
Woden Pas. WS10 —2C 44
Woden Rd. WV10 —5B 20
Woden Rd. E. WS10 —5E 33
Woden Rd. N. WS10 —5C 32
Woden Rd. S. WS10 —3D 44
Woden Rd. W. WS10 —1B 44
Woden Way. WV11 —3D 20
Wolcot Gro. B6 —1B 60
Wold Wlk. B13 —2D 106
Wolfe Rd. CV4 —2C 130
Wolfsbane Dri. WS5 —1A 46
Wollaston Ct. DY8 —1C 82
Wollaston Cres. WV11 —3E 21
Wollaston Rd. DY7 —1C 82
Wollaston Rd. DY8 —5E 67
Wollerton Gro. B75 —4C 38
Wollescote Dri. B91 —5E 109

AREAS COVERED BY THIS ATLAS
with their map square reference

Names in this index shown in CAPITAL LETTERS, followed by its Postcode area, are Postal addresses.

HOSPITALS and major CLINICS in the area
covered by this atlas.

N.B. Where Hospitals and Clinics are not named on the map, the reference given is for the road in which they are situated.

Albert Street Clinic —2C 44
Albert St., Wednesbury,
W. Midlands, WS10 7EN
Tel: (021) 556 2637

Aldridge Road School Clinic —3H 47
Aldridge Rd., Birmingham, B44 8NT
Tel: (021) 360 1808

Alfred Squire Road Health Centre —4E 21
Alfred Squire Rd., Wednesfield,
Wolverhampton, W. Midlands,
Tel: (0902) 732 381

All Saints' —1E 73
Lodge Rd., Winson Green,
Birmingham 18
Tel: (021) 554 3801

Ashfurlong Health Centre —3B 39
233 Tamworth Rd.,
Sutton Coldfield,
W. Midlands, B73 6UR
Tel: (021) 308 6565

Ashmore Park Health Centre —2G 21
Griffiths Dri., Wednesfield,
Wolverhampton, W. Midlands
Tel: (0902) 736 417

Aston Health Centre —4A 60
175 Trinity Rd., Aston,
Birmingham, B6 6JA
Tel: (021) 328 7900

Banners Gate Clinic —1C 48
Reay Nadin Dri., Sutton Coldfield,
W. Midlands, B73 6UR
Tel: (021) 383 3821

Barley Green Health Centre —5E 87
Romsley Rd., Bartley Green, B32 3PS
Tel: (021) 477 4800

Bayer Hall Clinic —3E 43
Bayer St., Cosely, Dudley,
W. Midlands, WV14 9DS
Tel: (0902) 882306

Beeches, The —1F 29
Tettenhall Rd., Wolverhampton, WV3
Tel: (0902) 307999

Bell Green Health & Family Centre —5F 101
Roseberry Av., Bell Green,
Coventry, CV2 1NE
Tel: (0203) 663209

Birmingham and Midland Eye —3H 73
Church St., Birmingham 3
Tel: (021) 236 4911

Birmingham and Midland Women's —3D 90
Showell Grn. La.,
Birmingham 11
Tel: (021) 772 1101

Birmingham Chest Clinic —3H 73
151 Great Charles St.,
Birmingham 3
Tel: (021) 236 8791

Birmingham Children's Hospital —4F 73
Ladywood Middleway,
Birmingham 16
Tel: (021) 454 4851

Birmingham General —3A 74
Steelhouse La., Birmingham 4
Tel: (021) 236 8611

Birmingham Maternity —2D 88
Queen Elizabeth Medical Centre,
Birmingham 15
Tel: (021) 472 1377

Birmingham Nuffield Hospital —2E 89
22 Somerset Rd., Edgbaston,
Birmingham 15
Tel: (021) 456 2000

Bloxwich Community Unit —2E 23
High St., Bloxwich, WS3
Tel: (0922) 495001

Boldmere Clinic —3G 49
194 Boldmere Rd.,
Sutton Coldfield,
W. Midlands, B73 5UE
Tel: (021) 354 4748

Bilston Health Centre —4F 31
Prouds La., Bilston,
Wolverhampton, W. Midlands
Tel: (0902) 404626

Brierley Hill Clinic —3A 68
Albion St., Brierley Hill,
W. Midlands
Tel: (0284) 480088/77382

Brandhall Clinic —5E 71
Kingsway, Oldbury, Warley,
W. Midlands, B68 0RT
Tel: (021) 422 8365

Broad Street Health Centre —2D 116
Broad St., Coventry, CV1 2JL
Tel: (0203) 844056

Bromsgrove Clinic —3D 142
Reacreation Rd., Bromsgrove,
Worcestershire, B61 0NJ
Tel: (0527) 75340

Brooklands Parade Health Centre —1C 30
Brooklands Pde.,
Wolverhampton, WV1 2ND
Tel: (0902) 351676

Canley Clinic —2C 130
Kele Rd., Coventry, CV4 9PN
Tel: (0203) 464568

Cannock Community Hospital —4B 4
Brunswick Rd., Cannock, WS11 2XY
Tel: (0543) 462621

Carlyle Road Clinic —3A 70
Carlyle Rd., Rowley Regis,
Warley, W. Midlands, B65 9BQ
Tel: (021) 561 4183

Castle Bromwich Clinic —4H 63
Hurst La. N., Castle Bromwich,
Birmingham, B90 0EY
Tel: (021) 747 2977

Central Clinic —5A 44
Horseley Rd., Tipton,
W. Midlands, D44 7NB
Tel: (021) 557 1682

Chase —1B 6
202 Wolverhampton Rd.,
Cannock, WS11
Tel: (0420) 488801

Cheylesmore Clinic —3C 132
Poitiers Rd., Cheylesmore,
Coventry, CV3 5JX
Tel: (0203) 501961

Chelmsley —5A 78
Marston Green, Birmingham 37
Tel: (021) 779 6981

Christadelphian Home —3H 91
19 Sherbourne Rd., Acock's Green,
Birmingham 27
Tel: (021) 707 9000

Church Hill Clinic —1F 145
Tanhouse La., Church Hill,
Redditch, Worcestershire, B98 9AB
Tel: (0527) 69723

Colley Lane Clinic —1D 84
Colley La., Halesowen,
W. Midlands, B63 2TL
Tel: (0384) 69022

Corbett —1F 83
Amblecote, Stourbridge, DY8
Tel: (0384) 456111

Coundon Clinic —3H 115
Coundon, Coventry, CV6 1DU
Tel: (0203) 592198

Coventry and Warwickshire —4B 116
Stoney Stanton Rd., Coventry, CV1
Tel: (0203) 224055

Crabtree Drive Clinic —3H 77
Crabtree Dri., Chelmsley Wood,
Birmingham, B37 5BU
Tel: (021) 770 4261

Cronehills Health Centre —2F 57
Cronehills Linkway, W. Bromwich,
W. Midlands, B70 8TJ
Tel: (021) 553 6271

Cross Street Health Centre —3D 54
Cross St., Dudley,
W. Midlands, DY1
Tel: (0384) 459500

Dental —2A 74
St Chad's Queensway,
Birmingham 4
Tel: (021) 236 8611

Dudley Road —2E 73
Dudley Rd., Birmingham 18
Tel: (021) 554 3801

Dudley Physiotherapy Clinic —3D 54
Parsons St., Dudley, DY1
Tel: (0384) 233306

Dudley Wood Clinic —3E 69
Dudley Wood Rd., Dudley,
W. Midlands, DY2 0DB
Tel: (0384) 69232

East Birmingham —3H 75
Bordesley Grn. E., Birmingham 9
Tel: (021) 766 6611

Edward Street —2F 57
Edward St., West Bromwich
Tel: (021) 553 7676

Falcon Lodge Clinic —5D 39
Churchill Rd., Sutton Coldfield,
W. Midlands, B75 7LB
Tel: (021) 378 3657

Farm Road Health Centre —1C 90
Sparkbrook, Birmingham, B11 1LS
Tel: (021) 772 1395

Feldon Lane Clinic —5C 70
Feldon La., Halesowen,
W. Midlands, B62 9DR
Tel: (021) 442 6096

Firs Lane Health Centre —1A 72
Firs La., Smethwick, B67
Tel: (021) 565 3047

Franche Clinic —1C 140
Franche Rd., Kidderminster,
Worcestershire, DY11 5BB
Tel: (0562) 742 249

Frankley Health Centre —5D 102
Holly Hill, Frankley,
Worcestershire, B45 0EU
Tel: (021) 453 8211/7937

Friar Park Clinic —1G 45
Friar Park Rd., Wednesbury,
W. Midlands, WS10 0JS
Tel: (021) 556 0234

George Eliot —4E 137
College St., Nuneaton, CV10
Tel: (0203) 351351

Good Hope General —4B 38
Rectory Rd.,
Sutton Coldfield, B75
Tel: 021 —378 2211

Goscote —2H 23
Goscote La., Goscote,
Walsall, WS3
Tel: (0922) 710710

Green Lane Medical Centre —3H 131
Green La., Coventry, CV3 6EA
Tel: (0203) 692512

Greet Health Centre —2E 91
249 Warwick Rd.,
Birmingham, B11 2ND
Tel: (021) 772 1411

Guest, The —2F 55
Tipton Rd., Dudley, DY1
Tel: (0384) 456111

Gulson —5C 116
Gulson Rd., Coventry, CV1
Tel: (0203) 224055

Hammerwich —3F 9
Hospital Rd.,
Hammerwich, WS7
Tel: (0543) 686224

Hamstead Clinic —4C 46
Tanhouse Av., Hamstead,
Birmingham, B34 5AS
Tel: (021) 357 2592

Hawkesley Health Centre —2D 120
375 Shannon Rd.,
Birmingham, B38 9TJ
Tel: (021) 451 3111

Hayley Green —5E 85
Hagley Rd., Hayley Green,
Halesowen, B63
Tel: (021) 550 8141

Hearing Aid Clinic —2E 73
Western Rd., Birmingham 18
Tel: (021) 554 3801

Heathcote —8A 149
Heathcote La.,
Warwick, CV34
Tel: (0926) 332280

Heathlands —5A 90
Queensbridge Rd.,
King's Heath,
Birmingham 13
Tel: (021) 442 4545

Heath Lane —4G 45
Heath La., West Bromwich, B71
Tel: (021) 553 1831

Heathtown Medical Centre —5B 20
Cherbidl Rise, Heathtown,
Wolverhampton, WV10 0HP
Tel: (0902) 451045

Highcroft —2E 61
Highcroft Rd., Birmingham 23
Tel: (021) 378 2211

Hill Clinic —4F 27
Harrison Rd., Sutton Coldfield,
W. Midlands, B73 4JL
Tel. (021) 353 5200

Hillfields Health Centre —4C 116
Howard St., Coventry, CV1 4GH
Tel: (0203) 224055

Hill Lane Clinic —2D 46
Hill Lane, Great Barr,
Birmingham, B43 6NA
Tel: (021) 357 2054

Hillmeads Health Centre —1F 121
97 Hillmeads Rd.,
Birmingham, B38 9NE
Tel: (021) 458 3250

Hill Top Clinic —4E 45
'Newlands'
Coles La., Hilltop,
W. Bromwich
Tel: (021) 556 6992

Hobs Moat Clinic —4D 92
Ulleries Rd., Solihull,
W. Midlands, B92 8ED
Tel: (021) 743 6671

Hollies Clinic —2E 71
Joinings Bank, Oldbury,
Warley, W. Midlands, B68 8QL
Tel: (021) 552 1323

Holly Hall Clinic —5B 54
Dudley, W. Midlands, DY1 2ER
Tel: (0384) 77574

Holly Lane Clinic —5G 57
Holly La., Smethwick,
Warley, W. Midlands
Tel: (021) 558 2895

Hollymoor —5F 103
Northfield, Birmingham 31
Tel: (021) 475 7421

Horrell Road Centre for Health Care —1D 92
Horrell Rd.,
Birmingham, B26 2PB

James Preston Health Centre —1H 49
61 Holland Rd., Sutton Coldfield,
W. Midlands, B72 1AL
Tel: (021) 355 1085

Joseph Sheldon Geriatric —1E 19
Bristol Rd. S., Rednal,
Birmingham 45
Tel: (021) 627 1627

Jubilee Clinic —1A 116
Jubilee Cres., Radford,
Coventry, CV6 3EX
Tel: (0203) 596707

Kidderminster General —3C 140
Bewdley Rd.,
Kidderminster, DY11
Tel: (0562) 823424

Kidderminster General —2D 140
Mill St., Kidderminster, DY11
Tel: (0562) 823424

Ladies Walk Clinic —4A 42
Sedgley, Dudley,
W. Midlands, DY3 3UA
Tel: (0902) 880300

Ladywood Health Centre —3F 73
395 Ladywood Middleway,
Birmingham, B16 2TP
Tel: (021) 454 1871

Lansdowne Health Centre —2E 73
34 Lansdowne St.,
Birmingham, B18 7EE
Tel: (021) 551 1455

Lee Bank Health Centre —4G 73
42 Bexhill Gro.,
Birmingham, B15 2DR
Tel: (021) 622 4846

Ley Hill Health Centre —2G 103
165 Holloway, Northfield,
Birmingham, B31 1TR
Tel: (021) 475 4011

Little Aston Hospital —4C 26
Little Aston Hall Dri., Little Aston,
Sutton Coldfield,
W. Midlands, B74 3UP
Tel: (021) 353 2444

Lower Gornal Health Centre —3H 53
Bull St., Lower Gornal,
Dudley, W. Midlands
Tel: (0384) 459621

Lower Green Health Centre —4E 19
Lower St., Tettenhall,
Wolverhampton,
W. Midlands
Tel: (0902) 756161

Mace Street Clinic —4F 69
Mace St., Cradley Health,
Warley, W. Midlands, B64 6HP
Tel: (0384) 65389

Manor —2E 137
Manor Ct. Av., Nuneaton, CV11
Tel: (0203) 351351

Manor —2F 33
Moat Rd., Walsall, WS2
Tel: (0922) 721172

Marston Green Clinic —5A 78
Land La., Marston Green,
Birmingham, B37 7DQ
Tel: (021) 743 6671

Maypole Health Centre —4B 106
10 Sladepool Farm Rd.,
Birmingham, B14
Tel: (021) 430 5353

Mesty Croft Clinic —2E 45
Alma St., Wednesbury,
W. Midlands, WS10 0QB
Tel: (021) 556 0020

Middlefield —4A 126
Station Rd., Knowle, nr. Solihull, B93
Tel: (021) 705 8255

Midland Centre for Neurosurgery and
Neurology —1G 71
Holly La., Smethwick, B67
Tel: (021) 558 3232

Minworth Clinic —5G 51
Kingsbury Clo., Sutton Coldfield,
W. Midlands, B76 9DH
Tel: (021) 351 1689

Monyhull —4H 105
Monyhull Hall Rd.,
Birmingham 30
Tel: (021) 627 1627

Moor Green Lane Medical Centre —5G 89
339 Moor Grn. La., Moor Green,
Birmingham, B13 8QS
Tel: (021) 472 6959

Moseley Hall —4A 90
Alcester Rd., Moseley,
Birmingham 13
Tel: (021) 442 4321

Moxley —2A 44
Bull La., Wednesbury, WS10
Tel: (021) 556 0754

Netherton Health Centre —2E 69
Halesowen Rd., Netherton
Tel: (0384) 459826

New Cross —4C 20
Wednesfield Rd.,
Wolverhampton, WV10
Tel: (0902) 307999

Newtown Health Centre —5H 59
171 Melbourne Av., Newtown,
Birmingham, B19 2Ja
Tel: (021) 554 2541

Northbrook Health Centre —3A 108
Northbrook Rd., Shirley, Solihull,
W. Midlands, B90 3LX
Tel: (021) 745 8360

Northcroft —1E 61
Reservoir Rd., Erdington,
Birmingham 23
Tel: (021) 378 2211

Northfield Health Centre —4H 103
15 St. Heliers Rd.,
Birmingham, B31 1QT
Tel: (021) 478 2000

Nuneaton Maternity —4E 137
Heath End Rd., Nuneaton, CV10
Tel: (0203) 351351

Oxley Community Health Clinic —1G 19
Probert Rd., Oxley,
Wolverhampton, W. Midlands

Orthopaedic Clinic —3F 135
Tamworth General Hospital
Hospital St., Tamworth, B79
Tel: (0827) 63771

Oxley Community Health Clinic —1G 19
Probert Rd., Oxley,
Wolverhampton,
W. Midlands
Tel: (0902) 398030

Pendeford Health Centre —5F 11
Whitburn Clo., Pendeford,
Wolverhampton,
W. Midlands
Tel: (0902) 781 898

Penn Geriatric —1E 41
Penn Rd., Wolverhampton, WV4
Tel: (0902) 336161

Pond La. Community Mental Handicapped
Unit
44 Pond La.,
Wolverhampton, WV2
Tel: (0902) 459377

Priory Clinic —2D 54
Cedar Rd., Priory Estate,
Dudley, W. Midlands, DY1 4HW
Tel: (0384) 459522

Quarry Bank Clinic —4C 68
Woodhouse Ct., Sheffield St.,
Brierley Hill, W. Midlands, DY5 1EB
Tel: (0384) 638373

Queen Elizabeth —3D 88
Queen Elizabeth Medical Centre,
Birmingham 15
Tel: (021) 472 1311

Queen Elizabeth Psychiatric Hospital —3D 88
Edgbaston, Birmingham, B15 2QZ
Tel: (021) 472 1311

Quinton Lane Health Centre —1G 87
27 Quinton La.,
Birmingham, B32 2TR
Tel: (021) 427 2511

Red Hill Street Clinic —5H 19
Red Hill St., Wolverhampton,
W. Midlands
Tel: (0902) 312123

Ridge Hill —3E 67
Brierley Hill Rd.,
Stourbridge, DY8
Tel: (0384) 401401

Riversley Park Clinic —3F 137
Riversley Park, Nuneaton, CV11
Tel: (0203) 353626

Royal, The —2A 30
Cleveland Rd.,
Wolverhampton, WV2
Tel: (0902) 307999

Royal Midland Counties Home —7B 149
Tachbrook Rd.,
Leamington Spa, CV31
Tel: (0926) 330421

Royal Orthopaedic —3B 104
The Woodlands, Bristol Rd. S.,
Northfield, Birmingham 31
Tel: (021) 627 1627

Rubery Clinic —2C 118
Barrington Rd., Rubery,
Birmingham, B45 9ET
Tel: (021) 453 3685

Rubery Hill —1D 118
Rubery, Birmingham 45
Tel: (021) 627 1627

Russell's Hall —5A 54
Dudley, DY1
Tel: (0384) 456111

Saint Editha's —1F 135
31 Wigginton Rd., Tamworth, B79
Tel: (0827) 63771

Saint Gerard's (Warwickshire Orthopaedic)
—1E 79
Coleshill, Birmingham
Tel: (0675) 463242

Saint Margaret's —1F 47
Great Barr Park, Birmingham 43
Tel: (021) 360 7777

Saint Michael's —2H 151
15 Trent Valley Rd., Lichfield, WS13
Tel: (0543) 414555

Sandwell District General —1G 57
Lyndon, West Bromwich, B71
Tel: (021) 553 1831

Selly Oak —5E 89
Raddlebarn Rd., Selly Oak,
Birmingham 29
Tel: (021) 627 1627

Shirley Road Health Centre —5H 91
189 Shirley Rd.,
Birmingham B27 7NP
Tel: (021) 706 7118

Skin (in-patients) —5G 73
George Rd., Edgbaston,
Birmingham 15
Tel: (021) 455 7444

Smallwood Health Centre —2C 144
Church Grn. W.,
Redditch, B97
Tel: (0527) 60121

Solihull —3F 109
Lode La., Solihull, B91
Tel: (021) 711 4455

Sorrento Maternity —4B 90
Wake Grn. Rd., Moseley,
Birmingham 13
Tel: (021) 449 4242

South Warwickshire —3E 147
Lakin Rd., Warwick, CV34
Tel: (0926) 495321

South Warwickshire Pathological Laboratory
—3E 147
Warwick General Hospital
Lakin Rd., Warwick, CV34
Tel: (0926) 495321

Sparkhill Health Centre —4E 91
858 Stratford Rd., Sparkhill,
Birmingham, B11 4BS
Tel: (021) 777 7575

Special Clinic —2A 30
The Royal Hospital
Cleveland Rd.,
Wolverhampton, WV2
Tel: (0902) 307999

Stanhope Road Clinic —3H 71
Stanhope Rd., Smethwick,
Warley, W. Midlands, B67 6HQ
Tel: (021) 429 3962

Stechford Health Centre —4B 76
393 Station Rd.,
Birmingham, B33 8PL
Tel: (021) 783 5009

Stoke Aldermoor Clinic —5E 117
Aldermoor La.,
Coventry, CV3 1BN
Tel: (0203) 452473

Stone Cross Clinic —3H 45
Jervoise La., W. Bromwich,
W. Midlands
Tel: (021) 588 5527

Sutton Coldfield —1H 49
Birmingham Rd.,
Sutton Coldfield, B72
Tel: (021) 355 6031

Tamworth General —3F 135
Hospital St., Tamworth, B79
Tel: (0827) 63771

Taylor Memorial Home —1A 62
Grange Rd., Erdington,
Birmingham 24
Tel: (021) 373 5526

Tile Hill Health Centre —5C 114
Jardine Cres., Tile Hill,
Coventry, CV4 9PL
Tel: (0203) 466611

Tower Hill Health Centre —5F 47
25 Tower Hill, Great Barr,
Birmingham, B42 1LG
Tel: (021) 357 1406

Tyburn Clinic —3A 62
848 Tyburn Rd.,
Birmingham
Tel: (021) 373 0313/383 4868

Victoria —4F 151
Friary Rd., Lichfield, WS13
Tel: (0543) 414555

Victoria Health Centre —2B 72
Suffrage St., Warley,
W. Midlands, B66 3PZ
Tel: (021) 565 3553

Hospitals and Clinics

Wakeley Hill Clinic —1E 41
Wakeley Hill,
Wolverhampton, WV4 5QZ
Tel: (0902) 330508

Walsgrave —2H 117
Clifford Bri. Rd., Coventry, CV2
Tel: (0203) 602020

Warren Farm Road School Clinic —3C 48
Warren Farm Rd., Kingstanding,
Birmingham, B44 0AD
Tel: (021) 373 1740

Warren Pearl Marie Curie Centre —4G 109
911/913 Warwick Rd.,
Solihull, B91
Tel: (021) 705 4607/8

Warstones Health Centre —4D 28
Warstones Dri.,
Wolverhampton, W. Midlands
Tel: (0902) 333 181

Weoley Castle Health Centre —5A 88
187 Weoley Castle Rd.,
Birmingham, B29 5QH
Tel: (021) 427 2160

West Heath —1C 120
Rednall Rd., West Heath,
Birmingham 38
Tel: (021) 627 1627

West Hill Clinic —5H 83
Hagley Rd., Stourbridge
Tel: (0384) 396501

West Park —1G 29
Park Rd. W.,
Wolverhampton, WV1
Tel: (0902) 310641

Wheatfield Close Clinic —5A 64
Wheatfield Clo.,
Chelmsley Wood,
Birmingham, B36 0QP
Tel: (021) 770 2941

Whiteheath Clinic —1B 70
Hartlebury Rd., Oldbury,
Warley, W. Midlands
Tel: (021) 552 2560

Willenhall Clinic —3G 133
Stretton Av., Coventry, CV3 3AH
Tel: (0203) 304888

Winyates Health Centre —3H 145
Winyates, Redditch,
Worcestershire, B98 0NR
Tel: (0527) 29109

Wolverhampton and Midland Counties Eye
Infirmary —2F 29
Compton Rd.,
Wolverhampton, WV3
Tel: (0902) 307999

Wolverhampton Nuffield —5C 18
Wood Rd., Tettenhall, WV6
Tel: (0902) 754177

Wolverhampton Radiography Unit —4C 20
New Cross Hospital
Wednesfield Rd.,
Wolverhampton, WV10
Tel: (0902) 307999

Woodcross Clinic —2C 42
Woodcross La., Cosely,
Wolverhampton, W. Midlands
Tel: (0902) 674088

Wood End Health Centre —5G 101
Hillmorton Rd., Wood End,
Coventry, CV2 1SG
Tel: (0203) 615151

Woodgate Valley Health Centre —5G 87
61 Stevens Av.,
Birmingham, B32
Tel: (021) 472 1344

Woodrow Clinic —5E 145
Woodrow Centre, Redditch,
Worcestershire, B98 7RY
Tel: (0527) 527875

Wordsley —2E 67
Stream Rd., Stourbridge, DY8
Tel: (0384) 456111

Wordsley Green Health Centre —3D 66
Wordsley Grn., Wordsley,
Nr. Stourbridge
Tel: (0284) 271271

Wythall Health Centre —2B 122
May La., Hollywood,
Birmingham, B47 5PD
Tel: (0564) 822580

Yardley Wood Health Centre —3E 107
401 Highfield Rd., Yardley Wood,
Birmingham, B14 4DU
Tel: (021) 474 2276

Every possible care has been taken to ensure that the information given in this publication is accurate and whilst the publishers would be grateful to learn of any errors, they regret they cannot accept any responsibility for loss thereby caused.

The representation on the maps of a road, track or footpath is no evidence of the existence of a right of way.

The Grid on this map is the National Grid taken from the Ordnance Survey map with the permission of the Controller of Her Majesty's Stationery Office.

Copyright of Geographers' A-Z Map Co. Ltd.

No reproduction by any method whatsoever of any part of this publication is permitted without the prior consent of the copyright owners.

Printed and bound in Great Britain by
BPC Hazell Books Ltd
A member of
The British Printing Company Ltd